THE MAN'S THE GOWD

for a' that

With a foreword by
Professor Alan Riach

"Splendidly written: a rich powerful Scots, using the full fouth of the rural vocabulary . . . and done expertly by a master of the language."
Robert McLellan Tassie award

"The characters come alive in powefully evoked settings and most of all in the authenticity of their Scots voices."
Dr. Chris Robinson, Scottish Language Dictionaries

"The harsh and laborious life of farmers and miners, oppressed by both nature and human agency, is vividly evoked; the landscape and the changing seasons are beautifully presented; and the expressive and realistic Scots dialogue brings the characters to vibrant life."
J Derrick McClure, University of Aberdeen

First Published in Great Britain, 2012.

ISBN - 978 0 9567550 4 9

Published by Carn Publishing,
Lochnoran House,
Auchinleck, Ayrshire, KA18 3JW.

Printed by Bell & Bain Ltd,
Glasgow, G46 7UQ.

James Andrew Begg

Born in New Cumnock, with deep roots in rural Ayrshire stretching back four hundred years, Jimmy Begg is a retired GP, married and living in Ayr. His two previous books *Rescue 177* (2003) and *Burning and Turning* (2006) cover eleven years of flying with the Royal Navy as a helicopter Search and Rescue doctor.

A member of Ayr Rotary Club, he wrote the best-selling Official Guide Book for the popular *Ayrshire Coastal Path* (2008) that he helped to create, and now maintains.

As a native Scots speaker - and writer - he is several times past winner of the Scottish National Open Poetry Competition for Scots verse, and has broadcast on the BBC. In 1991 he published a volume of poetry and short stories in Ayrshire Scots - *The Dipper an the Three Wee Deils*. In 2005 he won the Scots Language Society's Robert McLellan Tassie award for the best short story in Scots.

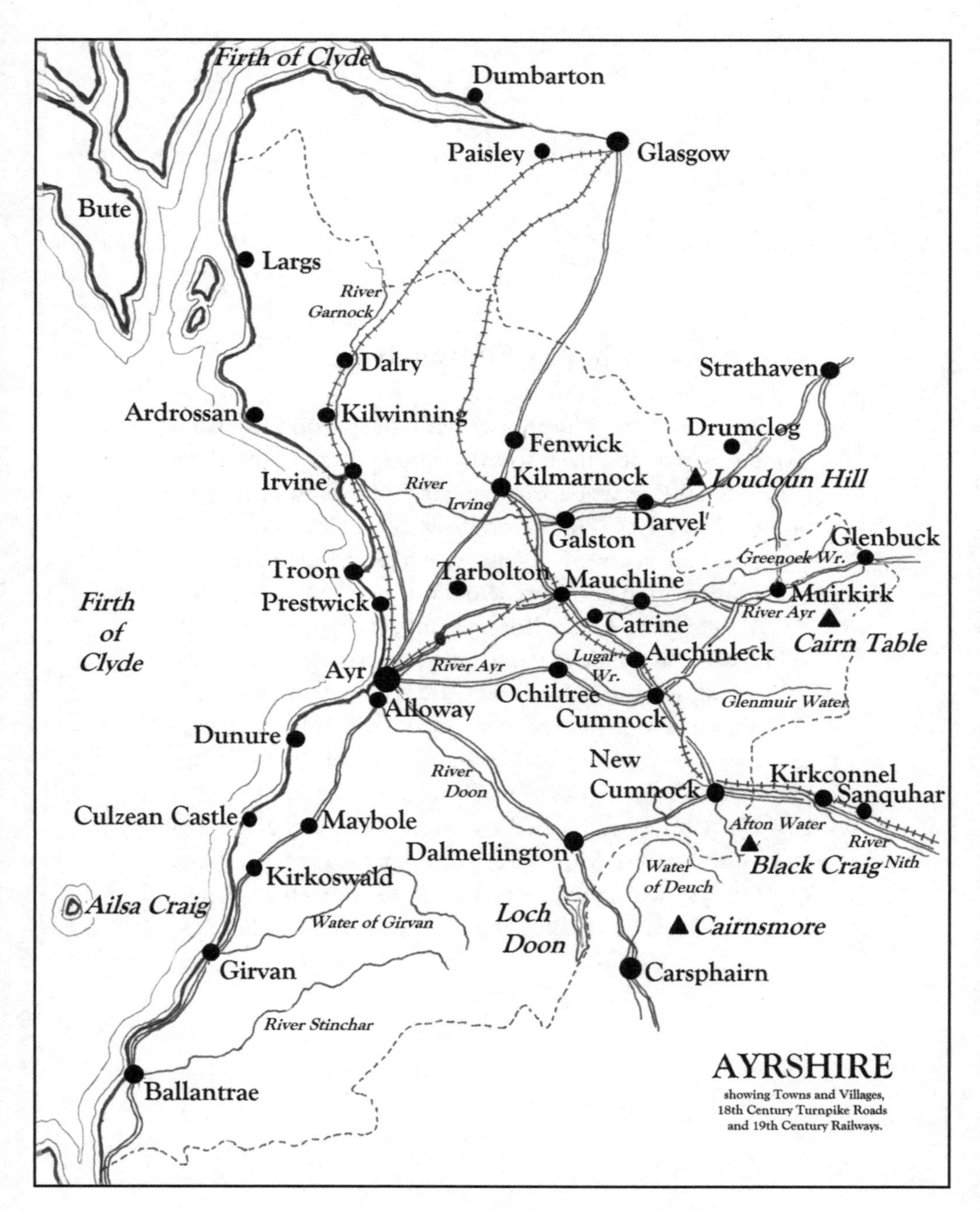

Author's sketch map showing Ayrshire towns and villages,
18th century turnpike roads, and 19th century railways.

THE MAN'S THE GOWD

for a' that

James Andrew Begg

CARN PUBLISHING

For Colin and Fiona

FOREWORD

by Alan Riach

When heard or spoken, the Scots language in its various forms is probably familiar and fluent to most Scots, bilingual in English as we usually are; but in writing, at least since Smollett and Scott, since the eighteenth century, English has been the dominant language of law, objectivity, forensic appraisal and intellectual detachment.

In the 1920s, Lewis Grassic Gibbon broke through the convention of keeping English for narrative and Scots for dialogue, and created an idiom for his great trilogy of novels *A Scots Quair* which used English vocabulary generally but seeded it with so many carefully chosen Scots words that the entire work was made to inhabit the language spoken by the characters it depicts. Since then, Scots voices have been present in narrative prose fiction with greater confidence, especially in Robert McLellan's Linmill Stories and, in the urban context, in the fiction of James Kelman and Irvine Welsh.

Yet the sustained use of a specific regional, rural Scots as the narrative language of an extended work of prose fiction is rare, and James Begg's new novel *The Man's the Gowd for a' That* demonstrates impressively and conclusively the qualities the language can deliver to written storytelling. It endorses the authority of human depth in the characters - these are not comic caricatures or eccentrics - while it demonstrates the art of skilful writing.

The great American poet Robert Lowell once said that 'the excellence of a poet depends on the unique opportunities of his native language.' Likewise a novelist, and especially this novelist, James Begg, and this novel.

Professor Alan Riach, Scottish Literature,
Glasgow University

Contents

Foreword by Alan Riach 7
Introduction to the Scots Language..10

1. 2010 - The Waaheids 13
2. 1666 - The Christian Carrier...22
3. 1685 - John Broun o Priesthill - Martyr 33
4. 1680-1688 - The Killing Times 48
5. 1685-1711 - The Orphan Lass 65
6. 1736 - The Litigant Portioner 78
7. 1764 - Fareweel Cruikedbank...90
8. 1768 - The Lowland Clearances...99
9. 1786 - The Killie Fleshers...107
10. 1787 - The Irvine Weavers 113
11. 1787 - The Laird's Maid 119
12. 1788 - The Muirkirk Miner...133
13. 1793-1802 - The Fallen Wumman..140
14. 1788-1795 - The Accident 151
15. 1796 - The Toll-getherer...157
16. 1815 - The Bigamist – Aforehaun...167
17. 1816 - Herds an Hirsels...179
18. 1826-1855 - Brounhill on Deuch...190
19. 1832 - The Newton Collier..205
20. 1836 - The Bigamist - The Twa Wives 210
21. 1841 - The Plouman 222
22. 1841 - Sanquhar 228
23. 1851-1871 - The Ties That Bind 236
24. 1857-1870 - The Waunerin Miners 250
25. 1860 - High Society 264
26. 1867-1881 - The Station Maister's Wife 276
27. 1871-1879 - Doun the Pit...284
28. 1880 - Luve an Loss..293
29. 1870 - The Pownie Driver 301
30. 1884 - The Radical Collier 308
31. 1894 - The Leemonade Man 316
32. 2012 - Ayont the Waaheids...324

Glossary 329
Appendix - Great-grandparents' Lineage 339

Introduction to the Scots Language

Origin: The Scots Language has its seventh century origins in the Old English spoken by the Angles from Northumbria, who invaded the southeast and south of Scotland and penetrated up the River Nith from the Solway as far as Kyle in Ayrshire - the heartland of our tale. This ancestor of Lowland Scots replaced the Brythonic Celtic language spoken by the British tribes of Strathclyde since Roman times; and continued as the dominant language of the region despite a subsequent ninth century invasion by Gaelic-speaking tribes from Ireland, who occupied Galloway.

Early in the sixth century, a Gaelic-speaking Irish tribe, the Scottii, sailed from Antrim across to Argyll and conquered its Pictish inhabitants to form the kingdom of Dalriada. Over the next four centuries, this Celtic kingdom expanded greatly north of the Forth and Clyde to become Alba or Scotland. As a result, Gaelic spread to become the dominant language of a major part of Scotland, until the Norman-supported accession of David I in 1124. Thereafter the process was reversed and the influence of Gaelic gradually declined.

Now it was the turn of the Old English-speaking population to expand and embrace the whole of the south of Scotland, and as far up as the north-east. Although the language of the King's Court had changed from Gaelic to Norman French, the spread of English/Scots usage in the general population was mainly due a great influx of landowners and servants from the east of England. These people were of Scandinavian/Viking settler and Flemish merchant stock. Their Northern English tongue gradually blended with the original Old English of the south of Scotland to become Older Scots - which by the fourteenth century was the dominant language of Scots of all ranks south of the Highland Line.

In 1376, John Barbour's epic poem *Brus* became the first literary classic in Older Scots. Within fifty years Older Scots was established as the language of the Scottish Parliament and the King's Court; and by the second half of the fifteenth century Scots was the principal literary and record language of Scotland, having superseded Latin and French.

Over a period of seven centuries, in the same way as Norse and Swedish diverged from an original Danish tongue, Old English split into two separate languages. In England, it became Tudor English, with a Latin/French-dominated vocabulary. In Scotland, where French influence was minimal, there was a strong Scandinavian influence in both vocabulary and pronunciation of Older Scots.

However, following the Union of the Crowns in 1603 and the flitting of James VI to London, there began four hundred years of systematic anglification of Scotland - and the demeaning of her language - which has continued to the present day. In King James's Court, Scottish nobles and gentry were derided and mocked by their English counterparts for their uncouth, unintelligible tongue; and consequently sent their offspring to be educated in England. Scottish poets, writers, and publishers shied away from using the Scots language in favour of English. As a result, Scots lost the legitimacy and stimulus of a strong literary heritage, and reverted once more to being simply the spoken tongue of the people.

Matters worsened after the Union of Parliaments in 1707. But the widespread unpopularity of this power shift to London led to a resurgence of popular Scottish vernacular poetry, first by Allan Ramsay, then Robert Fergusson, and finally - and especially - by Robert Burns. While the gentry and aspiring gentry were attending English classes to refine their speech and remove all 'Scotticisms', the poems of Burns reinvigorated the Scots language as an expressive literary medium for serious poetry - but not for serious narrative prose.

While Sir Walter Scott used Scots dialogue widely and brilliantly in his *Waverley Novels* to illustrate his Scots characters, his narrative prose remained English. Unfortunately, this style of writing has continued till modern times - apart from the outstanding example of Robert McLellan, whose highly acclaimed *Linmill Stories*, were written entirely in classic Lowland Scots, and proved that Scots could also hold its place in good prose writing.

Sadly, the predominance of English literature, and paucity of prose writing in Scots, have, over the centuries, led to a state of linguistic illiteracy among Scotland's 1.5 million Scots speakers. They can speak Scots, but have difficulty writing in Scots, due largely to the lack of a standard Scots spelling. This problem is compounded by wide dialect variations between the Doric of the north-east, the rural Lallans of the south and west, and the urban Scots of Glasgow, leading to the widespread use of different phonetic spellings of common words.

The Scots Language Society and university academics are working to establish the basis for a standard Scots orthography; and staff at Scottish Language Dictionaries are monitoring progress towards standardisation. But this will take time and patience - and will also require a change in the attitude of some Scots writers who mangle their language with confusing, outlandish, phonetic spellings, which even native Scots speakers find difficult to interpret - far less folk interested to learn more about the language. Anyone coming across unfamiliar words or spellings can now look them up in the electronic Dictionary of the Scots Language at **www.dsl.ac.uk**.

Spelling and Pronunciation: This book is written in lowland Ayrshire Scots - the language and dialect of Robert Burns - in a style similar to McLellan's classic Lanarkshire Scots. English words such as 'position' are spelled as such and not spelled phonetically like 'poseetion' or 'poseishun' just to emphasise a particular dialect pronunciation, Readers are left to use their own pronunciation. Where possible - and to make it easier for the reader - if a word is the same in English and Scots, the accepted modern spelling is used, rather than some archaic form.

As far as Scots vowel sounds are concerned - bearing in mind that many Scots (as well as English) words, which look similar to each other in form, may be pronounced differently - the following rules apply:

Vowels and Dipthongs	as in Scots words	as in English words (as spoken by Scottish speakers)
a,e,i,o,u	aff, ben, birl, boss, purn	*chaff, ten, whirl, loss, turn*
ae, ai	gae, brae, graith	*hay, faith*
au, aa	glaur, faur, haun, baa, waa	*for, gone, saw*
ei, ee	beild, weir, sweit	*shield, spear, meet*
eu	deuk, heuk, sheuch	*yu(k)*
ey, y	hey, Mey, gyte	*hei(ght), mi(ght), site*
ou, oo	hous, crouse, dour,	*loose, poor*
ow	lowse, cowp, stowp	*mouse, cow(p)*
ui	buik, luik	*book, look*
Consonants		
ch	loch, nicht, dochter, wheech	*loch, Bach*
ch, tch	fleech, cotch	*beech, coach*

Word endings - and no apostrophes:

Since the English **-ing** suffix is seldom used in Scots, the **g** is dropped, and there is no need for an apostrophe after **-in**. Similarly, the **-ll** ending of words such as wall, ball, small and hall, is also dropped and replaced with a double **aa**.
Also dropped is the consonant **-d** at the end of words such as haun, or staun.
The soft **-ed** ending of English/Scots words is often shortened to **-d** or **-t** to sharpen or subtly alter the intonation of the word. eg **souchd** for sighed, or **gruppt** instead of gripped.
Similarly, for emphasis, it can also be replaced with **-it**. e.g. **stertit** instead of started.

Pronunciation:

Contrary to received wisdom from Anglophones about Received Pronunciation, both at school and in the media - and their exhortations to 'speak properly' - the Scots pronunciation of oot, hous, roun, cou, doo, mair, maist, licht, nicht, hunner, thousan, brek, bane, and countless other words - is the *original pronunciation* of these Norse/Germanic words for out, house, round, cow, dove, more, most, light, night, hundred, thousand, break, and bone. These words were later modified into a Southern Tudor English form, which was imposed on Scots speakers as part of the imperial anglicisation process from the seventeenth century onwards.

Chapter 1

2010 - THE WAAHEIDS

For a' that, an a' that,
Our toils obscure, an a' that,
The rank is but the guinea's stamp,
The man's the gowd for a' that.
Robert Burns - A Man's a Man For a' That

His eyes lingered on every contour, as he stood alone on the Castle Hill and slowly scanned the Waaheids - that distant ring of gently undulating high hills that surrounded the village and formed the Parish boundary. He could name them all. He had tramped them all. As a lad in his teens he had walked the lot in a twenty-four hour marathon Rover Scout challenge hike - sixty-five miles. Fifty years on, he was still proud of that feat. How far would these old legs take him now, he mused - probably a quarter of that distance if he was lucky.

The Upland Pairish was one of the largest in Ayrshire. One fine June night when he was a wee laddie, and they stood together on the brae behind their cottage at Knowetop, with the Glen Afton hills bathed in soft evening sunlight - his mother told him about the Waaheids, and the proud boast of the old natives that - *'If ye stuid on the Castle Hill an luiked roun the Waaheids, aa ye cuid see wis in the Pairish o New Cumnock!'* A real parochial boast if ever there was one. She added too, that in the far-off days of the flat earth, simple folk would have been feart to walk to the Waaheids in case they fell off the edge of the world. That must have been a gey lang while back, he mused, for incomers had been sneaking up through the Nithsdale gap since time immemorial. The forbidding old Norman Cumnock Castle, well known to Bruce and Wallace - and the English army of Edward II that hunted them in these hills - was long gone; used as a handy stone-quarry by natives building their humble biggins at the foot of its mound; in the area still known seven centuries later as The Castle.

He remembered his mother with great fondness. Born in the village, Molly Currie was a miner's daughter. For well over a hundred years, four generations of Curries had endured dreadful hardship as Ayrshire colliers, till her father Davie - an intelligent miner blessed with rare foresight - won for his bairns the chance to escape, and had wrocht and sacrificed during the Great Depression to allow her to graduate Master of Arts at Glasgow University. She in turn was unemployed for two years, but when she did find work, her meagre teacher's earnings went to giving her younger sister Susan the same opportunity. He remembered too with a smile, her quiet sense of fun, and pride in her Alma Mater, as she sang him the student songs of her day, *Woad* and *Gaudeamus Igitur*. A calm and gentle person, she was a wonderful mother, and a natural teacher, loved both by her children at school, and those at home. She had encouraged in himself and his two sisters a lifetime love of learning, of nature, and of the geography and historical traditions of the countryside around them.

Today there was no rain. The hills looked bonny - a pale green haze of new growth beginning to soften the bleak, tawny moor-grass, withered and bleached by a hard winter's snow and frost. Spring was aye late in the Upland Pairish, but the warm May sun was at last bursting the black buds of the ash trees anent the auld kirkyaird.

Beneath its ivy-clad east gable, a faint date on the kirk door lintel read 1659. In true Scots Presbyterian tradition, it had been a simple wee kirk, but had served God and the pairish weel for a hundred and seventy years - till it got too small and they built a big new kirk on the Glebe lands along the road. The Auld Kirk had been roofless now for a hundred and fifty years, left to the mercy of the elements; and its kirkyaird, which held the mortal remains of so many of his ancestors, had been left to the mercy of the village vandals.

He was here today to find them. Many of the heidstanes were cowpt, smashed or missing, but a great many still stood - silent reminders of mysterious times past and simple lives lived. Most of his great-grandparents and many of his great-great-grandparents were buried here - somewhere. Searching carefully for several hours, he found them, one by one and two by two.

In the north east corner close to the kirk wall, stood a low simple stane to *'John McDonald, Tailor, New Cumnock, died 12th December 1823 aged 44, and his son John who died in infancy, Alexander who died aged 28, Flora aged 20 and Mary aged 30. Isobella Ferguson, his wife died 4th February 1865 aged 77 years.'* Christened Mary McDonald Currie, he remembered his mother telling him that they were descended from the McDonalds of Glencoe. At the time it had sounded exciting, and his wee chest puffed with romantic pride to be connected with Scotland's historic dark Hielan past - but now he doubted he would ever be able to trace a link that far back.

These were great-great-great-grandparents - and it looked as if at least four of their eight children had died before the age of thirty. It didn't surprise him. How things had progressed over the past two centuries - and how rapidly during the past forty years that he'd practised as a family doctor. The scarlet fevers, croups, measles, pneumonias, tuberculosis, polio, typhoid, cholera, and smallpox, which took a terrible toll each winter of old and young alike from every family, rich and poor, were now things of the past, due to increasing affluence and the miracles of modern medicine. Yet millions today in the Third World were still trapped in a nineteenth-century time warp and died just as young as his forebears - from these same ancient diseases. In this twenty-first century, it was still an ill-divided world.

Alongside it was another auld stane, to his great-great-grandfather: *'In memory of James McDonald who died 4th February 1858 aged 51, and of his children viz. William died October 1854 aged 16, Donald who died 14th January 1856 aged 21, Ferguson who died 18th October 1859 aged 15. Margaret Kerr, relict of James Mcdonald, died 9th December 1891 aged 82.'* He marvelled at the stamina of Margaret Kerr, a blacksmith's daughter, who had borne thirteen children and seen three of them die young. Yet she reached the great age of eighty-two herself - on a par with her mother-in-law, Isobella Ferguson, who had died, according to her death certificate of - *'Decay of Nature'* - or auld age! He smiled to himself. How nice it would have been, to be allowed to put that simple honest diagnosis on a few of his own modern certificates when some of his auld folk did just *weir awa wi auld age* - rather than scrape around for some pseudo-academic diagnosis to placate the Registrar General and the medical statisticians.

And near at hand he was intrigued to find an even aulder stane, that of Isobella's mother, *Mary Andrew, died 15 April 1812, wife of James Ferguson, Farmer, of Whitehill* - his great-great-great-great-grandparents. Born a farmer's daughter at Tarbolton in 1753, her brothers must have been contemporaries of Robert Burns when he farmed at Lochlea and debated in the Bachelors' Club.

Close by he found the first of his great-grandparents' graves - **Mary McDonald**, daughter of James, who died aged just 45 in April 1892, and her husband **Samuel Lorimer**, a Colliery Joiner, who died, aged 67, in June 1910.

Against the east kirkyaird wall, half-hidden by ivy, was a stone to another great-great-grandfather *'Erected by John Stewart in loving memory of his parents, Robert Stewart who died 21st February 1884 aged 58, and Margaret Crawford who died 25th May 1898 aged 72.'* Though Robert Stewart himself was a well-respected Foreman Surfaceman on the new Dumfries railway, his father John was an old reprobate who led an intriguing and somewhat complicated married life as the bigamous husband of Mary Ferguson and Mary Gillespie. He chuckled - how he would love to learn more about that story!

Robert's daughter **Janet Stewart**, his great-grandmother, married **Owen Currie**, Coal Miner and Lemonade Manufacturer. 'Curries Lemonade' was still a well-known popular brand in the south of Scotland. While he knew their heidstane was in the new cemetery up Glen Afton, there was probably little chance of finding the grave of Owen's parents, David Currie and Isabella Gourlay, who were buried somewhere here in the Castle cemetery. Auld Davie Currie, who died in 1893, was a poor, illiterate, itinerant Coal Miner, wandering from pit to pit throughout Ayrshire, with a family of fourteen bairns. He could never have afforded the luxury of a heidstane.

His great-grandfather **William Inglis** - the first Station Master in New Cumnock and a pillar of the community - was also buried in the Castle cemetery along with his widow **Margaret Towers**. As a young man, his father had seen their gravestone against the kirkyaird wall near the north gate, but it too had tumbled, and long since disappeared. His father told him that Margaret Towers was disinherited by her wealthy Kilmarnock merchant-class parents for 'marrying beneath her' - and sacrificed a comfortable privileged life of soirees and society balls to be with the man she loved.

There was certainly no sign of their grave now, as he worked slowly southward along a row of slanted stones to encounter a fine large slab erected by Andrew Lammie his great-great-grandfather, *'In Memory of his wife Helen Heron'* who died tragically young at the age of 31 in March 1861, only a month after the birth of her sixth child. An Agricultural Labourer, he was left with six children under eleven years. Ten years later - aged eighteen, and with a four-month-old baby girl *'born the wrang side o the blankets'* - his daughter **Janet Brown Lammie** married great-grandfather **William Begg**. Like Owen Currie and Janet Stewart, their heidstane was also in Glen Afton cemetery.

It was this Lammie-Begg union that provided a family link with Robert Burns through his mother Agnes Broun. Janet Lammie's grandmother, Janet Brown, was born in 1797 at Darnhunch Toll-house, near Glenbuck, Muirkirk, where her father John Broun was the toll-keeper - and probably the nephew of Agnes Broun. From his youth, he remembered a car jaunt past Glenbuck with his father and his thrawn auld great-uncle Wull Begg - who pointed out the wee Darnhunch tollhouse on its bleak hillside by the old Edinburgh road, and pronounced - gruffly and without any further expansion - *'that's an ancestral hame'*. Just how on earth did Agnes Broun's nephew land up there - so far away from Kirkoswald?

It was at times like this he wished that, as a young student, he'd spent more time with his father's old spinster Aunt Bess, a retired art teacher. Still as sharp as a tack at 94-years old when she died, Bess Begg knew the whole story from her Grandfather Lammie, born in 1819. But unfortunately - being just as thrawn as her brother Wull - she burned all her papers before she passed away; leaving only one scribbled note she gave to her niece Jenny - a note which led him back to Darnhunch.

She and auld Wull aye maintained that *'the Beggs came frae Muirkirk'*; but this snippet of family lore always puzzled him, for he knew the family had lived in New Cumnock for nearly two centuries. Were there even more ancient connections with this other bleak upland parish? For Bess had also mentioned a strong family link with John Brown of Priesthill, the Covenanting Martyr, brutally murdered by John Graham of Claverhouse. Like maist o the Beggs - she wis seldom wrang - so he would have to follow this trail back as far as he could.

Further along the row, another fine slab of red sandstone caught his eye. Grey lichen partly obscured some of the letters, but by carefully scraping the growth away with the tip of his penknife, he was excited to read *'In Memory of Elizabeth Austin Spouse of James Begg who died at Greenhead New Cumnock on 15th Nov 1863 aged 57 years. Also the above James Begg who died at High Linn on the 27th April 1877 aged 82 years.'*

That a poor Agricultural Servant could manage to erect such an impressive memorial to his wife intrigued him, and touched his heart. He swallowed a lump in his throat as emotion welled up and he found himself blinking back a tear. For he knew the heart-rending story of his great-great-grandfather James Begg and of his poor mother Jean Weir - shamefully abused and bairned by her master, the notorious Laird of Logan (much despised and pilloried in verse by Robert Burns) - who was abandoned to bring up three faitherless bairns on her own at the end of the 18th century, in conditions of appalling hardship. In his turn, James was left caring for six mitherless bairns after his first wife died in 1836; until he met and married Elizabeth Austin. He had a faded old photograph of his great-great-grandfather - proudly risen from his humble origins - as a fine, dignified old man in a frock-coat. Scribbling a last entry, he pocketed his pencil, slowly closed his notebook, and gazed once more round the Waaheids.

He had done it. Very few people seeking their family roots could be so lucky as to find their full complement of great-grandparents, and so many great-great-grandparents, within the confines of one village. He bowed a grateful thanks to the guardian Waaheids, that had buchtit them like sheep in a stell, within this braid hirsel o a pairish - until the railways came alang.

With this rich seam of information, he could now delve deeper into Old Parish Records and Census Returns in the Carnegie Library - and browse the new Internet websites. He felt both elated and deeply moved as he retraced his steps and leant in silent contemplation over the gate in the kirkyaird wall. Looking south across the mown grass and cowpt heidstanes of the west-facing slope, his eyes swept over what had once been the 'Castle Meedows', rich flood-plain pasture grazed by cattle and sheep for centuries.

Old miners had told him that, when intensive mining exhausted the Knockshinnoch main seam many years ago, and the last supporting stoups of coal were removed, these meadows had subsided a full eight feet. Flooded by the River Nith to form a large loch, it was great for birdwatching, ged-fishing, and shooting; but sadly, one or two lads were drowned there in winter when the ice broke. So in the 1950s, with Knockshinnoch and Bank Pits in full production, this subsidence loch provided the Coal Board with a useful and ideal spot to dump all their pit waste, and at the same time 'reclaim' some land. Only they never reclaimed it - only abandoned it - like the village itself many years later in the nineteen-eighties, when they closed the last pit.

Fortunately - he mused as he gazed on the scene before him - Mother Nature had done a superb job for them; transforming a featureless, ugly, half-mile square of flat, grey pit bing into a superb woodland and wetland nature reserve. Colonised over the last fifty years by mature birch, willow, rowan, pine, heather, wild flowers and orchids; it was now criss-crossed by many paths, and walked with pride and enjoyment by the local folk and nature-loving visitors. What a fitting tribute, he thought, to the thousands of colliers who spent their lives lying on their sides, howkin coal from three-foot seams . . . and a fine memorial, especially, to many of those men who *gave their lives.*

Just across the main road from the auld kirk, he stood before the miners' monument - a big iron Glenny Lamp on a granite plinth, set around with hutch chains - a memorial to all the men and boys killed in the pits - and there had been a wheen o thaim. Memories of the 1950 Knockshinnoch Pit Disaster flooded his thoughts. He had been seven at the time, and his father Jimmy Begg, who worked as a clerk in the Coal Board offices at the Furnaces, took him to see the great crater in the ground where, like a perverse volcano, thousands of tons of peat and mud had been sucked down into the bowels of the earth, entombing one hundred and twenty-six men. His father helped man the telephones for three days and nights, his uncle was in the rescue squads, and several of his schoolmates lost their fathers among the thirteen miners who died. He still squirmed with anguish and shame at the memory of his mother bursting into tears when he came home from Bank School, where all his wee pals had been talking about the disaster, to declare disingenuously that - *'Dan Smith's mither says his faither is juist workin lang shifts - he tellt us himsel!'*

Pit accidents had hit his family too, he discovered in later years. His Granny Currie's first husband was killed in the pits. So was his father's uncle - and his son. His Granpa Currie had a big dent in his forehead from a roof-fall, and carried the miner's trademark - lifelong, blue coal-dust scars on his face and arms. A coal hewer, his great-grandfather Wull Begg never worked again after he broke his back in a serious pit accident. And goodness only knows how many others were crippled or died prematurely from lung disease caused by the coal stour.

As a youth, he went down Bank Pit - only once, with the Scouts - but the memory of that trip left a series of indelible pictures on his mind. The juddering and jolting of the cage on its pitch pine sliders as it dropped like a stone down the pit shank. One of his father's friends was a shanker, whose job it was to maintain that pit shaft. He shuddered at the thought. The pit bottom was surprisingly spacious, but the trip on the man-riding hutches 'doun the Douk' was something else. Arched steel roof girders packed with timber slats; the steep dive or douk, at the bottom of which was a claustrophobic three-foot high coalface, its roof supported by a mixture of steel hydraulic Dobson props and old-fashioned pine and larch wooden pit props. What a place to work and earn a living, as so many of his distant - and recent - forebears had done.

His grandfather James Begg escaped the pits via the Glasgow & South Western Railway Company, and rose from railway clerk to become their pier master at Ardnadam on the Holy Loch, where he died tragically young. His widowed grandmother Jessie Inglis was left on her own to bring up four bairns under nine - including twins of eleven months, his father and his uncle Andrew. She returned home to a tied colliery house in the village, to work as a teacher. But colliery houses were for pit workers only. There had to be a breadwinner. As her children grew older, Granny Begg faced eviction - if her eldest son Willie had not gone down the pit in short trousers at the age of fourteen, to work as that breadwinner. Andrew followed later, both apprenticed as pit engineers. As with so many other bright, ambitious, young village men - including his mother's brother Owen - their sound training down the pit equipped them all well for later engineering careers outwith the mines.

Due to a weak chest, his father Jimmy too, escaped the mines - but not the coal industry. Forced by necessity to leave school at sixteen, after a spell as a station-lad he became a colliery office clerk and coal traveller. Then six years war service in the army and back to the colliery offices. An untapped potential (like so many intelligent men and women of his, and previous generations) - his father was content to be immensely proud of the achievements of his weans and his grandweans.

He'd loved his father, straight and honest, aye thinkin o ither folk, and was proud to write his epitaph - *'A guid faither, a guid freen, an a guid man'*.

He cast his eyes beyond the bing, away to the south and west, where the sweep of rising ground was punctuated by distant, whitewashed farm buildings. But the auld miners' raws of Connelpark, Craigbank and Burnfoot, where he was raised, were long gone, and so were the pits these communities had served.

Yet the farms remained. Two hundred years ago, they saw the pits begin as 'Ingonees' - simple shallow mines driven into hillsides to exploit coal seams exposed in gullies eroded by the hill burns - then develop as deeper drift mines, and finally coal pits. Rigfoot shaft had been sunk to 214 fathoms - the deepest pit in Scotland in its day, and deeper than the Empire State Building - only to be abandoned to rising water. The Auld Pit at Bank was worked for over a hundred years, before being closed down just before Knockshinnoch.

And now those ancient farms were silent witnesses to another desecration. His ears tuned in to a distant low-pitched growl borne on the light southwesterly breeze from the hillside above the Nith at Auchincross. He could see dust clouds rising from the huge wheels of opencast trucks as they carried their thirty tons of rock on a non-stop merry-go-round from one new cut being developed to another being back-filled. Apart from the bonny hills of Glen Afton, there were opencast sites all round the Waaheids.

Fifteen years ago, it had been the turn of the brae face above Burnfoot. Full of apprehension, he went up there to find that his childhood haunts had been obliterated. Once undulating pasture-land criss-crossed by drystane dykes, now huge mountains of unstable broken rock rose menacingly skywards on the gentle slopes, no more than a hundred yards from where he'd lived and played as a boy. At school, he remembered learning in Geography class about the mysterious, invisible Southern Upland Fault that stretched from Stonehaven to Helensburgh in the north, and from Dunbar to Girvan in the south; and how fractures and upheavals in the rock strata had always made it difficult to win coal at an economic rate from these coalfields.

While his trip doun the Douk had given him some insight as to how uneven the strata was; the physical laying bare of a massive opencast cut, sloping upwards west to east at an angle of thirty degrees, brought it home to him just how serious these mining and geological problems must have been. For there ahead of him, on the Brockloch hillside, only half a mile from his old house, stood exposed a sixty-foot vertical wall of solid igneous rock - the actual Southern Upland Fault itself - the fault behind the death of the New Cumnock coalfield - and the village. It had been a moment of revelation.

His thoughts turned back to the farms - Burnfoot, Farden, Lanemark and Brockloch. They really had endured. He'd found most of their names on Johan Blaeu's Map of 1654. They had witnessed the birth, success, failure, death and resurrection of King Coal; and within a few years would see him finally buried again, while they continued their timeless, cyclical seasons.

Timeless perhaps, but not changeless. For centuries, many of his forebears had worked these poor, unforgiving, marginal lands of upland Ayrshire as farmers, agricultural servants, and shepherds - long before the pits. Was it hereditary? Was this why he'd enjoyed his school holidays in the early fifties workin the ferms, howin neeps, forkin hey, buildin rucks, scutchin thistles, stookin corn, an yokin an lowsin kye at the milkin. Fun jobs for bairns in the summer sun, but jobs at which his forebears must have laboured long and hard, for six pun the hauf-year.

But farming had changed a lot, even since his childhood. Heavily nitrogenised fields now formed a monotonous green backcloth to every white farm. Gone was the patchwork quilt of seasonal crops. Machinery and monoculture were the order of the day, as grass was cropped twice a year for silage for byre-fed beasts. A man and boy could run a farm nowadays. This was the second agricultural revolution, driving more folk from the land - in the same way as his forebears had been a hundred and fifty years syne.

Timeless tae, he thocht - like the biggins on the braes - wis the auld leid they still proudly spoke here in the Uplan Pairishes o Ayrshire, an aa ower the kintraeside o the south o Scotland. He'd aye argied that his Scots tung wis juist as muckle a pairt o oor Scottish heritage as the dumb, deid auld stanes o Dumfries House or Embro Castle; an it angert him that for centuries, the Establishment had tried tae ding it doun. Even nouadays, he heard a wheen menseless, snobby folk in politics, education, an the braidcastin media - still miscaa *'that vulgar slang that no one can understand'* - while at the same time, gey contrair-like, giein a muckle romantic heize tae the Gaelic. He'd ance seen a quote by Sidney Goodsir Smith - an cuidnae hae pit it better himsel:

We've come intil a gey queer time
Whan screivin Scots is near a crime,
'There's no one speaks like that', they fleer,
- But whae the deil spoke like King Lear?

As a young lad he mindit often bein pit doun - an tellt his Scots wis coorse slang - by a wheen o sae-caad educatit folk, that he kennt nou were juist bletherin-skites. There were nae guid Scots dictionaries in thae days - nor had he ever seen a Norwegian dictionary. Gin he had, he cuid hae tellt thaim different.

For when they were bairns they wad stot a baa aff the grun, gang fishin for ged, or douk in the burn an get bitten by clegs. Maist o thae *'slang'* words were pure Norse. Likewise on the ferms, when he'd uised a graip tae redd-oot the cou-skitter frae the byre, herd the stots an the queys; or wale oot some corn frae the meal-kist for the hens. There were hunners o sic words in his Norwegian an Danish dictionaries, wi a fair smatterin o Dutch, German, an French as weel - aa melled thegither intae a rich, couthy Scots tung.

Then there were ither folk - includin his ain granny - wha tellt him as a wee laddie tae speak proper English and say 'house, mouse, out, cow, round - hundred, more and most - and light and sight' . . . because that's hou they spoke on the BBC. But nou he kennt fine that we'd learned oor auld tung frae Norse, Danish, Dutch an German leids; an *hous, mous, oot, cou, hunner, mair an maist, licht an sicht* wis hou thae words had soundit frae the very stert. It wis the English that *'refained'* them tae suit their ain genteel lugs, an then tellt us that we were wrang.

For fower centuries - frae the 'Glorious', Agricultural, an Industrial Revolutions tae the modern Technological - his forebears had luved an leeved, focht an dee'd, wrastlt an wrocht, an spake an thocht, in the Scots leid. Their heritage wis his heritage - an nocht else cuid dae justice tae their tale but the tellin o it . . . in their ain guid Scots tung.

Chapter 2

1666 -THE CHRISTIAN CAIRRIER

The Solemn League and Covenant
Now brings a smile, now brings a tear.
But sacred Freedom, too, was theirs:
If thou'rt a slave, indulge thy sneer.
Robert Burns - The Solemn League and Covenant

'Whit's this we've been hearin aboot ye, John . . . compeared afore the Kirk Session for brekkin the Sabbath an bringin shame on yer auld mither an me! . . . *"Remember the Sabbath day to keep it holy. Six days shalt thou labour and do all thy work: But the seventh day is the Sabbath of the Lord thy God".* . . an fine ye ken the rest!' John Broun stuid heid-doun afore his frail auld parents in the dark smeekit kitchen o Priesthill (in the room whaur he had been born in the year 1627) feelin mair like a guilty wee laddie again, than a grown man o thirty-seiven. Wi strict discipline, Auld Tammas an Jean had schuled him weel in his Catechism an the Scriptures, an it hurt him sair tae be chided sae by his faither for lettin thaim doun. *'Honour thy father and thy mother that thy days may be lang upon the land that the Lord thy God giveth thee'.*

His heid wis boued mair o necessitie than contrition, for the reek-bleckened ruif jeists were that laich he had tae walk stooped tae miss duntin his heid aff the ruch timmers. There wis nae windae in the single room, but the bricht mornin sun, slantin throu the south-facin open door, cast a guid licht on the peat-fire hearth in middle o the stane flair, an sent shafts o siller piercin throu the blue reek that swirlt lazily up throu the twistit rafters an oot a hole in the ruif. Frae the stable an byre, biggit on the east end o the hous, he cuid hear the restless scuffin o the cou; sensin the smell o new gress, an ettltin it wis time she wis oot on pasture nou that Mey wis here.

'Dae ye want me tae p-p-pit the c-cou oot f-for ye, Faither . . . ' John began - his staumer aye waur at the sair en o a flytin or a beatin frae his faither for makin a mistake in his catechism. It wis an impediment that he'd tholed ever since he wis a lad. But the strange thing wis, he cuid sing the auld Psalms like a lintie wi deil a haet o a staumer - an that gied him great joy an solace. Readin the Scriptures oot loud had gied him some pain an grief, but he held at it ower the years, readin awa tae himsel oot on the hill, hour efter hour, till he cuid maister his staumer, an deliver a richt guid prayer an lesson.

'In guid time, John, in guid time, when ye've tellt us juist hou ye broke the Sabbath.'

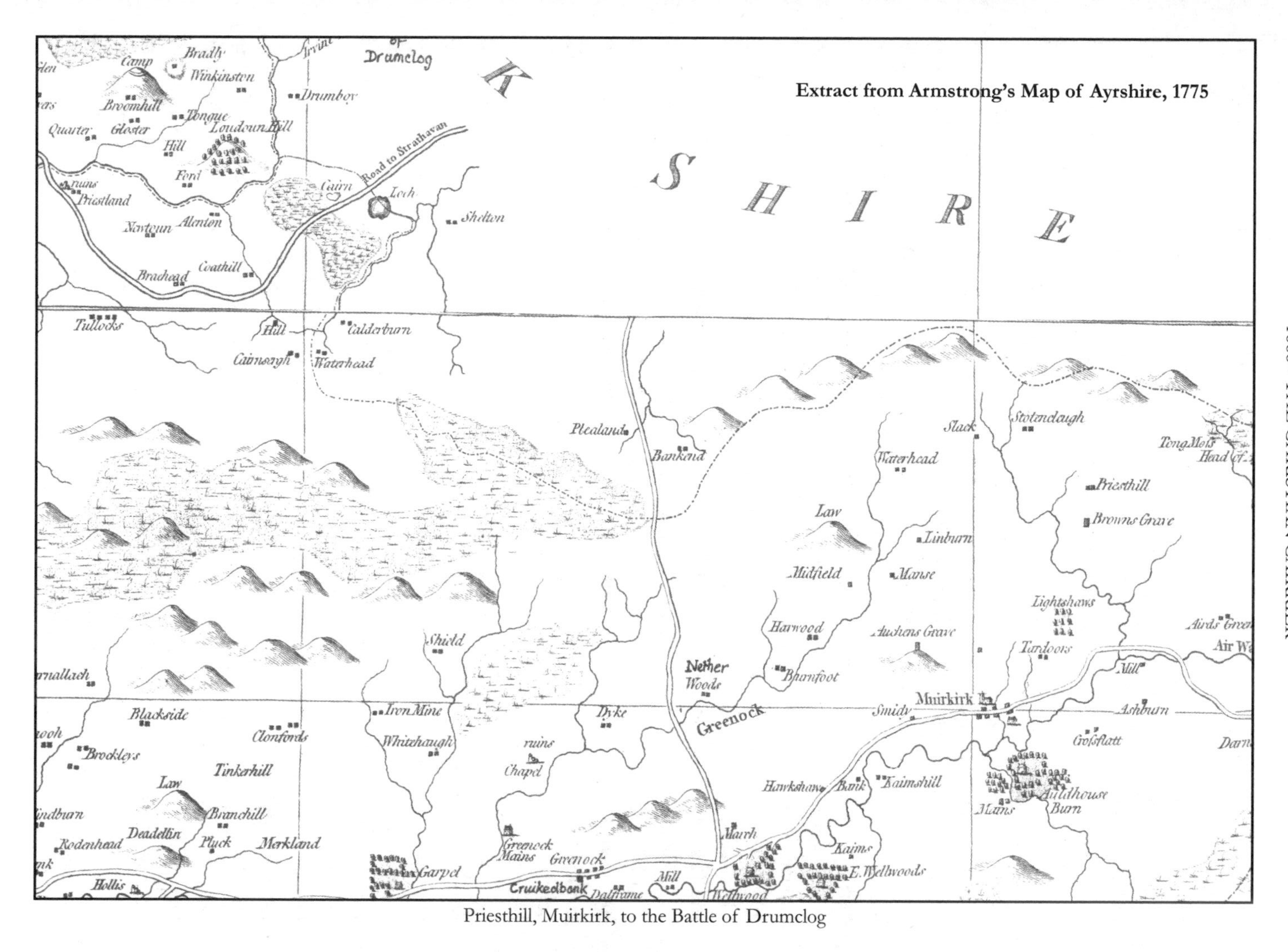

Priesthill, Muirkirk, to the Battle of Drumclog

'It wis wrang Faither, I k-ken, but Jock Logie in Dykeneuk had fee'd me tae tak a packload o claith frae his guidwife's weavin ower tae Strathaven on the Monday mornin. It's a lang road, an tae save time an seiven miles, I thocht I'd juist b-bring it ower on the pownie tae Blackside the day afore. Ye ken we're weel oot o the warld at the heid o Greenock, an I confess, I thocht naebody wad see me.'

'Weel. Ye thocht wrang! Be assured naethin is ever hidden frae the sicht o God Almichty. . . It micht whiles escape the sicht o the meenister - but no if there's a pair o virtuous een keekin oot ahint some door in the service o the Lord . . . Let this be a lesson tae ye, John, for in thae troublt times we leeve in, there will aye be some folk ready tae clype on a body tae thae lick-spittle curate lackeys o yon leein turncoat Chairles Stuart - fause king that he is! Aye, the sleekit deil wis gled eneuch tae sign oor Solemn League an Covenant, an trick guid Christian men intae fechtin an deein for him . . . an then, nae shuiner haes he got the croun back on his heid, than he forsweirs his haly aith tae the True Kirk, an nou ettles tae stap his Episcopacy doun oor thapples!' Auld Tammas humphed an gruntit at this affront tae his Kirk, an cairrit on wi his admonition an advice. 'John, my son, it behoves aa Christian men an weemin as true adherents tae the Gospel o Christ, tae be eident in their observance o the Scriptures an mindfu o their practice accordin tae the doctrines o the General Assembly o the Kirk o Scotland . . . Mark this weel!'

'I'll tak tent o whit ye say, Faither. While we still hae John Reid for oor meenister - an I'll hae tae thole his rebuke - I'll gang reverently tae the Muir Kirk . . . but gin he's removed or dees - as I fear some day he will, for I hae my douts aboot yon young Reverend Hew Campbell that's hingin aboot his coat-tails - I'll be the first tae sclim the braes tae a conventicle tae hear the true disciples o Christ preachin freely the Word o God.'

'Weel, I'm pleased tae hear it.' The auld man raise frae the hearth an tottered forrit on his cruik. 'Nou ye can tak auld Tibbie oot on tae the muir . . . gin she can staucher oot . . . an mind tae drive her tae the puir gress ootby on the faur side o the fail-dyke. I dinnae want her chowin guid gress juist yet, or she'll swall up an dee.' John smiled tae himsel. He kent fine whit he had tae dae. Frae the time he wis auld eneuch tae grup a hazel wand, his first job as a wee lad in spring wis aye tae kep the cou awa frae the guid grazin till she settlt doun oot doors. He poued open the byre door, an drew back at the stench. The wee bleck cou wis up tae her hochs in shairn. Barely staunin, she turnt her heid, ruggin awa at her helter an blinkin an rollin the whites o her een as bricht sunlicht filled the doorwey. John lowsed her an led her slowly oot intae the spring air. She wis nae mair nor a rickle o banes, an he had tae stell her twice tae stop her frae cowpin as they baith stauchert alang the ruch stane causey forenent the steadin, an roun the corner tae the coorse green gress anent the buchts. Coorse it micht hae been, but gaun by the wey she went for it, tae puir Tibbie it maun hae seemed like a park o clover.

John set tae an mucked oot the byre, cowpin the shairn on the midden forenent the hous, neist tae the fail-dyke roun the wee gairden that sloped doun tae the Ponesk Burn. He'd come back ower frae Blackside later an delve it in for the auld man tae plant some tatties an kail. His faither wis gettin gey auld an frail nou; an his puir mither wis ower doitit tae dae ocht mair than sit yammerin awa in her chair, fidgin wi her shawl, an steirin the parritch pat; as content in her ain wee warld as her guidman wis crabbit in his. John wis sorry for his faither, an the present cross he had tae bear, but feared that neither o thaim wad see oot anither winter.

They were baith nippit by the frost o Daith that back-en, an John Broun cam intae his faither's portion o grun at Priesthill - that had been his faither's faither's afore him - a hunner acres o puir hill gress an bleak peat hags, haudin nae mair nor a score o yowes an a cou; wi a few acres o cultivatit grun enclosed by fail-dykes doun in the wee howe by the Ponesk burn whaur the biggin stuid. Fower mile north east frae Muirkirk, it wis a lanely place for a single man, an he kent it wad be a sair fecht for a man tae raise a faimily on the back o a score o sheep. But it wis a grand place for his wark as a cairrier. For Priesthill sat at a hub atween Cumnock, Mauchlin, Derval, Strathaven, Lesmahagow an Douglas: ilka toun only a day's ride awa for a man an his pack-pownies - or twa days frae Cumnock tae Strathaven or Douglas, wi ae nicht aye spent at hame alang the wey. There wis guid trade tae be had, an nou wi a place o his ain, it micht be time tae seek a wife tae share it.

It wis on ae sic day, takin the gate frae Mauchlin tae Douglas, that he caad in at Greenock Mains on the Sorn road for a crack wi auld Tammas Richard, a fine Christian, a guid servant o the Lord, an a stalwart o the Covenant.

'John Broun, it's yersel. Come awa ben, man, an tell me whit's gaun on in this sair troubled land o oors . . . Wi aa yer trevels, ye're weel placed tae fin oot.' He ushered his guest ben the kitchen, whaur, set on a stuil by the fire, a young lass wis shewin a patch on the knees o a pair o breeks for the auld fermer. 'Jennet, ye'll hae heard tell o John Broun frae Priesthill . . . an honest man o fine character that's weel kent by folk in Kyle as "the Christian Cairrier". John, this is my late brither's dochter, Jennet Richard, cam up frae Cautrine tae luik efter her auld uncle for twa-three days.'

John boued his heid tae Jennet's wee nod an hauf-smile, an set doun at the ither side o the hearth as she jagged hersel wi the needle an gied a wee cry. 'Oh, that wis sair!' She soukt a drap o bluid frae her finger, an lauched. 'Uncle Tammas, ye'll hae tae stop prayin on yer knees an wearin holes in yer breeks, if I'm gaun tae prick my finger ilka time I patch thaim.'

'Jennet lass, this is nae time for a jest. Gin there wis ever a time for prayer in this puir be-nichtit land o oors, it's nou . . . When oor meenisters are bein huntit frae their hames an kirks an outlawed for nae reason baur preachin the true word o Christ . . . an banished intae the wilderness like Moses . . . whaur-in, like the Psalmist, they lift up their een to the hills, from whence cometh their aid . . . When troopers are herryin the hames o the common folk, an threshin an finin thaim that dinnae attend the curates' services . . .' He paused for braith, then daudit his clenched nieve on the kitchen table an grimly cried, 'But nou, thenks be tae God - frae aa the airts His scattered flocks are comin thegither, in their hunners an thousans, tae the conventicles; praisin the Lord an getherin resolve an strength frae His Word tae fecht an triumph ower the foul tyranny an iniquities o Romish Episcopacy.' John Broun nodded his agreement, but cuidnae luik ower grim himsel afore this fine bit lass, for he had smiled at her jest an wis ta'en wi her honesty an smeddum. Jennet glanced at him, a wee bit blate, her cheeks burnin. John smiled again, an when she smiled back wi her een, auld Tammas saw, an silently approved.

For aichteen months, Jennet wis thirled tae her wark in service doun at Cautrine, an John Broun kep thrang, baith as herd an cairrier, an - maist importantly - in furtherin the cause o the Covenant. That wanchancy ploy cam aboot sax months efter he met Jennet an got in the habit o walkin her oot onytime he rade by Cautrine. Tae some gleg folk thereaboots, it seemed perchance, that for Broun the Cairrier, aa roads nou airted throu that village.

In the November o 1666, John fell in wi a force o seiven hunner airmed an thrawn Covenanters battlin throu drivin wind an rain across Airs Moss tae Muirkirk; an led thaim tae the beild o the kirk, whaur they socht warmth an rest for the nicht. It wis here, frae the Reverend John Guthrie, late meenister o Tarbouton Kirk, an his auld freen Sandy Peden, the herd's son frae Auchencloich at the fuit o Blacksidend Hill - an nou the Reverend Alexander Peden, late o New Luce - that he heard hou it had aa come aboot.

Doun in Gallowa, even mair sae than in Kyle, there wis a great persecution - baith o the common folk an the lairds. The King's curates had sent lang leets o names o absenters tae the garrison sodgers, wha went frae hous tae hous, an ferm tae ferm, walin oot non-attenders for beatins an fines - an waur. Yae auld fermer, no able tae pey his fine for failin tae attend the kirk, wis trussed ablow a pole like a grice an cairtit throu the toun o Dalry by coorse sodgers, wha strippt him wi the intent o brendin him wi a rid-hot airn. Fower fugitive Covenanters - recently pit tae the horn for their beliefs, an hidin near-at-haun in the toun - witnessed this cruelty, crousely challenged the sodgers, an efter woundin ane o thaim, forced their surrender. Emboldened, an getherin support as they went, they mairched on Dumfries an tuik prisoner the military commander, Sir James Turner. Wi Turner in tow, they mairched back again, richt throu the Stewartry an up intae Ayrshire, getherin mair an mair volunteers tae their banner till, gin they reached Ayr, they nummert seiven hunner stout an resolute men, ettlin tae mairch tae Embro an lay their peacefu demands afore the King's Privy Council - an haud Sir James as hostage while they parlied.

Nou, hungert, cauld, droukit, an disjaskit, some sowls were faur frae hame - wantit hame - an went hame; but neist day, the maist o thaim stoutly mairched onwards tae Lanark, still in guid hert, tho General Tam Dalyell o the Binns, wis aaready at Mauchlin, an no faur ahint thaim.

Gif John Broun had ony douts that dark mornin when they left Muirkirk, he wis certain when Dalyell gaed throu later that efternuin - wi twa thousan sodgers an twa hunner troopers - that there wad be a grievous loss o honest lives. Cruel Dalyell huntit thaim aa the wey tae the Pentland Hills whaur on Rullion Green, nine hunner Covenanters puirly-airmed wi scythes, pikes, an nae mair nor saxty muskets an twa score pistols amang thaim - airmed only for self-protection, an ill-prepared for a battle - stuid an faced three thousan heavily-airmed sodgers.

Word cam back tae the westland that hunners o brave men dee'd on that field or in the hunt that followed; an mony mair were ta'en, sentenced, an hung at the Gressmairket in Embro; wi their heids sneddit aff an cairtit back tae be stuck on pikes at Kirkcudbright, Hamilton an Kilmarnock as a warnin tae ithers. For daurin tae sweir the Covenant, their richt airms were hackit aff as weel, an sent tae Lanark tollbooth whaur they'd juist signed it. John grued at the thocht o it; but reports o this foul barbarity raised in his heart an sowl a deep burnin rage an a steely resolve tae fecht till his deein day for the martyred saunts o the Covenant.

Janet Richard an John Broun were jyned thegither in haly matrimony at Priesthill in the year 1669 by the Reverend John Reid, still haudin on as meenister o the Muir Kirk. Aboot this time for a while, there wis a fause sense o peace an tolerance in the uplan pairishes - that some caad 'The Blink' - when muirland conventicles were weel attendit by the pairish folk; an thousans wad defy the prelates an bring their bairns alang tae be christened by their auld meenisters wi the pure caller watter o the hill burns.

At hame, John fand time tae redd up the auld biggin, mak new buises in the byre for his twa pownies; lay a new causey atween the hous an the midden, wi a stane syver set doun the middle tae drain awa rain-watter an aidle; an set up a muckle lowpin-on stane forenent the sheep bucht. For he ettlt that nae wife o his shuid ever fyle her shune steppin oot ower his threshold intae midden shairn - nor wad his bairns - God willin. The followin year, a furst child wis born tae Jennet an John Broun. A puir wee early bairn, ower waik tae thrive an win oot agin the fearsome cauld o a Muirkirk winter, she sadly had a quick caa tae the warm beild o Heaven an the lovin airms o the Lord.

John an Jennet had scant time tae grieve, for in that same year o 1670, the Scots Parliament in Embro set oot an iniquitous Act against Conventicles, whaurby preachin at a conventicle wis punishable by execution, an thaim that attendit cuid be fined or gaoled. Frae then on, the meenisters o the Covenant were harried frae pairish tae pairish, an mony fand timely shelter an succour within the thick stane waas o Priesthill. Frae Mauchlin tae Douglas, an New Cumnock tae Fenwick, John Broun the Christian Carrier wis thrang in the spreadin o the Word o Christ; passin on the times o conventicles an whaur they micht be held. Tae shield himsel frae suspicion, he tellt but a few trustit folk, wha passed the guid news on tae mair, an mair; till on the appyntit Sabbath, hunners o followers o the Covenant wad mak their wey secretly, in twas an threes, up lanely glens an roun the back o hills, tae win the chosen howe or knowe-tap whaur the service wad be held. It wis even said that, at some o the great conventicles ower in the Borders an doun in the South West, as mony as five or sax meenisters wad be there ower twa hale days, dispensin Communion tae thousans o guid honest Christian folk.

In Embro, the King's Privy Council grew unco worrit at the strength, scale an spread o disaffection amang the common folk, an the garrison troopers were ordered tae seek oot an brek up hill getherins, an capture the leaders. Sae nou at ilka service, airmed men stuid gaird on the hill-taps luikin oot for pairties o sodgers. Few in nummer cuid be frichtit awa, but gif the approachin company wis lairge, outlyin pickets wad set aff ae shot efter anither, frae hill-tap tae hill-tap, an gie the worshippers time tae skail frae the service an airt their wey hame afore the sodgers got there. A wheen o the pickets were aaready outlawed hill-men wi a price on their heids, an Priesthill wis weel placed tae gie thaim sanctuary. Heich on the brae abune Ponesk Glen lay a lang, nerra, sunken, stane-lined chaumer, that micht hae held yowes - or folk - in a bygane time; but nou, ruifed ower wi sods o gress an heather by John Broun an his freens, it wis a snug beild, an a secret bolt-hole for hill-men an preachers bidin at Priesthill, shuid word come o the approach o troopers.

In 1676, efter sax lang an barren years, Jennet an John Broun were finally blessed wi the birth o a sturdy healthy wee dochter, Janet, christened at Priesthill wi the pure watter o Ponesk Burn. She wis their joy an sunshine, an the followin year their happiness wis complete when Jennet gied her man the son he'd prayed for. But that happiness fast turnt tae grief when, like their furst bairn, wee James wis ta'en awa intae the airms o Jesus afore the year wis oot - quickly followed by his puir mither in the terrible winter o 1678, when Jennet wis smitten by a great fever, an a rackin hoast that rattlt her kist an chokit her braith. Cradled speikless in John's supportin airms for a day an a nicht, wi shouders heavin, an frichtit starin een beseechin help that nane cuid gie, she focht an gasped like a drounin body for ilka crecklin braith, till at the hinner-en her strength dwined awa, her speerit departit, an she souchd nae mair.

That nicht, sair bereft wi the terrible loss o his beloved wife sae shuin efter his infant son, John Broun sank intae the deepest despair. Oh why, had the Lord foresaken him - an wee Janet? Whit wis tae become o his wee mitherless bairn, juist twa year-auld an lyin there ablow a sheepskin at the fuit o their bed, deep in the sleep o the innocents? Wha wad tak care o her, oot here in the wild hills? For he cuidnae lae her alane, even tae gang ootby tae check his flock - sae hou cuid he provide for her?

Buryin his tortured brou in his clasped hauns, he sank tae his knees, restin his elbucks on the bed aside his Jennet - her face waxy pale an still in the peace o daith - an socht God's help in this, his time o grievous need. He prayed lang an earnest till, dowie an sair forfochen, he tummlt forrit intae a deep, deep sleep. Hou lang he slept he cuidnae tell, but he awoke wi a stert tae a gentle chap-chap-chap on the door . . . Sodgers! . . . It cuidnae be sodgers . . . they wad never fin their wey oot tae Priesthill in the deid o nicht . . . an sodgers wad shuirly hae hemmert in the door wi their muskets. By the fadin lowe o the peat fire, he gruppit his muckle aish cudgel an cannily crept tae the door. 'Wha's there?' he uttered in a hard, gruff vyce.

'A freen, John, an auld freen . . . It's Sandy Peden.' John gied a gasp o surprise an smertly raised the baur an drew open the door. His face hauf-hidden by a braid bleck hat, an happt up in a bleck cloak that covered his hodden-grey coat an breeks, a tall, thin, lang-faced bearded man slippt by John an ben the hous - the Reverend Alexander Peden - 'Peden the Prophet' tae the kintrae folk o the south-west - persecuted preacher an proscribed rebel. He stoppt deid when, forenent him his een lichtit on the white face an corp o puir Jennet laid oot on the bed. 'Merciful God,' he exclaimed, 'that I shuid be brocht this very nicht tae the hous o John Broun, tae comfort an ease him throu the pain o his sufferin at the loss o his dear-beloved wife . . . Lord our Comforter, we shall pray thegither, John an me, that thy strength shall enter into this thy faithful servant, and impairt in him the certain knowledge that his dearly depairtit Janet is aaready welcomed within the waas o thy hous o mony mansions . . . John, my puir freen, is it no providential that I shuid tak the gate tae Priesthill on this sad nicht o aa nichts?' Wee Janet steirt ablow her sheepskins at the soun o vyces, but juist gied a wee souch, turnt ower, hauf-opened her een, soukt her thoum, an fell back tae sleep.

'May God bless this wee mitherless bairn . . . an her honest faither - a clear shinin licht an a great Christian.' Peden went on in a hushed vyce. 'John, puir man, when did aa this happen?' For the neist hauf-hour John poured his hert oot tae the preacher, an gied thenks tae God for answerin his prayer.

'But whit can I dae aboot wee Janet, Sandy? . . . I'll hae tae get somebody tae care for her shuin. Jennet haes nae kin hereabouts, nor hae I.'

'Whit aboot the Weirs o Darnhunch . . . Ye ken auld Jock still haes twa dochters about the place. They're aa staunch adherents tae the Covenant, an tho they dinnae hae muckle in the wey o wardly guids, as a faimily they are blessed in nae smaa meisure wi guid Christian charity an wad be only too gled tae share wi John Broun in his hour o need. A wee pickle siller wadnae gang a-miss, mind ye, tae help wi the bairn's keep, gin ye ettle for her tae bide a while at Darnhunch . . . I'll gang doun mysel afore furst licht - it's no that faur - an ask Jean Weir tae come up an tak the wean awa till efter her mither is kistit.' John luikit worrit at the thocht o Sandy Peden riskin his life for the sake o wee Janet. Peden smiled an restit a firm haun on his shouder. 'Dinnae fash yersel, John. I'll be doun by an safely back here afore thae garrison grumphies ower at Sorn hae steirt frae their styes an delved their snouts in the meal troch.'

Shuir eneuch, an as guid as his word, Sandy Peden cam back afore dawn wi Jean Weir, Jock's auldest lass; an wee Janet, still hauf-asleep, wis dressed, happit up in a warm plaid, an cairrit by her faither the three an a hauf miles doun Ponesk Glen tae Darnhunch. Ance back at Priesthill, wi the furst stouns o grief caumed by Sandy's timely presence, John nou had time tae draw braith ower a plate o het parritch an speir juist hou the Reverend Alexander Peden cam tae be back in thae pairts. He wis o an age wi Sandy, an had kent him as a shepherd lad ower the hills in Auchencloich - afore he gaed awa tae the College at Glesca in 1662 tae train for the meenistry. Young Peden had nae shuiner been caad tae his furst chairge at the kirk o New Luce doun in Gallowa, when like hunners o his ilk that stuid steadfast for the principles o the Kirk, he refused tae read the English Book o Common Prayer frae his pulpit, an left his kirk tae cairry on preachin the true Word o God tae his pairishioners in hall, howe an hill. Chairged wi sedition an outlawed in 1666 for baptisin bairns at conventicles, he tuik tae the hills. It wis a fou twal year since John Broun had set een on him - as pairt o that ill-staured band o Covenanters on their fatefu mairch tae Embro. Peden had a premonition o doom an had left thaim at Lanark, but nanetheless wis declared a rebel wi a price o a thousan merks on his heid.

'Sandy Peden, I'm eternally behauden tae ye . . . for this dark morn ye've liftit up my sowl an filled my tuim hert wi hope whaur nane existit afore . . . God bless ye.' He paused, his speerits raised faur eneuch for curiosity tae owercome grief, gif only for a wee while. 'But, tell me Sandy, whaur hae ye been thae past five years? The kintraeside's been fou o tales an ferlies anent the wondrous ploys o the great Peden the Prophet . . . fearlessly preachin the Word frae Gallowa tae the Borders; comin an gaun like a will o the wisp an leadin the dragoons a richt merry dance ower the moss-hags till he wis foully betrayed an ta'en at Colmonell . . . In seiventy-three, wis it - when ye were sent tae the Bass Rock?'

'Aye, John, but blessed are the meek . . . it's no the *great* Peden. It's only thenks tae the Grace o God an His Divine Providence, that I've been spared time an again tae fecht for the triumph o His True Word ower fause curates, an thae sodgers o Satan that blaspheme in the name o Chairles Stuart - him that claims a Divine Richt tae rule supreme ower us earthly mortals . . . mortals wham nane daur command baur the Lord God Almichty himsel.' His vyce raise in anger an exultation then drappt doun tae a whuspert bitterness as he dwallt deep in thocht on his prison years.

'For fower lang year an a three-month, John, at the king's pleisure, I wis left tae rot in a solitary cell on the Bass . . . wi nocht tae hear but the scrabble o rattons, an the sabs an souchs an hideous grains o my fellow prisoners, melled wi the joyous cries o sea-mews an solan geese as they soared abune like angels in the blessed freedom o God's blue heaven . . . There I had nane tae converse wi - baur the Lord himsel, in earnest prayer, seekin solace an deliverance for us aa frae oor grievous peril.

'An praise be, in his ain mysterious wey, the Guid Lord answert oor supplications when the Privy Council in Embro condemned mysel an three-score ither adherents tae banishment as plantation slaves in the West Indies.' John gied a gasp at this revelation, as Peden continued in a caum an steadfast vyce. 'Tho my puir companions despaired when we were aa herdit like nowt on board that ship at Leith, an driven ablow decks in chains, I prevailed on thaim tae fear nocht an be o guid hert . . . for there wis not a ship built that cuid convey Sandy Peden furth o British watters.

'An then, by the grace o Providence, we were beset by a great southerly storm that taiglt the Saint Michael, an garrd her arrive at Gravesend five days ahint time . . . an ower late for the vile West Indiaman that had tae depairt for the Indies athoot its wretched cargo o human misery.'

'Then thenks be tae God for thy deliverance!' cried John Broun wi tears o joy in his een, as Peden paused an boued his heid in contemplation.

'Aye. Thenk God indeed, John . . . that the licht o his Blessed Son, Jesus Christ, entered intae the hert o Maister Edward Johnston, captain o the Saint Michael. For the puir man had been left wi the hindrance o three-score men stowed in the bowels o his ship, eatin his vittles . . . an he swithert whit tae dae wi us . . . Sae when I tellt him I wis a meenister o the Lord, an that we had aa been maist unjustly imprisoned for non-adherence tae iniquitous religious laws imposed on Scotland by Chairles Stuart . . . an opined that since we were nou in England, we were nae langer subject tae Scottish Law, an therefore maun gang free since we had committed nae crime on English soil . . . He gruppit this legal strae like a drounin man, lowsed oor chains, an restored oor liberty.

'Tae a man, we smertly vanished like burn troots ablow the stanes, intae that great vile Babel o Lundon Toun . . . a veritable cesspit o iniquity I tell ye, that cuid tak on Sodom an Gomorrah in a contest o sins, an win ootricht . . . An then we tuik oorsels on the lang an weary high road back hame tae Scotland.' Peden paused, raised his forefinger in admonition, an fixed John straucht-on wi his dark piercing een. 'Nane but yersel, Jock Weir, an a wee pickle ither trustit adherents ken I'm back up here . . . an tae name but ane o thaim wad pit baith o us in peril for oor lives.'

He raise slowly frae the stuil by the fire an raxed for his cloak on the peg ahint the door.

'John. I'm weel restit an fed, an hae steyd here lang eneuch. Gif ye can spare a wee poke o meal an a daud o kebbock, I'll be on my wey tae a safer place . . . for gin it gets aboot that ye hae been harbourin Sandy Peden, ye're in mortal peril. It grieves me muckle tae lae ye here alane wi yer ain grief; but afore I gang awa, let us baith kneel doun in humble prayer afore puir Jennet, an seek the Lord's strength tae see ye throu this sair trial . . . an the tribulations yet tae come.' Then he wis gane, slippin awa oot o the glen wi the lang swift stride o a hill-man, keppin weel aff the rig-heids, an laich doun in the sheddaes o the howes; afore the weemin cam by tae lay oot puir Jennet for her kistin.

Chapter 3

1685 - JOHN BROUN O PRIESTHILL - MARTYR

In deaths cold bed the dusty part here lies
Of one who did the earth as dust despise
Here in this place from earth he took departure
Now he has got the garland of the martyr
Anon - Acrostic verse on Priesthill gravestone

For a lang time efterhaun, aa throu that early spring o 1679, John Broun grieved in his ain quate wey - on the hill alane wi his lambin yowes an his thochts; on the lang, lanesome, muirland tracks wi his trusty pownies; an on mony a nicht spent wi his wee mitherless dochter doun at Darnhunch. Here, his hert lichtened tae see wee Janet sae bien an content amang the Weir lasses. Spinsters baith, the young weemin pettit an fussed ower the bairn gin she wis a princess; an tae hear her keckle awa as Jean or Isabel teased her or kittlt her wi a feather, brocht a tear o baith sadness an joy tae his ee. Ilka time she smiled an her een lit up, she luikt juist like his Jennet, an it brak his hert aa ower again when he thocht on hou shuin she wad forget her ain puir mither - juist like ane o his orphan lambies.

He cuidnae but notice that she likit Isabel the best; an when she wis tired an soukin her thoum, she wad aye seek oot her knee tae sclim on tae an cuddle doun, wi her heid nestlin on the lassie's saft breist. The Weirs were puir, honest folk, thrang at wrastlin awa frae dawn tae dusk, tillin an tendin hard barren upland pasture tae scrape thegither juist eneuch siller tae pey the laird his rent ilka quarter day. Sae the wee pickle siller hained frae his cairrier wark went a lang wey toward the bairn's keep.

But deep in the hert o John Broun there nou dwallt somethin harder an deeper than the grief he felt for his wife an the luve he felt for his bairn. Five year back, fashd an angert by their failure tae ding doun the steadfast will o the common folk tae worship freely as it pleased the Lord, the king's parliament in Embro decreed that henceforth aa conventicles an field meetins were illegal, an that attendance wis punishable by daith. Landowners an heritors were bonded tae mak siccar that aa their tenants adhered tae Episcopacy. For a while maist lairds didnae steir themsels ower muckle aboot enforcin this order, for a wheen were sympathetic tae the Cause. Sae in Januar 1678, the government brocht a host o aicht thousan wild an barbarous Hielanmen doun tae the south-west, an quartered thaim in the big houses o suspected covenanter lairds an merchants. Obligated tae feed an cleid thaim, they had tae watch helpless as their grand houses were fyled an pillaged, an properties ransacked, afore the Hieland Host moved on - like corbie craws - tae a fresh pickin. Thus were the heritors an gentlefolk cowed intae submission an strict adherence tae the king's laws.

Nor were the common folk spared. In his trevels, John had witnessed puir sowls' biggins brunt tae the grun, an heard tales o murder, rape, an beatins, an even o hauns an airms hackit aff. He himsel had a dirk held tae his thrapple by three drucken savages - an a pack load o guid braid-claith stolen - on the Strathaven road. They wad hae ta'en his pownie as weel, but when he slipped its girth-strap an drappt the pack at their feet, they aa fell tae fechtin amang themsels ower the claith, an were ower fou tae catch him when he lowpt on the pownie's bare back an skelpt awa alang the road by Plewlands - afore doublin back throu the hills tae the safety o Priesthill. Even doun at the Muir Kirk, the kirk session cuidnae meet for three lang months due tae a company o papist Hielanders billeted in the Hous o God - till at the hinner-en, they were sent awa back hame tae their Hielan caves, laden wi plunder, their evil wark dune.

His hert hardened, his spirit resolved, an his wee Jennet safe in the airms o Isabel Weir at Darnhunch, John Broun nou embraced the fecht for the Covenant wi a fearless certainty founded on the supreme will o God an the justness o His cause. Wi an auld pistol in his belt, an a short roustie sword, John had gotten himsel in tow wi a stout band o airmed men set tae gaird hill congregations frae the dragoons.

He had gairded ane aaready, a smaa getherin deep in the hills anent Douglas, whaur there had been nae bother; but nou a great conventicle had been planned for the furst o June on the tap o Glaister Law, a laich knowe tae the west o Loudoun Hill an juist twa mile frae Derval at the heid o the Watter o Irvine. The Reverend Thomas Douglas wad be preachin, an folk wad be trevellin frae faur an wide. Wi his lang years o experience at getherins an conventicles, this troubled John; for he kent the chosen hill wis nearhaun ower mony wee clachans an touns that wad see a wheen strangers passin throu; an whaur, ahint a door, there micht be some weasel-hertit Judas keekin oot, ready tae clype an condemn some puir, innocent, bible-bearin Christian sowls tae daith for a haunfu o bawbees - faur less thirty pieces o siller.

The sun shone bricht on a fine Sabbath morn, when, like cushats tae the nourishin bounty o the corn stooks, furst in twas an threes, then in their dizzens, folk began tae arrive frae aa the airts - alang the roads frae Strathaven, Kilmarnock an Derval, an ower the muirs frae Fenwick, Eaglesham, Muirkirk an Mauchlin. At the hinner-en, nigh on a thousan sowls were assembled on Glaister Law by the time the Reverend Douglas steppt forrit an sclimmt up on a muckle flat stane tae address his flock - honest God-fearin men an weemin, auld an young, herty an hirplin. Mony o thaim had left hame in the wee smaa hours afore the dawn - for the simmer nichts were short - tae tramp ten or fowerteen lang miles an foregether as a congregation on this Ayrshire hillside, tae be fed, replenished an sustained by the Word o God, tae praise Him in the Psalms, thenk the Lord in prayer for his bounteous blessins, an tae bear witness tae the legitimacy o the True Kirk.

John stuid picket on the brae abune Derval, wi a clear sicht doun the Irvine Valley as faur as the distant smeekin lums o Kilmarnock. A saft wind blawin in frae that airt waftit awa frae his lugs the gist o the meenister's earnest prayers, an hauf his pious mind wis a wee pickle fashd that he cuidnae tak his usual pairt in the worship o God; while the ither hauf assured him that it wis his true Christian duty tae gaird an protect this congregation frae ony sodgers o Satan abroad in the kintraeside. He kent weel that the barbarities o the Hieland Host were still fresh in the memories o the guid folk gethert forenent him, tho - thenks be tae God - maist were nou awa back in the savage land whence they came. He cuid jalouse their worries frae the fearsome graith that a wheen o the fermers an servants had brocht - hey-forks, scythes an heuks, an even lang hame-made pikes - tae protect themsels an their wives, an bairns an sweetherts.

When young Sir Robert Hamilton - fresh doun frae Rutherglen, whaur yestreen he had nailed a defiant declaration tae the mercat cross on the king's birthday - detailed him tae gauge their strength in airms, John reckoned that near-on twa hunner were thus airmed. A younger son o the late Sir Thomas Hamilton o Preston an Fingalton, Sir Robert seemed a gleg young chiel, an tho no a sodger himsel, had a certain air o command. John tallied about saxty mair wi swords or pistols, an a few wi muskets. Countin fermers, as weel as the gentlemen present, aboot fifty were mounted on horseback.

Twa o thaim were thrawn, determined-luikin strangers frae the east - the ane a muckle strang chiel caad David Hackston, an anither callant by the name o John Balfour. He'd heard tell that they'd fled frae Fife efter the killin o the turncoat James Sherp, umquhile meenister o the Kirk in Crail, wha had turnt tae Episcopacy at the Restoration an wis appyntit Airchbishop Sherp o St Andrews. Sherp had cried oot vigorously for the hingin o aa the Covenanters ta'en at Rullion Green, an had been responsible for the daiths o hunners mair by by reason o haudin back frae the Privy Council a letter frae the king demandin that nae mair lives shuid be ta'en. He widnae be sair missed.

John wis liftit oot o his dwam by a sudden silence. The meenister had feenished his sermon. Then a laich hummin frae the precentor raise intae joyous sang as a thousan vyces cairrit heivenwards the glorious words o the Auld Hunnert Psalm. Frae his post, at last John Broun cuid praise an sing tae his Lord alang wi the lave . . .

'. . . For why? the Lord our God is good,
His mercy is for ever sure;
His truth at all times firmly stood,
And shall from age to age endure . . . '

Suddenly, there wis the warnin crack o a musket shot frae Loudoun Hill, then anither. John ran up the brae toward the meenister as a braithless picket frae the east side cam rinnin up cryin 'Dragoons! Dragoons! . . . comin ower the muir frae Stra'ven!'

The Reverend Douglas caumly raised his airms an stilled his fearfu flock wi the Benediction. 'Gang hamewards speedily in peace and in the certainty o the love an protection o Almighty God . . . in the name o the Father, the Son, an the Holy Spirit, to whom shall be ascribed all majestie, power an glory, world without end, Amen.' Then he turnt tae young Robert Hamilton, wha wis briefin his officers, Hackston, Balfour, John Loudoun, Robert Flemming, William Cleland, Henry Hall o Haughheid, an John Broun, as three hunner airmed fermers an gentlemen mustered roun aboot thaim. 'Weel, Sir Robert, you have got the theory, nou for the practice.'

Hamilton sprang intae action. 'Get aa the weemin an bairns, the auld an the unairmed men oot o here an awa tae the west an the south . . . scatter doun tae Derval an on tae Sorn or Kilmarnock. Split the men intae groups, pikemen tae the fore. William Cleland will command the muskets ahint thaim . . . Thaim wi swords an pistols an scythes, oot on the flanks an ready tae attack their flank an maim their horses, will be commanded by Dauvit Hackston, wi Loudoun, Flemming, an Broun. John Balfour an mysel will command the twa troop o horse . . . We will mairch east by Loudoun Hill till we sicht the enemy, an then haud a council o war.'

At Loudoun Hill the pickets brocht forrit a young fermer's lad wha had skirtit the enemy troops on his pownie as they left Strathaven an galloped on aheid tae warn the conventicle. Frae him they learnt that there were aboot a hunner an fifty mounted troopers an dragoons led by John Graham o Claverhouse - an that they had in tow, fowerteen bound prisoners an a meenister, the Rev John King, captured at Rutherglen the nicht afore, on their wey tae Derval. The troopers were takin a shortcut ower Mossmulloch tae save time an were gey nearhaun the ferm o Drumclog. Frae the hichts o Loudoun crag, the glint o sun on cuirasses an helmets cuid nou be seen, an Hamilton set his men hot-fuit for Drumclog, hertened by the knowledge that he wis blessed wi strength o nummers as weel as the strength o the Lord.

Claverhouse, at the heid o his troops wis dumfounert tae fin Covenanters on their feet prepared for battle raither than supplicant on their knees at a conventicle. Ance a sodger wi the Dutch an French airmies, he had been commissioned a twalmonth syne by the Privy Council tae suppress the south-west. Sae faur, he'd had it aa his ain wey at burnin barns an strikin terror intae the herts o puir folk at prayer; but this wis the furst time he had been ootnummert man for man - an sae wi aa the caution o a professional, he tuik cauld feet an sent oot a flag o truce that wis turnt doun by the Covenanters. Cannily the twa airmies advanced ower the muir till separatit by nae mair nor a nerra strip o moss.

Wi his prisoners trussed-up like hogs an set tae the ae side, Claverhouse made the furst move wi a volley o shot that left the Covenanters unskaithd. The muir, smeekit nou wi a thick white reek, rang again an again tae the soun o flintlocks, as baith sides fired volleys wi scant effect. Then Claverhouse sent forrit thirty dragoons an William Cleland shot ane o thaim deid. John Broun, alang wi the ither fuit-sodgers on the left flank, juikit doun ahint a moss-hag as they were fired on by the dragoons; an he grued an near boked as muckle Jock Morton the Derval blacksmith gied a loud grain an cowpt ower deid aside him wi a musket baa throu his thrapple, efter he'd poked his heid abune the bank for a saicont tae see whit wis gaun on.

Then a wheen o the dragoons' horses got laired in the bog an struggled in a panic that got waur when Cleland ordered a volley o shot intae their bellies, that cowpt mair an mair o the sodgers on the grun. John Balfour came roun ahint wi his horses intae the melee an struck sic fear intae the troopers that they turnt tail. In the confusion an clamour that followed, John Broun ran forrit wi the yellochin Covenanters, sword in haun, an struck it deep in the flank o a dun mare whase rider had a pistol aimed at the heid o Dauvit Hackston. The puir horse let oot a terrible cry that rent his hert as she reared up an cowpt her mount at the feet o John Nisbet o Hardhill wha dispatched the trooper wi a quick thrust throu his kist - the furst o seiven tae his blade an pistol. The fecht an chase went on, wi aa the younger Covenanters het-bluidit an bent on slauchter in the name o the Lord.

John Broun fell faur ahint. Peched an forfochen, he stopped for braith, leanin on the haft o a broken pike he'd liftit frae the field o battle, his hert hemmerin on his breist-bane an his kist heavin like auld Jess his collie efter a run ootby getherin sheep. In the name o the Lord - he wis nou fifty-three, an ower auld for this fechtin. Throu sweit-blint een he watched bemused as roun aboot him on the bluidy moss - felled by shot or blade - puir men lay still in daith, or screamed an grained in mortal agony till the blessin o a short sword stilled their cries. Puir horses whinnied as great puddens swung throu their torn bellies an flailed alang the grun as hooves threshed the air in their daith thraws; or quately souchd their last braiths as fountains o bluidy froth spurtit forth frae their pike-riven hides. Deep in his sowl, John wis dismayed, for he felt mair for the plicht o the horses than for the sodgers - an it disturbed him. Wis this the wey o the Lord . . . this the Path o Christ? He didnae ken, but nou at his age, he wis certain o ae thing - it wisnae for him.

Luikin eastward, as he raised his heid tae draw braith, he beheld in the thrang o pikes an swords an men an beasts, a man hingin on for dear life tae the bridle o a fine roan stallion. It wis Wull Cleland. Abune him the great beast reared an lashed oot wi its hooves. It's rider, wi nae reins tae control his mount, held on grimly tae its mane for fear o bein thrown, an cuidnae swing his sabre. He wis a tall, young-luikin chiel aboot thirty, wi a pale haughty visage, a cruel twist tae his mou, an lang dark hair that draiglt oot frae ablow his helmet. Sae this wis the great Claverhouse, the Claverhouse feared an hated by the guid folk o the south-west, an nou tryin tae flee the field o battle; a field weel won by the same sturdy fermers that for centuries had tilled its yird. Haud on Wull Cleland! Haud on! But the horse pruived ower strang for the man an brak free, but no afore young Tam Finlay o Southfield gied it a stab wi his pike. Sair woundit, the beast sprang awa, an John Graham o Claverhouse tuik his chance tae grab the reins an spur it toward the safety o Strathaven, whaur, juist twa mile doun the road the puir horse drappt deid ablow him.

Frae the south edge o the moss, abune the noise o battle, John heard plaintive cries - Claverhouse's prisoners. Pickin his wey cannily throu a score o deid horses an twice as mony deid troopers, he poued a jockteleg frae his pouch, opened the blade, an wi swift sure strokes, cut the raips that bound the men an the Reverend John King - wha wis crouse eneuch nou, tae rise an cry efter the fleein Claverhouse - 'Are ye no waitin for the efternuin sermon?'

In the hot pursuit, their auld ferm cairthorses were nae match for the steeds o the troopers, and ane by ane the victorious Covenanters returned tae Drumclog tae gether up the trophies o war - muskets an pistols, helmets an breistplates, swords an seddles, bits an bridles an ocht else that wad serve their glorious cause in battle - for this had been a famous victory. The spirit o the Lord wis amang thaim an had shown thaim the wey. The time wis come tae raise the Covenanters' standard, muster the faithfu, and mairch on Embro. For a stert, Robert Hamilton an his crouse followers said they were ready tae mairch on Glesca.

That nicht, word cam that doun the road, Claverhouse had gethert himsel a new mount an led his men in retreat throu Strathaven whaur, tae their credit, the tounfolk had risen up an killt anither twal o the dragoons afore they made their escape toward Glesca. On the field o battle, the Covenanters themsels had lost but ae man, puir John Morton; but anither five were tae dee o their mortal wounds in the days that followed.

In pensive mood, John Broun went hame alane tae Priesthill. He wis ower auld for war. Fechtin wis for crouse young callants like Hamilton an Hackston an Cleland - an God be wi thaim in their travail. He had forebodins. He had listened tae aa their talk efter Drumclog. It had been a great victorie, but a smaa ane. They were braggart fou o their prowess, an Claverhouse had been gey lucky tae escape wi his heid on his shouders; but that proud heid wis still there, wi its cruel mou an its thirst for bluidy revenge. The news o Drumclog wad steir up a muckle wasps' bike in Embro an London, an the sair stangs tae come micht be gey ill tae thole for the puir folk o the south-west. For the sin o pride there maun aye come a faa.

John Broun's fears were weel-foundit. News o the victorie at Drumclog quickly brocht five thousan stalwarts flockin tae the cause, an three weeks later they rallied at Bothwell Brig on the Clyde, whaur, on the faur side o the river lay King Chairles's airmy o ten thousan troops, commanded by his bastart son the Duke o Monmouth, spouse tae Anne, Countess o Buccleuch. But the sin o pride that John Broun feared, had raised its ugly heid amang the Covenantin officers, wha argied amang themsels, cast oot wi ane anither, an wasted precious days takin the pet, instead o plannin their tactics an getherin thegither supplies an ammunition. For three hours on that fatefu Sunday mornin the 22nd o June 1679, David Leslie an Dauvit Hackston an three hunner men bravely held the brig wi a single cannon, afore they got a feckless order tae retreat frae their strang pynt, an muster wi the main airmy on the muir abune. Tho the main force wis still in guid hert, word got roun that mair leaders had desertit, an wrocht panic in the Covenantin ranks as the king's airmy moved forrit in strength, under cannon fire, ower the ungairded brig.

Fower hunner men were slauchtert in the chase, an hunners mair perished frae their wounds, or were ta'en an executed at the Grassmairket in Embro. Anither twa hunner an fifty-seiven men were convicted, an sentenced tae be transported frae Leith tae Barbadoes - tae slavery in the plantations - on board *The Crown of London.* Confined ablow decks in maist vile conditions, the ship set sail for the Indies in late November, tae be wrecked ablow the cliffs o Deerness in the Orkneys in a fierce December storm. Twa hunner an nine Covenanters dee'd that nicht, battened doun ablow decks, an drount by a murderous captain wha refused tae open the hatches despite their piteous cries for help.

Durin the terrible years frae 1680 till 1685, in the bluidy eftermath o that defeat at Bothwell Brig, the guid folk o the south-west were tae endure the persecution an terror o the Killin Times. Scores o innocents were murdered - withoot due course o law - for the simple sin o cairryin a bible, or takin the wrang gate at the wrang time when garrison troopers were searchin for Covenanters. Bluidy Clavers wis up there in the van. Hunners mair were tried an summarily hung, shot, or drount, for failin tae tak the Test oath acknowledgin the king as heid o the Church. But the spirit o the Lord prevailed, an in the kintraeside, clachans, an touns, there were still thousans prepared tae staun up - an dee if need be - for their freedom tae worship God as they chose.

An sae it wis at Muirkirk in the spring o 1680, sax year efter the Reverend John Reid wis complained against by the Synod - an the Reverend Hew Campbell tuik ower his chairge, wi a wee sneevilin lick-spittle o a curate aye at his elbuck. Maist o his congregation left the kirk for a while; but syne dreebled back on pain o fines they cuid ill afford. There wis forby, a deep simmerin anger in the pairish that simmer, for in the month o June, on Airs Moss juist tae the west o the village, troopers under Bruce o Earlshall had attacked an slain the Reverend Richard Cameron an aicht o his followers. Stout Dauvit Hackston, hero o Drumclog an Bothwell had been wounded, captured, an cairtit aff tae Embro - whaur he wis sentenced an suffered tae be hung, disembowelled, an quartered.

Nanetheless, a wheen guid Christian Muirkirk folk kep steadfast in their support for the Covenant, an steyd awa. Sae it cam as nae surprise when, at the back-en o the year, amang ithers, auld Tammas Richard o Greenock Mains, Jean Weir o Darnhunch, an John Broun o Priesthill, were reportit for failin tae attend the meenister's services - an compeared tae answer afore the kirk session.

That October nicht, Jean Weir wis the furst tae be cried ben tae the session room. When the meenister speirt whit wey she hadnae been at his kirk, she reponed that the wather wis ower cauld tae trevel the roun seiven mile tae the kirk an back, wi nae shune for her feet. She wis admonished. Auld Tammas let it be kent he wis nou seiventy-five year auld, an it wis ower muckle tae expeck a frail auld man tae tramp nine mile tae the kirk an back on a Sunday. The twa elders sittin wi the meenister - ane o thaim William Aird o Crosflats - fermers baith themsels, an auld freens o Tammas, didnae let on they kent fine that the slee auld carle cuid still tramp mair nor that ower the hills ilka day efter his yowes. He wis absolved. Then they caad ben John Broun. John entered the room an nodded tae the twa elders an the Reverend Campbell, wha began, 'It has come tae oor notice, John Broun o Priesthill, that ye hae ne'er been seen within the waas o this kirk for nigh on a twalmonth, against the ordnances o the king's government in Embro. In yer defence, whit dae ye hae tae say tae this chairge, which if guilty of, ye maun be fined the sum o fifty merks.'

'Meenister,' replied Broun, luikin the shilpit wee bleck craw forenent him straucht in the ee, an forcin him tae fouter wi his quill an drap his gaze, 'This is nae chairge . . . juist a plain fact. I hinnae been at the kirk for a wheen o reasons. The furst bein that I hae a puir wee three year-auld mitherless dochter that's bein luikit efter by Jean Weir an her sister, an the Sabbath is the only day in the week that I can win doun tae Darnhunch tae let her see her faither.'

'That is a fair reason, Broun, but nae reason tae be absent frae the kirk; for there is daylicht eneuch tae let ye gang tae the kirk an still hae time for yer bairn in the efternuin.' retortit the meenister, mim-moued, an fidgin his gravat.

'Weel, the saicont reason is yersel,' John Broun went on, '. . . an the companie ye keep wi the indulged Episcopal meenister . . . an ye peyd sesse tae procure this leevin an tak the tiends o puir honest kirk folk.' The meenister's thin white face reddened a shade at this slicht - true as it micht be - for ance upon a time, he tae, like Peden an mony ithers, had been deprived o his chairge for aicht year efter the Restoration. Thenks be tae God that the curate wis absent this nicht.

'An thirdly,' John Broun's vyce raise in anger, 'He that I luik upon as the true messenger o Jesus Christ, wha is nou lyin deep ablow the sod on Airs Moss, has declared an dischairgit, that as they wad answer tae God on the Great Day o Judgement, that nane shuid hear ony o thae indulgit persons . . . an therefore, afore God, I will not!'

The twa elders boued their heids in shame at their ain lack o courage an smeddum. Here wis their neibour Broun, as guid a Christian man as ony in the land, an faur mair sae than this feckless meenister, an that wee whitreck o a curate, wha owed his state o grace mair tae the Earl o Queensberry nor the Son o God; yet his life micht be in peril at the whim o this man's tid. The tick-tack o the auld nock in the corner echoed roun the cauld room in the lang, daithly silence that followed. John Broun stuid waitin, proud an certain, his ee still on Hew Campbell, wha sat laich an boued in his chair ahint the aik desk forenent him. The meenister turned ower the quill pen atween his richt thoum an forefinger, an drummed his ither fingers on the desk. This wis a man the like o whilk he'd ne'er seen afore in his life. He kent John Broun - they caad him the Christian Cairrier here-aboots - he wis a man o courage, an principle, an nane in the pairish spake ill o him. He had lost his young wife an had tae provide for his mitherless bairn. That he wis sympathetic tae the Covenant there wis nae dout, but that cuid be said for the hale o Muirkirk an maist o the kintraeside. But as faur as he kent (an John Broun had tellt nane aboot his pairt at Drumclog - nor had maist o the ither fermers in the fecht, baur thaim that went on tae fecht at Bothwell an were pit tae the horn) he wis nae rebel. He shuid gang cannily here. He wad screive a note in the session minutes an lae the maitter rest - wi a warnin. He conferred in a whusper wi his twa elders, an turnt back roun tae John.

"John Broun. On yer ain frank admission, ye hae confessed tae absentin yersel frae worship at this kirk. In mitigation the session haes ta'en intae consideration the recent grievous loss ye hae suffered, an the puir bairn ye hae tae provide for . . . Ye are weel kent abroad as a godly man o guid character, blessed wi piety an Christian virtue, an for this reason we judge tae admonish ye this time; but we maun warn ye that in future, the ordnances o the kirk micht yet faa on ye wi great severity gin ye further flaunt or transgress the laws o the King's Privy Council.' John gied thaim aa a wee nod o thenks, turnt on his heel an left quately athoot anither word. In his hert he wis gey relieved, for it cuid hae been muckle waur.

For the neist twa year, John Broun tuik guid care no tae fyle his ain nest. Tho still thrawn eneuch tae stey awa frae the kirk on principle - whaur strangely his absence seemed tae be tholed in guid grace by a meenister wha had his sympathies - he kep his ain counsel sae weel, baith at hame an abroad, that nane cuid tell his innermaist thochts nor his business. Better a steikit mou and an open hous - he thocht - for the hill-men an preachers that ghaistit throu the glens frae time tae time for sanctuary an rest at Priesthill; an concealment frae maraudin troopers in the stane tod-hole biggit intae the brae-face abune the steadin. Here a dizzen men cuid bide in safety, alangside a hantle o auld swords an pistols slairit wi creesh an happit up in clouts an sheepskins.

Forby aa the troubles in the land, John felt mair content than he had been for years syne. Wee Janet wis fair growin, an happy at Darnhunch, but never mair sae than when he gaed doun tae see her that August Sunday in 1681. Set doun on ae side o the ingle, wi Isabel Weir by the tither, the wean wad rin back an forrit atween thaim, lauchin an daffin, sclimmin on his knee an then on Isabel's tae show thaim the wee ferm kittlin; or speirin awa wi daft-like questions - an some no sae daft-like - sic as - cuid she come up an stey whiles at Priesthill an see auld Jess.

John kent she cuidnae bide there her lane when he wis ootby at the sheep, but mebbe Isabel wad come up an mind her for a day nou an again. He had markd hou Isabel an the bairn had grown close thegither, mair like mither an dochter, an markit as weel that she wis a fine-luikin wumman, an hou she wis aye there at the door o Darnhunch tae greet him wi ready smile an a bannock an cheese. She micht be ower thirty, he thocht - o an age past snarin ony o the eligible young chiels o the pairish, whit few o thaim were left - but mebbe still ower young an dorty tae pick an auld man like himsel. Still, he thocht, 'a gaun fuit's aye gettin, be it a thorn or a broken tae' - an it micht yet be worthwhile settin his bunnet at her for the bairn's sake.

'Isabel, lass. Dae ye hear the bairn? . . . she's ettlin tae come up tae Priesthill. I think she shuid see whaur her auld faither bides . . . but, b-but . .' he fand himsel staumerin like a hauflin lad again, '. . . d-dae ye think ye cuid bring her up some g-guid mornin for the day . . . m-mebbe neist w-w-Wednesday, when I'll be warkin on the steadin.'

Isabel Weir lowpt at the chance. Wee Janet wis like a dochter tae her, an needit a faither every day, no juist ance a week - an she hersel needit a man - an wha better than John Broun. Ower the years, she'd grown gey fond o this fine, kind an godly man. He micht be a wee sicht aulder than hersel, but he wis still as skeich an yauld as maist chiels aboot Muirkirk hauf his age. At Priesthill, while wee Janet paidled in the burn an pettit auld Jess, Isabel rowed up her sleeves an set aboot three years' clart an stour wi a heather besom; reddin oot a midden's-worth o withert rashes frae the flair, auld strae beddin, an cinners frae the hearth. John wis fair pleased.

At Priesthill, on fine caller spring morn in April 1682, by the wimplin watters o Ponesk Burn on the tawny muir that for twenty year had been baith his kirk an sanctuary, the Reverend Alexander Peden blessed the matrimonial union o Isabel Weir an his auld an trustit freen, John Broun. Then efterhaun, as he tuik the airm o the newly wed Mistress Broun an they daunert alane doun by the burn, he spake tae her gently in a laich vyce - 'Isabel Weir, ye hae gotten for a husband a guid man wha is a shinin licht, and the greatest Christian I ever conversed wi . . . I chairge ye tae luve him aye and tend him weel . . . for a day will come when he shall be ta'en frae ye at a time that ye least expect . . . and his daith shall be a bluidy ane . . . Sae ye maun aye keep hained in yer kist a guid roll o linen claith for his windin sheet, that ye maun be ready . . . an prepared tae pray tae the Lord for strength tae see ye throu that day.'

Isabel shuddered. 'God gie me strength tae see throu this day!' she beseeched as she gruppt Sandy Peden's airm. 'Shuid I tell my John? . . . On his waddin day?'

'Nay, lass. It wad serve nae guid purpose. For whit is ordained shall come tae pass on the appyntit day, and nane shall turn it, nor cause it tae flee awa . . . let John be, tae enjoy his time wi you an his bairn - an thaim still tae come.' He stoppt, an turnt, an laid his haun on her brou. 'O merciful Lord, first grant unto thy servant Isabel Weir, the blessed joys of marriage - then endow her with the power of Thy Holy Spirit to give her strength an courage at the appyntit hour of her great travail.' Isabel felt a great surge o heat rin throu her brou an doun ower her body - an the cauld shivers left her. She smiled her gentle thenks tae Sandy Peden, picked up wee Janet wha had come ower tae see whit she wis daein, birlt her roun aboot till she wis licht-heidit, then gaed back ower tae John, wha wis countin his yowes on the brae face. They wad be lambin in a couple o weeks. She slippt her haun intae his, an gruppt it ticht.

In that terrible winter o 1683, trapped deep in the howe o the hills for week efter week by storms an muckle snaw-wraiths, Isabel endured three lang months in her puir cothous, founert wi the cauld, an fearfu for her unborn bairn. But throu it aa, John wis her staff an comfort. Wi nae wey oot for his pownie tred, he wis aye there tae fetch in peats, or brek the ice on the burn for a cogie o watter. She felt safe, an wantit for nocht. A man o few words, baur when they knelt in prayer ilka nicht for God's blessin an deliverance, he showed a deep tenderness tae baith her an wee Janet, that she ne'er kent wis in his naiture. The auld nowt wis yeld wi the want o fodder, an there wis nae milk for Janet. Sae on mony a day he wad bid them stey in oot o the cauld, weel happt up in blankets ablow the fleeces, while he'd tend tae the pat o brose or parritch. Frae time tae time he wad slauchter a yowe that he thocht had lost its lamb, or wis on its last legs (for there were a wheen dee'd that winter); an they supped weel for a wee while on mutton stew an haggis. There wis nae want o meal in the girnal, for John wad whiles tak a firlot o oats for a cairrier's fee raither nor siller. 'Ye cannae eat siller, lass, but ye can aye eat oats' - he wad say tae Isabel when he gat hame - an this winter she blessed his foresicht.

When her time came in February, John trauchlt throu twa fuit o snaw doun tae Darnhunch, an brocht back her sister Jean on the pownie. By the time he won hame, Isabel wis weel on the wey by her lane, an it wisnae lang afore their wee furst-born dochter lay cradled in her airms. But she wis a dwaibly wee lass, an the cruel cauld tuik her gin a month wis by - she juist slippt awa in her sleep ae nicht intae the airms o Christ. Their grief at her sad loss wis balanced a year on, when they were blessed wi a fine son - John Broun - a sturdy, sonsy, happy bairn, that soukt weel, an wad croon awa in his faither's airms an bring mony a tear o pleisure tae his ee.

Despite tales o the terrible ongauns in the kintraeside rounaboot - wi persecutions an the murthers o richteous an innocent men an weemin frae Selkirk tae the Solway an Strathaven tae Stranraer - throu-oot that simmer an the back-en o 1684, Priesthill wis a blessed place o peace, content, an faimily luve. John Broun wis no tae ken that, on the fifth day o Mey o that year, his name had been listed on a Royal Proclamation o fugitives.

By the spring o 1685, Isabel wis weel on the wey wi anither bairn. Late on the efternuin o the fifth o April, there cam a clatter at the door, an a trimmlin vyce cried oot 'Isabel, Isabel, John, are ye at hame?' Isabel answered an drew open the door. It wis Jean, wild-ee'd an braithless, an bespattered wi glaur frae hurryin up the pad frae Darnhunch.

'Jean, whit is it?' Isabel exclaimed, gruppin her shouders.

Terrible news, Isabel! Terrible news! . . . Yesterday, the Sorn troopers dragged auld Tammas Richard awa across the moss tae Cumnock an Colonel Douglas had him shot there athoot a trial - the cruel fiends o Hell! . . . An auld man o aichty . . . cuid they no hae laed him alane tae dee in peace at hame! Word juist cam back tae Muirkirk this efternuin, an I thocht tae tell John.'

When John cam hame frae the hill an learned o the fate o his auld freen, he slumped doun on the stuil by the fire, gazed lang an hard intae the lowin peats an said nocht. Isabel sat on tither side, an did the same. Baith sowls unbekent, thinkin the same dulesome thochts, but feart tae share - John on account o the bairn on her hip an the bairn in her wame - an Isabel wi that dark secret hained in her hert since her waddin day. At length he spake. 'This is the darkness afore the licht, Isabel, my luve - the storm afore the caum . . . Satan's spies are abroad an takin notes, sae frae nou on we maun tak tent even mair, in aa we maun dae or say, whaure'er we be, at hame or on the high road.'

On the furst o Mey, perchance they had a walcome veesitor, Sandy Peden in fine fettle. A grand nicht wis spent in his company - an that o John's nephew John Browning o Lanfine, here tae help oot his uncle wi the peats - wi guid crack ower a plate o Isobel's best mutton stew, then prayers an psalms afore they beddit doun. In the furst licht o a grey morn, as Peden crossed the threshold an beheld a thick mist clampit doun ower the Hare Craig, he paused, an his pairtin smile left him. He turned slowly tae Isabel, luikt her deep in the een an gravely shuik his heid. 'Puir wumman! A fearfu mornin . . . a dark misty mornin.'

Isabel wis only too mindfu o his prophecy when, efter mornin prayers, John an young John disappeared intae the mist for a day on the peat hags, while she busied hersel reddin up efter the nicht afore. Wee Jennet wis aye a great help.

The men had nae shuiner stertit cuttin peats when they heard a clink o bridle chains, an the lourin grey shapes o horsemen loomed eerily oot o the mist abune thaim. Spied an surrounded at ance by a ring o steel, they tried tae rin an hide, but a tall man spurred his grey stallion forrit an luikit doun upon thaim. John Broun luikit up intae the same lang face wi the cruel twistit mou that he'd last seen at Drumclog - Claverhouse! John Graham himsel. Bluidy Clavers! He shuddered within, but withoot, stuid crouse an proud.

'Well, whit hae we here . . . the auld tod an his cub! We were expectin mebbe anither auld fox as weel, but aiblins he's gone tae grun elsewhaur by this time . . . Trooper, bind thaim first, lest they gang the same wey, for this mist is aye a curse an hindrance tae reddin the hills o foxes.' Twa troopers dismounted an bound baith men's hauns ahint their backs while twa ithers held swords at their craigs. Then Claverhouse an his captain began tae question John Broun, furstly about his lang absence frae the kirk an why he did not pray for the king. Then, frae the slant o their inquiry, John jaloused that they aaready kent faur mair nor they let on. Why did Peden an Renwick an ither leaders visit Priesthill? Satan's spies had been takin notes, efter aa.

John said nocht that micht condemn him, sae Claverhouse turned his attention - an the pistol butts an sword hilts o his troopers - tae the younger man. Bluidied an bruised, under great pressure an trapped by slee questions, young John Browning hesitatit, flustert, an then wis forced tae confess he'd ta'en pairt a month back in the rescue o aicht Covenanters frae the tower at Newmilns, when twa dragoons were killt.

'Ye've said eneuch tae hing ye three times ower!' barked Claverhouse, 'but we'll no waste guid tow when leid will dae it quicker! Pray tae meet yer Maker, Browning!' But afore the foul deed cuid be dune, a smirr o rain cam ower that dampened their pouther. Claverhouse swore an said he micht hae gang for tow efter aa, an that he wad tak him doun for trial at Mauchlin. The sodgers then turnt on John Broun. Clavers, grimly mountit on his horse, his sword athwart his knees, suddenly leaned doun an thrust its pynt sherp agin John's breist.

'Broun, ye villainous rebel, ye've confessed tae nocht, tho a wee turn o the screws at Mauchlin micht gar yer thoums jougle yer memorie tae sing oot mair nor yer psalms . . . I'll gie ye but ae chance . . . will ye nou swear the Oath o Allegiance tae His Majestie King James as heid o the Church, an sweir never tae rise in airms against the King's majestie?' He withdrew his sword an sheathed it in his saddle scabbard.

John Broun raised his heid, luikit Claverhouse richt in the ee wi an unflinchin gaze, an stuid proud an strauncht afore him. There wis nae trace o a staumer in the words he uttered, firm an strang. 'As I will answer unto Almichty God in the great Day of Judgment, I shall sweir allegiance tae nane ither than oor Saviour Jesus Christ, the King o Kings, afore whom aa men an kings o this earth are but mere mortals.'

'That's yer last word on't, then?' sneered Claverhouse. 'Tak thaim baith awa doun aff this hill intae the beild whaur I'll hae mair comfort in sendin thaim tae their Maker.' As they stertit tae mairch the twa men back ower tae Priesthill, a cauld win got up that raise the mist frae the rig. Frae the burn side, whaur she'd gane tae fetch a cogie o watter for Isabel, wee Jennet's sherp een catcht sicht o horses comin doun ower the brae. For a while she stuid there, starin open-moued, cogie in haun, for in her innocence she kent nocht aboot sodgers or troubles. But as they cam closer, she cuid mak oot twa men walkin forenent thaim, an heard the ither men on horses shoutin at thaim, an shovin thaim forrit. It wis her faither an Uncle John! She drappt the cogie an ran screamin back tae her mither.

Ben the hous, wi wee John happt in her plaid, an a batch o bannocks on the griddle, Isabel heard her cries an cam rinnin oot juist as the troopers clattered across the burn draggin her guidman an young John tae the gavel-en o the hous, whaur they were flung tae the grun forenent her an the bairns. She covered her face wi her hauns, then raised thaim baith, clasped in supplication. 'O Lord. The thing I feared is come upon me . . . O gie me the grace for this hour.'

'Daes the auld fox lie in this den?' speirt the captain.

'It wad luik gey like it!' quo his sergeant, tae coorse lauchter frae some o the troopers luikin asklent at puir Isabel's state - wi a babby in her airms, an a frichit wee lassie gruppin at the apron-tails hingin ower her swallt wame. Maist o the troopers on the itherhaun luikit the ither wey, ashamed an laith tae tak pairt in this cruel happenin.

'Tak the young fox awa oot o here.' Claverhouse commanded. ''He shall answer elsewhaur . . . John Broun. Ye hae carelessly spurned the chance o life, an hae chosen daith for refusin tae sweir yer allegiance tae His Majestie King James Stuart . . . there is nae saicont chance, but only a final chance tae prepare for daith . . . pray gif ye must.'

John Broun wis helped up tae a kneelin position by ane o the troopers, whaur he cuid luik toward his wife an weans. Wi hauns still bound ahint his back, an heid bowed, he prayed earnest an lang, wi great devotion, in a clear, firm vyce - wi ne'er a tremor nor a staumer - for God's remembrance and blessin on his wife an bairns, for the meenisters and faithfu o the true an persecuted Kirk, and prayed that its principles be upheld - an that it wad triumph at . . .

'I gave ye leave tae pray, Broun, no tae preach!' bawled Claverhouse in a rage. 'Sergeant, draw up a detail tae end this charade!' But his men, aiblins sweirt tae shoot a man in cauld bluid afore his wife an weans, were laith tae move, an ower slow tae come forrit. Claverhouse cuid wait nae langer. Dismountin angrily frae his horse, he drew his saddle pistol an went forrit as John Broun raised his heid an luikt for the last time upon his dear wife an bairns; shootin him throu the back o the heid as puir Isabel buried wee Jennet's pow in her apron - ower late.

Isabel wailed an ran forrit tae cradle her guidman's body on her lap as Claverhouse remounted his horse uisin John's ain lowpin stane. He luikit doun at her. 'Weel, Mistress. Whit dae ye think o yer guid man nou?'

Isabel Broun strauchtened her back an defied this son o Satan wi a witherin ee. ' I aye thocht muckle o him . . . but nou mair nor ever! . . . May this foul deed haunt ye aa yer days an nichts as lang as ye leeve - an in the roastin fires o the everlastin Hell tae come!

While John Broun lay deid on his ain threshold, the sodgers fanned oot an scoured the hillside; an it wis nae surprise when they cam across the secret tod-hole wi the swords an pistols. Thus confrontit, puir John Browning said they belanged tae his uncle an had lain there since Bothwell. John's fate wis sealed. Dragged doun tae Mauchlin, he wis tried an sentenced by Lieutenant General William Drummond; an hung on the saxth o Mey on Mauchlin Loan, in companie wi fower ither martyrs tae the Covenant.

Wi her guid man wrapped lovingly by hersel in the lang-hained linen windin sheet, an buried later that nicht by auld freens frae Lesmahagow, Isabel forsook Priesthill and tuik the bairns back doun tae Darnhunch. Here, wee Jennet grew up wi terrors an nichtmares, an dwallt ever in mortal fear o sodgers an guns an horses - an shoutin men an loud noises o ilka kind - for mony a lang year. For bad men had killt her daddy.

It is said that for Claverhouse tae, there wis nae peace or rest - till that providential bullet at Killiecrankie - as he tossed on mony a sleepless nicht wi the prayers o John Broun searin his harns an his conscience - an the curse o a young weedowed wumman dirlin in his lugs.

Chapter 4

1680-1688 - THE KILLING TIMES

'Twas the few faithful ones, who with Cameron, were lying
Concealed 'mong the mist, where the heath-fowl was crying;
For the horsemen of Earlshall around them were hovering,
And their bridle-reins rang through the thin misty covering.
James Hyslop - The Cameronian's Dream

On the twenty-saicont day o July in the year o oor Lord saxteen hunner an aichty, whustlin awa tae himsel as he went, Adam Beg, heritable portioner o the lands o the Cruikedbank o Greenock in the pairish o Muirkirk, made his wey back ower the hill tae the ferm-toun o Greenock, that lay hauf-a-mile east o Greenock Mains on the lang road frae Sorn tae Muirkirk. It wis a heavy close efternuin, wi muckle dark clouds lourin up frae the south an the odd rummle o thunner in the faur distance ayont Cairn Table. He had dune a guid mornin's darg at the peats; an wi the chance o a rainstorm on the wey, he ettlt tae win back tae the hous - an his sweet Bess - afore he got a droukin. Hame tae his new hous an new wife. There micht be terrible troubles abroad in the land, but for nou, Adam felt doubly blessed an at peace wi himsel.

His guid fortune wis due in nae short meisure tae a canny faither, wha'd left him a fair pickle o siller hained frae his lang tenancy o Heitath - a grand wee ferm in the neibourin pairish o Auchinleck. But deep in his hert he kent fou weel that he wis beholden in equal meisure tae a great nobleman's misfortune, that had fashed him at the time - but no ower lang - for it's an ill win . . .

A wheen years syne at the stert o the persecutions, young James, Earl o Loudoun - a staunch pillar o the Covenant - had tae flee for his life intae exile in Holland, laein ahint his puir Countess an bairns tae dour it oot at hame in Loudoun Castle. As years gaed by, an the faimily fell on hard times throu want o siller, Her Leddyship wis forced tae sell some portions o their estate - caad the Lands o Greenock. The roup wis at the stert o the year, no lang efter his faither dee'd - sae wi siller tae haun, he'd lowpt at the chance an bocht a wee ten-shillingland portion o Greenock caad Cruikedbank.

Nae langer a puir tenant whase life hung on the whim an mercy o some greedy laird, Adam wis nou a man o property himsel - since last Whitsun quarter-day, when he wis *infeft an seased* as the heritable proprietor o twinty-sax Scotch acres o fair meedow an pasture land on the windin holms an banks o the Watter o Ayr, juist doun the brae frae the Tounheid o Greenock.

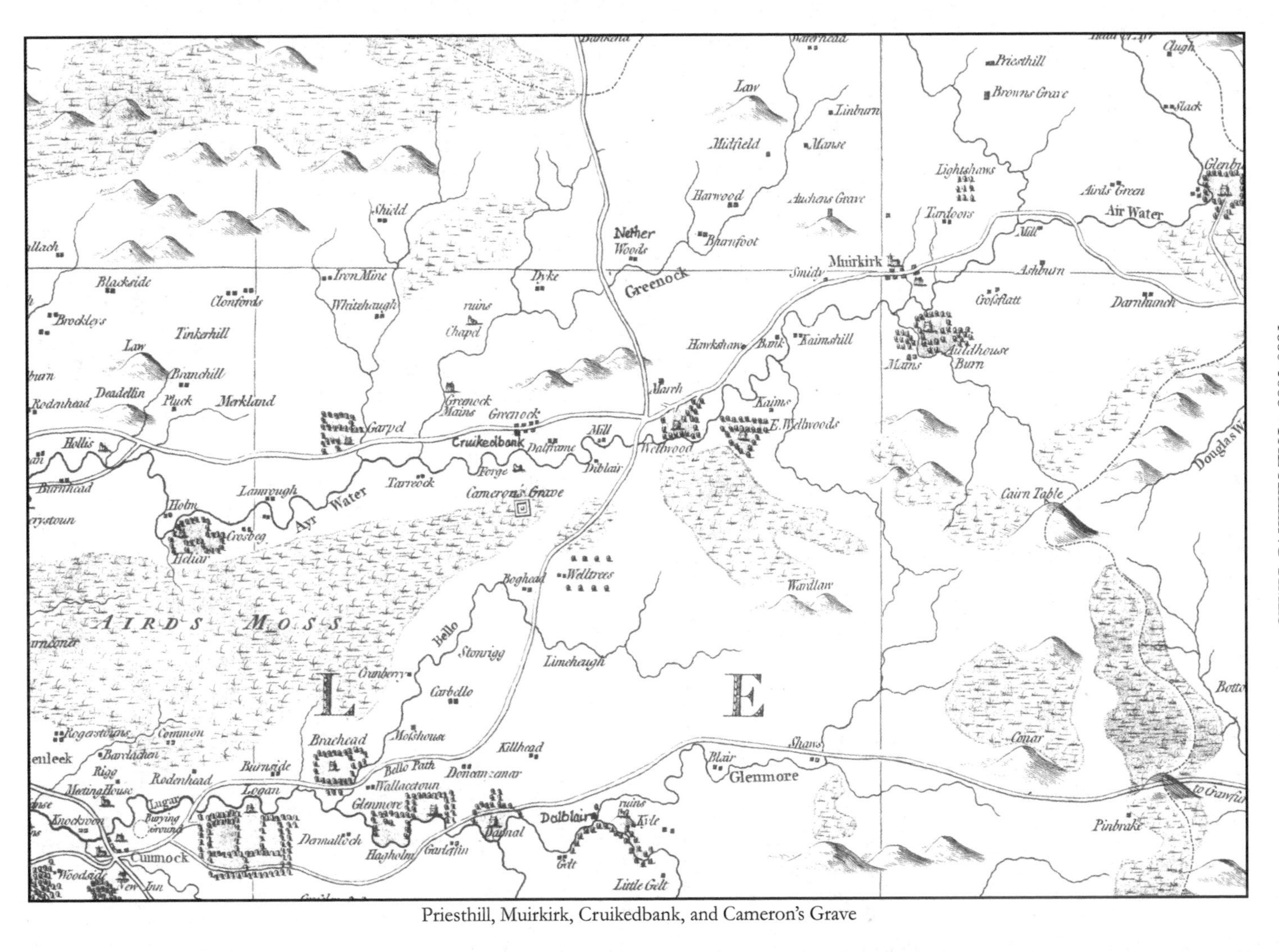

Priesthill, Muirkirk, Cruikedbank, and Cameron's Grave

Unlike the fifty-shillingland o Tounheid on the tap side o the Sorn road, that had faur mair acres o puir hill grun than guid arable, Adam had aichteen acres o weel-drained pasture on the braeface, an aicht acres o croft land doun by the cruiked banks o the Ayr that gied the place its name. Aicht guid acres o braid flat holm wi a licht saun an grevel loam, whaur a bit o hard wark raisin the rigs wad shuirly yield him a guid crap o tatties, oats an bear. The grazins wad tak a score o blackface lambin yowes an three or fower nowt; an gin he kep the fail-dykes in guid repair, his craps wad be safe.

On the laich side o the road frae Tounheid stuid the cothous an biggins, a wee bit the waur o weir an wantin a new ruif; but nearhaun wis a staund o birks tae mak ruif-trees, an sauch busses an hazel wands tae weave an bind the rafters, an support a new theikin o turf an heather. There were field stanes a-plenty tae fill a slap in the north waa, an a bank o heavy grey cley tae stap up the cracks an keep oot the win. Twa roun fail-dykes anent the hous were buchts for milkin yowes or lambin, or cuid be uised as stells tae shelter his sheep frae the winter snaws.

Wi anither life tenancy in mind, that June he'd mairrit his sweethert Elizabeth Hutchison; an gin he wrocht hard eneuch, he cuid hae a snug, bien wee hous ready for his Bess afore the back-en - an flit her awa oot o their clarty ludgins doun the road at Weedow McKerrow's. It had been a grand spring for sawin oats an tatties; an eneuch simmer sun, warmth, an growin rain for the prospect o a guid hairst. The dizzen gimmers he'd brocht wi him had heftit weel on their new park; and he'd get his neibour's tup tae serve thaim at the back-en, an pray for a mild winter an a guid crap o lambs neist Mey. The twa cauvin queys he'd bocht had gied him twa heifer cauves, sae they wad hae some milk for their tatties an oats ower the lang winter.

Aa he needit nou wis tae gether in twa or three mair loads o heather frae the muir, tae feenish theikin ower the turf an gaird it frae the warst o the rain. Gin it wis a guid day the morn, he micht tak Bess wi him up tae the muir whaur the heather wis deep, thick, saft an springy. Faur eneuch awa, he smiled tae himsel, frae Nance McKerrow, the auld besom, wha gied thaim scant chance tae enjoy their nuptial pleisures ahint the shooglie sheep-hurdle, spannin their en o the single room an happt wi seck-claith, that wis aa that shielded their bed - an modesty - frae her pryin een an cockit lugs.

Randy thochts o daffin wi his Bess, an a guid ram-stam tummle in the heather, steirt Adam an pit a spring in his step as he breistit the brae owerluikin the Watter o Ayr - wi its grand view that streitcht ayont the braidth o Airs Moss awa tae Wardlaw, Cairn Table, an the faur blue Cumnock Hills abune Glen Afton. Laverocks soared an sang in the lift, an a heather-bleat whurred its dounward, dartin flicht abune him. But it wis the plaintive alarm cries o a wheen faur-aff whaups cairrit on the southerly breeze, an the glint o sun on steel, that first caad his attention tae the Moss.

Dragoons! Ower a hunner o thaim, horsemen an fuit sodgers, nae mair nor a mile-an-a-hauf awa, an heidin west across the moss frae Wellwood. He dived smertly tae the grun ahint a clump o rashes. This wis nae time for a man tae be spied oot on the muir by Bruce o Earlshall's dragoons. Nor wis it time ither, tae be kent as a staunch adherent tae the great National Covenant, signed ower forty year syne by mony thousans o Scots folk - baith noble an commoner - fechtin for their richt tae free worship as Presbyterians agin the iniquitous English Book o Common Prayer, an the bishops, that King Chairles the Furst socht tae impose on thaim.

Followin the sneddin o his faither's heid, they said that his sleekit whalp Chairles the Saicont even signed the Covenant himsel, tae win ower the Scots in his fecht agin Cromwell. But aicht year later, on his restoration tae the throne, he brak his word, drove oot the Kirk's meenisters, appyntit bishops, an imposed curates on every pairish. Driven frae their kirks, the Presbyterian Covenantin folk o the south-west rebelled. Deep in the hills an glens their fugitive meenisters were nou preachin tae flocks o thousans o the faithfu gethert at *'unlawfu an treasonable'* Conventicles. Tho Adam had juist been but ance tae a Conventicle, he'd aft-times witnessed wee huddles of folk makin their secret wey hame, keepin tae the wild glens an passes for fear o capture by the dragoons.

But a year syne, juist a month efter the battle at Drumclog when the Covenanters sent Claverhouse rinnin for his life ower the muirs juist seiven mile north o Greenock Watter, the Duke o Monmouth's airmy tuik a terrible revenge. Hunners o brave men dee'd at the battle o Bothwell Brig - or were captured an cruelly executed, some wi their heids an hauns set on pikes aa ower the land as a warnin tae the lave. Efterhaun, like maist common folk, Adam kep his heid doun, an tho forced tae gang tae hear the king's curate at the Muir Kirk, they aa juist sat there wi steikit lugs - an gey few listened.

Trimmlin wi fear an excitement, he scanned the muir tae see whit had drawn the sodgers awa frae the Mauchlin road, for he kent they must hae been heidin alang that gate back tae their garrison at Sorn Castle when somethin had catchit their een. He gied a gasp o horror as he saw a band o men, aboot saxty strang - twinty on horseback - rise up oot o a wee howe an tak up their position on a knowe. Covenanters . . . a wheen o thaim . . . but ootnummert twa tae ane! The twa groups stoppt for a spell an faced ane anither. Then a detachment o fuit dragoons steppt forrit tae open fire on a group o Covenanters sent oot tae face thaim. He saw puffs o white reek frae the muskets o baith sides - an some sodgers faa tae the grun - lang afore the soun o the shots assailed his lug. Then Covenanters an dragoons chairged ilk ither on horseback an the crack o shots an the terrible cries o woundit men echoed back an forrit for an hour, then dwined awa tae an eerie quate as the sky abune loured an darkened, an a great storm o thunner an rain broke ower the battlefield. Providentially, a thick mist cam doun that veiled the horrible scene frae

Adam's sicht an alloued maist o the Covenanters tae melt awa intae the hills - an himsel tae win back hame tae Nance's cothous, whaur twa terrified weemin were courit thegither in a corner, wi the door steikt an baurrd.

Twa hours later they heard the clatter o hooves, the jangle o bits, an the clang o steel, an watched in dreid throu a wee crack in the door as a procession of wearit, bluidy, an silent dragoons gaed shauchlin slowly by on their wey back tae Sorn, bearin the mortal remains o twinty-aicht o their troop hingin ower the horses' saddles. Back on the moss lay nine deid Covenanters.

Aboot aicht o'clock, there cam a saft chap at the door, an a vyce cried for Adam Beg. Bess, sabbin her hert oot, clung tae him. 'Dinnae answer the door, Edam!' she whuspert. 'It micht be thae sodgers back again . . . for you.'

'My luve, gin they were comin for me they wad brek the door doun . . . no chap it . . . I ken the vyce . . . It's auld Tammas Richard frae the Mains.'

He drew open the door an steikt it smertly ahint the auld man as he slipped ben the hous.

'Tammas neibour, come awa ben an sit yersel doun. Ye luik as dulesome an sair fashed as oorsels wi that terrible slauchter on the Moss this efternuin. I saw it aa frae the hill on my wey back ower frae the peat moss. Then the mist cam doun, an as I hurrit back tae see gin Bess an auld Nance were safe, I thocht I heard some o the hill-men passin by throu the mist an makin their wey tae safety ower by Derval . . . We hinnae daured pit a fuit ower the door since, for fear the sodgers wad come back . . . Hae ye ony news yersel?' Adam kent that Tammas wis a staunch supporter o the Covenant, an had been turned doun as an elder o the kirk sax year syne, when he an some ither adherents had said they cuid only be elders gin the meenister *'preached accordin tae the actes o the generall assembly an no the tenets o episcopacy'*.

'Whit a grievous day for us aa, Adam . . . an Mistress Beg an Mistress McKerrow . . .' he nodded courteously at the twa weemin in the corner, 'that ane o God's chosen meenisters, the noble Richard Cameron, an aicht o his disciples, shuid faa tae the sword o that godless Bruce o Earlshall . . . Yet by the grace o Providence, the Lord sent his vengeance an smote twinty-aicht o thae barbarous slaves o Satan . . . may they roast for all eternity in the flames o Hell . . . an thenks be tae God, that the same Providence set doun a veil o mist tae speerit awa the lave o his faithfu servants tae cairry on the Kirk's fecht, an triumph ower the prelates o episcopacy - an the papacy that's no faur ahint.' His vyce trimmlt wi anger an grief.

'Adam,' he went on efter drawin braith, 'Wull Campbell o Wellwood cam across the watter efter the sodgers were weel awa, wi a terrible tale o carnage an savagery. The dragoons hae left oor nine martyred brithers deid on the field tae be pickit by the craws an hoodies like braxy yowes . . . an that foul butcher Earlshaa haes hackit aff the heid an hauns o Richard Cameron tae claim his evil bounty o five-hunner pun. . . Wellwood is fetchin ower his twa laddies, John an young William, tae gie thaim a Christian burial whaur they fell . . . I've gethert Dauvit McClung frae Limmerhaugh . . . Will ye gie us a haun? . . . The Ayr has drappt back efter the deluge an gin we ford the watter the nou, we'll hae twa hours o licht an the gloamin tae see the job dune . . . for I dout if ony sodgers will caa back the nicht efter the sair fecht they've had this day.'

Adam luikt at Bess an she noddit. 'Aye, Tammas, I'll come . . . It's the least a man can dae for thae puir brave sowls martyred for oor Kirk.'

Wi spades an shuils ower their shouders - an uised tae stell themsels as they sprauchlt hoch-deep throu the gurly broun watters o the Ayr - the three men won tae the faur side an silently trampt the sax furlongs o muir gress an ruch moss-hag tae whaur the battle tuik place. Ilka man walked alane wi his ain thochts o fear, hatred, or forebodin. An at the same time, anither wee band wis makin its wey ower frae the Wellwood side.

Naethin cuid prepare thaim for the sichts they saw. Hauf-a-dizzen horses lay wi their bellies slashed an their swallt puddens burstin oot ower the moss; a mare wi a broken hin-leg piteously tried tae rise, till Dauvit, wi the skeely stroke o a herd uised tae slauchterin beasts, drew his gully quick across her craig an pit her oot her misery. Scattert about were sodgers' helmets an a couple o swords that had been missed by the dragoons as they searched for their ain kind an redd-up efterhaun.

Lyin whaur they fell, ower a fifty-yaird streitch o bluid-soaked muir gress, were the corpses o the nine Covenanters. The claes had been stripped frae their bodies, an aa their pouches riped. Strewn amang the rifled remains o plundered packs that had held aa their warldly gear were their bluid-stained Bibles, some trampled in the glaur an ithers wi their white pages open an flutterin in the win. For Adam, it wis easier tae luik at men face-doun, for cleft skulls an gabs gapin in bluidy daith were gey hard tae thole. Waur still wis the turnin ower o ae corpse tae fin hauf a face missin, an the sichtless ee that wis left, starin straucht throu him. But waur even than that wis the terrible sicht o the haunless an heidless corpse o Richard Cameron himsel. Adam grued, an brak intae a cauld sweit. In a near dwam he juist managed tae staucher ower tae a moss-hag, afore faain doun on his hauns an knees an spewin up aa the brose an bannocks that auld Nance had laid afore him when he got back frae the hill. E'en then, the dry boke gaed on for anither hauf-hour afore he cuid gether himsel, an gie a haun wi the grave-diggin.

'Juist you delve awa, Edam,' auld Tammas comfortit him, as he stuid cuttin braid strips frae some lengths o seck-claith that he'd brocht frae the Mains, 'ye're a strang lad an mair uise tae us howkin sods here wi Dauvit, John an young William, while Wull an mysel lay oot an prepare the men for burial . . . We'll let ye ken when we're ready tae lift thaim ower.'

Adam an the young Campbells - wha were likewise daith-white as windin-sheets - were relieved tae be spared that ordeal, an alang wi big Dauvit, fell tae delvin a lang an braid grave, as deep as the grun wad allou, tae haud the nine martyrs. Dressed in their windin-sheets, it wis easier tae lift an shift an lay the men in a lang raw - side by side in daith as they had been in battle. Then they aa stuid, heids boued in the grey darkenin, as last o the simmer gloamin turnt tae sombre nicht ower the tap o Cairn Table.

Disjaskit an forfairn thou he micht be - an Adam cuid only mervel at the smeddum an fortitude o the auld man - Tammas Richard gaed furrit wi a firm step tae the heid o the grave an raised his hauns, his een, an his strong vyce heavenwards in prayer -

'O Lord, Tak tae Thy bosom these Thy chosen servants o Christ an the True Kirk, cruelly murthert on this spot this evil day at the bluidy hauns o Bruce o Earlshall an his godless hounds o Hell . . . Nou depairtit the earthly bounds o their mortal cley, may their sowls forever rest wi Thee in Thy Eternal Kingdom, an may Thy vengeance strike at the herts o the enemies o thy Kirk an Covenant, an aa thaim that persecute Thy servants in the name o episcopacy an popery . . . An Lord, may the grace o Christ that dee'd for oor sins, grant us aa the strength tae adhere tae the solemn Covenant that binds us an Thy martyrs tae Thee, an tae Christ's Kingdom tae come. Amen.'

As he drappt his airms an lowered his heid, Tammas gied a wee staucher forrit, an Adam gruppit him afore he fell on the sods. 'Thenk ye, Edam . . . I'm a wearit auld man, an my hert is wae . . . An thenk ye aa . . . Thenks be tae God, we've dune a guid job here the nicht . . . tho nane maun ever breathe a word anent wha yirdit Richard Cameron . . . for gin it gets aboot, we are aa deid men . . . Sae mind on yer wey hame tae aye tread on thick gress an no on the peat moss, an lae nae trace o fuit-marks . . . an mak shuir ye syne thae shuils in the watter o Ayr, then slairie thaim weel wi midden clart when ye get hame.'

Whit only Wull Campbell an him kent - an he didnae let on tae the lave - wis that he had gethert up aa the martyrs' bibles an happt thaim in his jaiket, ettlin tae haun thaim back in time tae their grievin families - tae be treisured wi pride. Word gat back tae Muirkirk later that, o the five men captured, twa dee'd o their wounds in the Tolbooth o Edinburgh, twa were hung at the Gressmairket, an the third, their stout leader David Hackston o Rathillet, wis sentenced tae be hung, cut doun alive, disembowelled, his hert cut oot, beheidit, an his limbs cut aff - wi his pairts tae be affixed at St Andrews, Glasgow, Leith an Burntisland, an his heid stuck on a pole alangside Richard Cameron's at the Netherbow in Edinburgh.

Adam never tuik his Bess tae the heather. For months efterhaun he wis dowf an dowie, an spake no a word aboot that nicht, forbye tae tell her never - on pain o his daith - ever tae breathe a word on it. He didnae fash himsel aboot auld Nance. She wis gey doitit onywey, an had eneuch bother mindin wha she wis hersel, faur less clypin about ither folk.

But for common folk, life had tae gang on - the plouin, the harrowin, the sawin, an the lambin - an wi the wicked warld gaein by her threshold ilka day, Bess felt maist safe in the beild o her ain wee cothous, wi Adam close at haun tae haud an tae hug, tae cry in for his meat; or tae sit side-by-side on a warm evenin sun in the shuir silence o his companie, as he whittlt awa at a hazel wand an she spun the first o the simmer clippins. As simmer gied wey tae autumn, she noticed a chynge in hersel. She had missed her illness for five o sax months but hadnae thocht muckle aboot it, for it had played fickle afore, at times when she wis sufferin sair frae want or grief. But this time it wis different. She wis nou sonsy whaur ance she micht hae been wastin awa. Her breists were big an tender, and her wame . . .

The following spring, juist as the last o the gimmers drappt her twin lambs, Bess Beg gied birth tae her ain first-born, Adam; an mitherin her bonny bairn gied her a new pouer - an the smeddum tae win throu the travails o the neist aicht years.

For the furst five year, Cruikedbank drave its hard bargain wi Adam an Bess. Gin they wrocht hard frae dawn tae dusk, eidently haun-tillin the rigs in Mairch an April, sawin thaim wi oats an bear in Mey while still thrang at the lambin o the yowes; plantin tatties an kail in the beild o the fail-dyke anent the cothous; clippin the yowes in June an cairdin an spinnin the fleeces; cutting an dryin winter peats on the muir aa simmer, an cairtin thaim hame, creel by creel, on their backs tae the stack at the gable-en o the cot-hous; herdin the beasts on the braes an keppin thaim oot o the craps; sneddin the thistles that grew an spread everywhaur; scythin an getherin whit wee crap o puir hey cuid be hained frae the meedow gress by the watter-side tae keep fower nowt alive ower the winter months; mowin, bindin an stookin the sheaves o oats an bear in September, an efterhaun threshin an winnowin their meagre crap o grain; drivin their score o bleckface yowes tae the stell when the bad snaw came, an cairtin shairn tae the rigs when it didnae - gin they did aa that an mair, they micht juist survive anither cruel winter.

Life wis a sair faucht maist o the time, a gey weary trauchle frae ae day tae the neist. Yet on a rare bonnie spring efternuin, wi peesweeps divin ower the holms, whaups tirlin on the hill an the sicht o daft new lambs lowpin an tummlin on the brae - for Adam an Bess, as they restit frae their labours, snugglt thegither wi an auld turf dyke at their backs an a warm sun on their breists, watchin wee Edam toddle an staucher aboot the meedow pouin heids aff the gowans - life cuid whiles feel gey guid.

On a fine simmer nicht, when the Ayr or Greenock watter wis in guid order an the troot in the tid, Adam micht loss himsel for a couple o hours at the gloamin wi his lang hazel wand, horsehair line, an a pickle worms delved frae the midden outside the door; and come hame wi hauf-a-dizzen wee gowden rid-specklt burn troot threidit on rashes. Bess wad hae the griddle ready-het on the peat embers tae fry thaim straucht awa in butter an oatmeal alang wi ony fresh whaup, wild deuk or seagull eggs they'd gethert on the muir - God's spring an simmer bounty. But spring an simmer aye passed ower quick.

Rashes there were in plenty frae the dub by the watter-side an up on the hill, an Bess wad gether fresh bundles frae time tae time tae cover the cley flair o the biggin, bulk oot the strae mattrass, an peel their stalks wi care tae mak winter wicks for the cruisie-lamps. There were nae windaes in the cot-hous, an the only licht cam in throu the open door - or the wee lum hole whaur the reek liftit throu the ruif frae the peat-fire hearth in the middle o the flair. In autumn, winter, an early spring, when the door wis aye steikit tae haud oot the cauld, it wis the comfortin lowe o that peat fire that gied them licht eneuch tae thole months o lang, dreary nichts, courit aither side o the hearth for warmth. The feeble licht frae twa cruisies made it a wee bit easier for Bess tae spin; while Adam wove sauch creels tae cairry the peats an shairn, or whittled awa at hazel sticks, makin cruiks that he micht sell at Cumnock or Mauchline fairs.

In a wey, they were lucky they had nae mair bairns, for it freed Bess whiles tae labour wi Adam at the rigs, an caird an spin the wool tae be woven intae claith eneuch tae cleid baith hersel an her man. Gin a yowe dee'd on the brae - an Adam fand it afore the corbies an the mawks - he wad skin it an cure the fleece; an it wis the warmth o thae sheep skins that kep baith their bairn an themsels alive throu the cauldest o winter nichts when uplan Muirkirk wis a cruel place for puir folk. At the back-en, when the saumon ran up the Ayr an Greenock Watter tae spawn, he aye managed tae tak a fish or twa wi his leister; but in the terrible winter o 1683, they were locked awa safe ablow the ice.

That winter, the furst snaws fell in November, an the last in April. There were three months o harsh, snell frosts that froze the Ayr solid; an fierce bitter storms that sent snaw-wraiths sclimmin the hicht o the theik an blew pouder-snaw a fuit deep ablow the door. The wee bleck nowt, penned aa winter hoch-deep in shairn in the byre-en o the sheil, had at least the beild o fower waas tae protect them frae the elements - an a wee pickle hey. Adam had aye tae judge whether or no he wad hae eneuch fodder for fower beasts, an that back-en - efter a puir hairst - he had the mense tae slauchter the waikest. He had it butchert an sautit, an for pairt o the winter at least he an Bess fed better - wi beef an kail broth for a while, instead o their staple fare o kail brose, milk an oats, an bannocks. Come Mey, when the furst green blades o spring growth stertit at last tae push up throu the withert yella bents, the three ither puir nowt were sae faur gaun an waik that Adam an Bess had tae heize thaim up on tae their clutes afore they cuid win ootside tae the grazin.

But the sheep had tae fend for themsels. Gethert inby in the stell for warmth only when the snaw wis bad, the rest o the time they had tae scrape awa at the moss an snaw ootby, an forage as best they cuid alang the brae-face that wis their hirsel, or in amang the stibble o the croft-rigs. Whiles, if they were buchtit in, Adam wad throw thaim the kail-runts frae the yaird. He had quickly learnt that the brae park cuid haud nae mair nor a score o sheep; an that winter, as weel as the nowt, he slauchtert the twa wether lambs he'd kep on efter the simmer rain had been guid for the gress - if puir for the hairst.

Efter the wee nowt, this wis walcome fare in the deid o the year. Bess made haggis wi the pluck an the stamack, broth stock frae the marra-banes, an a grand lamb-stew. The creesh she hained tae mak tallow for the cruisie-lamps, an they cured the fleeces for beddin. Wi God's providence, an Adam's canny husbandry, they won throu that foul winter, while aa roun aboot thaim, a wheen puir sowls sterved or froze tae daith.

It wis fower lang year afore he wis able tae barter twa guid heifer stirks for a sturdy pownie, an mend an auld widden sled lyin ahint the Greenock Mains byre that his neibour auld Tammas Richard had nae mair uise for. Frae then on, that pownie an sled made aa the difference tae their daily darg - nou able tae cairt five creels o peat at a time tae the stack, an the same load o shairn tae the rigs. An it wis nae bother for the pownie tae cairry sax firlots o corn a mile up the watter tae the Muir Miln at Wellwood, whaur aforehaun, he cuid only shouder ane or twa himsel. But it fashed him sair that aa the fermers o the pairish were thirled by their superiors tae tak their grain tae the Muir Miln. For auld Tam Rowan the miller there tuik an aichth pairt as his multure, while doun at Sorn Mill the miller only tuik a tenth. Gin he had the chance, it wad hae been weel worth the five-mile traipse doun tae Sorn tae save some mair o their precious meal for the winter.

Anither cruel winter had rin its course. At last it wis the spring o 1685, an the laich April sun nou raise faur eneuch in the lift tae warm the yird o the holm. Adam wis fidgin tae stert the fermers' age-auld cycle o the seasons - the plouin, sawin, reapin an threshin - an ettlt tae gang doun the road tae Greenock Mains tae get a len o Tammas Richard's mare. They shared their pownies for heavy wark, an nou that auld Tammas an his labourer were feenished plouin, it wis Adam's turn; but this day, for some eerie reason, he wis laith tae stert oot for the Mains.

That mornin, he had been taiglt in the stell, lambin a yowe wi twins. Ane o thaim, a wee yowe lambie wis gey shilpit an waik, an he had focht lang an hard tae keep the spark o life in its wee hert, an wis weel pleased at the hinner-en when it gied a wee bleat, stauchert tae its feet, an stertit tae souk its mither. He cuid ill afford tae loss ony gimmer lambs at the en o a hard winter when he'd lost sae mony yowes. Frae ahint the stell dyke, he'd heard the clatter o horses, but didnae raise his heid abune the waa till they gaed by. There were sax o thaim, an he wis gled tae see by their claes that they werenae sodgers. But he fand himsel wunnerin whit wey hauf-a-dizzen men shuid be trottin doun the Sorn road on guid horses at this time o year. It wis neither a mercat nor a term day.

Adam had guid cause tae be tentie, for in the years that followed the Battle o Airs Moss, a man wad gang abroad in the kintraeside at his mortal peril. Ilka day, dragoons still rade up an doun the Sorn road, an whiles, gin they were huntin some puir Covenantin body, they wad come ridin doun the Greenock Watter frae Netherwood - whaur the drove road ran ower the muir tae Plewlands an on tae Strathaven - an turn across the hill tae Greenock toun on their wey back tae Sorn. They were coorse, hard, cruel men, an no sweirt tae thraw the neck o a hen or twa for their denner, efter speirin at Bess or Adam gif they'd gied some rebel shelter, or seen him crossin ower the moss. The young folk had juist tae keep their heids doun, their gabs steikit, thole aa the snash an thievery - an mak shuir that their weel-thoumed Bible wis aye kep weel hidden awa ahint a loose stane in the gavel waa. For under the new laws, tae be fand readin the Guid Buik cuid mean daith for some, or transportation tae slavery in the Indies.

These were cruel evil times o persecution an daith. Maist folk leeved in constant fear o the dragoons - or in the early days - the thousans o wild, lawless, mercenary Hielanders sent doun frae the north tae strike terror in the herts o the guid folk o the south-west. Quartered at nae chairge in the dwellins o gentlemen an lairds sympathetic tae the Covenant, they ett an drank thaim oot o hous an hame, afore ripin their houses o cutlery, plates, claes an valuables. By nou, maist o the thievin caterans had slithered awa back tae their dens in the Hielans wi their ill-gotten plunder, but there were still detachments tae be feared up in the Leidhills an doun at Cumnock, that wad rob, pillage, maim or murther the common folk at will.

Juist aicht months syne, in the August o saxteen aichty-fower, James Irvine o Bonshaw an his troopers captured young John an William Campbell on the muir abune Upper Wellwood while scourin the hills for their faither. Auld Wull had escaped intae the hills an wis still a fugitive; but his twa lads were fand wi Bibles in their pouches, an saw their hame plundered afore they were trussed an cairtit awa tae Glesca on the backs o twa horses. Wi nae guid pruif that they were rebels, they were sent tae the Canongate tollbooth in Embro an questioned by the Privy Council. Cast in the jyle alang wi eleiven ither Covenanters, by the grace o God, twa gimlets, a chisel an an airn bar, they escaped throu a windae an airtit back tae the Muirkirk muirs whaur, as faur as Adam kent - an it wis best no tae ken ocht about thae happenins - they were still bein huntit as ootlaws wi a price on their heids.

Twa months back, in February, when Chairles the Saicont dee'd an wis succeedit by his papist brither James the Seiventh or Saicont, things had got muckle waur. There wis great unrest, wi widespread fears o the return o popery, and a surge in the persecution o Covenanters. Only three weeks syne, there'd been a wicked murther at Upper Wellwood. Wull Adams, the Campbells' labourer, wis sittin ablow a thorntree in a wee howe by the burn nearhaun the ferm, waitin tae tryst wi his lass, an quately readin his Bible tae pass the time, when General Tam Dalyell o the Binns an a troop o his sodgers spied him. Wi nae mercy nor question, Dalyell had him shot on the spot an left his corpse lyin there for his puir lass tae fin an bury.

Wis it ony wunner then, that Adam Beg had forebodins, an wis whiles feart for his life an that o his bonny Bess. But fear wadnae plou his rigs or saw his corn.

'Ach, Bess. Time's weirin on an I dout I'll hae tae steir mysel tae gang doun tae the Mains for Tammas's pownie an win back afore the sun gaes doun. I dinnae want tae be seen oot late on the road.'

'Tak care, Adam, tak care.' Bess gruppt him close as he pecked her on the cheek, picked up his cruik an stooped ablow the laich lintel o the cothous door. Liftin wee Adam, she held him ticht in her airms, an watched wi fear in her hert as his faither strade doun the brae wi that lang herd's stride o his, an disappeared smertly roun the corner by Knockshuggie wid.

It wis nae mair nor five furlongs tae the Mains, snugged doun ahint a beild o trees on a braid holm whaur the Greenock Watter rins intae the Watter o Ayr. But Adam wis aye canny, for the ongauns o the past year had gied him guid cause; an raither than gang straucht up the ferm road tae the steadin, he tuik a rounaboots road insteid, that brocht him oot abune the wid, whaur he cuid spy on the fermhous door wi'oot bein seen himsel.

A hunner yairds frae the ferm, he drew up wi a stert, an sunk doun ahint a slae buss wi a souch o fear, when he saw hauf-a-dizzen horses tethered by the byre-en. Dragoons! Tammas! Mebbe they were juist searchin an speirin aboot the Campbells o Wellwood! He courit doun on his hunkers and stelld himsel, wi ticht white nieves gruppin his cruik an fear gruppin his lowpin hert. For nigh on an hour he watched an waitit, till the fermhous door opened tae the soun o lauchter, an a man cam oot for a piss agin the gavel waa. Adam wis bumbased - for the fella wisnae dressed like a dragoon, an he recognisd him as ane o the men that had rade by Cruikedbank juist twa hour syne. He wore ridin buits, grant ye, but broun breeks an a jaiket o hodden grey . . . An why the soun o mirth? Were they juist trevellers - or freens o the Covenant? Adam wis curious, but still canny. The win wis frae the south, blawin awa frae the steadin, sae the ferm dug wadnae smell him an bark, nor wad he fleg the horses. He crept forrit ahint a fail-dyke till he wis hidden by clump o whin busses forty yairds frae the hous . . . but nae closer!

Hauns an legs trimmlin wi excitement, he cuid hear the vyces an lauchter rise an faa in the fermhous. Then o a sudden, the lauchter stoppt an vyces raise again - but this time in anger. They were shoutin at auld Tammas. He heard the loud clatter as a table wis cowpt; an the brekkin o crockery on the flair. The door flung open, an sax men cam rummlin oot, draggin the auld man ahint thaim by the scruff o his jaiket. Adam sunk flat tae the grun, smoorin his face in a sod wi a daft-like fear that they micht hear his braith abune the clatter o steel an horse shaes on the causies. Their leader, ane Peter Inglis, had a pistol pyntit at auld Tammas's heid. 'I cuid shoot ye the nou, ye auld renegade! . . . but tho it's mair bother an fash than it's worth . . .' he added, tae a burst o coorse lauchter frae his men, 'We'll gie ye the benefit o the dout, an a fair trial frae Colonel Douglas ower at Cumnock! . . . Bind his hauns an heize him up on tae that horse, trooper, an we'll get awa across the Airs Moss afore the darkenin.'

Wi hert racin, an a mooth as dry as a simmer sheuch, Adam watched helplessly, his heid birlin wi a clash o feelins - consumed wi a burnin anger that wis dowsed by a deep despair an terrible guilt that he cuid dae nocht tae aid this fine godly auld neibour an freen o his, that had been sae guid tae him an Bess thae five years. Feart tae steir gin the troopers cam back, he lay for anither hauf-hour afore risin frae his hidie-hole; an as he did sae, his hert near lowpt oot his thrapple when he heard a grain frae inside the fermhous an the ghaist-white face o a man, his heid rinnin wi bluid, appeared at the door. The man stauchert agin the door jamb then cowpt on his hauns an knees on the causey-stanes amang aa the shairn an glaur. It wis Dauvit McClung frae Limmerhaugh.

'Dauvit!' Adam ran forrit, heedless nou o danger. 'Dauvit! Haud on . . . it's me, Edam!' He helped the puir man tae his feet an cairtit him ben the hous, whaur he richtit a cowpt chair an set him doun wi a stowp o caller watter frae the burn. 'Whit happened, man? Whit happened?' Dauvit tuik a lang draught o watter, grained as Adam dichtit the bluid frae his brou, shook his heid twa or three times tae clear his thochts, and spake in a waik, trimmlin vyce that grew in strength in keepin wi his risin anger, as he tellt his story.

'My, I'm gled tae see ye, Edam Beg, I'm gled tae see ye! . . . I had juist cam ower by tae see hou auld Tammas wis daein . . . He hasnae been that grand o late, a wee bit doitit nou an again. Mind ye, that's mebbe no surprisin, for he's gey near aichty . . . tho I dout gin he cuid tell ye that himsel.' He held his boued heid in baith hauns, then luikt up at Adam. 'I hadnae been here mair nor ten minutes, when there wis a clatter o horses an this chap at the door . . . nae hemmerin mind ye, juist a wee chap.

'Tammas went tae the door, an syne hauf-a-dizzen men cam ben . . . as plaisant an herty as ye like . . . askin for directions an a wee refreshment, for they were trevellers on the road frae Lanark tae Maybole, an feared they'd ta'en the wrang gate when they left Muirkirk. Auld Tammas tellt thaim they were on the Mauchlin road, an no the road for Cumnock. He wis fair ta'en wi thaim, aa the mair sae when three o thaim brocht oot their Bibles an askit gin he wad jyne thaim in prayer. Then they said that he wis a guid Christian man juist like themsels . . . an that they had tae be gey canny for they were heidin doun tae Carrick tae meet up wi some brithers o the Covenant. Aa the time they were speirin at me as weel, but I aye keep mysel tae mysel efter yon nicht at Airs Moss, an winnae let onybody ken whit I'm thinkin. I said I wis a neibour, juist luikin in on the auld ane . . . as neibours dae.

'Then they speirt did he ken whaur ony o the hill-men bided hereaboots, for they wantit tae let thaim ken o plans for a conventicle in Gallowa. That gat me a wee bit worrit, but I cuid say nocht tae the auld sowl afore he let oot that he had three hill-men bide ae nicht last week. They kep on a while wi blether an banter, an lauchin awa wi auld Tammas till ane o them stuid ower near the fire an burnt the back o his guid ridin buits . . . That garrd him sweir, an ye ken hou auld Tammas feels aboot blasphemers an profanity. His heid went up an he kent they were fause . . . an they kennt he kennt, sae they gruppt him an said he wis a rebel an had sheltered rebels an wad be shot.

'I cuidnae staun seein an auld doitit man bein treatit like a beast, an tellt thaim tae show respect an mercy for his age an infirmity. But they wad hae nane o it, an I wis tellt that gin I didnae steik my gab I wad gang the same gate mysel . . . an then I wis set upon by twa o thaim an got a dunt on the heid frae the butt o a pistol . . . an that's aa I mind.'

'Puir Tammas is weel on his wey tae Cumnock nou, Dauvit . . . God help him . . . tied tae the back o a horse. They're takin him tae Curnel Douglas, an jestin that it's for a fair trial . . . the bleck-hertit swine!'

'The Guid Lord preserve us, Edam, frae deivils like James Douglas. For a son o the Earl o Queensberry he has brocht eternal shame an damnation on his faimily . . . Tho I ken as a tribe they're nae better or waur nor Buccleuch nor their ither noble neibours - for they've aa aye uised the fear o daith an the dule-tree tae haud doun their tenants an heize up their rents. Damn them aa!'

Word gat back tae Muirkirk the neist day that three Episcopal ladies - Christian sowls for aa that - had pled for the auld man's life; but that Colonel Douglas peyd nae heed an had Thomas Richard shot in Cumnock kirkyaird while kneelin in prayer; an then shamefully had him yirdit like a common thief ablow the gallows on the knowe abune the village.

Juist three weeks later, ower on the faur side o the parish at Priesthill on the first day o May, while Muirkirk wis still grievin sair for the murther o this guid auld fermer, John Graham o Claverhouse an his troopers cam across John Broun the Christian Carrier - an his nephew John Browning - while they were oot cuttin peats on the brae-face abune his hous. They had dragged him back hame, whaur Bluidy Claivers wi his ain pistol shot him deid in prayer afore his wife Isabel an his wee bairns. It wis said that when puir Isabel rushed forrit tae cradle the heid o her guid man in her lap, cruel Claverhouse had asked her whit she thocht o her husband nou. She had luikt him straucht in the een an crousely replied - 'I aye thocht muckle o him, but nou mair nor ever.' Sax days later, John Browning wis hung wi fower ither covenanters at Mauchlin.

Adam didnae ken Browning, but like maist folk nearhaun the Sorn road, he'd been on noddin, speikin terms wi John Broun - a kenspeckle body, that for mony years had trevelled that gate ance or twice a week wi his pack pownies. A quatelike pious man, he kep himsel tae himsel, but nanetheless had a word - an aye a guid word - for maist folk he met alang the road. His cruel murther wis sic a foul abhorrent crime that the spreadin news o it re-kinnlt feelins o burnin anger an revulsion throu-oot the south-west, an fanned the smowderin flames o hatred intae a hellfire o damnation for government troopers an their evil maisters.

For the hale o that terrible Killin Time in the simmer o 1685, aa roun aboot in the lands o Kyle an Nithsdale, the killins went on an on. Juist ower the muirs in the pairish o New Cumnock, anither five martyrs were shot by James Douglas an his Hielan savages, while three mair were dragged back tae the Cumnock tolbooth an shot. An awa on the faur side o Cairn Table, twa men were shot at the heid o Crawick Watter abune Sanquhar.

As mair an mair tales o cruelty an foul murther were brocht back tae the pairish by packmen an trevellers (the maist horrible bein the drounin at the stake o twa puir weemin on the sands at Wigtown), puir Bess wis driven near tae madness wi the dreid o whit micht befaa her Edam oot on his lane on the muir or walkin the Sorn road. For months she frettit, nor wad she lae him oot o her sicht, but aye gaed wi him tae the miln, the peats, or the rigs. Adam had brocht puir Tammas's mare back wi him frae the Mains, jalousin that gin he didnae tak it, some thievin vagabond or Hielan cateran wad. Auld Tammas had left nae kith or kin. The Earl o Dumfries's grieve wad be roupin maist o his beasts an chattels - an he kent fine that Adam an Tammas aye shared their pownies for the plouin.

As the murderous madness o the past decade slowly dwined awa - in whit some folk cam tae caa 'The Glorious Revolution' o 1689 - sense an sanity prevailed ance mair. In the months efter his sister Mary and her Dutch Prince, William o Orange, were invitit tae tak the Throne o Scotland an England - on a promise tae uphaud the Protestant faith - James the Seiventh wis huntit ower the watter tae Ireland, then skelpt awa tae France wi his tail atween his legs, never mair tae return.

Cruikedbank an the growin faimily o Adam an Bess wis five hunner mile - an a warld awa - frae this Revolution. For while it micht weel be 'Glorious' for a king an queen an aa their nobles an courtiers tae feast an dance an rejoice in their fine palaces doun in London; back hame in the south-west o Scotland, puir kintrae folk in their hovels had tae thole their poverty, an trauchle on as best they cuid - but nou at least wi ae savin grace - peace in the land.

Throu the Providence o the Lord, for the furst fower years, Adam an Bess fared better than maist. Adam wis a guid husbandman an gin the hairst wis guid or bad - an they had some lean years - he cuid aye mak the maist o it. Wi juist three bairns, Adam, William an wee Mirren, they had less mous tae feed than thaim wi ten weans;

an less chance o bein smitten wi pestilence like the kink-hoast an smallpox, that struck doun stervin folk waikened by hunger.

But as the Lord giveth sae the Lord taketh awa. Like a lichtenin bolt, in the spring o 1694, puir Bessie Beg lost her man. Lowsin his nowt oot tae pasture efter the winter, a wee kick frae the clarty clutes o a kittle quey flyped a muckle daud o skin frae Adam's shin-bane. Nane o Bessie's salves nor moss-dressins cuid help his bealin leg as it turnt furst rid then bleck, an swallt tae double its size afore he wis gruppt by a fell fever that cairrit him awa in fower days.

Stricken wi grief and facin prospects drear, she wis nou aa her lane wi three young bairns; but mercifully an thenks tae Adam's foresicht, she still had a ruif ower her heid an nae laird's rent tae pey. An young Adam wis nou a sturdy hauflin-lad gaun on fowerteen year-auld. Sae wi God's blessin, and help frae the twa young anes as they grew aulder, they wad shuirly win throu till he reached his majority an cuid tak ower the rinnin o Cruikedbank.

But that winter an for anither sax tae come - as weel as her weedowhood - Bessie Beg an her bairns had tae thole whit the hale nation came tae caa *'The Seiven Ill Years'* - years o foul simmers, crap failures, freezin winters, an terrible famine.

The uplan pairishes o Muirkirk an New Cumnock wi their thin puir soil fared amang the waurst; an aa roun aboot Cruikedbank, peasants dee'd in their droves. At furst, folk wad glean whit they cuid frae craps blighted an unripened by sunless months an endless rain. Forced tae kill beasts they cuidnae feed, for a wee while they fed weel. Then by mid-winter as their stock dwined awa, they were driven tae bleed ony kye that were left, tae mak a gruel o bluid, oats an bear. By that furst winter's en, the feck o the puir beasts were ower waik tae survive, faur less tae be pit tae the bull an cairry cauves.

Gin three hard winters had passed, maist cottagers had lost aa their kye, an hauf their sheep. Hunners were forced tae eat their seed corn as the price o grain raise faur abune whit they cuid afford. At the hinner-en, driven by hunger an poverty, thousans left the south west o Scotland tae settle in Ulster; whaur guid land - forfeited frae Irish supporters o King James - wis made available tae Protestant settlers. Bess heard that Isabel Weir, the weedow o John Broun o Priesthill wis ane o thaim - alang wi her twa laddies. O the folk that were left ahint in the uplan pairishes, as mony as ane body in ten sterved tae daith durin thae seiven ill years.

Wi guid mense, weel-foundit on memories o hou her man had kep thaim aa alive throu yon terrible winter o 1683, Bessie gat young Adam tae slauchter a sheep nou an again, tae drap their wee flock doun tae a size that the puir growth wad staun - an did the same wi the nowt - an this kep the stock in guid condition. Ower an abune, there were aye troot an saumon in the Ayr an Greenock Watters, an her twa lads were skeelie wi wand an worm - an the leister at the back-en o the year. Bess even let Adam gang oot on the muirs wi an auld roustie pistol his faither had fand on the Airs Moss no lang efter the Killin Times, tae hunt the white maukins that were daft eneuch tae sit up on their hin-legs twinty yairds awa an let themsels be shot. She wunnert whiles whether it had ever ta'en the lives o hill-men or dragoons; but thenkit God that it wis nou bein pit tae a better uise - savin the lives o her bairns.

Chapter 5

1685-1711 - THE ORPHAN LASS

'The sweeping blast, the sky o'ercast,'
The joyless winter day
Let others fear, to me more dear
Than all the pride of May:
The tempest's howl, it soothes my soul,
My griefs it seems to join;
The leafless trees my fancy please,
Their fate resembles mine!
Robert Burns - Winter: a Dirge

'Mam! Mam! . . . they're shootin my Daddy! . . . my puir Daddy . . .Ohhh, Mammy . . . that terrible noise an smoke . . . Mammy, there's bluid . . . there's bluid . . . my Daddy's lyin there . . . Mammy, Mammy, whit hae they dune tae my Daddy . . . Ohh, Mammy, Daddy! Mammy, Daddy!' Throu the wee garret windae, the laich siller beam o a fou mune cast its hard eerie licht on the hauf-masked, fear-crazed face o Janet Broun as she raise bolt upricht in her bed, her wild een starin sichtless oot o her nichtmare frae ahint a grey blanket gruppt ticht in baith hauns, as she gnawed at her knuckles wi her teeth.

Frae the ither bed, Grizel Tamson woke sudden wi the screams, flyped back her ain blanket an in twa lowps had set hersel doun aside Janet an wis huggin her ticht in her airms. 'There, Jennet lass, it's aa richt, it's aa richt . . . ye've got Grizel here wi ye nou, an there's nocht tae worry aboot . . . there . . . there.' She straiked Janet's brou that wis dreipin wi a cauld sweit - an grabbin the lass's sark frae a stuil, she slowly dried her draiglt hair, gently talkin tae her aa the time till she won oot o her terror. Ower the past aicht years since Janet arrived at Cessnock Castle as a kitchen maid, Grizel had seen this dizzens o times. As the years gaed by the nichtmares had gat less, but nae maitter hou often or hou little, Grizel wis aye there at haun tae comfort an tae soothe, for she cuid unnerstaun - she cuid unnerstaun. Her ain uncle, John Nisbet - wha had focht wi John Broun at Drumclog - had been hung at the Gressmairket in Embro in 1685.

An she kent fou weel that life hadnae been easy for puir Jennet efterhaun her faither's murther. Tho her step-mither had aye been awfy guid tae her, like a real mither, in 1696 durin *The Seiven Ill Years* o famine - wi her thochts mair on her ain twa young bairns James an John, nou steirin laddies o ten an eleiven - Isabel Broun ettlt at a better life, an had flittit thaim baith awa tae Ulster; whaur a wheen o folk frae the barren uplans o Ayrshire had settled intae guid fertile ferms, efter King William had huntit yon Catholic Jamie Stuart oot o Ireland.

But tho the persecution wis lang past, an the true kirk restored; tho the cruel sodgers were lang gane; an tho Jennet wis safely awa frae hame in service; she suddenly fand hersel bereft, in a trice, o the only kith an kin she had in the hale warld. Isabel Weir had aye been her staff an comfort, an nou she wis aa her lane. Sae in the year 1700, when the sad word cam back frae young John Broun in Ireland that his mither Isabel had dee'd, Jennet left ahint the dule o Muirkirk - for ever, she said - an socht wark ower the hill in the pairish o Galston.

Grizel kent fine whit had brocht on Jennet's bad turn this time. While maist folk micht luik forrit tae the end o winter an the stert o spring, Jennet aye hatit it. Spring wis her winter - cauld an deid an bitter - when there wis a horrible takin o life insteid o the vernal gift o it. It wis nearin the end o April, wi juist twa days till the furst o Mey. An twinty-three year syne on that terrible furst o Mey - her faither had been shot throu the heid in front o her very een. Twinty-three year! An the memorie o't wis still as deep an dark - an fashd her mind as sairly - as it had been juist a twalmonth syne.

Jennet wis aye gled o Grizel's companie - an the ither servin-lasses in the Big House - but she wis fell feart o men, an men wi guns. Like the time Grizel fand her hidin in a pantry wi her hauns ower her lugs, when Sir Alexander an his guests were oot shootin phaisants in the coverts nearhaun the castle. Lady Margaret heard tell o it frae the cook. She wis a Campbell hersel, an had seen her grandfaither Sir Hew Campbell o Cessnock forfeit his estates tae the Stuarts for his support o the Covenant. Imprisoned on the Bass Rock, efter a year his health failed, an he wis set free tae dee in Embro. Sae Lady Margaret, had tellt Grizel tae tak guid care o Jennet - no that she needit tae be tellt - an mak shuir that she cam tae nae herm, for she had suffered eneuch.

But Jennet Broun wis nae ordinar wumman. Nae ordinar wee lass cuid hae tholed the tragic losses she had suffered. She wis a fechter. Frae her dour an determined faither she had inheritit his trust in the Lord, his great strength o will tae endure muckle hardships, an the smeddum an thrawnness tae owercome adversity. God had blessed her as weel, wi guid health an scarce a day o illness in aa her thirty years. She wis stieve an strang o limb an lung. Guns, men, an springtime apairt - there wisnae ower muckle she cuidnae face, be it a hard day's darg, or a lang traipse ower hill or muir. It wis the lang-deid past that had tae be redd oot frae her mind - the bluidy ghaists o men an murther that whiles rent the curtains o her sleep an the peace o her sowl.

Providentially, ower the neist twa year, Jennet had nae mair nichtmares. It wis as if, at last, somethin steirt deep in her hert an tellt her that - efter ten year awa frae

Muirkirk - eneuch wis eneuch. She had a fair mistress in Lady Margaret, a guid freen in Grizel, kindness frae auld Peggy Aird the cook, an a guid lauch whiles in the companie o the ither servin wenches, an the grooms an gairdners. Aiblins it wis that they aa kent the story o her faither, aiblins no; but she aye had respeck frae the men, wi nae coorseness or liberties ta'en - only a gentle banter an daffin that she cuid thole, that wad mak her smile, an that she luikit forrit tae ilka day - an aye gied back as guid as she got. She felt as if she wis pairt o a faimily ance mair - a muckle great faimily. The wormit an gall that had soured an cankered her life ower the past twenty-five year drained richt awa. In its place raise a great desire tae pree some o the sweet things in life, lauchter an joy, a guid bonnet, a fine dress - an mebbe even a laud tae gang wi thaim . . . mebbe even, wi the blessin o God, a hame an faimily o her ain.

Late on a fine Sabbath morn in June 1711, Jennet Broun fand hersel sittin on the banks o the Cleuch Burn by Sorn Mill, dichtin the stour aff her feet an giein thaim a guid syne in the cool clear watter afore she poued on her stockins an guid shune. The mistress wis awa, an cook had gied her the day aff tae gang across tae Sorn an see her guid frien Nance Park, in the service o Mistress Farquhar in Gilmilnscroft. It wis only sax mile. She'd left early that mornin as the sun raise ower Loudoun Hill, an tuik the auld bridle pad by Sornhill tae Langside, then skirtit the brae past the steadin o Auchencloich whaur Peden the Prophet wis born. She had paused there in silent thocht an said a wee prayer tae the memory o Sandy Peden. She mindit it like yestreen - tho she'd been only aicht or nine - the last time the auld preacher had steyd at Priesthill, the nicht afore her faither dee'd; the crack an lauchter, the prayers an psalms . . . then the neist, terrible, terrible day.

But this time, at last, she felt free frae her burden o grief an horror. It wis o the past, a faur-aff happenin - tae be mindit nou wi pride an reverence, raither than fear an grief. On this bonny simmer day, wi laverocks singin their praise in the blue heavens abune, an the heat o the early mornin sun warmin her back throu the woollen plaid happt roun her shouders, she had kiltit up her skirts an trampit on barefuit, singin like a lark hersel amang the rashes, ower wee wimplin burns, throu springy green moss an across saft sweet pasture amang the new lambies - aa lowpin aboot as kittle an skeich as she felt hersel as she hurried on by Auchmannoch an Meedowheid doun tae the village o Sorn. Frae the wee kirk juist roun the corner, she cuid juist mak oot the saft croon o psalms mellin wi the rustle o leaves as a gentle warm breeze souched throu the aish trees abune the burn. She'd better bide here till the service wis by, for fear o a bleck luik frae some o the auld biddies o the pairish - sae she micht as weel hae a wee bite tae eat. She untied a linen clout frae her waist an flyped back the corners. Cook had gied her a wee aff-cut o the roast mutton they'd had upstairs on Setterday nicht, an some fine buttered breid tae gang wi it - an a muckle daud o cake.

'My that luiks gey guid fare for a servin lass!' Jennet near tummlt tapsalteerie intae the burn wi the fricht o't, as the shedda ahint the vyce loomed abune her heid. She twistit roun, squintin intae the sun tae see wha the deil it wis that cuid be sae impident as tae fleg the wits oot o a daicent wumman juist sat doun eatin a piece an mindin her ain business. It wis a roun-faced chiel o middlin hicht, wi a touslt heid o mousy-broun hair an smilin blue-grey een. She didnae ken him, but she hauf-likit the luik o him. He wore a linen sark an a pair o ruch linen breeks ower woollen stockins, an a pair o stout broun shune. A Kilmarnock bunnet set at a jaunty angle ower his brou tellt her he wis mair likely a tenant fermer than a servant. Jennet judged he wad be about thirty.

'Whit dae ye mean by creepin up on a body an frichtin the wits oot o her?' she speirt, giein juist a wee hint o feelin affrontit, but no ower muckle. 'I very near tuimed aa my breid intae the burn, ye daft gowk!'

'Sorry, Mistress . . . I wis juist comin doun tae slocken my drouth at the burn when I cam across ye sudden. . . an thocht I'd better say somethin, for fear I fleggd ye.'

'Weel, ye did . . . an ye did!' reponed Jennet, brekkin intae a smile. The stranger smiled back, gaed doun tae the burn juist abune her whaur a wee spout o watter tummlt ower an atween twa stanes. Cuppin baith his hauns ablow it, he drank deep an lang o the clear caller stream. 'My that wis guid.' He dichtit the back o his haun across his short beard, an smiled again. 'It's a lang drouthy road doun frae Muirkirk on a warm day like this . . . Hae ye come faur yersel?' He sat himsel doun on a gressy humplock aboot fower yairds awa, wi his elbucks on his knees an his chin in his hauns, an luikt at her wi some interest.

He's no blate aboot comin forrit, this ane, thocht Jennet, while feelin flattered a-wee by his attention - an he comes frae Muirkirk. 'Ower the muir frae Galston.' she replied cannily.

'Oh, sae ye're a Gawston lass then . . . we dinnae see mony o thaim hereaboots.'

'Weel . . .' Jennet hesitatit - shuid she be talkin like this tae a richt stranger? Ach, he comes frae Muirkirk, an he seems a daicent eneuch sowl. 'Weel, I'm no a real Gawston lass . . . I wis born an bred in Muirkirk, but I've been awa thae eleiven years.' The young fermer luikt at her asklent.

'I thocht ye were ower bonny for a Gawston lass!' he daffed wi a twinkle in his ee. Then he luikt at her keenly. 'I ken yer face frae somewhaur . . . but deil tak it gin I can mind whaur!'

'I wis in service at Auldhouseburn, an Wellwood, an then Gilmilnscroft,' Jennet let on, '. . . afore I got a place at Cessnock Castle wi the Lady Margaret.'

'Och, mebbe I saw ye on the Sorn road when I wis airtin tae Sorn Mill . . . or mebbe when I wis helpin auld Wull Campbell wi his clippin at Wellwood.' Then tae her surprise, he stuid up, gied a wee mock bow, an said, 'I'm Edam Begg frae Cruikedbank o Greenock . . . at yer service, Mistress . . . eh?'

Afore she cuid stop hersel for bein sae glaikit - an her a grown wumman - Jennet fand hersel on her feet giein a wee bob-curtsey, an heard hersel sayin wi smeddum an pride - ' I'm Jennet Broun . . . frae Priesthill.' Edam's jaw drappt till he gethert his wits.

'I mind ye nou . . . John Broun's dochter! The time I last saw ye wis at Auldhouseburn, when ye were juist a bonny young lass an I wis a bit lad aboot Muirkirk. It wisnae lang efter that, I think, that yer mither an yer brithers gaed awa tae Ireland durin the Ill Years. . . efter my faither dee'd. I mind my mither talkin aboot it, an bein thenkfu that at least we still had a ruif ower oor heids an some yowes in the park at Cruikedbank. I kent there wis somethin aboot ye when I first saw ye the nou . . . it wis yer een . . . But they're happy een nou compared wi Auldhouseburn.' He stopped short. Had he said ower muckle? He didnae ken hou the puir lass wad still be feelin aboot that terrible murther o her faither. 'Oh, Jennet, lass, I hope my muckle mou has said nocht tae upset ye.'

She smiled a wee smile. 'Na, Edam. It fashd me sair for mony a year, but this while back I've been fine. It's aa in the past nou. Life maun gae on, an I fear that I've tint mair years o happiness than I ettlt . . . But nou I fin happiness in the birds, the flouers, the lambies in the parks, the souch o a warm wind on my cheeks . . . an pleisure in aa the folks that I meet. Weel, maist o the time!' She lauched an he lauched. 'An whit brings yersel doun frae the Cruikedbank the day?' It wis mebbe time nou tae speir a pickle mair aboot this weel-faured lad - a wee bit less o a stranger tae her than five meenits syne.

An hour gaed by, an they were still bletherin awa - no fower yairds apairt - but baith sittin thegither in the sun, on the same humplock, an sharin Jennet's piece as weel as the story o their lives. Edam wis juist doun tae hae a crack wi Rab Johnston the miller. His yowes had aa lambed an were weel heftit ootby on the braeface abune the holm, whaur aa his barley seed had been sawn an set weel. He wis due a wee brek. He fermed Cruikedbank himsel nou - as a portioner - ever since he got tae his majority eleiven years efter his faither dee'd. He wis on his ain nou. His mither had dee'd juist fower year syne, his young brither William wis herdin at Over Wellwood, an his sister Marion mairrit on Watson o Whitehaugh. Aye, his faither had kent auld Tammas Richard o Greenock Mains gey weel - that wad be her real mither's uncle . . . He'd mind himsel o the terrible Killin Times, an had been juist five year-auld when the sodgers tuik auld Tammas awa tae Cumnock . . an whit's mair, he cuid still mind his mither greitin awfy sair when they heard word o whit Bluidy Claverhouse had dune ower at Priesthill.

'Michty me!' exclaimed Jennet, when cool sheddaes frae the trees on the ither side o the burn tellt her juist hou faur roun the sun had trevellt while they blethert. 'Nance Park'll be worrit whaur I've got tae! . . . She'll hae me cowpt like a braxy yowe an lyin clutes in the air in some peat bog atween here an Gawston! . . . Edam, I'll hae tae gang nou. It's been a real pleisure tae get tae ken ye . . . an tae crack aboot aa the folk that we're baith acquaint wi.' Edam raise furst an held oot a helpin haun. Jennet tuik his firm grup, an when he heized her tae her feet, she wis laith tae lae it go. Likewise Edam.

'Eh, Jennet,' he paused, gey blate an no shuir o her repone, 'Ehm, can we mebbe meet again for a blether?'

'Aye, Edam', she gied his haun a wee squeeze as she laed it go. 'Ony time at aa on a Sunday . . . aither here at Sorn, or - gin ye've gat the legs for it - ower by at Gawston!'

'Fegs, Jennet lass, I'd walk tae Glesca, faur less Gawston, tae see ye again!'

'Adam Begg in the parish of Muirkirk and Janet Broun in ys parish were lawfully married at Galstoun Nov 29 1711' - sae read the meenister's entry in the Galston pairish records; an sae began a new life for Jennet Broun - nae langer tae be kent as the puir dochter o John Broun o Priesthill, but nou, foremaist, as the guidwife o Adam Begg, portioner an heritable proprietor o the Cruikedbank o Greenock. A hous o her ain an a man o her ain.

Set on the ither side o the road frae Tounheid o Greenock, wi a pasture brae rinnin doun tae twa guid fertile holms on the banks o Ayr, the wee cothous wisnae ower muckle different frae the auld biggin at Priesthill, wi juist a single room an a stable an byre neist door, an fail dykes anent the hous for buchtin sheep. Gin it had been buchtit roun aboot wi hills, like Priesthill, Jennet micht weel hae felt buchtit-in hersel wi her dark memories; but unlike the wee Ponesk Burn, the Ayr wis a braid river rinnin throu braid laich holms that streitched back up the watter for a mile or mair tae the Muirmiln an Wellwood. Juist across the road were the ferms o Tounheid, Midtoun an Tounfuit o Greenock, while ower the watter lay Greenocktoun an Tarreoch. She kent she widnae want for neibours. That wis guid. Tho it wis the deid o winter, wi the win set snell frae the nor-east, an the grun airn-hard wi frost, the bonny wide prospect across the Airs Moss pleased her. The winter wad gie wey tae spring - an she wad luik forrit tae the gift o spring as pairt o her new life an no the auld - an spring wad gie wey tae simmer, an June, when she met her Edam. But she had wark tae dae. Efter Bess Begg dee'd, the puir hous wis juist a bachelor's howf for Edam; sae Jennet rowed up her sleeves an set tae wi a richt guid will tae redd oot aa the clarty leavins o a haunless man, an mak it ance mair a hame fit for a faimily.

Secretly feart frae the stert that she micht be gettin ower auld tae hae bairns, Jennet pit her trust in the Lord. Gin it wis His will for her tae bear her Edam sons an dochters, sae be it; gin she had nane, she still had God tae thenk for a guid an kindly man. But she had nae need tae fash hersel. She fell straucht awa. That spring an early simmer she kep hersel eident an happy on the croft rigs, sawin an reapin, stookin the barley, an helpin Edam wi peats frae the hill. Later on, as she grew big, on a guid day she wad sit in the sun by the door wi her rock, an spin the wool that wad mak thaim plaids an stockins an blankets. Lady Margaret cuidnae been mair content in her grand castle at Cessnock, than her kitchen maid in her wee cothous at Cruikedbank.

For that same simmer, Edam had biggit her a new hearth an chimley wi a muckle brace, tae tak the reek oot o the hous throu a real lum insteid o swirlin up throu the rafters an yon auld bleck hole in the theik. Weel uised tae lums in the Big Hous at Cessnock, frae the furst day he cairrit her across the threshold, Jennet had threipit on at him aboot bein smeekit aa the time, an feelin mair like a cured ham than a wife, wi aa her claes stinkin o peat reek . . . an the hous wad be muckle warmer . . . an makin meals a guid sicht easier . . . Wi a new bairn on the wey, she wantit it tae breathe God's guid kintrae air, an no aye be hoastin wi its wee kist fou o reek.

For a furst bairn, she cairrit it as weel as she'd been a young limmer. Her naitural guid health, the joy o feelin new life duntin awa in her wame, an the content o a warm reek-less hous, gied Jennet the virr an strength o a lass hauf her age. Weel-buikit an braid o the hips, at her birthin-time early in October 1712, her furst-born son Adam cam oot as quick an easy, as it had been her fifth. Martha Hogg frae Tounfuit, wha attendit tae the birth, said she had ne'er seen the like o't, as she tied the cord, dried an swaddlt the wee wrunklt, greitin bairn, an fixed his questin mou tae his mither's breist.

Jennet's een were fou o tears as she gazed doun on this wee pink braith o life she'd brocht intae the warld. Mingled wi her great joy, were tears o grief an forebodin. It wis ower twinty-seiven year nou since her faither wis killt - an here at lang last wis the 'new life for auld' that she'd prayed for sae earnestly. Durin the short, cauld, damp winter days, Edam an Jennet watched as their wee bairn grew an thrived on his mither's milk, luikin up intae their faces wi his bonny blue een, kecklin wi innocent mirth as they poued funny faces, an croonin awa in babby sang as they whuspert their luve. But in the deid o a lang, snell winter's nicht, wi her wee Adam snug on a thick sheepskin in his sauch creel forenent the fire an weel happt up in a warm plaid; Jennet fand hersel prayin hard for the comin o spring - an the warm month o Mey - lest the cruel icy fingers o frost an snaw, or the chill claws o sleet an rain, micht snatch her precious bairn awa frae her breist, an frae life itsel. It wis a strange an eerie feelin - her luikin forrit tae Mey.

Wi the cork weel an truly oot o the bottle, there wis nae stoppin Jennet an Edam, for by Mey, she'd faaen again, an their saicont son John - caad after her faither - wis born that December. But when their third son Hugh arrived at the back-en o 1714, Jennet fand hersel prayin hard again - that God micht allou their three sons tae be raised in a warld o peace. For the auld Queen Anne, her doun in Lundon that never saw Scotland - faur less Muirkirk - had dee'd; an she'd heard tell that they'd brocht in some royal chiel frae a fremit airt caad Hanover, tae tak ower the throne. King George, they caad him - tho some caad him 'German Geordie' - for they said he cuidnae speak a word o English faur less Scotch. An Jennet heard frae Nance Park, wha heard it frae Grizel at Cessnock, wha had it frae her maister's valet, that a wheen o the auld Jacobite lords were talkin amang themsels an cryin oot tae bring back the 'guid auld days' o the Stuarts. Aiblins guid for themsels, she thocht - wi aa their popish fripperies, walth, pouer, an airs an graces - but no for the common folk o the south-west!

But that simmer o 1715, there wis ne'er a hint o trouble. Cruikedbank wis faur awa an oot o the warld, an Jennet wis ower thrang wi twa toddlin bairns, an anither at her breist, tae be fashed. Eident Edam warkit twice as hard tae clip his yowes, gether in his hey an barley hairst, an stack the peats for winter. It wis juist the same auld timeless run o the seasons; but nou driven by a duty an obligation that he'd never kent afore - he had a growin faimily tae support. The hairst had been early - an guid - wi the threshin an winnowin aa dune by late September. An sae it wis at the back-en o the month, that he tuik himsel doun tae Rab Johnston at Sorn Mill wi twa firkins o oats tae be milled for the winter parritch - an hoped that naebody wad luik ablow the peats in his creels, for like his faither afore him he wis thirled tae the Muirmiln; an gin he wis fand oot, he wad hae tae answer tae the feudal court o his superior - Farquhar o Gilmilnscroft - juist ower the watter at Sorn. He wis juist deliverin a load o peats for his auld freen the miller.

'Edam, it's yersel!' greetit the miller, raisin a muckle cloud o white stour as he skelpt his hauns on his apron tae dicht aff the flour. 'An hou's yer guid wumman . . . as bonny as ever? . . . an the bairns? . . . Guidsakes, man, at the rate ye're gaun, ye'll shuin hae as mony weans as yowes up at Cruikedbank, ye randy auld tup!'

'Fine, Rab, they're aa fine . . . An yersel?' Edam kent his auld freen wad aye hae somethin tae grummle aboot. As like as no this time, it wad be the laich price o corn wi the guid hairst this year. But Rab wad never let on that he'd mair than mak up for it wi the extra firkins he milled for ilka fermer . . . as if ferm folk were daft!

'Ach, no bad . . . no bad . . . gif it were no for the laich price o corn.' Edam grinned. 'Aye, but there's nocht tae lauch at, Edam, for there's mair tae fash us aa the nou than the price o corn.' The wey Rab spak, Edam jaloused somethin no richt. 'There wis a drover chiel gaed throu yestreen wi a herd o nowt for Lanark market. He's an Argyll man himsel, but warks for the Campbells o Loudoun . . . an he tellt me that he'd heard frae his young brither on Loch Fyne that the Duke o Argyll wis raisin an airmy tae fecht wi the Earl o Mar wha has cam oot for Jamie Stuart's son in France, an gethert thegither a muckle airmy o Hielanders up near Inverness.'

Deep in his hert, Edam grued at this news. 'Pray tae God it's no true, Rab,' he spake in a hauf-whusper as he thocht o Jennet an his bairns, 'for we've aa suffert eneuch doun here frae thae bluidy papist Stuarts an their thievin Hielan caterans . .

. I'm sweirt tae tell Jennet, for I'm feart she'll tak it gey ill, for she's suffert mair nor the maist o us . . . puir lass.'

'Aye, Edam, it wad be better no. But mind ye, they're faur eneuch awa in the North yet; an wi God's providence, mebbe oor guid Duke will keep thaim aa buchtit up in the Hielans an weel oot o the wey o the puir folk hereaboots . . . I wadnae think there's ony need tae fash puir Jennet the nou wi siclike blethers . . . Up at Cruikedbank yonder she's weel oot o the warld, cluckin awa wi her brood o bonny bairns like a mither hen, an she's hardly likely tae get faur eneuch oot o the place tae hear ither folk's clishmaclavers till the spring.'

'Ye micht be richt, Rab . . . an by that time, wi God's help, wi micht never even see hide nor hair o Hielanman or Stuart.'

That fine autumn Jennet tended her bairns an her man in bliss an happy content, while faur awa at Shirramuir - on the hills abune Stirling, an barrin their road tae England - fower thousan men under Argyll faced ten thousan Hielandmen under Mar. *'Some say that we won, an some say that they won',* the sang went, but at the hinner-en, the Earl o Mar fell back on Perth an the Fifteen Uprisin dwined awa. The Young Jamie Stuart cam ower the sea tae Peterheid in the nor-east, then turnt an sailed awa back again tae France - wi Jennet Begg nane the wycer.

Sae there wis time yet for mair bairns, an the neist year she bore Edam a fourth son, William. Then, in 1723 at the age o forty-seiven, there cam at last the blessin o a dear dochter she caad Christian in gratefu thenks tae the Lord for aa his mercies - an in memory o her faither, a guid Christian man.

Wi her hantle o healthy bairns aboot her, Jennet Broun felt humble an blessed, whaur ance on a time she'd been aa her lane in the warld. There wisnae a sowl aboot Muirkirk had ony douts but that she had been doubly blessed by God wi a great strength - baith in body an speerit. E'en sae, as the years gaed by, her smeddum wad ance mair be sair pit tae the test.

Frae the time that Christian wis born, that wee single room at Cruikedbank gat mair an mair thrang, wi five growin weans aboot the place. It tuik aa a mither's strength an patience tae cleid an feed, chastise, cuddle an tend fower steirin laddies rinnin ramstam everywhaur like a herd o stirks, wi rent breeks, skint knees an thistle skelfs in their fingers; while aa the time needin fower gleg een open for wee Christian, as she crawled amang the rashes on the flair, heidin for the fire, the dug, the cogie o fresh yowes' milk, or the midden ootby the door. Tae gie thaim aa mair room, Edam biggit a ruch laft flair up in the ruif trees ablow the theik for the three aulder bairns, whair they cuid sleep, or juist sclim up tae lie on their sheepskins an blether, weel oot o the wey o their mither an faither. The laddies caad it their corbies' nest.

Ilka winter brocht its ain crap o problems wi hoasts an croup an caulds an wheezes, an chickenpox an measles. When ane got it they aa got it, an puir Jennet had tae thole nicht efter sleepless nicht watchin an tendin - an whiles prayin - as girnin weans threshed an gabbled an havered awa, doitit an deleerious as they rode the nichtmares o their fevered sleep. Then ae grim October, the puir folk o Muirkirk were visited by the smallpox. Naebody kent whaur it cam frae, but there were aye trevellers on the road frae Embro tae Ayr. It wis gey smittle, an cairrit aff five puir sowls in the village, an left a dizzen ithers - includin twa bonny young lasses - wi ugsome pock-merks tae scaur their faces for life. But thenkfully, Cruikedbank - like maist folk that kep their distance - wis spared.

Forby her nicht-time darg mitherin her bairns, she had a guidwife's daily darg as weel - milkin the yowes, getherin eggs, reddin oot the hous, cookin, spinnin, washin, an helpin her guidman on the croft rigs. Frae the age o aicht or nine, as they grew, the aulder laddies Edam an John wad gang oot on the brae in simmer tae herd an kep the yowes an nowt frae the craps or the neibours' grun; an young Hughock wad gether eggs, aither frae the hous hens - or the peesies on the holm. His aulder brithers were skeely at spyin whaur the whaups an wild deuks nestit, an wad whiles bring back a clutch o wild eggs as weel. Frae their faither they learnt hou tae guddle for troots, an whaur the big troots cuid be temptit wi the hazel wand an worm. Efter the lambin, the three aulder laddies - an whiles wee Billy - wad gang up tae the peat-hags wi their faither an stack the cut peats intae wee rickles tae dry ower the simmer months.

Frae their mither, they learnt hou tae read. Ower faur tae traipse tae the kirk at Muirkirk ilka Sabbath, it wis Jennet rather than Edam that tuik the bairns in their Catechism, an learnt thaim their letters an words sae that they cuid read verses frae the Bible - the same wey that her faither John Broun had learnt her as a wee lassie. She had ne'er forgot hou tae read even durin her dark days, an had aye gotten great peace an solace frae her Bible. At Cessnock, she even had a wee read at some o the fine leather buiks frae the library that Lady Margaret's maid whiles brocht doun when they were awa frae hame; but they were fou o muckle fremit English words she didnae ken, an maist times she wrastled tae get the gist o whit it wis aa aboot. Young Edam an Hughock were the best readers - John's een aye waunert awa back the hills whaur his mind never left. Hughock at the hinner-en cuid read better nor his mither, an wad argie aboot whit sic-an-sic word meant. He aye argied did Hughock - an ower thrawn tae ever gie wey gif he thocht he micht be in the richt . . . juist like her auld faither.

On the Sabbath, faither Edam wis aye gled o his day o rest, for a lang hard life o *'sax-days shallt thou labour',* since a wee laddie o ten, had ta'en its toll. Maist times he wad juist sit in his chair an listen tae the bairns; then dover ower till his heid fell forrit an gied a jerk that woke him juist eneuch tae gie a muckle gant, rax his airms ower his heid, an mak for his bed. 'Ach, I'm deid wearit the day, Jennet, an my knees an shouders are gowpin,' he wad souch as he passed her an the weans. 'I'm awa for a wee lie doun.' Wi that he wad sleep for hours till she woke him for his meat. Even then, he wis gey laith tae rise, an ower keen tae lie back doun again.

Ower the neist seiven year, it wis Edam worrit Jennet mair nor the bairns. For as young Edam, John an Hughock streitched an braidened frae sturdy hauflins intae grown men, she cuid see their faither growin mair wee-buikit, aulder an waiker - a lot quicker nor he shuid for a man o his years. Efter aa, she cuid gie him near-on five years o a stert - an tho she'd borne five bairns as weel, she cuid still cairt a creel o peat ower the muir tae the sled in hauf the time he tuik. Whaur lang syne he wad hae left her faur ahint, nou he wis whiles blae aboot the lips an gey short o pech sclimmin the wee braeface tae the peat-hags. 'I'm gled the laddies are strang eneuch tae gie us a guid day's wark nou, Jennet,' he admitted ae day, as they sat on a heather bank for a rest, 'for I'm no the man I uised tae be . . . My jynts are aye gowpin an I'm fair short o pech on the braes . . . I dout it's auld age!'

'Ach, for me ye'll aye be the man ye uised tae be!' she daffed tae gie him hert, an kissed his brou. 'The lads are sturdy an keen tae wark an show their mettle . . . That's why we were blessed wi five steirin bairns tae luik efter us in oor auld age . . . Juist think on it . . . gin we'd met ten year aforehaun, they'd aa been grown-up an awa an mairrit gin nou, an we'd hae aa this tae dae oorsels . . . sae we maun coont oor blessins richt eneuch.'

Blessins or nae blessins, in time, like a real craw's nest, the young corbies flew their ain nest at Cruikedbank. For there wis scant o food for Edam an Jennet an the twa wee anes, faur less three muckle, hungert young craws that wad hae seen the girnal tuim by Hogmanay gin they'd the pickins o it. Edam wis the furst tae gang at saxteen, fee'd tae Netherwood juist twa mile awa up Greenock watter, tae be jyned by John the followin year. Hughock had gotten himsel apprenticed tae a mason in Douglas, an wis nou weel on his wey tae becoming a journeyman stanemason himsel; while young Billy warked Cruikedbank alangside his faither.

Jennet by nou wis fair fashd aboot her guidman. Edam's face an fingers were cauld an blae, his feet were aye swallt, an his kyte as weel. For months he cuid haurdly draw a braith or move a step but he peched; an nou he had ta'en tae sleepin sat stelld up in his bed, for he peched even waur when he lay doun. When he hoastit, his kist crecklt an his spittle frothed pink. Whiles she felt he wis like a drounin man as he focht for his braith. Young Billy had been awfy guid wi him, an a great help aboot the ferm. Hughock, when he wis scant o mason-wark wad come by for a week or twa, an gie thaim a haun wi the hairst or the threshin, or the peats. By chance, he wis tae haun that cauld winter's day in January 1730.

When Jennet steirt an raise early that mornin, she kent Edam wisnae lang for this warld. His braith cam fast, saft an laich; his brou wis cauld an clammy. Baith her lads were ootby at the stell, feedin the yowes. Happin her wool plaid ticht roun her shouders agin the bitter eastlin win, she crept saftly oot an cried thaim tae her. Aa the while, young Christian stuid aside her, gruppin the door-jamb an watchin - her een wide an feart. That luik pierced Jennet's hert like a trooper's blade . . . the puir wee lass wis juist eleiven . . . no much aulder than she had been hersel when she lost her ain Daddy. Turnin back, she hugged her ticht an held her heid ablow the plaid, close tae her breist, hauf-smoorin whit she wis aboot tae tell her big brithers.

'It's yer Faither, boys, I think he's gaun fast . . . Billy, will ye tak the pownie an rin up tae Netherwood for Edam an John - an tell thaim tae get here quick. Hugh, can ye come ben wi me an heize yer faither up the bed a-wee tae mak him mair at ease.' They liftit Adam up tae ease his breathin, an his heid slid back on the bowster. Slowly he turned his face roun an opened his een. 'Jennet, my luve,' he craiked, as he struggled for the braith tae speak even a few words, 'Jennet . . . an Hughock . . . an Christian . . .' He raised an raxed forrit his haun an inch or twa abune the blankets. Jennet tuik it an sat doun aside him on the mattrass. She straikt the thin white, blae-veined haun an wrist, an thocht on the steive an strang airms that had cairrit her ower the threshold o Cruikedbank aa thae years syne. She cuid hae brak doun in tears at the sicht o this puir shedda o a man souchin awa the last braiths o his life forenent her; a man that had gied her a life, a guid life, a happy life, blessed wi five bonny bairns. But she had tae be strang for thaim nou - like Isabel Weir had been for her thae lang years syne. Jennet blinkt back the tears frae her een, an gied Adam's haun a wee squeeze.

'Oh, God be wi ye, Edam, my man . . . an my luve . . . Ye've been a guid man tae me aa thae years, an a fine faither tae the bairns . . .' There wis a clatter o hooves ootby as Billy's pownie skitit tae a stop on the ice o the causey stanes, an John an Edam lowpt doun frae the back o their big grey ferm horse an cam rinnin ben. 'Here's yer twa big sons nou, juist in time tae say fareweel tae their Daddy.' She slipped tae ae side an let the twa lads haud their faither's haun an straik his brou. 'Edam . . . Billy . . . John . . .' he crecklt in a whusper they scarce cuid hear, 'Luik efter yer mither for me . . . for my time has com . . .' His vyce dwined awa as his chin drappd on tae his breist. Twa last gentle souchs, an he wis awa.

It wis a week efter the kistin afore the kirkyaird grun thowed eneuch for the yirdin o Adam Begg. That clear, saft mornin, his fower fine sons, alang wi his young brither William, raised his kist on the back o the cairt an trudged throu the dubs an glaur o the lang ruch road by Wellwood tae Muirkirk.

Ance back hame, efter a guid het meal o mutton brose an bannocks, Jennet lost nae time in settlin wha wad tak on the tenancy o Cruikedbank. 'Edam. Ye are the auldest, an by richts ye shuid tak ower frae yer faither here at Cruikedbank . . . but ye're ower young yet . . .' she paused awkwardly. 'Yer faither an me gied this maitter a lot o thocht ower the past year, an he has tellt the notary tae draw up an agreement that will infeft the grun tae yer uncle Wull till ye reach twinty-ane. Sae he'll be comin tae bide here wi Billy, Christian an mysel.'

'Weel mither, it's no that I winnae tak it on,' said Adam, kinnae sweirt-like, 'but I'll hae tae think on it when the time comes. For ye ken fine there's no eneuch meat or meal here tae feed extra mouths . . . John an me are weel settlt in at Netherwood, an tho I cannae speak for him, I've a norie o tryin for a tenancy there when I'm auld eneuch . . . it's a guid ferm.' John wis noddin his heid in agreement even afore Edam had feenished his thochts. 'When the time comes, an I get a tenancy, I think oor Hugh shuid mebbe tak ower the portion alang wi yersel when he is auld eneuch. I ken he has three year o his apprenticeship still tae rin, but efterhaun, guid steady mason wark micht be ill tae come by hereaboots. He has a guid heid on him . . . an braid eneuch shouders tae luik efter yersel, an Billy an wee Christian as weel, till Billy is auld eneuch tae tak ower gif the mason-wark picks up . . . An aye mind that John an me will be yer near neibours, an we can share the clippin, plouin an hairst, an help oot ony ither time we're needit. Whit sae ye tae that?'

Chapter 6

1736 - THE LITIGANT PORTIONER

But Law's a draw-well unco deep,
Withouten rim fock out to keep;
A donnart chiel, whan drunk, may dreep
Fu' sleely in,
But finds the gate baith stey and steep,
Ere out he win.

Robert Fergusson - The Sitting of the Session

'Dae whit ye think fit, Hugh, it's your grun nou.' Jennet Begg tried hard tae hide her feelins, but she kent she had nae say in the maitter. Young Adam, John, Hugh an William were still ablow the lawful age for inheritance when their faither dee'd in 1730, sae the title for Cruikedbank had been infeft in her guid-brither - Adam's younger brither William. A thrawn auld bachelor, Wull came tae bide an wark at Cruikedbank alangside hersel an young William an Christian, until her boys reached their majority. But it didnae wark oot ower weel, for he wis a carnaptious auld deil, aye greitin on aboot ae thing or anither, an it wis mair o a relief than a sorrow tae thaim aa when he tuik an apoplexy an dee'd in 1735, juist efter Hugh turnt twinty-ane.

By nou, young Adam, at twinty-three - an helped oot by his brither John - held a five-year tenancy in Netherwood, whaur he wis weel settlt in - wi the shuir prospect o a nineteen-year tenure shuid it aa gang weel. Netherwood wis a muckle hill ferm, wi a wheen acres o guid arable alang the Greenock Watter, as weel as fower hunner acres o hill pasturage shared atween twa tenants. An auld Tam Mathie had only a year o his lease tae rin. When he went, Adam thocht there micht be a chance as weel o a tenancy for young Will, wha wis an eident warker, a guid fermer, an keen tae tak himsel awa frae Cruikedbank. John, on the ither haun, wis mair o a shepherd nor a fermer, an gey keen on bonny Mary Miller frae Newhouse o Crossflats on the faur side o the watter o Ayr ablow Cairntable - whaur he ettlt tae the tenancy when her auld faither gied it up. Jennet kent fine that nane o the three o thaim were ower fashed aboot inheritin Cruikedbank, for they'd aa been brocht up there, an kent it wis ower wee for their ain ambitions - an the faimilies they micht faither in the years tae come. An there wis aye their mither tae luik efter.

Nearin the end o his mason's apprenticeship, Hugh had nae notion o fermin, but as faur as his twa aulder brithers were concerned, he cuid tak on the ferm as his inheritance on his majority, an let the grun - as lang as he made shuir his mither wis weel providit for an had a life tenancy o the cothous. An sae, in the simmer o 1735, wi aa this agreed amang thaim, Hugh Begg wis duly *infeft an seized in all an haill the Ten-shilling lands of Greenock called Cruikedbank* - while his mither kep on the hous wi Christian, an Will ran the ferm.

A twal-month efterhaun, wi his apprenticeship duly served an nou a journeyman stanemason luikin for wark, Hugh heard tell that his auld maister's business wis for sale in the wee Lanarkshire toun o Douglas, eleiven mile east o Muirkirk on the Embro road. Scant o siller but fou o gumption, he speirt o their neibour Wull Ross, the tenant o Tounheid o Greenock, gif he wis aiblins interestit in takin on a wheen mair acres o guid arable grun. For he'd heard that Wull had a fair pickle siller pit by - an kent he had a growin faimily an a lack o guid arable on his holdin. Ross wis agreeable, an sae in the July o 1736, Hugh Begg wadset the lands o Cruikedbank as security agin a loan o 1700 merks frae William Ross, tae help him buy the biggins, graith an goodwill frae his auld maister.

'Mither, I ken that you an my faither wrastlt awa for years tryin tae win us a bare leevin frae Cruikedbank . . . an we aa ken fine that trauchle wore him doun an killt him at the en. But juist mind that we were aa brocht up here - wi gleg een in oor heids, an harns that tellt us there's no eneuch grun tae feed an cleid a growin faimily . . . An that's whit Edam, Jock, Wull an mysel ettle tae dae in time - but mebbe elsewhaur.

'Cruikedbank is no sellt, Mither. It's still oors, but set as security agin the loan I've ta'en frae Wull Ross - an I hae twinty year tae pey that back, wi a wee pickle interest . . . Sae Wull Ross gets mair grun tae ferm, I get siller for my business, you an Christian get tae stey in yer ain wee hous . . . Oor Wull gets awa tae tenant Netherwood alangside Edam . . . an at the hinner-en, Cruikedbank will revert tae me when I hae peyd aff the loan . . . Sae we're aa winners!' Staunin at the back door luikin ower the cruikit holms tae Air's Moss, he pit his airm roun Jennet's shouders an gied her a wee comfortin squeeze.

Jennet noddit her heid in a dwam as she gazed ower at the new Airnwarks at Tarreoch on the faur bank o the Watter o Ayr - biggit by Lord Cathcart in the year that Adam dee'd. At the stert, she'd been weel disposed tae the venture, for Colonel, nou General, Lord Cathcart had focht bravely agin the Jacobites at the Battle o Shirramuir, an ony sowl that had focht agin thae Hielan caterans had her blessin. But when Adam dwined awa an passed ower, she had eneuch grief tae thole, athoot aa the carfuffle that the Airnwarks caused thaim. For juist forenent Cruikedbank, on the ither side o the Sorn road, the company had raised a wheen ruch cottages for their coorse English warkers; an deil the haet o a word they spake cuid Jennet unnerstaun. The auld muirland peace o Cruikedbank had gane. Her lang view oot ower Air's Moss wis maist-times smoored by thick blue-grey reek frae the forge lum; an the cries o lambs in the park an whaups on the moss wis drount oot by the ringin clang o mells on anvils an the thump o the great watter hemmer, as blecksmiths beat the rid-hot airn intae spades an shuils.

'Aye son,' she turnt at last wi a tear in her ee, 'Ye're mebbe richt. For things hae chynged for the waur at Cruikedbank, but . . .' she gied a wee wry smile, 'whaur wad ye be yersel the nou, gin it hadnae been for aa thae lang hours an days ye spent as a laddie watchin thae stanemasons biggin that forge.'

Efter three years bidin his lane in Douglas, wi eneuch steady wark thereaboots tae gar him think aboot takin a wife, Hugh stertit tae pey court tae Janet Watson, the only dochter o Tam Watson in Newtonheid, a fine ferm on the Douglas Watter fower mile east o Douglas on the road tae Lanark. The lass wis willin, an sae, on a snell Januar mornin juist twa days efter Newerday in the year o 1740, Hugh Begg tuik the gate tae Newtonheid tae ask for her haun. But Janet wis the aipple o her faither's ee, an big Tam ettlt tae mak shuir that his dochter's laud had the means tae see her weel providit for, afore ony tocher wis laid oot for a waddin.

'Weel, Hugh lad, ye wad seem tae hae prospects, baith as a mason - for ye hae dune some guid wark hereaboots for me an my neibours - an wi possession o that wee bit o property o yours up by at Muirkirk . . . But I'll come straucht oot wi it . . . Whit I want tae ken is whaur my lass wad staun gin a stane lintel fell on yer heid, or ye drappt deid o a sudden? Afore I gie ye my Jenny's haun, I want tae see her settlt wi a life rent annuity on yer property at Cruikedbank.'

This wis a richt scunner that tuik Hugh unawares, an left him fair bumbased. He'd been expectin a guid tocher frae auld Watson, but had ne'er gied it a thocht that he micht hae tae gie Tam ocht in return. Fegs, he'd be makin eneuch tae keep baith him an Jenny, an he ettlt tae stert peyin aff Wull Ross's loan as shuin as he cuid efter they were wad - shuirly that wad be eneuch . . . But, like a glaikit sumph, he'd tellt Jenny an her faither that he'd juist rentit oot the grun at Cruikedbank tae his neibour - an hadnae let on that the grun wis aaready wadset for twinty year on the back o a muckle loan o seiventeen hunner merks. He thocht fast. Mind ye, legally, the grun wis still his - unless he failed tae pey back that loan.

'Whit sum dae ye hae in mind, Maister Watson?' he speirt cannily, playin for time.

'Ach, aboot fourty pun Scots the year, I think wad dae it.' cam the firm repone that tellt Hugh there wis nae disputin the price. 'I've had a word wi William Howieson the Notary, an he reckons that's a fair annuity for the acreage; for gin ye dee'd afore Jenny, he reckons ye wad aye hae some siller laid by - as weel as yer business tae sell - sae she wad be weel provided for at the hinner-en . . . Maister Howieson is expectin ye as shuin as ye hae made yer mind up.'

Life for Hugh wis gettin mair complicatit, but gin he wantit his Jenny - an there wis nocht dearer tae his hert - he wad hae tae gang alang wi auld Newtonheid . . . but gang cannily, an haud tae his story. A shake o the haun - an twa-three drams - sealed the bargain. It wis weel on in the efternuin gin auld Tam raise tae see him oot, an as he liftit the sneck there cam whustlin roun the door sic a fell blast o icy win that had thaim baith founert wi the cauld in the scant meenit it tuik tae bid ilk ither fareweel.

'Man, Hugh,' Tam chittert as he happt his plaid aboot him, 'I'm aither gettin auld, or this is the cauldest day I've felt for mony a lang year.' He cast a worrit ee eastward at the hard, clear lift, an the ice-kirstal licht o the furst evenin stars glintin faintly throu the deep blue veil o getherin nicht. While awa in the wast, the last spark o a dwaibly winter sun flickert oot an dee'd ahint the cauld dark hills ayont Douglas an Muirkirk.

'Clear skies mak for cauld nichts, Hugh. It's ower cauld for snaw on this east win, an we cuid weel be daein wi a guid coverin tae shield the grun. Gin we get nae snaw, that frost will juist get waur an waur, an kill aff aa the gress. Ye ken the auld saw - "When the win's in the east, it's naither guid for man nor beast". . . Weel that's near on fower weeks nou o this snell wather, an by the luiks o it, it's set tae last for a lang while yet . . . I'm fell worrit for some o thae puir sowls herdin awa up in the hills. It minds me o yon sair winter we had awa back forty year syne - lang afore your time - when a wheen o folk dee'd hereaboots . . . frozen tae daith.'

Auld Tam wis richt wi his forebodin. For whit they witnessed that bitter efternuin wis the stert o the great 'Famine Frost' that gruppit Scotland an Ireland an Norroway in Januar an didnae let up till late Mairch. In ilka kintrae, thousans o puir folk perished; an oot o sax hunner sowls in the pairish o Muirkirk alane, twa hunner were tae dee frae the bitter cauld - or slow stervation ower the neist twalmonth - efter a lang simmer drought an the failed hairst that followed.

Doun in the howe o Douglas, by the middle o Februar, Hugh an his new bride Jenny were het eneuch themsels ablow the blankets; an bien eneuch wi meal frae the Newtonheid kist, meat frae their larder, an peat frae their stack. But for the neist sax weeks, Hugh cuid dae nae wark. It wis that cauld that his stacks o free-stane froze solid an were ower brittle tae split an dress. An gin he'd been daft eneuch tae grup ony airn chisel or mash left oot in the frost, the skin o his luif an fingers wad hae peeled aff an stuck fast tae the cauld steel. Aa roun aboot, he heard grim tales o auld folk fand deid in their beds, or lyin ootside, stiff in daith, gruppin a cogie by the frozen wall. He fashed himsel sair aboot his mither an Christian up yonder at Cruikedbank, till ae mornin late in the month, he cuid thole it nae langer.

'Jenny, my lass. I'm worrit aboot Mither alane up there at Muirkirk wi Christian . . . there's awfy tales gaun aboot Douglas aboot trevellers on the road chappin on the doors o cottagers an findin hale faimilies deid in their beds, or puir sowls lyin by the roadside . . . An some hae been deid for weeks wi naebody tae gie thaim a Christian burial . . . No that onybody cuid even scart the grun, faur less howk a grave. An maist folk are that waik nou that they cuidnae even gether the deid intae a byre or steadin till the thow comes . . . Sae I'll hae tae gang up an see thaim.'

'But shuirly your Edam an Wull can tak care o their mither an sister.' Jenny wis feart o whit micht befaa her new man on the lang road tae Muirkirk in sic wather, an wis sweirt tae lae him oot o her sicht.

'Cruikedbank is my property, no theirs. An my mither is my tenant, sae I'm obliged tae see her an Christian safe an weel, nae maitter whit Edam an Wull micht dae for thaim.' He gied her a wee cuddle. 'Dinnae fash yersel, bonny pet. It's a grand hard mornin wi nae sign o snaw . . . an gin I set aff the nou, I'll be there an back in jig-time.'

It was indeed a bonny clear mornin as he tuik the gate for Muirkirk alang the windin holms o the frozen Douglas Watter, bejewelled wi sparklin cranreuch, diamond white in the early sun. But the scatter o hungert wee bleckface yowes, some on their knees, desperately scartin and foragin ablow the frost for whit little gress an moss had survived, tellt him anither tale. He raised his heid at the deep 'kruk-kruk' o a pair o ravens fleein heich abune him, their heids an muckle beaks movin slowly frae side tae side as their gleg een scanned the kintraeside ablow for their neist meal. Aye, weel maun ye luik, ye bleck deils, he thocht tae himsel, for there'll be plenty o pickins for ye in thae parks afore lang.

Frae Hazelside tae Monksfuit, the track wis airn-hard but fair. On the braeside, muckle iceshuggles hung like giant spears frae roadside banks whaur in simmertime, the yowes an lambies wad shelter frae the heat o the mid-day sun. But gin he reached the ford ower the Monks Watter, the sliddery ice garrd him dismount an lead his pownie cannily across. For the neist twa mile he had tae walk maist o the wey on account o lang frozen dubs that filled the deep cairt ruts, makin it perilous tae ride. Three times, the pownie skitit an fell, an raise up, an threw her heid an nickert as she rugged on the reins. She wis a gey kittle beast gin they gaed by the ferm o Pairish Holm, sliddert across the ruch ice o Douglas Watter for the last time, an crossed the county line at Glenbuck.

'We're hauf wey there, auld Tib.' Hugh mountit her cannily an gied her neck a wee pat as they turnt the corner forenent Glenbuck, whaur the land braidened oot, an the infant Watter o Ayr twistit an turnt throu the moss tae Muirkirk. Aa o a sudden, wi a flichter o bleck wings, fower corbies raise frae the rashes by a roadside sheuch. Tib whinnied, her een rowin in her heid as she reared up on her hin-legs, skitit on the icy track an cowpit her rider erse furst doun ower her hin-quarters. Lucky for Hugh he landed on his feet, still gruppin ticht the reins, as she shied awa frae the sheuch in terror. Caumin her doun wis nae easy maitter, but when he did, and his ain een lichtit on the sheuch, he wis gruppit by mortal terror himsel.

Frae a bundle o rags on the ice raise up a cruikit haun on the en o a fleshless airm - its thin oot-streitchd fingers clawin at the empty air. Hauf a heid showin abune the surface wis pickit clean tae the bane, while ablow the bleck ice, as clear as luikin throu a windae pane, he cuid still mak oot the daith grin an starin ee o some puir stervin gangrel body that had perished frae the cauld on this god-forsaken spot. His raggit claes had been torn frae ae shouder - an aa the flesh frae his shouder blade. Hugh grued at the thocht o hill tods - or aiblins even a stervin ferm dug - makin sic a meal oot o this puir sowl. Wi ae haun ower his face, he turnt awa his heid an near boked up his parritch. Takin a guid grup o himsel - for there wis nocht else for it - he got ae fuit in the stirrup an his ither leg smertly ower auld Tib. Luikin naither tae left nor tae richt as he cantered throu Muirkirk, wi a heid birlin wi forebodin an fear aboot hou he'd fin his mither - he spurred himsel on tae Cruikedbank.

'Thenk the Lord, thenk the Lord.' he heard himsel cry in relief as he cam roun the Tounheid bend tae the walcome sicht o a lang string o lazy blue reek risin heavenwards frae his mither's lum.

Brither Edam opened the door. 'Guidsakes, it's yersel! I'm fair gled tae see ye, Hughock. Ye haenae rin awa frae Jenny, hae ye? Come awa ben. Mither's fine an sae is Christian.' Hugh luikt aboot him. Weel happt up in a double plaid an a sheepskin across her lap, his mither sat snug by a guid-gaun bleeze, wi Christian spinnin awa at her rock on the ither side. Baith luikit weel. By their feet, neist the fire, stuid twa muckle airn pots filled wi dauds o meltin ice brocht up frae the Ayr. On the swee hung a reamin pat o mutton broth that Christian steirt whiles wi a spurtle. It smelt guid. Aither side o the lum, the gavel wis stackit richt tae the ruif-trees wi dry peats that Edam an Wull had brocht in frae the yaird; sae there wis nae need for the twa weemin tae gang oot in the cauld.

'My, ye've dune weel for Mither and Christian, Edam. I wis awfy worrit for thaim . . . An yersel an Wull at Netherwood?'

'Ach, we're haudin on fine the pair o us. We're baith steive an single, sae a firlot o meal gangs a lang wey atween us, as daes the mutton frae a yowe . . . It's the puir cottagers wi juist a cou an twa yowes, an a dizzen mouths tae feed . . . an the auld fowk an weedows wi nae kith an kin tae tend thaim, that are weirin awa. I heard last week that auld John Rorison the herd up at Cleuchheid wis fand deid on the hill wi a broken leg, an his wife frozen deid in the Powness Burn oot luikin for him.

'An ower in Catchieburn a hale faimily o cottagers were fand deid in their beds. They say that the faither an mither were baith ta'en by a fever, an left their five wee bairns tae sterve an freeze tae daith. It's hellish! . . . In Muirkirk there's dizzens o grown folk an weans that are nae mair nor rickles o banes happt in raggit duds . . . Ye widnae see thaim as ye rade throu, Hughock . . . Maist hae ta'en tae their beds, for by nou they're ower waik an founert even tae gang oot for wid or watter. I'm feart that in ahint thae steikit doors an reekless lums there's a wheen mair will gang the same wey as thae puir sowls in Catchieburn.

'Folk dae whit little they can tae help ilk ither, but there's a sair want o meal an meat in maist houses, an they've aa tae hain whit they've got for their ain faimilies; for there's nae tellin when this bluidy cauld will let up . . . There's some aaready that hae etten aa their seed corn an tatties, an slauchtert their cou an lambin yowes. They micht be aaricht the nou, but gin there's a puir simmer an bad hairst, they've nocht tae faa back on neist back-en when they're stervin . . . for the price o grain haes doublt aaready.'

'Aye, but ye'll never see scruntit, stervin lairds,' cam a saft bitter vyce frae the ingle. It wis Jennet. 'It's nae maitter tae thaim gin a tenant's meal kist is tuim, for they'll still tak their laird's hauf-share o his labour - an his hairst . . . An then as like as no, they'll tak anither aichth pairt o multure at the laird's mill when he gangs tae grind his meal . . . An at the hinner-en, wi their ain kists fou an rinnin ower, an the price o grain risin, oor fine lairds'll sell their corn store tae the meal merchants . . . wha'll sell it back tae thaim rich eneuch as can afford their prices . . . an that's no a puir tenant or cottager wi stervin weans an a tuim kist, that laboured lang an hard tae saw an reap his crap.' She turnt tae luik at her sons, her heid held heich, her face set, an her een flashin defiance.

'I've seen the meal kists stowed fou at Gilmilnscroft, when I wis a lass in service durin thae seiven 'Ill Years' efter the comin o William an Mary. An while the puir folk were stervin tae daith . . . an my step-mither an her twa laddies, God rest her, had tae flit awa tae Ireland . . . oor fine lairds an their leddies were still stappin their kytes wi the best o fare. The scrapins o their plates wad hae fed hauf o Muirkirk . . . An I'd wager that nocht haes chynged forty year on . . . Lord kens, there wis mony a winter nicht that me an yer faither went tae bed hungert, sae that oor bairns wad sleep on a fou stamack.'

'Weel Mither, ye did us rale proud.' Edam lauched, tae lichten the crack. 'Sae mebbe ye'll think aboot stappin the wames o three o thae bairns richt nou, wi some o whit's in that pat on the swee. Puir Hughock here, haes a lang wey tae gang back tae Douglas, an he wants tae tell his Jenny that she's no as guid a cook as her guid-mither!' He joukt as Hugh swung at him wi his bunnet as they set themsels doun at the table, their horn spunes at the ready.

'That's the last thing I'd ettle tae dae,' Hugh grinned, 'an as like as no it wad be the last thing I ever did! . . . But man, it's a fine thing bein a mairrit man, Edam, wi a bonny wumman tae feed ye, an comfort ye on a cauld nicht. Ye micht want tae try it sometime.'

'Oh, he's tryin richt eneuch.' Christian clyped, as she ladled oot the broth. 'He's walkin oot wi Agnes Hodge o Nethercairns - but he's gey slow at the walkin.'

'At least I'm no pechin efter her, like yersel wi Wullie Pagan.' retortit her brither. Jennet juist smiled quately tae hersel - an turnt her mind tae thochts o granweans.

But for nou, Hugh's thochts were fou o gettin by that corpse at Glenbuck, an hame tae Jenny afore the darkenin. Jenny! . . A sudden stoun o guilt ran throu him that garrd him lower his een an silently sup his broth - as he turnt ower in his heid that annuity he'd juist agreed wi her faither. His mither kent nocht aboot it; nor wis it the time tae tell her. Life wis a sair eneuch fecht for her here at Cruikedbank, athoot her fashin aboot whit micht befaa her gin he dee'd o a sudden - an she fand oot that Jenny wis due an annuity of fourty pun frae a rent that wisnae there. An whit wis waur - the hous an land wad then belang tae Wull Ross o Tounheid. O God, whit a richt auld fankle he gotten himsel intae . . . But it wad aa come richt in guid time. Time wis on his side. In the naitural wey o things, God rest her, his mither wad be awa lang afore aither himsel or Jenny - an he wad aye be pittin some siller aside tae pey aff his loan tae Wull Ross. He pushed awa his tuim bowl. 'My, that fair brocht back memories, Mither. I had forgot hou guid yer broth is . . . but I'll no tell Jenny . . . I'd better heid for hame nou while there's licht eneuch tae see whaur I'm gaun.'

The ugsome thocht o that bany claw, risin up throu the mirk like a bogle tae rax for his thrapple as he gaed by Glenbuck, steirt him on as he passed throu the grim auld clachan o Muirkirk, wi ne'er a sowl in sicht. Gin it hadnae been for the odd reekin lum, an the hert-rendin, throu-the-waa greitin o some puir wee founert, stervin bairn, ye micht hae thocht the place wis deid an desertit.

Heid doun wi his bunnet drawn laich ower his face, he rode intae a bitter, snell, east win that cut richt throu his claes, chillin the marrow o his banes as he passed Darnhunch. Fingers frozen tae the reins; his braith an dreeps frae his neb frozen tae the fauld o the plaid happt ower his face; his cheeks gowpin wi the cauld an his hauf-steikit een blint wi tears that froze his lids; tae his great relief Hugh fand himsel weel by the dreid place afore he kent it. Even auld Tib sensed naethin, for the bitter cauld had frozen the scent o the corpse - an her senses. Like her maister, her thochts were o winnin hame tae her stall afore it wis dark.

An sae, at the stert o the thow, fower weeks later, on the twinty-fourth o Mairch 1740, in the presence o William Howieson, Writer in Douglas, Janet Watson spouse of Hugh Begg wis *infeft an seized in liferent during all the days of her lifetime in case she survive him, in all an haill an annuity of fourty pounds Scots money to be upliftit an taken in equal pairts at Whitsunday an Mairtinmass furth o the Ten-shilling lands o Greenock* - wi the lawyer nane the wycer that the grun wis aaready wadset tae Ross o Tounheid.

The neist five years were steirin times aboot Douglas an Muirkirk, for while Jenny wis bearin Hugh twa dochters an then a son; ower by at Netherwood, baith his brithers at last got themsels mairrit an stertit raisin faimilies o their ain - Edam in

1743 tae his Agnes, the dochter o auld Mattha Hodge in Nethercairns; and Wull tae Jen Mitchell a year later. But whit dumfounert the fower brithers maist o aa - wis the shock when their auld mither brak the news that she hersel ettlt tae get mairrit again! Jennet wis nou ower saxty-five year-auld, but still yauld an gey skeich for her age. Young Christian wis still walkin oot wi William Pagan, a young herd an brither o John Pagan that warked for Wull Ross in Tounheid; an Jennet jaloused that it wadnae be lang afore her last chick flew the nest an left her aa her lane.

Frae time tae time at neibourin Tounfuit, there ludged a merchant frae Glesca by the name o John Strevin, doun whiles tae place orders for spades an shuils at the Spadewarks. Jennet wis unco gled whiles o a crack wi a Scots body she cuid unnerstaun, an ower the spring months o 1744, got tae ken him gey weel. He wis aboot ages wi hersel, a weedower, an a guid, douce Christian sowl wha wad tak the road wi her tae the kirk on a Sunday, gif he wis thereaboots. At furst he aye uised tae come doun on a Monday an gang back up tae Glesca on the Wednesday; but afore lang he stertit tae turn up maist Setterdays, spen the Sabbath at Tounfuit, dae his business on Monday an gang awa back tae Glesca on the Tuesday. He said it suited his customers that wey - but Jennet kent better.

Gaun by the Stra'ven road-en at Muirkirk ae Sunday mornin on their wey tae the kirk, she chaffed him aboot his name, 'Ye shuid ken that gate weel eneuch, John, for nae dout that's whaur ye cam frae.' John luikt at her at furst gin she wis daft, then it dawned on him whit she wis on aboot.

'My Jennet, ye micht be richt! . . . I've aye wunnert aboot oor name, for baur oor faimily, there's naebody I ken wi a name like it . . . My faither wis born in Glesca, but whaur his faither wis born, I dinnae ken. Neither o thaim cuid read or spell. I've heard my faither say that my granfaither wis a wee orphan lad that cam tae Glesca frae somewhaur in the kintrae.'

'Weel, it micht hae been Stra'ven, for that's only fifteen mile frae Glesca . . . My faither kent it weel, for he wis a cairrier, aft-times cairtin claith frae hereaboots tae the mercat at Hamilton . . . His name wis John Broun.'

'John Broun the Christian Cairrier . . . John Broun the Martyr wis yer faither?' John Strevin wis near tae tears as he turnt an gruppt her hauns in his. 'Jennet, my faither uised tae hae me greitin whiles wi tales o the Covenanters . . . an the terrible. . .' he hesitatit, feart tae say the word in case it upset her, 'the. . . the murder o John Broun o Priesthill. Oh, I hope I hinnae upset ye, Jennet.' Jennet gied his hauns a wee comfortin squeeze. "Na, John, dinnae worry yersel. It's aa by lang syne, an my memories nou are happy anes.'

An that's hou they cam thegither; the fancifu bairnhood memories o a wee Glesca laddie, greitin on his faither's knee at the waefu tale o a wee lassie faur awa seein her faither killt afore her een; mellin nou wi the leevin presence o this strang, proud, grey-powed wumman wi her douce, forgiein naiture, walkin at his side. There wis nocht tae keep John in Glesca, wi his twa sons awa. It wad be juist as easy bidin aboot Muirkirk an trevellin up tae Glesca, as the ither wey aboot - as lang as he wis still skeich eneuch tae ride the distance.

Jennet, for ither reasons, wis agreeable. Wi aa her ain sons awa frae hame, an Christian heidin the same wey, she wis fashed by the thocht o bidin aa her lane at Cruikedbank - wi aa thae fremit ruch airnwalkers aye aboot the place, an nane o her lads near at haun tae aid her. Tho it wis a lifetime awa, she wis aye feart o gaun back tae the ghaists that had hauntit her lanesome life as a young lass - an she needit the company o a guid man. An sae, at the back-en o 1744, Jean Broun, widow of Adam Begg, an John Strevin, widower, were quately wad at Cruikedbank by the meenister frae Muirkirk.

Tho they were only twa-three miles awa, Adam, Wull an John were juist as content tae see their mither settlt an happy; for they were aa thrang eneuch wi their ain wark an growin faimilies; an the thocht o their mither steyin aa her lane at hame when Christian went, fashed thaim juist as muckle as it did Jennet hersel.

But Hugh Begg had ither maitters on his mind - for nou it wisnae juist his mither bidin in Cruikedbank. Her new man, this John Strevin the merchant, wis bidin rent-free as weel. An nae dout he cuid weel afford a wee pickle siller that micht help wi the *annual liquidate penalties* - for that's whit the laywer caad the damned interest on this muckle loan frae Wull Ross. Wi three weans nou tae feed an cleid - an a wife that cuid drain his purse o siller a guid sicht quicker nor he cuid fill it - Hugh had yet tae pey back a single bawbee tae Ross o Tounheid. For in thae hard times, when a wheen o the kintrae folk thereaboots were still strugglin in the eftermath o the terrible famine, steady mason wark wis whiles ill tae come by. He wad hae a word wi his mither.

Wi the hame comforts o his dear Jennet in mind, John Strevin had aaready furnished Cruikedbank wi a new bed an linen, an a new aik table, chairs an dresser; but for aa that he wis still kindly disposed tae help oot wi siller. But he wis a hard-nebbit merchant, an naebody's fuil. He kent fine that Hugh wis hoch-deep in the sheuch o debt, an short o siller, but wis gey sweirt tae tuim oot his ain purse wi nae security at haun for aither himsel or his guidwife. Frae the stert o the winter he'd been fair pechd wi a ticht kist - an whiles gey puirly - mair sae in a sherp frost or a snell win. He had Jennet tae think aboot. He micht no last forever.

'Weel, Hugh, on condition that twa equal haufs o Cruikedbank are legally infeft an seized tae yer mither an me, I can lend ye five hunner merks wi the furst hunner payable at the Whitsunday term seiventeen-forty-five, an a hunner merks every year at this term till settlt.'

'Agreed, John. Aye bearin in mind that I can redeem Cruikedbank frae baith o ye at fourty days' notice on peyment o five hunner merks plus ony due penalties . .

. I'll get William Howieson tae draw up the documents.' They shuik hauns - auld John certain that Hugh, wi his risky double infeftments o Cruikedbank, furst tae Wull Ross an nou himsel, wad never be able tae pey back five hunner merks, faur less seiventeen hunner (he kent nocht aboot the ither liferent annuity tae Jenny Watson): an Hugh shuir that this auld man cuidnae last mair nor a couple o years; when his share wad revert tae his mither. An when his mither dee'd - an God forgie him for thinkin o't - it wad aa revert back tae him as her heir. Meanwhile, he cuid nou pey Wull Ross his due interest athoot bein oot o pocket himsel. Awa he went whustlin, back hame tae Newtonheid - as crouse as a cock on its middenheid.

John Strevin didnae last forever. Twa year later, his auld hert gied oot, an Jennet wis left a weedow for the saicont time. But did Hugh no - aither by guid luck or guid intent - come up smertly wi anither man for his mither. In the simmer o 1748, him an Hughie Wallace, the tenant o Mossgavel near Mauchline, gat intae a richt auld legal collieshangie wi John Hamilton and Andra Broun, mason in Mauchline, an tuik oot an Inhibition before the Court o Session for the sum o £171 Scots an expenses. Seekin help frae the Ludge in his fecht wi Brither Broun, Hugh met up wi a kenspeckle auld brither Mason in Kilmarnock by the name o Robert Parker, wha gied him some guid sound masonic guidance.

Ae bonny June mornin efter their meetin at Mauchline, auld Robert said he fancied a wee jaunt up the Watter o Ayr wi Hugh, as he heidit back tae Douglas. They say that tungs taigle - but no on horseback. Gin an hour o guid crack gaed by, sae had nine lang muirland miles, an they suddenly fand themsels trottin ower the Greenock Watter brig an forenent Cruikedbank. Blae peat reek raise lazily frae the lum as Hugh lowpt doun an chappt the door.

'Are ye there, Mither?' he cried ben as he liftit the sneck an keekd roun the door. The auld dug by the fire barked, but lowered her heid an lugs as she recognised Hugh, an crept laich toward him waggin her tail. Jennet cam ben frae the byre whaur she had been milkin the cou, an dichtit her hauns on her apron.

'Hallo, Mither. I ken ye hae soup on the swee for me . . . I saw the lum reekin, an smelt the broth as shuin as I opened the door . . . but can ye spare anither platefu . . . ye've got a veesitor.' Jennet squintit at the sheddae in the doorway. 'Wha is it?' she demandit. 'No oor Edam?'

'Naw. It's that guid auld freen o mine frae Kilmarnock that I tellt ye aboot, Robert Parker, wha haes been helpin me wi my case agin Andra Broun an John Hamilton . . . Robert, this is my mither.' Jennet gied a wee bob. 'Jennet Broun, I caa mysel again . . . Jennet Begg ance, then Jennet Strevin . . . an nou back tae Jennet Broun.' She held oot her haun as she showed him tae the ingle sate.

Robert Parker gied a wee bow, tuik her haun an kissd it - the auld chairmer. 'Ye cuidnae bear a better name or a better lineage, Jennet.' he said saftly. 'For Hugh haes tellt me whase dochter ye are, an aa the travails ye've gane throu . . . I'm auld eneuch mysel tae mind as a wee laddie seein the troopers an dragoons in auld Killie, an the hingin o Martyrs an the whuppins o the common folk . . . They were terrible times.'

'Aye, Robert, but they are lang gane an best forgot.' Jennet reponed quately. 'An nou that we're weel rid o young Chairlie Stuart an his Jacobites, let us pray we'll never see hide nor hair o him again. Guid riddance tae thaim aa, that's whit I say . . . Nou will ye hae a plate o my broth an some breid an cheese.'

'I will sae, Jennet. That bonny ride up frae Mauchline throu Sorn haes gied me a rare hunger, an a guid plate o broth will set me up for the lang road doun . . . I'm steyin there for the nicht at the Inn.'

'Ye're no juist gaun straucht awa efter ye sup, I hope.' said Jennet, warmin tae this man wi the siller tung that matched his hair. He wis twa steps abune maist o the herds an fermer chiels hereaboots, an a hale ledder abune thae coorse sumphs across at the airmwarks. His mainners brocht in mind some o the gentlemen guests she'd kent as a lass at Cessnock Castle. For Robert, weedowed thae last seiven year, she wis a fine mensefu wumman - wi an inner strength born o terrible travails in the past that wad hae cairrit aff mony a lesser body; an he notit she bore hersel wi a naitural grace an refinement that belied her humble cothous. Hugh left thaim baith crackin awa guid style, wi the excuse that he had still a lang traipse ower tae Douglas. It wis gaun on seiven o'clock - efter a guid supper o mutton stew an bannocks - that Robert Parker tuik his leave, wi a promise tae caa in the neist time he wis in Mauchline.

Within sax months they were wad; an Jennet left her single rustic room at Cruikedbank for a snug, bien, trig wee hous in Kilmarnock, whaur she had shops, an neibours roun for tea an gossip. She had nae regrets, for she gettin nae younger, an it wis aboot time she gat the chance tae enjoy a saft warm bed an a safter life. Robert Parker wad be guid for her, an she ettlt they micht toddle doun their last years thegither. But she wad sairly miss her wee grandweans at Douglas an Netherwood.

Chapter 7

1764 - FAREWEEL CRUIKEDBANK

I've noticed on our laird's court day,
(An monie a time my heart's been wae),
Poor tenant bodies, scant o cash,
How they maun thole a factor's snash:
He'll stamp an threaten, curse an swear
He'll apprehend them, poind their gear;
While they maun staun, wi aspect humble,
An hear it a', an fear an tremble!
Robert Burns - The Twa Dugs

Hugh Logan wad hae nane o it. Ever since the daith o his faither the first Hugh Logan Esquire of Logan back in 1745, he'd waited fifteen lang years tae inherit the Logan Estate on his majority. By richts, as the third son, it shuid hae been his aulder brither George, but he dee'd juist a year efter his faither, an efterhaun there had been a fair auld legal disputation. At the hinner-en, it needit the guid offices o the Earl o Dumfries as the feudal superior, tae declare him as lawful heir *on a precept o Clare Constat.* Dammit aa, he wis only seiven year-auld at the time, an kent nocht aboot these ongauns till his mither an his uncle William tuik him aside ae day when he wis aboot thirteen, an tellt him that the estate wad aa be his when he reached the age o twinty-ane.

For a young buck, it wis a lang wait, an Hugh Logan had nae patience. Haein lost her ither twa sons sae young, he wis aye the pet an aipple o his mither's ee, an she had him spiled. Whitever young Hugh wantit, young Hugh got. New pownie, new fowling-piece, the latest in high fashion frae Lundon, fineries an fripperies - forby a hantle o gowden guineas tae wine an dine an squander at the cairtes wi his peers.

But he cuid aye mak his mither lauch wi his ready wit, lift her oot o her melancholy, an lowse her purse strings. For this giftie, there wis aye plenty o gowd an siller, an young Hugh ne'er gied a thocht on whaur it cam frae - or whaur it went. He prided himsel that he cuid drink maist o his companions under the table, an cared not a flea for a massive wager lost on a haun o cairtes. In Ayrshire society, by the early age o twinty-ane, he wis aaready hauf wey tae a muckle kyte, a claret phiz, an a vain reputation as a fine wit an bon viveur.

'Mother, I ken ye hae worries aboot the annuity that Father settlt on ye frae the rents o Garple an Limmerhaugh an Chapelhouse an the ither ferms aboot Greenock

Watter, but ye'll hae tae move wi the times. Thae smaa holdings yield puir returns tae their tenants . . . an puir returns mean puir rents for the Laird o Logan. The blunt truth is that the estate rent income is faur ower wee . . . Dae ye mind whit I said tae Father when I wis a wee boy and he asked what I wanted tae dae for a living when I grew up?'

His mother smiled. But it was a sad wee smile; for what he said had presaged tragedy.

'Yes, I remember it well, Hugh. How could I possible forget it? . . . You stood before him and said - "I'll just be a laird, like yourself". . . And how sad and how true. Let's pray to God that you'll be a good one - like your Father.' She dabbed a wee tear frae her ee wi the corner o her Derval lace handkerchief.

Hugh cairrit blithely on, tentless o her tears. 'We want tae rid oorsels o maist o thae wee cottagers an portioners, buy mair land, an mak bigger ferms wi fewer tenants - but on lang leases. Gin they improve their land an their stock, they can weel afford fine tae pey mair in rents. An it's muckle rents, no pittances, that we need tae keep us bien an comfortable - an stey upsides wi the Boswells an the Whitefoords an the Hamiltons.

'There's a wheen tenants that cuid easy be evicted, an their grun gien ower tae sheep. A guid single tenant wi fower hunner sheep is worth mair'n twice as much tae the Estate as twinty wee tenants wi a score each - an a dizzen weans tae feed . . . I've been luikin in particular at thae portions o Greenock Estate that were left oot when Father purchased maist o it in seiventeen thirty-ane. I juist cannae see why Tounheid, Cruikedbank an Tounfoot were excluded frae that purchase, when we own Midtoun o Greenock, Chapelhouse, an Garple, an I'm shuir the portioners there can hae nae legal richt tae that land. I've asked cousin William here tae gang tae Embro an search the Register o Sasines.'

Wi typical lawyer's gravitas, William Logan, writer in Ayr, nodded his agreement. 'It's the only way forward, Aunt Agnes. In these modern times, small estates will not survive unless they grow. As you well know, modern society demands that we improve our lands, adopt the best in fashionable style and refinement, and furnish our properties in the very finest of taste. Fail to do this and we become nobodies . . . and Hugh here has little desire of becomin' a nobody.'

In the bield o a bucht on the banks o the Greenock Watter forenent the steadin o Netherwood, his beard an teeth red wi bluid as he spat oot anither twa wee stanes an let the puir lamb rin sair bleatin back tae its mither, Adam Begg wis thrang at the libbin o his new tup lambs when he spied a horseman makin his wey smertly across the moss road frae Muirkirk. A hunner yairds awa, braidcastin barley seed on a south-facin brae abune the watter, brither Wull warkd his wey slowly up an doun the rigs tae the steady rhythm o his swingin airms. It had been a lang winter, an the spring o 1762 wis late. Lambin an sawin seed had cam thegither at the same time as the lowsin o their kye ontae the hill. Adam glanced across at Wull tae see gin he'd spied the rider, but he needna hae bothered.

'Guidsakes, Edam,' cam a cry. 'I think that's oor Hughie . . . I dout there's somethin faur wrang gin he's airtin this wey, for we never see him baur when there's siller involved.' Curious, Wull laid doun his tuim seed-tray an cam ower tae the bucht juist as Hugh poued up his pownie an dismountit. 'Aye, Edam, Wull. I see ye're baith thrang as uisual . . . An Agnes an Jennet . . . they're weel? . . . an the bairns?' He hesitatit, his een tellin his brithers he wis aboot tae say somethin important, but his heid haudin him back. He chynged tack. 'Mind ye, yer aulder lads will be nae bairns nou.'

Adam slowly dichtit the bluid frae his chin wi the back o his haun, an luikit his brither up an doun. 'Aye, Hughock. It's guid tae see ye efter aa thae years . . . When wis the last time? . . . Losh, it wad be at the christenin o yer twins at Tardoes back in fifty-five. They'll be fine steirin laddies themsels nou.

'But ye're richt aboot oor lads . . . Oor Edam is saxteen nou, an there's nae fillin o him. An Wull's Edam is aichteen, an strang as a bull. Gin ye bide a-wee, ye'll mebbe see thaim baith later when they've feenished muckin oot the byre. We've juist skailed the kye, an my twa young anes - Matttha an Jimmock - are oot on the hill the nou, drivin the beasts tae the spring gress.'

'Whit airts ye this wey in sic a lather, Hughie?' speirt Wull straucht oot, 'for it's a lang road frae Douglas juist tae tell us we're aye thrang at oor wark. Ye maun be gey scant o wark yersel, gin ye can spare a hale day traipsin twal miles juist for a crack wi yer brithers.'

'Fegs, no, Wull,' Hugh replied wi a dry smile. 'I've mair wark than I can haunle, frae Douglas tae Lesmahagow . . . even wi three journeyman masons an fower apprentices in my employ.' He hesitatit ance mair, 'I'm . . . I'm here aboot this!' Dippin his haun deep in his coat pocket, he poued oot a bit paper tied wi a rid ribbon.

'Whit is it?' Wull an Adam steppt in close aither side o him for a luik.

'It's a claim frae young Hugh Logan - nou the Laird o Logan - disputin oor faither's an granfaither's legal title tae the lands o Cruikedbank. An he's seekin an adjudication agin me at the Court o Session in Embro . . . I thocht that mebbe Edam here, bein the auldest, wad ken a bit mair aboot it than mysel.'

'Dinnae luik at me, Hughock.' Adam dismissed him wi a wave o his haun. 'You were aye the best at yer letters as a bairn . . . an gin onybody kens ocht aboot legal collieshangies, it's yersel. Heaven forfend, ower thae past twinty years, ye've got yersel intae mair legal fankles aboot wadsets, disputations, an annuity settlements, than Wull an me haes weans atween us.'

'But shuirly Mither maun hae tellt ye somethin efter Faither dee'd.' Hugh wheedlt - an Adam relentit.

'Ach, I juist mind Faither tellin me that oor granfaither bocht Cruikedbank wi a fair pickle siller left him by his faither, wha had been a canny tenant for twinty-five year in Heateth, nearhaun Auchinleck . . . As faur as I mind, granfaither Begg had kizzens or brithers that were tenants o the Earl o Loudoun in Garpel an Whitehaugh, an I jalouse that had somethin tae dae wi easin the sale o the grun tae him . . . Oh, an anither thing, hae ye nae mind that Alexander Farquhar Esquire o Gilmilnscroft wis confirmed by the Earl o Loudoun as the feudal superior for Greenock aboot twinty year syne? . . . No? . . . Weel, gin I were you, I'd get mysel a guid Ayr notary tae gang an speir gin Sanny Farquhar can shed ony licht on the maitter.'

Hugh luikt gey disjaskit, an Wull jaloused it. Warkin themsels intae the grun at Netherwood, baith he an Adam whiles felt gey pit oot by Hugh's prosperity, an had guid cause tae regret their generosity aa thae years back - laein Hugh tak ower Cruikedbank for their mither's sake. At the time it had gied their mither an Christian a ruif ower their heids, an security o tenure for a wheen o years. But Mither wis seein oot her last years snug an bien in Kilmarnock wi Robert Parker - an Christian wis weel settlt wi her man herdin up Glenmuir - sae it wis aa nou for Hughie's benefit alane. They kent nocht aboot his affairs, an it fashed thaim. He had aye the air o a man daein weel for himsel; but when it cam tae pairtin wi siller - or e'en talkin aboot it - his nieve an mou were as ticht steikit as a collie pup's jaws roun a shank bane.

'Puir Hughie. Dinnae luik sae dowf.' Wull chaffed. 'Ye ken fine it costs ye siller tae mak siller. But ye've aye been guid at that - or sae ye wad aye hae us believe. Gin ye win this adjudication - an there's nae raison why no - juist think on the sellin price at the hinner-en. Man, it'll be a gran feelin tae wring some siller oot o the pouches o Squire Logan - rather than juist haun him Cruikedbank on a plate. He's got a guid conceit o himsel, has the young Laird, ridin roun Kyle crawin like a fat cock on his midden-heid. I've heard tell he's aaready cleared three faimilies frae their cothouses at Garleffan on Glenmuir tae mak wey for a new single tenant an mair sheep on the hill . . . an it luiks gey like he ettles tae dae the same nou wi the ferms aboot Greenock.'

'Aye, but shuirly there will be five hunner merks tae come aff the sellin price, Hughock, on account o that loan ye had frae Mither an John Strevin . . . or hae ye peyd her back?' Adam cannily speirt, kennin damn fine that his mither had never seen a penny o that siller efter John dee'd - nor by the time she mairrit Robert Parker an flittit awa tae Kilmarnock twal year syne.

Fund oot an shamed, Hugh gied a wee shauchle, an steirt the grevel stanes at his feet wi the tae o his buit. He kent fou weel he hadnae peyd back his mither. For years, that loan frae John Strevin had eased the interest penalties an annual rent due tae Wull Ross for failure tae settle, at a time he wis scant o siller an wark; an efterhaun, he had juist kep on peyin Wull the due interest himsel, while makin guid uise o the capital. When his mither moved awa tae Kilmarnock wi Robert Parker, she had ne'er raised the maitter; nor had he likewise, for he ettlt tae pit ony spare siller tae a better uise - a uise that Edam an Wull kent nocht aboot. Nor did they ken that he'd never peyd aff his wadset o seiventeen hunner merks tae Ross aither - sae he'd better keep his gab steikit on that maitter as weel.

'It shames me that I've never settlt that loan wi Mither, Edam. But when ye're as thrang wi wark as me, an thirty mile awa frae her, an oot o touch, it's gey easy for a maitter like that tae slip a man's mind . . .'

'I'll warrant that it never slips yer mind when it's you needs peyd!' retortit Wull. Hugh ignored him, thinkin it micht be wycer tae get awa oot o there afore they stertit speirin aboot ocht else. 'Weel, thenks for yer advice, Edam. Nou that I'm here, I micht as weel ride on doun tae Sorn for a quick word wi Farquhar at Gilmilnscroft . . . Nae time like the present, eh? . . . I'll mebbe see thae muckle laddies o yours the neist time I'm by.'

'Sae this is fareweel Cruikedbank.' Wi a stiff auld shaky haun, Jennet Broun slowly screived her name as a tear ran doun her wrunklt cheek an drappt on the pairchment. For fifty-twa year that auld stane biggin had been pairt o her flesh an bluid an sowl. Edam had brocht her there as his new bride; the place had brocht her a peace an contentment that she'd ne'er dreamed o as a young lass in service; it had beildit the births o her five bairns; an its parks an pasture had succoured thaim aa throu a happy bairnhood an nourished thaim tae manhood. In his bed by the ingle, her dearest Edam, wha had wooed her an loued her, an wrocht an warkd himsel tae daith tae feed an cleid thaim aa, had slipped awa gently in her airms. Its ruif-trees had rung tae the kecklin cries o her grandweans; an her only sadness nou wis that she'd ower short a time there wi John tae get tae ken the bairns weel afore he dee'd - an afore Bob brocht her doun here tae Kilmarnock.

Hugh's wife Janet had signed the paper afore her. Aye the hicht o fashion, she wis a mim-moued, pernickety wumman, this Janet. A stranger. Bidin awa there in Douglas, she'd never got tae ken her at aa - or her bairns - ower the past twinty years. An Janet wis as ticht-lipped at clashin aboot her bairns as Hugh wis aboot pairtin wi his siller. She kent they had sax or mair, that twa wee laddies baith caad Adam had dee'd young, an that her twins were aboot aicht year-auld; but she'd ne'er set een on ony o thaim. At least they'd cried their furst-born Janet efter her - or wis she juist caad efter her mither?

But Edam's wife Agnes Hodge wis different - for she wis a Muirkirk lass, an Mary Blackwood her mither frae Over Wellwood had been a guid freen lang afore she even stertit walkin oot wi Mattha Hodge in Nethercairns. An she'd seen maist o their aicht bairns frae time tae time - their bonny furst-born, a wee lassie as weel, caad efter Mary - an then seiven laddies. It wis a pity they hadnae nae anither lass, for they wad shuirly hae caad her Janet efter her - an that wad hae been awfy nice tae ken. Still, she'd seen their laddies grow up intae sturdy hauflins an grown men. Young Adam wis aboot seiventeen nou, an wad whiles drap in tae see her wi his brithers Mattha an James efter drivin beasts doun tae auld Wull Arbuckle's yaird at the Fleshmairket. It wis a lang drive tae Kilmarnock that tuik twa days, an they aye steyd the nicht wi her an Bob. An at the last back-en drive o lambs she had a muckle surprise when, for the furst time, they brocht alang John an Tam, an wee Wull that wis only ten year-auld. The three bairns were deid on their feet - an fell soun asleep hauf wey throu their denner, the wee sowls. My, it had brocht joy tae her hert an tears tae her een tae see sax o her braw grandsons aa thegither in her hous for the furst time . . . Aye, an it micht be the last time . . . for she wis aichty-sax nou, an gey wearit, an micht no see oot anither winter. But God had been guid tae her. It wis luikin gey grey an snell ootside - wi mair snaw tae come - sae they said.

'Are ye feenished wi the quill, auld lass?' A haun saftly straikt her pow an she jerkt oot o her dwam. It wis Bob ready tae sign the paper, an then thae twa fine gentlemen that Maister Miller the lawyer had brocht ben the hous tae see her an Bob. She kent James Clark the merchant by sicht - an Bob had whuspert that the ither man wis Maister William Morris, the Surgeon - an gif she didnae lae go o that quill gey quick, he wad sned her haun aff at the elbuck wi his gully. Jennet gied a wee keckle, an tottered ower tae the ingleneuk tae set hersel back doun in her chair by the fire.

'Aye, Mither.' murmured Hugh, as he helped her tae her chair, happt the plaid aboot her knees, an laid in her luif a wee leather pouch. 'It's fareweel tae Cruikedbank . . . an here's the siller that ye're owed.'

'Aye, Hughock,' she luikit up, sherp as a tack as her fingers clasped ticht ower the purse. 'An it's no afore time!'

Nor wis it yet quite the time for - "Fareweel, Cruikedbank".

At noon, in Ayr, on a bricht sunny June day aichteen months later, Hugh Mitchell o Pollosh, as baillie to Hugh Begg late portioner of Cruikedbank, presented for Registration to James Logan o Knockshinnoch, kizzen and attorney tae Hugh Logan, Esquire o Logan, a Disposition *'committing and delivering to the said Hugh Logan heritable state and seasine actuall reall and corporall of All and Whole the said Ten-shilling land in the Town or Village of Greenock of old extent of old called Crookedbank and now Townhead . . .'*

And in his turn, the said James Logan presented to William Logan, Writer in Ayr, an kizzen tae Hugh Logan Esquire o Logan - the said Disposition for registration in the Particular Register of Sasines.

'Weel, William, whaur daes oor kizzen Hugh gang frae here?' Knockshinnoch speirt o his legal kinsman ower a gless o claret in his chambers efterhaun. 'It's a richt speeder's wab o a fankle, is it no?'

William Logan tappt his neb wi a forefinger an winked. 'Never fear, James. Ye ken the auld saw about the wheels of justice turning ever so slowly. And it suits us well to ensure that they they continue to turn ever so slowly in this case . . . Our bold Squire has snared what he was hunting for - Cruikedbank - and this only the start.

'Hugh is obliged to pay Begg the mason seventeen hundred marks for the land, but Begg still owes William Ross of Townhead seventeen hundred marks. We are informed that Begg has been paying Ross the requisite liquidate penalties and the annual rent due for his failure to pay back the loan; and old Ross seems quite content with this arrangement at present since he has been farming Cruikedbank rent-free for the past twenty-five years. Cousin Hugh has secretly expressed his intent to the Earl of Loudoun to purchase Townhead when old Ross's lease expires; but the old man is failing and we reckon he'll be departed this mortal clay within two years.

'If we pay Begg his seventeen hundred merks just now, there is no saying where it will end up, for he is a wily old schemer, with about as many double infeftments and dependent annuities on his hands as cousin Hugh himself. I have heard whispers that he still owes his poor mother five hundred merks from her joint infeftment with her late spouse, and he may feel honour-bound to repay her first . . . which will leave him short to repay William Ross . . . and this could lead to all manner of legal complications.

"But I'll not taigle you, cousin. You'll be paying a call to Logan House on your journey home to New Cumnock, and no doubt bold Hugh will appraise you of his intentions and great plans for the estate over a jug of claret this evening. I'll see you to your horse.'

It wis gane five o clock gin James Logan sclimmt the grand staircase o Logan Hous an chappt the great door wi his ridin crap. 'Guid day tae ye Airchie.' he greeted the young manservant wha opened the door. 'Is your maister at hame?'

'He is that, Maister Logan. He's ben the library thrang at his maps an papers. I'll let him ken ye're here.'

'James. It's yersel. Ye've made guid time frae Ayr.' Hugh Logan glanced at the lang nock in the haa, stuid ablow a portrait o his faither. 'I trust it aa went weel wi kizzen William at the registration?'

'Splendid, Hugh, juist splendid. That's you the legal Laird o Cruikedbank nou.' Hugh Logan lauchd an rubbed his hauns in glee. 'Aye, an there's muckle mair tae come yet, for at the hinner-en, the young Laird o Logan ettles tae be laird o mair grun than the Boswells an Whitfoords pit thegither . . . Ye'll see.'

'Caa canny, Hugh.' cautioned his elder kizzen. 'Caa canny. Mind the auld proverb "Ne'er pit yer haun faurer oot than yer sleeve will reach". For there micht be a tuim purse at the end o it.' But young Hugh wad hae nane o it. He wis in a guid tid an fine fettle. This wis his furst acquisition as laird, an he wis set on mair, an quick.

'Guidsakes, James, ye sound juist like my dear Mother. He primped his lips. 'Hugh, always remember - "Ask your purse what you should buy"... Weel micht the auld lady say that nou that I'm the Laird, but the trouble is, she aye filled my purse as shuin as it wis tuim, an that's the wey I've grown tae like it - be it siller or claret. But dinnae fash yersel, James. There's a rowth o siller aboot.' Luikin oot the library windae ower the braid kintraeside ayont the Lugar, he drained his claret gless, streitchd oot his airms like Moses on the mountain, an cried - 'Behold a fair land that is overflowin wi milk an honey . . . an guid money frae the Banks o Ayr . . . whaur they tell me there's mair siller flowin intae their coffers than they can gie awa in buckets . . . Juist luik aboot ye, James, at aa the wark that's gaun on at Auchinleck Hous and Ballochmyle. Everybody is biggin themsels new mansions - or extendin their estates - wi credit frae the banks. An I ettle tae dae the same.'

James Logan shrugged his shouders. When the horse is at the gallop, the bridle's ower late. An for shuir, young Hugh had the bit ticht atween his teeth. 'Weel, Laird, whit's the neist great ploy then?'

'Limmerhaugh. I've spoken tae William about seizing Limmerhaugh frae John Crawford o Wellwood. Faither wadset it tae Wellwood a wheen years back, an I nou hae eneuch siller frae the bank tae redeem it an set it back in the estate alang wi Whitehaugh an Garple, an Midtoun o Greenock.

'But I'll gang warily wi Tounheid o Greenock the nou. I've declared an intent tae buy it frae the Earl o Loudoun, but until I see Hugh Begg's account settlt wi auld William Ross anent the money he owes him, I cannae move forrit. For gin I peyd Begg seiventeen hunner merks the nou for Cruikedbank, there's nae sayin whaur it micht feenish up . . . I hear on the grapevine that the slee auld tod ettles tae buy a ferm ower at Douglas, an is sniffin aboot Saddlerheid on Poniel Watter. An gif he still owes his mither the five hunner merks on that heritable bond, an uises the rest tae help buy Saddlerheid, he'll hae nae siller left tae redeem his seiventeen hunner merk bond tae Ross o Tounheid . . . An that fashes me sair.'

'An whit daes kizzen William advise?' James cuid see the lourin prospect o further legal wrangles lastin for years if William Ross had tae raise an action against Hugh Begg to recover his loan - or against Hugh Logan as the new proprietor.

'Weel, in the furst case, he's tellt me tae withhaud ony peyment tae Hugh Begg till he's peyd back his loan tae Ross . . . But saicontly, an this is whaur we hae tae gang cannily, he thinks we micht be able tae get roun the hale problem by lowpin ower Begg's heid an gaun straucht tae young James Ross.'

'Ah hou micht that wark?' As an honest gentleman of some propriety, James Logan fand himsel lost aaready in aa the twists an turns o the Machiavellian strategy bein hatched by his twa kizzens. Tae James, 'straucht' meant straucht - wi nae trickery.

'Auld Ross is no lang for God's earth.' confided Hugh. 'Gif Hugh Begg settles ower shuin, the siller will gang tae auld Wull himsel; an when he dees, it will revert tae his weedow - an no tae his eldest son. Gin he hauds back a while till auld Wull is deid, the feck o the money will then gang straucht tae young James an no tae his mither . . . an it's certain that the young lad 'll be gled o that extra siller when he taks ower the tenancy o Tounheid himsel . . . Can ye see that?' Hugh Logan's double chin creased in a slee grin as he leant forrit an laid his fat haun on his kizzen's sleeve.

'Nou, if that happens, we'll still hae nae control o maitters. We micht haud Cruikedbank but hae nae grazin tenant if young Ross disnae want the lease, or gets a better rent bargain elswhaur . . . An ye never ken when anither proprietor micht come alang an bid for Tounheid, an lae us haudin a wee persell o grun that's o nae uise tae us.

'But gin we dae whit William suggests - speak in secret tae young James, an get him tae agree that as shuin as his faither is deid, I will pey all an hale the seiventeen hunner merks straucht ower tae him - then we can control exactly when we buy Cruikedbank. We'll hae young Tounheid weel disposed tae Logan Estate, an set tae pey a guid rent for Cruikedbank. Then when the richt time comes we'll purchase Tounheid frae the Earl an link it up wi Midtoun an Tounfuit intae yae muckle ferm. An then, if young Ross is sweirt tae pey me a muckle rent for his muckle ferm, he can gang tae hell - for we'll easily get anither tenant.' James Logan wis mightily impressed. There were nae fleas on kizzen Hugh.

'An whit's mair, tho there's nae hurry tae it,' Hugh gushed on like a burn in spate, 'I'd wager that Hugh Begg himsel will hae nae objections tae sic a plan, for I'm shuir he has siller eneuch cached awa aaready tae buy Saddlerheid . . . Guidsakes, man, Beggs awa tae colonise Douglas nou! Fegs, there's scarce a ferm in Muirkirk or Glenmuir the nou that hasnae a Begg lurkin aboot it somewhaur, makin life deevilish awkward for the Laird o Logan.' He paused, pit his haun tae his mooth in mock surprise, an lauched. 'Och, James, I clean forgot . . . yer ain sweet Margaret is a Begg frae Glenmuir . . . I'll juist chynge that remark tae deevilish awkward for the Laird o Afton!'

Knockshinnoch lauched an gied a wee grimace as he checked the nock. 'Aye, an ye're mebbe richt aboot that, Hugh - gin I dinnae win hame the nicht afore dinner at aicht. . . I'm awa.'

Chapter 8

1768 - THE LOWLAND CLEARANCES

See yonder poor, o'erlaboured wight,
So abject, mean, and vile,
Who begs a brother of the earth
To give him leave to toil;
And see his lordly fellow-worm
The poor petition spurn,
Unmindful, tho' a weeping wife
And helpless offspring mourn.
Robert Burns - Man was made to Mourn.

Facin the laich sun, an the chill o a fine September mornin, wi his sax brithers gruppin cords aither side an his uncle William at the fuit, young Edam Begg's knuckles whitened as he tuik the strain at the heid o the coffin an they lowered his faither Adam intae his lang hame in Muirkirk kirkyaird. Ahint young John an Hugh stuid their uncles John an Hugh, ready tae gie a haun gin it wis ower much for the laddies. But they grittit their teeth like men an blinkit awa their tears as the coffin gied a wee dunt an settlt on the deep dark yird faur ablow thaim. Watchin their uncle Wull oot o the corner o their ee, they lowsed their grup on the raips an cast thaim intae the grave as the meenister said 'Dust tae dust, an ashes tae ashes' an scattert a haunfu o dirt an wee stanes that rattlt on the coffin lid. Heids lowered, they aa stuid wi their thochts for a meenit, till their uncles tapped their shouders an led thaim back frae the graveside. As they turnt awa, young Edam wis sair burdened wi his ain thochts on ither maitters forby his faither.

Slowly, they tuik the lang gate back tae Netherwood, whaur the sicht o proud raws o yella stooks staunin gaird on the distant rigs brocht a lump tae their thrapples an tears tae their een. Their faither wis stookin the last o that corn juist abune the ferm fower days syne, when he stuid up o a sudden, wi his richt haun clutchin his kist, gied a wee creckle an a gasp, an cowpt forrit on his face, deid. Wee Hugh, his youngest, had been his stookin neibour, and ran cryin for Tam an Jock wha were warkin wi their uncle Wull in the braid park. But there wis nocht they cuid dae.

A fine autumn day an guid hairst it micht weel hae been, but for aa that, 1768 had been an awfu simmer. At the May Quarter Day, wi aa their seed sawn, Edam an Wull fand oot that their lang tenancies on Netherwood were no tae be renewed by the new absentee heritor - Maister Hunter, a Writer frae Ayr - when their lease wis up in a twalmonth. It wis a bitter, sair dunt for twa auld men nearin the en o their warkin days; but they'd seen it comin. For aa the lairds were gettin greedier, aye strivin tae be upsides wi ane anither - wi their big houses, tree-plantin, enclosures, fancy cairriages an sic fal-de-rals - an the puir tenants had tae pey for it. That simmer, apairt frae the Sabbath, the twa brithers had wrocht ilka day frae daw tae darkenin, tae reap an roup as muckle frae the lands o Netherwood as they cuid. The lambin had been guid, an the hairst wis the best for years. There wis a fine crap o lambs an stots for the Fleshmairket at Kilmarnock - but nou Edam wis deid.

'It's a bluidy shame that puir Edam's no here tae feenish the best hairst he's warkit for thae last thirty years.' Auld Wull's vyce trimmlt as he spoke wi his nephews, an the distant stooks mistit as tears filled his een. 'Yer faither wis a fine, fine man, you lads . . . an his faither afore him . . . an never you forget it, whaure'er ye micht feenish up at the hinner-en. For gin the spring, ye'll aa hae tae mak yer ain wey in the warld, an I wad counsel ye tae stert nou, castin yer een aboot an braidcastin yer intents . . . For there's nae room in this kintrae nou-adays for sma tenants like us, an portioners like yer auld grandfaither - an there will be a wheen mair callants like yersels forsakin wee tenant ferms an cot-houses in the years tae come.' He turnt roun tae his brither Hugh, wha wis walkin twa paces ahint wi John McKerrow o Mains-shiel an James Ross o Tounheid. 'It's aa feenished nou, I hear. The Laird o Logan haes his greedy hauns on Cruikedbank at last . . . An nae dout Tounheid will be no be faur ahint, James.'

'I'll tak my chance on that, Wull.' Young James Ross gied a cocky smile. 'But furst I'll get back my seiventeen hunner merks frae Hugh Logan neist month an settle a wee pickle o it on rentin Cruikedbank - for it's guid arable grun - an then I'll settle a bit mair on increasin my store o sheep on the hill. I've still three year o oor lease tae rin wi the Earl o Loudoun, an I've nae fears that he'll renew it when the time comes. We've aye been guid tenants.'

Wull squintit back at his brither wi a raised ee-brou. 'Sae that's hou it is, then?' he speirt. 'Logan's peyd aff yer debts, haes he?'

Hugh noddit meekly. 'Aye. I didnae tell ye afore, but when I cuidnae redeem the seiventeen hunner merks owed tae Wull Ross afore he dee'd, Logan went ahint my back an agreed wi James here that he wad pey aff the wadset, baur the interest I'd aaready peyd.'

'Sae ye cuidnae pey back seiventeen hunner merks - an lost the lands o Cruikedbank!' growled brither John, wha kent little o his brither's legal joukerie-pawkery ower the years.'

'Weel, aye an no.' replied Hugh wi some hesitation. 'The siller I got frae Wull Ross did set me up in business at Douglas at a time when I had nocht . . . An at the hinner-en I had hained mair'n eneuch siller tae pey auld Wull, but it suited baith young James an me tae haud back a while . . . an I'm shuir it suited Logan as weel.'

'It wadnae hae somethin tae dae wi a ferm caad Saddlersheid, Hughock?' sleely speirt Wull, wha had fell back alangside his brithers.

Hugh stertit in surprise. 'Hou . . . Hou the hell dae ye ken aboot that?'

'Ach, we mebbe never get oot o this pairish - unlike yersel - but we aye keep oor lugs tae the grun up here in Muirkirk, for there's aye a drover or a chapman wi a tale tae tell . . . an twa months back there wis a tale aboot a mason in Douglas wha had bocht a ferm caad Saddlerheid, an peyd for it aa wi siller.'

'Sae ye're tellin us then, in a rounaboot wey, that Cruikedbank helped ye pey for Saddlerheid?' said John crabbit-like, raxin his harns tae try an compute aa the twists an turns. 'Weel, ye seem tae hae come oot o the dale gey weel - tho it wis a dale we agreed aa thae years back juist tae gie Mither an Christian a ruif ower their heids - an gie you a wee heize up as a prentice mason.'

'Ach, Jock,' said Wull giein his brither a dunt in the back, 'It's aa watter unner the brig nou. . . . There's some folk that faa in a burn an aye come up wi a mouthfu o troots . . . an Hughock's ane o thaim . . . This is nae time for ill-will. Edam wadnae like it . . . ye ken the auld saw - "There's aye ill will amang cadgers" - weel, nane o us are cadgers. Edam an me hae dune gey weel oot o oor thirty year in Netherwood, an hae hained eneuch siller tae see oorsels tae oor graves - tho it's been a wee bit ower shuin for puir Edam. An you yersel are siccar in yer tenancy wi Robert Aird at Crossflats . . . Fegs, I've yet tae hear o a sheep fermer greitin aboot the price o wool.' He paused, lowered his vyce, an noddit aheid.

'Naw it's the young anes I'm fashed aboot. We aa kent when we skailt frae Cruikedbank that we had a fair chance o winnin a guid tenancy in a daicent holdin wi eneuch grun tae feed an cleid oor bairns . . . But I'm feart for the bairns nouadays; for it's maist likely they'll feenish up as ferm servants or ploumen tae weel-tochert tenants in the lairds' muckle ferms - or hae tae gang awa tae the big touns - or even tae the Americas . . . Luik at young Edam there. Mebbe it's juist as weel he's steady fee'd aaready ower in New Cumnock, nou that his faither's awa an the tenancy's gane . . . He's got a guid stert on the rest o thaim.'

Heid doun an lae-me-alane, young Edam wis walkin on fast, weel aheid o the wee procession; scutchin awa at thrissle-heids wi his cruik, as if he wantit nocht tae dae wi thaim aa. 'I think the laddie's ta'en it gey sair, lossin his faither like that,' whuspert John, 'an wi it takin twa days there an back ower the hills, for us tae fetch him hame. Mebbe ye'd better hae a wee word wi him, Wull, on the quate, when we win back tae Netherwood.'

Agnes had ta'en it bad as weel, her man ta'en awa sae sudden wi nae time for fareweels; an nou she wis left wi a prospect o naewhaur tae bide efter neist spring. Forby, she wis failin hersel. She kent that. There wis a great muckle sair at her breist that wadnae heal nae maitter whit saws an potions she tried, an nou she had a pain in her back gin she tried tae cairry a cogie o watter frae the burn. But her Mary wis due tae be mairrit at the back-en tae young Andra McKerrow in Dykes - whaur she said there wad aye be a place for her mither an young Hugh. She had nae fears for her fine big lads. The young anes, James, John, Will an Tammas wad tend the ferm wi their uncle Wull till neist Whitsun, while they socht wark elsewhaur. The twa auldest had flown the nest a while back. Mattha wis herdin at Blacksidend; an young Edam had ta'en himsel awa ower tae New Cumnock, whaur he seemed tae be daein fine - tho he wis unco quate the nou, as if somethin wis eatin awa at him, an fashin him sair. Ach, it wad be his faither. He'd aye been close tae Edam.

In the kitchen, she busied hersel cuttin a muckle kebbock she'd waled oot frae the cheese store for the funeral pairty, while Mary steirt the lamb stew, an Wull's lassies Jean an Agnes buttert the breid. It wis a guid cheese, ane o her best. She'd aye ta'en a great pride in her yowe milk cheese, an wis kent faur an wide as the best cheesemaker in the pairish. She'd learnt it frae her mither. She ne'er gat less nor fower shillins a stane for her kebbocks, an had three dizzen hained awa in the cauld store. Agnes soucht - an dichtit awa a tear. That siller wad help see thaim aa throu the winter, till her boys fand wark in the spring.

Ben the hous, she cuid hear the men an the laddies bletherin awa as her guid-sister, Wull's Jennet, filled their glesses frae a flagon o yill bocht in the changehous at the Muirmiln. Her ither guid-sister, John's Mary frae Crossflats, gied her a haun tae dish oot the lamb stew - an the ashets laden wi breid an kebbock. Wi boued heid, Wull said Grace, then cried 'Faa tae, an redd the plates!' There wis a meenit o silence as they aa set tae wi a will; but as the yill flowed, sae did the crack, an Agnes's sair hert lichtened as bairns' ploys played, an tales tellt, brocht smiles an the soun o lauchter back ance mair ablow her Edam's ruif.

But she noticed that her auldest son tuik nae pairt in the clash an banter. He juist sat there, starin at the table, as he supped his stew, an brak a bit o breid an cheese. Wull saw it as weel, an when young Edam gaed outside tae mak his watter efter twa-three mutchkins o yill, he followed.

'Whit ails ye, Edam lad?' he speirt kindly, daicently waitin till the young callant turnt awa frae the byre gavel. 'Ye're stronin there like a collie-dug!' His banter ne'er raised a gliff o a smile. Edam sat doun on a stane wi his heid in his hauns. 'Ye're no faur aff the merk, Uncle Wull,' he grained as he luikit up wi frank, but troubled een. 'I've been actin as daft as a collie-dug ower by at Polquheys, an . . . an. .' He stopped, the words stuck in his thrapple.

'An whit, son?' Wull spake saftly. 'Whit is it that's troublin ye?'

'I've bairned Jean Broun the plouman's dochter, that's whit! . . . She's showin nou, an she tellt me last week that she'll be haein the bairn in Januar . . . Whit can I dae, Uncle Wull? I'll hae tae staun by the lass, but I daurnae tell my Mither . . . efter my Faither . . . She's gey no weel hersel . . . I can see she's no weel, an I'm feart it wad kill her wi the shame.'

Wull sat doun wi his airm roun his nephew. 'Juist lae yer mither tae me, son. She neednae ken ocht aboot this the nou. Ye're faur-trevellt frae New Cumnock, an ye're fee'd there till neist Mey, sae ye'll no be back in Muirkirk for a while . . . An there's no mony Muirkirk folk airt by Polquheys tae gang tae New Cumnock - for it's juist as damn cauld an bleak ower there as it is here - an no worth the bother . . . I'll juist tell her that ye're grievin for yer faither, an fashd sair aboot her an the wee anes; you bein sae faur awa . . . An it's the truth.' He paused for thocht. 'As faur as this lass is concerned, hae ye the siller tae support a wife an bairn?'

'Na. I'm due my fower pund hauf-year fee in November - at Mairtenmas - an nocht else till Whitsun term-day.'

'Weel, ye'll hae tae speak tae her faither, man tae man - an thole his snash - an tell him, that tho ye hae nae siller the nou, ye'll dae the richt thing by her when the time comes . . . tho it micht no be till neist simmer.' Wull sat straucht up wi a richt stert, an slappd his knee. 'I ken whit we'll dae!' Young Edam sat up wi a richt stert himsel, at the suddenness o it. 'Whit, Uncle?'

'Yer Uncle John an me are fair scunnert wi yer Uncle Hugh an aa his siller. For thirty year he's reaped the rewards frae Cruikedbank, but haes sawn nocht in return for the future o the faimily. Wi aa his walth, it's high time that he gied somethin back . . . An mebbe a wee word or fower frae Jock an mysel micht gar him lowse his grup on a pickle siller tae help his puir nephews an nieces . . . Best dae it while that nebby, greitin-faced, flytin besom o a wife o his is at hame in Douglas - an no hereaboots tae deive us wi her clatter - an threip on at him aboot wantin siller for this, an that, an the neist thing . . . She'll be takin tea wi the guidwife o the Duke o Douglas neist!'

Neist mornin, as Edam happt a linen clout roun a muckle daud o his mither's best kebbock tae tak hame tae Jean's faither an mither as a peace offerin, he felt a tap on his shouder. It wis Uncle Hugh. 'Wull tellt me last nicht o yer sorry plicht, Edam . . . Tae my lastin shame, I hinnae peyd muckle attention tae my brithers an their faimilies in the past - for I wis faur awa an ower thrang wi my ain bairns an the business. But daith - especially nou wi my brither Edam - haes a wey o bringin us aa thegither an remindin us o our ain mortality, an oor obligations tae oor kith an kin.' He shook Edam's haun wi a Mason's Grip, but there wis nae repone frae the lad tae his questin thoum. Still haudin his haun, he quickly pressed three guineas intae his luif an steikt his fingers ower the coins. 'Juist count this as a wee gift tae the auldest son o my dear depairtit brither, tae help secure the neist generation . . . An mind, dinnae let on tae the ithers hou muckle I've gied ye - for there's a wheen o thaim - an no eneuch o these! But they'll aa get their share.' He swung roun on his heel an made for the door. Edam followed, an as he mountit his horse, Hugh turnt wi a wee smile an waved his haun.

'God be wi ye, young Edam.'

'Thenk ye Uncle Hugh, an God be wi ye as weel.' Then ablow his braith as he fingert the yella Geordies in his pouch. 'An thenks be tae God tae, for Uncle Wull an Uncle Jock.'

Compeared afore the Reverend James Young tae repent o the sin o antinuptial fornication, Edam tholed the shame o the cutty stuil in New Cumnock Kirk for three Sabbaths, a month afore his son wis born on the twinty-saicont o Januar 1769 in Jean's faither's hous at Polquheys. He thocht lang an hard aboot the name. Word had been brocht ower frae Muirkirk at Hogmanay - by a New Cumnock chiel comin hame tae be wad - that his mither wis failin.

He kent in his hert that, in her mind it wad dishonour the cherished memory o his dear faither - an aiblins hasten her ain passin - gin he caad his bastard first-born son, Adam. Then he thocht on the three gowden Geordies frae Uncle Hugh - near on a hauf-year's pey - that had gied thaim baith security, an saved him frae the wrath o big Jock Broun. They wad caa the bairn Hugh. An as such, the bairn wis duly recorded in the kirk buik - *'22 January 1769. Hugh, Natural son to Adam Begg and Jean Brown'.*

Efterhaun, he fand himsel herded like an auld tup, weel awa frae his Jean, by her faither, till they were honestly wad at the stert o 1770. Their saicont son wis born on the tenth o November, an caad Adam - sax months ower late for his puir mither, wha passed awa in the spring o that year.

But juist as his uncle Wull had foretellt, there were ower mony young chiels like himsel - cotters, herds, fermers, an the sons o fermers - huntin for tenancies, when there were nane tae be had in the pairish, nor in aa the pairishes roun aboot, Kirkconnel, Auchinleck, Cumnock or Dalmellington.

Some o the lads became weavers, or cairters, or drovers. Some puir sowls left the land aa thegither tae wark for the Afton Mining Company, in the new coal mines bein howkt oot o the braesides anent Straid on the new turnpike road tae Dalmellington - on the lands o Mistress Stewart o Afton, dochter o the late Sir Thomas Gordon o Earlston, wha had inheritit the estate an mairrit Colonel Stewart in the same year as Jean an himsel. Unlike themsels, the Stewarts didnae bide in the pairish, but twal mile awa, doun at Stair Hous - a fine mansion for fine gentry, bonnily set midst a beild o trees an laich parks by the Watter o Ayr.

Fegs, his Jean wis a fine lass tae - but she had tae thole a puir theikit hovel o a hous wi a single room, on a lang, tree-less rig heich abune the valley o the Nith - at the mercy o snell wins that blew in frae aa airts an soucht an whustlt throu the ruif-trees. An it stuck in his craw an it fashd him, that he cuid provide nae better for her - tho his ain granfaither juist forty year syne, had been a heritor an landowner on the same Watter o Ayr; wi an obligation tae contribute tae the fabrick o the kirk an the kirk schule, an the welfare o the puir o the pairish.

But therein lay the difference. Wee minnons were aye swallied up by big troots, an thirty-fower acres o muirland grun in upland Muirkirk wis jist a sma fry that cuidnae swim agin the gurly currents o modren times, nor escape the greedy mous o bigger fish. It wis aa doun tae accident o birth, an nocht wad chynge that, at least in his lifetime. Up on the rigs o Garrieve Hill, no faur frae Polquheys, a wee pickle coal wis bein howkt frae the brae face. But the colliers cuid keep their mowdie-wark. It wisnae for the likes o him. Aa he kent wis the land.

Maist o the fermers hereaboots were tenants o the Earl o Dumfries, an were nou dancin mad tae his tune, efter he enclosed aa the common grasslands an rented thaim oot tae the highest bidders - maistly drovin graziers wha cuid ootbid the tenants an pey 20 shillins an acre. His Lordship ettlt at improvin puir grun wi lime; but Auld Polquheys an his neibours cuidnae see the sense o it - it wad ruin their sheep gress. Adam thocht itherwise, but wha wis he but a common ferm labourer, wi nae richt tae an opinion.

On yae opinion tho - aboot the tuppin - Jock Broun his guidfaither wis mebbe richt. For Jean drapped a fair flock o wee lambies ower the neist fifteen years, wi Agnes, John - wha dee'd when he wis aicht o the kink-hoast - Katherine, William, Jean, Euphemie, an at the hinner-en, a saicont John in 1784. That year o seiventeen aichty-fower wis the year o the August frost that turnt aa the tattie shaws bleck in a nicht; an heralded the stert o a terrible winter whaur the grun lay frostit frae Januar till the end o Mairch. Sae bad wis it, that the plouin wis stopped by airn hard grun richt till the stert o April.

Wi a growin faimily Adam had flittit by this time doun the hill tae Rottenyaird, whaur there wis mair arable grun an dairy kye, an a biggin wi twa rooms. But the hous wisnae muckle eneuch tae haud twa rowtin young bulls like Hugh an Edam, aye rairin, girnin, threipin, or fechtin wi their faither, or their mither, or themsels - or their sheddaes gin there wis naebody else. At the hinner-en, they baith juist had tae gang - an seek their fare an fortune elsewhaur.

Hugh shuin gat himsel apprenticed tae the blecksmith at the Castle Smiddy, whaur he cuid wark aff his hauflin rants an rages on the anvil, mellin rid-hot airn intae horse-shaes an ploushares. Five year on, an nou a journeyman smith, he drappt in by at Rottenyaird yae day tae let his faither ken he ettlt tae gang back ower the hill tae Muirkirk. For things had chynged ower there, he said - wi coal pits, taur warks, an a muckle new airn foundry. Whaur there had been seiven hunner sowls in the pairish in his faither's time, nou there were fifteen hunner, an mair comin every week. They were cryin oot for blecksmiths, an he cuid mak his fortune. Adam wis gled for him, an gied him his blessin - for that wis the furst ane aff his hauns, an settlt.

Young Edam on the ither haun, wis a sair trial tae him an Jean. Frae the ferm he'd gat himsel in tow wi a company o drover chiels frae Lanark wha'd rentit grazin on Avisyaird Hill frae the Earl's grieve. He'd aye been a steirin, gallus bairn, an wis easily soukt intae the wild ruch weys o the drovers. Afore lang, he wis up an awa wi thaim, drivin muckle herds o bleck nowt doun the Nith valley tae Dumfries an on tae Carlisle; an wad come back hame whiles wi tales that were scarce fit for his faither's lugs - faur less his mither's. On the road they leeved the life o gangrels, sleepin in hey-lafts an corn-stacks, an whaure'er they cuid fin shelter. Nor were they sweirt tae thieve a hen or a kebbock nou an again frae some puir fermer's wife when hungert an scant o siller.

For years, Adam an Jean despaired o their saicont-born, but were gled tae hear frae Hugh at the hinner-en, that his brither had settlt - mair or less - in Muirkirk. Frae Edam himsel, they heard nocht mair till the day they dee'd.

Chapter 9

1786 - THE KILLIE FLESHERS

So Sir, you see 'twas nae daft vapour;
But I maturely thought it proper,
When a' my works I did review,
To dedicate them, Sir, to you.

Robert Burns - A Dedication to Gavin Hamilton Esq
of his Kilmarnock Edition Poems

Wi a coorse yelloch an a whustlin cruel cut o his lang hazel stick, the barefuit hauflin lad hauled hard on the reins o his pownie as its hooves skitit on the wat causeystanes o the Fleshers' Brig.

Ower on the north bank, skirtin the Marnock Watter, wis a braid open street backed by tenements, shops an inns, atween which nerra closes led tae the back lands. Ahint yin o the heich tenements lay the toun's Fleshmairket. At the tap-en o the street stuid the pens an stalls whaur sheep, wee nowt an cauves were slauchtert. Tae the west, the street ran richt throu tae Kilmarnock Cross.

Walkin his mare oot o the Star Inn Close, his collar up an his Kilmarnock bunnet poued doun ower his brou agin a shouer o April rain, a sturdy young fermer chiel had tae rein-in gey smertly as the skittish pownie clattert erse-furst toward him. His guid-humoured smile flashed intae bleck anger, an his dark een bleezed as he saw that the stick wis no meant for the pownie, but for fower wee shilpit stot cauves on its back, their feet trussed thegither wi coorse raip. The furst cauve wis slung ower the pownie's shouders forenent the saddle, an its neibour ower the rump. The ither twa were hingin upside doun by their feet, aither side o the beast. Een wild wi fear, their mouths slavert wi hairse peetifu cries as their wee heids twistit roun on scrawny necks, tryin tae mak some sense o their terrifyin, tapsalteerie warld. A reek o daith waftit ower frae the slauchter yaird as anither load o sheep an cauves' shanks, heids an offal, wis tuimt intae the burn tae be washed awa in the neist spate.

As the stick raise yet again, the rider leant ower, an wi yae swift move, poued it oot the laddie's nieve an cracked it hard ower his shouders. 'That'll learn ye, ye cruel, hertless wee messan!' he cried, tae a yowl o pain as the flesher lad joukt back, only tae be kickt on the hoch by his ain pownie. 'Ye deserve anither dizzen straiks frae this stick an, by God - gin they had been my beasts ye were leatherin, ye'd hae had thaim - in guid meisure!

'Is it no eneuch for thae puir wee craiturs tae suffer a slauchterhous gully across their craigs, wi-oot bein threshed near tae daith by a glaikit gomeril like yersel?' Wi that he brak the stick in hauf across his knee an tossed intae the Marnock. "I hope yer maister has seen this, an gies ye anither whuppin.' The young fermer hauf-turnt an addressed his remark tae the wee getherin o folk, oot by their shopfronts tae see whit the collieshangie wis aboot.

A stout, rid-faced man steppt forrit frae Arbuckle's land, gruppt the laddie by yae lug, skelpt the tither, an sent him sprawlin ben the shop wi a hefty kick on the dowp. 'I'm obliged tae ye, sir.' He nodded tae the young man. 'He'll no dae that again, I'll sweir.' The rider nodded back, tipped his bunnet, an turnin his mare, clippt ower the brig an airted up the brae for the high road tae Mauchlin.

Wee Johnie Wilson watched frae the mouth o the Star Inn Close as his client rade up the brae, tilted his glesses on his lang neb, rubbed his hauns an gied a wee keckle o satisfaction as he turned back intae his printin shop.

'Wha wis yon young chiel, Johnie?' cam a vyce frae ahint him. It wis the flesher, wi a wee bairn at his side, haudin his haun.

'Oh, it's yersel, William . . . He fair frichtit the wits oot o that laddie o yours, did he no?'

'Aye . . . No that there's muckle in the sumph's heid tae fricht, when he haes only hauf a wit tae begin wi!' William Arbuckle smiled wrily. A man in his middle thirties, aboot aicht year aulder than the printer, his girth an dress were guid evidence o a prosperous business - an nae lack o meat or gear in his hous. 'But whuppin cauves is no guid for business . . . or for the weans . . . an I'll hae tae pit a stop tae it. Wee Janet an the twa boys, James an wee William here, are gey saft aboot beasts, maistly lambies an cauves . . . they'll learn as they get aulder, when the fleshin tred is their breid an butter . . . but for nou, let thaim be bairns!' He touslt his son's heid wi affection.

'But ye hinnae tellt me yet aboot yer fermer, Johnie. He luiks aboot ages wi yersel.'

'Och, he's a lad that airts frae Mauchlin by the name o Robert Burns. A tenant o Gavin Hamilton the lawyer . . . an fermin Mossgeil wi his brither. He's been comin aboot Kilmarnock for a year or mair. His howf is doun at the Boolin Green Hous whaur they tell me he's gey sib wi Tam Samson, Gavin Trimmle, the Parker brithers, Byllie Greenshield an a wheen mair. Hae ye never seen him there?'

The stout flesher straikt his chin in thocht. 'Aye, nou that ye mention it, I mind his face. It wis the bunnet ower his een that foxed me. I've seen him erse tae the fire haudin court by the ingle wi his cronies . . . he's gey forrit wi his opinions whiles, is he no?'

Wilson gied a wee lauch. 'Is he no juist! He's a bit o a rhymester, and haes pit aboot some o his verses as Rob the Rhymer. Hae ye no seen his 'Twa Herds' - aboot the tulzie atween Black Jock Russell an the Reverend Moodie at the Presbytery meetin, when they miscaad ilk ither like a pair o tinklers?'

'Did he write that?' exclaimed William, his gab hingin dumfounert. ' I've read twa or three verses, but wis feart tae read mair for fear that somebodie wad clype on me tae oor new meenister.'

Johnie Wilson lauched. 'Aye, an if the Reverend McKinlay kent that a richteous member o his flock wis readin sic blasphemous heresy, he wad be fannin the coals o Hell for ye himsel! . . . An nae dout Robert Burns will be sherpenin his quill for James McKinlay when the Reverend hears aboot the poem in oor new buik, an ettles tae pour the michty wrath o Hellfire ower Burns's heid.'

'Whit new buik?'

'The buik I've juist agreed wi Burns efter readin his manuscript ower the past three weeks. He's dedicatit it tae his freen Gavin Hamilton . . . Man, William, they're guid poems . . . awfy guid . . . But at the stert, I wis sweirt tae tak it on, for his verses are aa in the Scotch tung.' He paused tae snort a wee pinch o snuff up his lang neb - an sneezed.

'Ach . . . I tellt Maister Burns that in my opeenion there wis nae mairket for sic warks, since aa thaim that can afford tae buy buiks are learnin tae speak in English. I tellt him that while Alan Ramsay micht hae dune weel eneuch fifty year syne wi his Doric, folk are mair genteel nouadays, an gang in for fine English words wi a wee drap o Greek in it . . . an that's why my buik o Milton's *Paradise Lost* did sae weel last year.'

'I ken whit ye mean, Johnie.' William Arbuckle broke in. 'Oor Agnes is never by flytin at me tae speak proper English afore the weans, an she's aye correctin the wey they speak in companie. But it's no easy in this tred, wi naebodie tae speak tae baur fermers, drovers an dealers. Sae whiles I'm a bit coorse mysel in the societie the Mistress ettles tae keep!'

'But that Burns haes got a tung that wad chairm a burd aff a tree.' Wee Johnie paused wi a slee wink, an added . . . 'Aye, an I've heard tell he's chairmed mair nor yin bonny burd intae the busses as weel!' William keckled in a wey maist unseemly for a pillar o the Kirk.

'Sae we agreed tae gang for a subscription list at three shillins a copy, an gin we get eneuch tae cover the prentin costs, we'll gang aheid wi sax hunner copies. I'll gie ye a wee keek at some o the verses if ye've the time . . . an mebbe ye'll tak a notion for a copy yersel.'

'Aye, mebbe richt eneuch, Johnie . . . but at three shillins, I'd raither tred ye a guid leg o mutton for a copy . . . gin I like it!'

Wi a fauraway luik in his een, William Arbuckle slowly turnt ower the wee slim volume he held in his left haun. Weel thoumed, wi a broken spine an twa or three loose pages, it had been his faither's proudest possession. He minded as a wee lad o five, sittin on his faither's knee, bein read a poem aboot a wee mous, an greitin when a plou cut throu its nest an it ran awa. He shuik his heid in disbelief. That wis fifty-five years syne. Hou time had flown.

He minded tae, or thocht he did - but aye tellt folk that he *had* mind - o staunin wi his faither at the shop door, watchin a man in a broun coat on a grey mare speik tae his faither efter skelpin yin o the mairket lads wi a stick. A lang time efterhaun, his faither had tellt him he had been witness tae a great event that day - the day that Robert Burns shuik hauns wi Johnie Wilson on the prentin o the Kilmarnock Edition o Burns's Poems . . . this verra buik. On his daith bed, his faither had gied him the buik tae treisure, an he'd dune juist that, an wad pass it on tae his ain sons, William, Robert, James, or wee Matthew, when his turn came.

It wis nou the middle o January 1841, only nine days till the Bard's birthday, when he wad be suppin in celebration wi his cronies at Kilmarnock Burns Club. At this time o year he aye liked tae tak the buik oot the drawer for a wee read efter he had checked the ledgers. William an James did maist o the wark nou, but he had aye tae keep an ee on the accounts. He raise an luikt oot the windae. It wis a miserable nicht, wi the win rattlin the shutters, an a flichter o snawflakes in the licht o the gas lamp in the street ablow. Whit a difference the gas had made. He cuid see folk nou, walkin heid-doun intae the snell win, whaur twinty year syne, he wad hae seen or heard nocht in the mirk baur the clatter o feet on the causeystanes. He settlt back in his sate, raxed for his pipe, turnt up the gaslicht a wee peep, an settlt doun tae his Burns. Marion wis across at Portland Street at their dochter Jessie's hous.

There wis nae tellin when she micht be back. Jessie, their ain first-born, wis expectin again, an they were gey worrit. Mairrit tae William Towers the Baker nou for ower sax years, she had aaready borne him three wee dochters, but nane had leeved mair nor a year. The furst infant had been ta'en by diphtheria, an the saicont by a brain fever. The third bairn had been born ower early an had been too waik tae souk at the breist. But this time Jessie had gane her nine months, an her confinement wis due ony day nou. Her mither wis gey vexed for her, an had been fidgin aboot like a hen on a het griddle - till he had tellt her tae gang awa ower tae Portland Street an stey there till the bairn wis born. Marion wis gey fashd at haein nae grandweans tae show aff tae her social circle. God willin, she micht hae guid fortune this time.

He must hae dovered ower, for there wis an almichty hemmerin at the door. He stertit in the chair and bleared at the nock on the brace abune the fire. The nock said quarter past twa, an the fire wis oot. He shivered as he raise, shauchlt stiffly tae the door an liftit the sneck. On the landin stuid a white ghaist - or at least it luikit like a ghaist till he saw it wis a bit laddie - covert frae heid tae fuit wi a mixter o bakehous flour an snaw, wi the meltin snaw an flour mellin thegither intae a flour paste that dreipt ontae the stairheid flagstanes.

'Maister Arbuckle, Maister Arbuckle . . .' The wee baker's lad wis bent ower, his hauns on baith his hochs, pechin for braith.

'Oot wi it, lad! Oot wi it! Whit's the maitter?' The auld flesher's hert filled wi dreid an forebodin.

'Maister Towers . . . Maister Towers sent me tae . . . tell ye that . . . Mistress Towers haes juist had a . . . wee wean.'

'Whit is it, laddie? Whit is it?'

'Ah've juist tellt ye, Sir . . . She's juist had a wean.' blurtit the messenger.

'Aye, I ken that muckle!' shoutit William, fidgin wi excitement, an shakin the wee lad by the shouders. 'But is it a wee boy or a lass?

'A wee lassie, Maister Arbuckle, a wee lassie.'

'A wee lassie . . . again.' repeatit William in a disjaskit vyce, lowsin his grip o the lad's shouders, an feelin his ain shouders drap at the same time. Anither lass! Mebbe anither loss! Puir Jessie! Then he gethert himsel thegither smertly. 'An are they baith weel?'

'Aye,' said the boy, wi nae idea whit lay ahint the man's question, 'they're baith weel.'

'God be thenkit.' murmured the merchant as his haun dipped intae his waistcoat pouch. 'Here's a florin for ye lad, for rinnin aa that wey wi sic guid news. Nou you rin back an tell Maister Towers that I'll be ower tae see my new granddochter in the mornin . . . an get thae claes het an dry ower the oven bricks afore ye get founert wi the cauld!' As he turnt awa, he murmured again tae himsel ' *"Twas then a blast o Januar win, blew hansel in on . . ."* my wee granddochter!'

'Whit wis that, Maister Arbuckle?' speirt the baker's lad frae doun the stair.

'Naethin, laddie, naethin . . . Juist twa lines frae Robert Burns.'

Wi three muckle brandies tae wat his new granddochter's heid, William Arbuckle slept weel, mebbe ower weel, for it wis the bustle an clash o tradin throu the back in the Fleshmairket, that roused him tae gang dounstairs an tell his sons that they were uncles again - an pray God, for a lot langer this time! Please God that this bairn wad be strang an healthy.

His prayers were answert at Portland Street as shuin as William Towers opened the front door, an the loud, happy soun o a lusty greitin wean filled the stairwell. Upstairs Marion fell about his shouders wi tears o joy. 'Oh, William, come and see your beautiful new granddaughter. Jessie and William are calling her Margaret after her Grandmother Towers. Isn't she just beautiful! Pray God she'll keep as healthy as she is now.'

The big room wis stowed wi folk. Baby Margaret lay in the airms o her namesake Grannie. The howdie wife wis juist caain back her saicont brandy efter reddin up her graith, an Jessie lay content an gleg in the set-in bed, weel restit efter aicht hours sleep. The wean had suckled first time, an the birth had been quick an easy. William kissed his dochter an then his grandwean. He marked that the twa

Grannies were sippin tea thegither an cluckin awa like a refined pair o clockin hens, an he prayed again, that the bonhomie wad last. Auld Alex Towers sat wi his pipe in a fine leather-upholstered chair by the windae, an raise wi a smile tae shake his haun warmly.

Like himsel an Marion, the Towers, baith faither an son, leived abune their premises, an William wis gled tae see frae the carpet, drapes, an mahogany furniture, that there wis guid siller an hamely comfort in flour as weel as flesh. He wis pleased they'd made a guid match for Jessie in young Towers, an he cuid see that the pair o thaim were gey bien an happy in their big hous - aa the mair sae nou that they had been blessed wi sic a healthy wee dochter.

An he preened himsel that the Arbuckles themsels had come a lang wey in the past sixty years, wi his uncles an kizzens aa daein weel in business as fleshers, bakers, an buit an shae makers - as weel as his ain position as the maist prosperous flesher in Kilmarnock. Wee Margaret wad aye hae aboot her, a close an weel-tae-dae faimily for support - an nae dout her mither, an baith her grandmithers, wad see tae it that she blossomed intae the belle o Kilmarnock society, an made aa the richt connections.

Chapter 10

1787 - THE IRVINE WEAVERS

Wi waft an warp, and shears sae sharp,
My rubbin bane, my reed and heddles,
Sae nimbly as my shuttle flees,
While up and doon I tramp my treddles.
David Shaw - Tammie Treddlefeet

The flichterin licht o cruisie lamps cast an eerie lowe ower the grey lint stour an black lamp coum that lay thick on the widden beams o the fower looms, an poudert the speeders' wabs that hung frae the rafters an draiglt ower the single windae. At the faur en o the weavin shop, courit doun on his hunkers, a young chiel warmed his cauld hauns ower the deein coals o a wee fire in the open hearth. Twa aulder men were beamin new linen wabs on tae their looms for the morn's wark, an as the whirr an clack o the last shuttle dee'd awa, James Broun liftit his wearit feet frae the loom treddles an leant forrit wi stiff, chappt, fummlin fingers tae knot the broken en o a lint threid.

'John', he cried ower tae the lad by the fire, 'Hae ye redd up yer loom? I've had eneuch o this darg, an I'm ready for hame'. He slowly strauchtent up tae ease his gowpin back an grained - 'Ooh-och . . . I'm gettin ower auld for this wark, but there's nocht else for it . . . it's aither weavin or the Puirshous!'

'Aye, it's aither wark or sterve for the wabsters!' girned Wullie Crauford his neibour. 'Naethin chynges . . . only it's gotten muckle waur since the price o flax went up an thae bluidy agents got ticht wi their credit!'

'Aye, but ye'll no see ony Glesca agent dwinin awa for lack o meat because he's no gettin a guid price for oor claith frae the merchants!' broke in Hughie Mair, as he tied on the last threid tae the last heddle at the back o his loom. 'Nor ony Glesca or Paisley merchants aither . . . Nou that they're aa takin tae this new chape cotton frae the Indies, I dout lint haes had its day!'

'That's whit's gaun tae feenish us in the linen tred. For even if we gang ower tae cotton weavin, oor haun looms are nae match for thae muckle factories they're biggin in Glesca an Paisley.'

'Niver mind Glesca or Paisley, Wullie. Whit aboot this new twist mill up at Cautrine on the Watter o Ayr? They say it's got five storeys aa spinnin cotton, an that hunners o folk wark there . . . That's gaun tae dae for us Irvine linen weavers, if naethin else!'

'Weel, Jimmock,' cracked Wullie, 'the wey ye're feelin the nou, I'd better gie ye that new pattern caird I've juist gotten - tae load on yer loom for the morn.'

'Whit's that pattern for?' spiert Jimmock curiously.

'A guid linen shroud!' Wull joukt wi a lauch, as an auld widden purn wheechd by his heid an splintert on the stane waa ahint him.

'I'm no deid yet, Crauford . . . an I'll see you kistit furst - even if I hae tae dae it mysel! . . . C'moan, John! Hame! It's bad eneuch warkin wi thae twa gomerils wi'oot haein tae listen tae their clash as weel! . . . That's why I keep my shuttle clackin fifteen hours a day!'

Their weavin shop wis in an auld tuim dwallin-hous doun by the Low Green, neist tae the Watter o Irvine at the fuit o the Seagate. It wis past aicht o clock, an a cauld black nicht, when faither an son tuik their gate hame. There wis nae win, an a dank November fog, cairryin on it a smirr o rain, swurled aboot thaim, blinnin their road an chillin their banes. Their feet skitit on the wat causeystanes as they sclimmt the brae by the auld Seagate Castle, whaur it wis said Mary Queen o Scots had ance spent the nicht wi her Fower Maries.

'I'm gled we're baith sober, son.' peched James. 'Thae twa micht fin their wey oot tae the Ship Inn richt eneuch in this fog, but I'm damned if they'll win their wey back hame frae the harbour efterhaun, wi fower quarts o tippeny yill in thaim!. . . There's Wullie Crauford greitin on aboot wabsters aither warkin or stervin! . . . It's his puir wife an weans that's stervin! . . . I dout if puir Mirren haes mair nor a florin a week tae feed an cleid the faimily . . . The rest o it gaes pishin doun a close waa on his wey hame!'

They walked on thegither. Young John, deep in thocht, said naethin till they cam tae The Cross. At the corner o the Briggate an High Street, he stoppt - juist faur eneuch awa frae the yellochin an drukken skreichin o The King's Arms as tae let himsel be heard. 'Faither. I wis listenin tae whit ye were aa sayin doun at the shop . . . aboot the price o flax an chape cotton . . . I've been thinkin aboot the weavin for a lang time, but didnae want tae let the faimily doun - for I ken we're aye short o siller.'

'Whit are ye ettlin tae dae, John?' said his faither saftly, for he jaloused whit wis comin.

'Ye'll no be sair on me, Faither, but I'll hae tae get awa oot o Irvine. There's nae future here for a haun-loom weaver . . . an ye'll never get me intae yin o thae muckle watter mills!'

'Whaur tae then . . . the sodgers or the Americas?' His faither hauf-lauched. 'Dinnae get me wrang, son, but afore ye lowp, ye'd best be shuir it's no ower a dyke intae a midden! . . . Gif ye maun gang, ye maun gang . . . I had tae dae it mysel at aichteen when I left Kirkoswald . . . an I'll no haud it agin ye, like my ain faither did tae me.'

For James Broun there had been nae joy at hame as bairns, only wark, wark, wark; an if he wisnae gettin a flytin frae his faither, it wis a guid leatherin. An it wis nae better for his kizzen Agnes ower at Craigentoun wi her faither, his crabbit auld uncle Gilbert Broun. Efter sax bairns, her mither dee'd, laein Agnes the auldest at the age o nine tae tak care o her faither an wee brithers an sisters. Then when the auld yin upped an mairrit again, an his saicont wife had anither fower bairns an dee'd, it wis puir Agnes that had tae kep thaim aa thegither.

He'd aye been close tae Agnes. They were o an age. Mebbe it wis their shared misery, the flytins an the leatherins. But she'd aye a guid nature, an the smeddum tae cope wi aa the bother an fash. She wis a guid singer tae, like her mither afore her, an listenin tae her sweet sang ben the hous or in the byre, when he gaed ower tae Craigentoun, wis aboot the only thing James mindit wi pleisure. As baith their faimilies got aulder, there wisnae eneuch wark on their faithers' ferms for sax growin lads a-piece. Still raw an sair deep doun, he cast his mind back.

'Aye, we aa had it hard . . . aa my brithers an kizzens were fee'd oot tae the Earl's ferms aboot Kirkoswald, an the lasses went intae service . . . except for kizzen Agnes. When her wee sister Jean wis aicht, Agnes had the smeddum tae up an awa hersel an mairry William Burnes the heid gairdener tae the Provost o Ayr, that bided oot at Alloway . . . Doonholm wis the name o the big hous, if I mind richt . . . an alang cam yer kizzen Robert.' Young John had heard it aa afore, but his faither juist gabblt on regairdless.

'Mind ye, I'd left the ferms by this time . . . gif there's onything waur than fifteen hours at a loom, it's fifteen hours at the plou on wat Carrick cley! Sae up I cam tae Irvine tae learn the weavin tred, as weel ye ken . . . an it's been a guid leevin for us up until nou. . . . D'ye mind yon time Rab Burns cam ower frae Lochlie tae learn the flax-hecklin, juist aboot five year syne . . . that's when the tred stertit tae faa back. No that Robert had ocht tae dae wi that! . . . But he didnae tak tae it ower muckle, did he? We hardly saw hide nor hair o him the hale time he wis here, forby thon spell when he wis awfu no weel wi the melancholy, an under Doctor Fleeming.'

'Mebbe juist as weel he didnae tak tae it, Faither, for I wad jalouse he'll be makin a lot mair siller oot o his Kilmarnock Poems,' said John, wi a mixter o envie an admiration in his tone.

'Aye, a guid pickle mair nor he'll mak at fermin yon heavy cley at Mossgiel!' gruntit his faither. 'I hear tell kizzen Agnes is bidin up there nou, wi him, an Gilbert, an the rest o her bairns . . . wi near as mony mouths tae feed as she had at Craigentoun! . . . But never mind kizzen Rab an his buik! Ye hinnae tellt me yet whit you hae in mind for yersel!'

John shauchlt his feet as they daunert on alang the High Street towards the Kirkgate. 'I'm thinkin o gaun up tae Muirkirk.' he challenged. 'Tam Brewster's brithers an twa or three mair hae got jobs in the coal pits, an the tarwarks, an biggin the new airnwarks, an they're makin near on aichteen shillins a week.'

'Weel, son, that's twice as muckle as ye're makin at the loom . . . gif ye can thole a collier's life! Ye've seen the state o thae puir sowls up at the Dip Engine Pit at Stevenston . . . pick-men wrastlin awa at the coalface up tae their hochs in watter, sax days a week, for twinty shillins . . . It micht be guid money, but they're near aa deid by thirty - an if they're no deid, they're cripplt an uiseless! Mair nor that, they're tied by the law tae their Maister, thon hell-driver Cunninghame, an gin they quat their wark at the pit wi'oot his permission, they hae tae pey five shillins intae the Puirs Box - gin they want back - an gin he decides tae tak thaim back!

'Gaun doun a pit is no naitural, son . . . If God had wantit men tae wark ablow grun, he'd hae made thaim mowdies! . . . Ye're mebbe no weel-aff as a weaver, but ye're nae man's slave, an ye caa nae man Maister!'

But John had set his mind on it an there wis nae shiftin him. They turnt intae a nerra wynd aff the Kirkgate, atween Hill Street an the High Street, whaur kitchen middens an pig skitter ran ower the causeys, an he cursed as he went in ower the taps o his shune, ankle deep in clarty, stinkin glaur. Anither guid reason for laein this bluidy place! Grumphies were kep in back courts and pends, an nou an again at nicht, there wad be an unhaly squeal as a hauf-grown grice wis gruppit by the hin-legs an a gully ta'en across its thrapple. Tae a puir faimily, a bit o pork wis a walcome chynge frae the uisual plain fare o pease brose or parritch - or the odd bit fish coft frae the boats - or a saumon poached frae the Irvine Watter.

Twa rooms aff a dark close wis hame tae James Broun an his wife Lizzie, an their fower grown sons. Their young dochter Helen wis in service up at Percestoun Hous. The fower lads had the room, an their faither an mither slep in a box bed in the corner o the kitchen neist the chimney-breist - whaur heat frae the lum at least gied thaim a wee bit o warmth frae the damp o lang, cauld winter nichts. The kitchen, wi its widden dresser on the faur waa, a spinnin wheel by the fire, an a bare table wi three shougly chairs on the flagstanes, wis Lizzie Broun's weary warld - for there wis nae need for mair chairs when her five men were aa warkin different hours, an she wis ower thrang cookin an servin tae hae time tae sit doun hersel.

A stout wee bodie, her brindled grey hair tied back frae her roun rid face wi a white rag ribbon, her sleeves rowed up abune her elbucks, an her grey skirts trailin the flair, she gied a wee turn o her heid as she liftit a bakin o bannocks aff the het griddle hingin on the swee ower the fire, an set thaim doun cannily on the ashet on the table.

'I hope they're as guid as they smell, wumman!' James wrunklt his neb an gied twa-three muckle sniffs, wi a twinkle in his ee.

'Were they ever ocht else, ye auld scunner!' retortit his wife, tossin her heid, an giein her hauns a dicht on her apron, as she tuik the hauf-dizzen herrins on a string, that he'd bocht frae an auld biddy fishwife at the fuit o the Seagate on the wey hame. 'They'll dae fine wi the bannocks.' Takin a wee sherp knife oot o the dresser drawer, she smertly guttit the fish, flingin the heids an guts on tae the stane flair, whaur they vanished in the blink o an ee, as a wee skinny cat an twa kittlins shot oot frae ablow the dresser, an back in again, spittin an fechtin ower the heids.

'Feed thae kittlins ower muckle an they'll never catch ony mice!'

'Och, wheesht yer girnin, auld man! Ye're never at hame tae see thaim. They've killt fower atween thaim the day . . . an Baudrons here catcht a ratton yesterday. Sae they deserve a wee treat - like yersels.'

In nae time, the herrin, coatit in oatmeal, were curlin up, spittin an roastin in their ain creesh on the griddle. A mouth-watterin smell waftit ower the kitchen an roused an brocht ben frae the room, Airchie an Tammas, wha had been dozin since they lowsed frae their wark in the coupers' shop at the faur en o the High Street. James, the youngest, wis an ostler at the Eglinton Arms, an widnae be hame till he'd stabled, brushed doun, fed an wattered the horses frae the Glesca post coach that had juist come rattlin in as the twa weavers passed by The Cross.

Nou gettin on for fifty, an sair hippit at the walkin, the feedin an cleidin o five grown men wis gey weirin for Lizzie Broun. It wis eneuch daein for her man, but her auldest, Airchie, wis nou twinty-seiven. John wis twinty-five, an Tammas a year younger. They shuid be oot luikin for wives o their ain, an giein hersel an Jimmock mair peace an less trauchle - wi aa their late nichts gallivantin tae the drinkin howffs; haein tae get their meat ready at odd hours when they cam hame frae wark; an haein tae thole the greitin faces o yin or tither if they were ower late hame, an were served up back-het brose.

But, Lord be praised, this nicht wis byordinar. Lizzie wis pleased. She had fower o thaim hame thegither, aa in a guid tid, an hungert - forbye John, wha wis a wee thing quate. Haudin back hersel, she let thaim faa tae roun the table. Grespin fingers cleaned oot the ashet o herrins an bannocks quicker than hoodie craws at a lamb. Only then did she set hersel doun by the fire wi her ain fare, as her lads sat at the table wi pewter tankards, quaffin the meisures o yill she had poured for thaim frae the muckle stane joug she whiles got filled at the King's Arms - gif she had the siller.

She wisnae gaun tae be like puir Mirren Crauford, whase man wis aye as fou as her purse wis tuim! Jimmock wis a guid man that wrocht hard; an ilka week, wi the wee pickle siller frae himsel an the lads, she cuid hain eneuch for a flagon o yill. For she kent the wey tae a man's hert, an she wis sherp eneuch tae see that a contentit, weel-fed man at hame wi a pint o yill, wis mair likely tae juist dover ower at his ain hearth-side, raither than tak the road tae the nearest howf on his wey hame frae wark. An if it kep her sons awa frae hard drinkin - aa the better for thaim.

Airchie leant back on the heel o his chair wi his hauns on his wame, an gied a loud rift. 'I'm stappt fou, Mither! My, that wis guid!' Tammas, lickin his fingers, nodded agreement. John, starin deep intae his tankard, said nocht.

His faither, staunin forenent the fire, spoke up. 'Aye, wife . . . The same wey as I've aye tellt ye aboot feedin thae cats ower weel, ye'll never get rid o this lot till ye sterve thaim oot o the hous an mak thaim gang luikin for wives . . . But oor John haes somethin tae tell ye.'

'Dinnae tell me he's got a lass in trouble!' Lizzie flushed inside, mindin the time o her ain deep shame, when she wis beginnin tae show her condition, an her an James had tae sit on the cutty stuil at the Auld Kirk, afore the hale congregation, while the minister chastised thaim baith for their 'antenuptial fornication'. Then they were mairrit, an Airchie wis born three months later.

'Naw, Mither, nae fear o that!' John gied a hauf-grin. '. . . An if I had, I widnae hae the siller tae keep her an a bairn.' He paused. 'I'm leavin hame, for there's guid money tae be made up at Muirkirk in the new warks . . . an there's nane here at the weavin!'

'No as a collier, John!' cried his mither.

"I've aaready had words wi him aboot that,' said his faither, 'but he's thrawn an he'll no listen!'

'I dinnae ken, Mither.' soothed John, seein her worrit luik. 'I'll ken better when I get there whether it's the pits or the airnwarks . . . But dinnae fash yersel ower much the nou. I'll still be scrapin yer parritch pat till efter the winter's by, an I gang up there in the spring.'

His mither didnae ken whether tae lauch or greit. Much as she had langed for her burds tae flee the nest, she hadnae ettlt for yin tae flee doun a coal pit.

Chapter 11

1787 - THE LAIRD'S MAID

Here lies Squire Hugh - ye harlot crew,
Come make your water on him,
I'm sure that he well pleas'd would be
To think ye pish'd upon him.
Robert Burns - Epitaph for Hugh Logan of Logan

Another brandy glass smashed against the wrought iron grate and a vivid flash of white flame burst from the glowing embers to brightly illuminate the dining room. Briefly, the balding pates of three deeply inebriated gentlemen shone like waning moons against the dark oak panelling, before sinking slowly behind a forest of bewigged decanters and tuim claret bottles.

Silent, still, and anonymous by the chamber door, the pained flicker of an eyebrow on the mask-like face of James Boswell's elderly man-servant betrayed the inner thoughts of someone who had seen better days and better ways at the Big House. In the Auld Laird's time, James Ross mused under his breath, Auchinleck House was a place of decorum, where good grace and sensibility prevailed under the stern benevolence of a fair master - deid these five years, God rest him.

Alexander Boswell, Lord Auchinleck, ruled in his domestic sphere with the same firm fairness in his judgments - aye delivered in a guid Scots tongue - as he did in his capacity as President of the Court of Session in Edinburgh. But young James was a great trial and disappointment to him after he abandoned his Law studies in Edinburgh 'tae gang gallivantin an hurin' round Europe for two years; picking up all the airs and graces of the highest in society - and all the carnal diseases of the lowest. To his father's disgust, when he finally graduated in Law, he frittered away both his time and money seeking the approbation of Edinburgh's men of letters - *and* the favours of her women of ill repute - in equal measure.

Edinburgh soon became too dull for the young Laird, and he set off on the high road to England where he brazenly introduced himself into the brilliant company of the fashionable London salons, to the poet Goldsmith, the artist Reynolds, and the renowned Dr Johnson. Auld Ross smiled to himself as he minded yon time - about fourteen years back - when young James, all puffed up with anglified pride and affectation, brought the famous lexicographer back to Auchinleck House after a tour of the Hielands; and how His Lordship, with his judicial sarcasm and his auld Scots tongue, wis mair than a match for the English arrogance of the good Doctor.

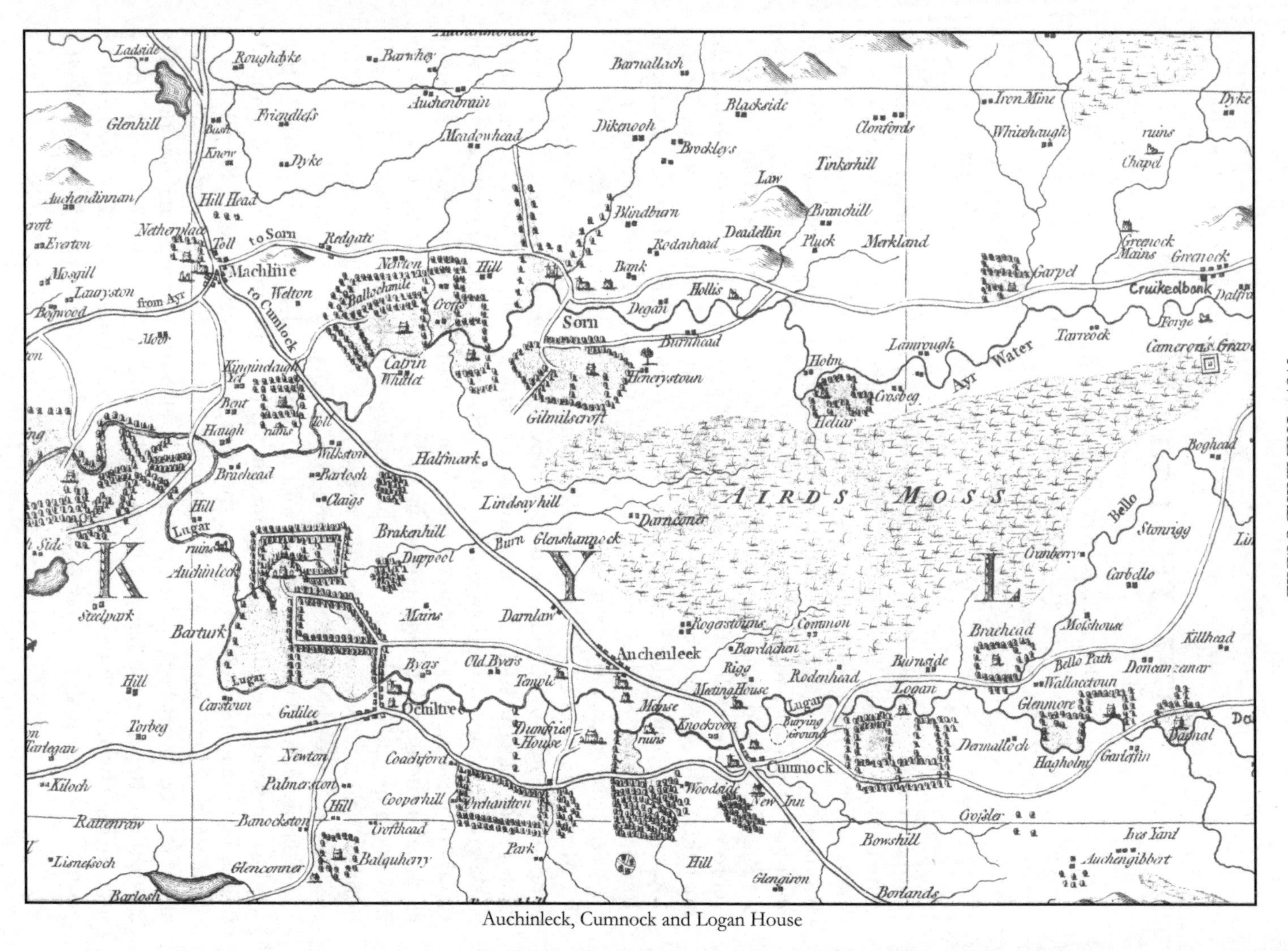

Auchinleck, Cumnock and Logan House

But His Lordship was nou awa, and so was Dr Johnson. In fairness to Mister James, however flighty and fickle his attention to his law career - and maybe because he was now shackled with the responsibility of a wife and twa wee bairns to provide for - over the past four years he had turned into a good Laird, willing to learn and shoulder his responsibilities for the running of the estate and the welfare of his tenants. At least up until last year when, after undertaking the huge task of cataloguing all Dr Johnson's papers, the glitter of London life once more prevailed, and he persuaded his wife and family to join him in England.

This was one of his rare visits back to Auchinleck to attend to estate matters, and as usual, his weakness for drink and convivial company led inevitably to a night of debauchery. Though there had been plenty of coorse bragging o Edinburgh hures and London society harlots - thenk the Lord there were nae weemin here as weel - thought Ross, as he observed, with the studied contempt of his auld maister, the piteous spectacle before him. Hamilton of Sundrum - 'Sundrum John' as he was known to all after he spent a fortune from his Jamaica sugar plantations in rebuilding the auld castle into a fine mansion - was sprawled senseless and beyond caring, his right hand still clutching an upturned glass, his left cheek pillowed on the crusty relics of a mutton pie. As he snored, his foul heavy breath blew small wavelets of cold gravy over the platter rim and on to the mahogany table. Young Boswell, half-glazed eyes blearing through the haze of a drunken stupor, was still trying to engage the blurred crown of Sundrum's bald pate in a profound discourse on the supreme literary genius of his late companion, mentor and friend, the estimable Doctor Johnson.

'In God's name, Bozzie', came a loud protest from his other companion in cups, a coarse, gross, red-faced hulk of a man near twice his size, 'Are ye that fou that ye cannae jalouse that auld Sundrum is lang gane oot o the airms o Bacchus an is nou weel intae the airms - or somethin better - o some bleck wench in Jamaica . . . in his dreams! . . . Or are ye no fou eneuch yet tae gang awa that gate yersel! God's truth, man, gif ye are gaun tae deive us baith wi aa this English literati prattle insteid o mair o yer bonny tales on aa the bawds an strumpets ye've rogered atween Auchinleck an Lunnon, I'm for awa hame afore I loss this randy notion of gettin my leg ower somethin better than my mare afore the nicht's oot!'

'Well, Shew, my dear friend', slurred Boswell, slyly leering at the speaker, 'we could always have a wee debate on the merits or otherwise of Scotch literature - what little there is of it! . . . Take for example this ploughman from Mauchline . . . Burns . . . his book of verse seems to have done quite well among the lower orders - and among some of Edinburgh society - though I cannot see what all the fuss was about. Old Edinburgh is rather parochial over certain matters . . . and I don't see how coarse, unintelligible poems in a rough Scotch dialect would ever be acceptable to London society . . . and that is what really matters in literature - according to my much lamented and dear departed friend Doctor Johnson.

'But his rustic verses might just suit an old lecher like you, Logan . . . according to some reports, your good friend Burns seems to have lifted the hems of a few petticoats in his time . . . and some of his bawdy verse is quite amusing . . . have you read it?'

Hugh Logan snorted at this veiled jibe. 'Guid freen! . . . He's nae freen o mine, that cocksure upstert . . . he needs weel trampit back intae the glaur whence he came! . . . Aye, I hae read some o his verse . . . an mair nor I wantit . . . I'm no sib wi some o the companie he keeps that hae me in their debt . . . Burns kens this an haes written some scurrilous things aboot me . . . an I'll no forget it!' And then he riposted. 'Ye seem a wee bit pit oot, Bozzie, on thon muckle reception that Burns got in Embro . . . when the Grand Lodge made him "Caledonia's Bard" . . . are ye no juist a wee bit jealous that they did nocht for yersel?'

The Laird o Logan had a wide and well-merited reputation as a gentleman bon viveur who could drink most other men under the table and still retain a modicum of sharp wit - which endeared him to all those who sought such company. In spite of his excesses of coarse ribaldry, and drinking and gambling his inheritance away - or perhaps because of those dubious attributes (which were indeed the norm for many of his class) - he was a welcome guest and source of entertainment and amusement at social gatherings in most of Ayrshire's Great Houses.

This night, Logan was not too drunk to realise that he might just have offended his host - if his host was still sober enough to recognise the fact. Blearing at the French long clock quietly ticking away the night hours on the wall opposite, he exclaimed, 'Guidsakes, James, yer nock says hauf-three. It'll shuin be daylicht! I'll hae tae tak my leave, my freen, an I thenk ye for yer cordiality an a rale guid nicht. I hinnae had sic a guid crack since thon time we tuik the coach thegither tae Embro.'

The attentive James Ross, mindful of how little sleep he might get himself before his next day's work began, stepped forward with some alacrity to see Hugh Logan unsteadily to the door, his great bulk safely mounted on his horse, and smartly pointed down the long drive in the general direction of Cumnock.

Low in the west, Jupiter shone alone like a diamond on velvet, as the violet canopy of the night sky slowly lightened, and deep indigo suffused gently into the pale yellow and orange horizon of a breaking dawn. Etched against the growing light, black silhouettes of stately trees and the nodding head of Hugh Logan's mare gradually assumed a gentle shade of grey as she slowly walked her master on his six-mile journey home. It was a fine May morning, but chill enough for the breaths of both horse and rider to hang suspended in silver wraiths over a silver dew. Down in the hollow at the foot of the brae, a long silver serpent of mist hung above the Water of Lugar as it snaked quietly through the sleeping village of Cumnock.

Tho the mornin chill wis juist eneuch tae clear awa the warst of the Laird's gowpin heid, it failed tae cool the warst o his nature; for the nicht's boozin an Bozzie's braggin had kinnlt a carnal lust, an as the grey mare broke intae a hameward trot as she breistit the tap o the Barrhill brae intae the mornin sunrise ower Logan House, the shougle o his saddle raised a ticht gowpin in his breeks.

Jean Weir the new maid-servant, wis thrang in the oothous, getherin wid for the kitchen fire that she aye had bleezin up in a guid lowe by sax o clock, ready for the cook. She kent the Maister had been oot late last nicht, an wadnae be doun for his parritch afore ten. Jinnet Murray the cook an the Laird's man Airchie Baird aye raise at sax themsels, sae wi a guid hour tae spare, she juist happit a plaid ower her nicht goun, ettltin tae cleid hersel efter she'd kinnlt the fire.

A bonny big sonsie Muirkirk wench o twinty-three, she had been in service for the past fower year at Wellwood, afore seekin tae better hersel doun in Cumnock. Juist twa month back at the Race Fair in Mairch she'd been lucky tae get this place at Logan House, an wis daein her best tae haud on tae it. Squire Logan had aye been ceevil tae her, an wad at times speir about whether she had a laud, an whaur he bided; and that she had better no get mairrit ower shuin, for he needit guid weemin about the Big House. She had aye juist laucht at his jestin an gat on wi her wark. She kent he wis a bachelor himsel, an thocht if he needit a guid wumman about the hous, why did he no juist gang oot an mairry yin himsel.

Getherin a bundle o sticks in the kiltit-up hems of her nichtgoun, she wis juist clear o the oothous door when Hugh Logan cam clatterin roun the corner on his mare and near flegged the wits oot o her. 'Whoa, Peg!' he cried as he poued hard on the reins, and sparks flew frae the big mare's shune as she skitit on the causeystanes. He luikt doun at the lass afore him - wi a fleetin glimpse o lang tapered white legs vanishin frae sicht as she drappt her hems an sticks in fricht an embarrassment. "My, Jean, ye're fair up wi the lark this mornin, lass, an luikin bonnier nor the sunrise.'

Jean felt her face burn hetter than the sun itsel as she bobbed afore the Maister, and as she bent forrit quick tae gether the skailt sticks, the plaid drappt aff her shouders and her breist slid oot frae the lowsed bodice ties o her nichtgoun. Too late, she grippit the plaid an happt it roun tae hide her modesty. Hugh Logan wis aaready aff his horse and by her side. 'C'moan, Jean,' he wheedlt, 'I'll help load ye up wi sticks again, gif ye juist grup thae hems an heize thaim up a-wee.' He raxt forrit an gruppt the hem of her goun himsel.

"Na, Maister, I'll manage mysel . . . dinnae ye bother . . . it'll no tak lang!' She tried tae pou her hem doun an awa frae his haun, but the Laird o Logan wis for haein nane o it. The beast wis unchained. She fand hersel gruppt ticht roun the waist wi her airms pinioned ahint her back an his drink-fouled braith in her face as he cried, 'C'moan lassie, I tellt ye I'd load ye up wi a stick and that is juist whit I'm gaein tae dae . . . but it'll be my ain muckle stick an no ane o thae wee kinnlers . . .'

Jean Weir struggled in vain tae lowse hersel frae his grip. 'Maister Logan, for mercy's sake, lae me go. Hae peety on me . . . an on my puir laud . . . I'm spoken for . . . ye've nae richt tae fyle me in this wey.' Logan said nocht as he dragged her ben the stable an cowpt her on a dass o strae in the corner. Big strang lass as she wis, Jean cuid dae nocht as she fell backwards under aichteen stane o drunken lust. She screamed as he forced himself upon her - an back in the Big Hous kitchen, baith Airchie an Jinnet the cook listened an luikt at ane anither - an said nocht.

An naethin wis said for weeks efterwards. The Laird kep weel oot her road, an gin they passed in the yaird she wad drap a wee curtsey wi douncast een, and he wad juist grunt an sweep by - aye luikin the ither wey for fear o catchin her ee. Auld Airchie juist gied her a queer luik nou an again, an Jinnet gied her the kennin luik o a wumman that felt sairly for whit she had gaed throu, but daurnae let on. Jean juist had tae get on wi her wark gin naethin had happened, but deep inside her mind and her body she wis grievin, broken, sair, fyled, an ill-uised. That ugsome, coorse man had ta'en her maidenheid - that shuid hae been Andra's in time - and yet she had tae staun an bob at him ilka time he gaed by, as if he wis a gentleman.

Then she wis twa months late for her illness that never came. She felt seik an aff her meat, an had a dry boke in the mornins. Jinnet catcht her ae day spewin intae a dreel o tatties she had juist delved in the gairden, an wi a luik o peety in her ee had spiert gin wis she aa richt. Worrit aboot her position, Jean said she wis fine, and shuir eneuch, twa-three weeks later the seikness left her an she felt better an pit on some wecht. But there wis still somethin no richt wi her wame. It had pained her a lot an rummlt when she had the boke, but this wisnae the same - mair o a flutterin feelin that only cam on nou an again.

In her cot bed ae nicht when the flutter stertit, she laid a haun on her belly. For a while there wis nocht, and then a lowp, an she drew her haun awa in a fricht. Tentily she felt ower her wame again, an fand that the flutter cam frae a muckle lump the size o a neep. Nou it wis her puir hert that gied a lowp an stoun when she jaloused for the furst time that she wis cairryin a bairn. The Maister had bairned her! Lettin oot an awfu wail o despair, she buried her sobbin heid ablow the blanket for fear that Jinnet wad hear her, then gret aa nicht till the big nock in the ha' struck five an caad her doun frae the garret for anither day's darg.

For a big-baned lass, it wis easy for a while tae hide her condition ablow her apron, but as Autumn gied wey tae Winter an she swallt an grew heavy, Jean gat mair an mair douncast an desperate. Andra wis herdin ower Stra'ven wey an she hadnae seen him since the Scythe Fair at Cumnock in July. That had been bad eneuch, tryin tae be gleg an canty an lovin - wi her maidenheid an hert broken - as if nocht had happened. Whit wad she tell Andra? She cuidnae tell Andra!

Ae mirk efternuin twa days afore Hogmanay, Jean fand hersel plouterin, ill-shod an ankle deep in glaur, throu lashin rain aa the wey tae Braeheid on a daft errand for the Laird. On the road back, founert, droukit an forfochen, she stellt hersel for a wee rest tae gether her braith agin the parapet o the Lugar brig, afore trauchlin up the stey brae back tae the Big Hous. Gazin doun at the gurly broun foamin spate lappin the keystane, she watched in a trance as a muckle tree wis soukt ablow the brig an didnae show itsel again till a broken brainch raise abune the ragin watter a hunner yairds dounstream - like the airm o a drounin man - an vanished roun the bend. Jean grued at the horrible thocht that flashed throu her heid - hou easy it wad be tae faa ower the edge an follow yon tree. There wad be nae mair shame for hersel an her weedowed mither in Muirkirk. Andra wad shuirly grieve but no for lang. He wad be spared the clishmaclavers o aa thaim that nodded ahint folks' backs an were aye ready tae pynt the finger when a puir lass wis bairned. It wis aye the lass's faut, never the man's. She wadnae be the first lass tae be poued ghaist-white oot o the deep eddies o The Dub doun at Cumnock.

Then wi a wild luik in her een an a stranglt sab in her thrapple, she drew hersel back in horror an fled frae the brig, rinnin aa the wey up the brae an throu the coortyaird, an burst intae the Big Hous kitchen. Jinnet wis staunin by the fire, steirin a pot o mutton broth on the swee . . . She had tae tell Jinnet . . . her heid wis soumin an her hert thumpin . . . she wis that oot o puff she cuidnae even pech, faur less speak tae Jinnet. . . a cauld sweit broke oot on her brou an she felt hersel gaun awa in a dwam . . . Jinnet wis fadin awa afore her een intae the bleckness . . .

'Puir lass, are ye feelin better nou?' The faint words were faur awa as Jean slowly opened her een an luikt aboot her. Jinnet wis leanin ower her wi a tassie o steamin het toddy. 'The Maister wadnae daur begrudge ye a wee drap o his whisky, Jean, efter whit he haes dune tae ye!' she declared stoutly. Jean stertit, and felt for her claes. She wis happt in a blanket on a strae mattrass on the flair o the kitchen neist the bleezin fire, an her claes were dry - at least the linen goun she wis wearin. It wisnae hers! She hauf sat up, then sank slowly back on the beddin. Jinnet must hae strippt her an must hae seen the state she wis in. She luikt up intae the saft hazel een o the auld cook - 'Sae ye ken aboot me nou, Jinnet. Whit am I gaun tae dae?' - an burst oot greitin wi her heid in her hauns.

'I've kent aboot ye since the day it happened, Jean my lass. I heard the screams frae the stable yon mornin, but there wis nocht I cuid dae tae help ye. I juist hoped an prayed that ye wadnae faa, an thocht - weel the least said the shuinest mendit . . . An for a while ye were fine, but when I saw ye bokin yon day in the tattie dreels, I kent ye were wi bairn . . . I'm sorry that ye didnae let on tae me shuiner . . . an even mair sorry that I didnae speir richt oot mysel . . . Ye've cairrit a heavy load aa yer lane ower the past aicht months, but ye'll feel better nou that it's no juist yer ain secret ony mair.'

Wi baith hauns warmin roun the tassie, Jean supped the het toddy an felt its welcome glow spread throu her wame. "I'm gled ye ken nou, Jinnet . . . for I wis rinnin up the brae tae tell ye . . .' Her shouders shook wi deep sabs as she mindit thon wavin brainch. 'Jinnet, I . . . I wis near tae drounin mysel doun at the brig this efternuin, an . . . an . . I cuidnae dae it, for it wadnae hae been juist mysel I killt, but this wee innocent bairn.' Her haun gently ran ower the humplock ablow the blanket, an it gied her a dunt.

'Puir lass!' Jinnet courit doun aside her an threw a plump comfortin airm roun her shouders. 'Whit are we gaun tae dae wi ye nou?' She paused for a saicont tae gie Jean time for thocht. 'The laird will hae tae be tellt.' she continued firmly but kindly, takin the warst o the decision awa frae Jean hersel, while gently straikin the pow nestlin in the comfort o her ample kist. She felt Jean's neck an shouders stiffen as her heid raise for a saicont tae object, an then sank, disjaskit, doun again on her breist.

'I've aye kent it wad come tae this at the hinner-en.' Jean murmured intae the saft yieldin bosom. 'Jinnet . . . will you tell him . . . for I cuidnae face him mysel efter whit he did tae me!'

'I will, lass. Juist lae it tae me . . an I'll speak tae the Laird when the time is richt . . . but mebbe no the nou. It's comin Hogmanay, and I dout we'll no see him sober an in a guid tid - or even at hame - for the next ten days . . . Thenk the Lord he's awa tae Loudoun an then tae Eglinton, an no haudin the New Year at Logan Hous. . . The guid Earl an his Countess are walcome tae his company for they'll aa be as fou as puggies, an I'm shuir he'll be nae waur nor the feck o thaim! . . . Sae efter the morn, Jean, we'll hae the hous tae oorsels an ye'll get the chance o a guid rest.'

Tho weel restit efter four or five days, Jean Weir began tae suffer frae a want o sleep - whiles due tae that muckle bairn lowpin aboot in her wame - but mair sae throu dreidin the Laird's return. The saicont o February wis the stert o the Candlemas term when her service at Logan Hous wis due for review - when she had hoped she micht hae dune sae weel that the Laird wad hire her again . . . But even nou, the Laird didnae ken that she wis heavy wi his bairn . . . An whit wis waur, her Andra still didnae ken that she wis cairryin anither man's wean. He wad be warkin his hirsel ower at Stra'ven till the lambin wis feenished in May, an wis due tae flit awa frae there at Whitsun. Until she kent hou the Laird wad tak it, she cuidnae tell puir Andra - but she greatly feared he micht hae fand oot itherweys.

While the Laird wis awa, Jinnet tuik the chance o caain oot the howdie-wife frae Cumnock tae see Jean at the Big Hous, but never let on wha the faither micht be. Luckie Smith wis a stout wee bodie, wi a high flush an a rid neb that tuik the blame for ower mony drams on the heids o the bairns she had brocht intae the warld - an ower mony mutchkins o yill in slack times. She said that Jean wis gettin near her time, an thocht she'd juist aboot fower weeks till her confinement. Weel content wi a guid meisure o the Laird's kitchen brandy inside her, she toddled aff back doun the Barrhill tae Cumnock wi instructions tae Jinnet tae caa her quick when the lassie's pains stertit.

It wis mid-January afore Hugh Logan an Airchie returned. A great storm had set in ower the first week o the New Year, wi snaw wraiths sae heich in some airts that a man on horseback cuid scarce see ower thaim, faur less ride throu thaim. The thow had been juist as bad wi muckle floods dingin doun brigs an washin awa some roads. Efter ten days an nichts o revelry an feastin, hard drinkin an hochmagandy, an then a lang cauld journey hame, the Laird o Logan wis in a gey puir state - e'en by his ain laich standards.

Slumped wi baith airms roun auld Meg's neck, he juist cowpt aff the horse, an his knees bucklt as his feet touched the causeystanes. Puir Airchie cuid haurdly get him up the big stair an throu the front door, an it wis only wi Jinnet's help stellin him up, that they wrastled him up the grand staircase an intae his bed, whaur he fell flat on his back wi his buits on, snorin like a grumphie, an oot tae the warld.

Jinnet grued at the trimmlin, swallt kyte heavin an faain wi ilka souch o his braith; at the shaven heid, bruised an split whaur it had stottit aff waas an flairs an door jambs; at the bloated purple face whaur dreebles o creesh an gravy still lodged in the cracks an stibble o his double chin; at the claret-stained waistcoat an the fine linen sark fyled wi spew, an the plush breeks reekin o pish. 'Guidsakes, Airchie!' she turnt in disgust tae the puir man-servant, himsel forfochen, faur gane, an drappin on his feet efter a week's lack o sleep. 'Come awa dounstairs an get a plate o het broth inside ye the nou, afore I hae tae pit you tae bed as weel! Juist lae him whaur he lies . . . the Deil's drums in Hell widnae wauken him! Ye can tak his clarty claes aff when ye hae the stamack for it, efter a wee sleep yersel . . . I'll sweir it'll tak a week afore oor noble Maister's sober eneuch tae come dounstairs again.'

While Logan slept for near on twa days, puir Jean had the job o reddin oot his trevel bags an scrubbin an cleanin ten days' worth o fyled claes. The very stench o his sweit mixed wi booze an spew brocht back like it wis yestreen that horrible morn in the stable aicht month syne. Twice she tuik the dry boke an needit a haun frae Jinnet afore she cuid feenish her wark - an she still had tae face the Laird hersel.

On the efternuin o the saicont day, she sclimmt the stairs wi an airmfu o clean sarks, chappt the bedchamber door an, thenkfu that there wis nae reply, slowly turnt the haunle an cannily entered. She glanced fearfully ower at the muckle bed. The Laird wis steirin but no richt waukened. Hurriedly pouin open the drawer, she bent ower an laid the sarks in a nate raw. Ahint her, there wis a sudden rustle o bed-claes, a lang souch, an a coorse grunt as the Laird raise up on yae elbuck an luikt ower at her wi hauf-steikt, bleary een. She stertit up an froze as he craiked throu a mouth as dry as a sun-fried shairn, 'Wha's there? Is that you Airchie? In God's name, fetch me somethin tae slocken this drouth o mine afore I dee o thirst!'

"It's no Airchie, Maister, it's me, Jean.' she fand hersel whisperin in a wee trimmlin vyce, 'I'll gang an tell Airchie tae fetch ye a drink.' She bobbed at the Laird an slipped oot the door smertly.

For anither three days Hugh Logan steyd in his bedchamber, suppin nocht but a wee plate o parritch nou an again till his gowpin heid an scaudit stamack mendit, an his appetite cam back. On the third day, when Jinnet brocht ben his parritch an twa biled eggs, he wis in a better tid. 'Guid mornin, Laird, ye're luikin mair at yersel the day. Are ye gaun tae mak it dounstairs for yer denner the nicht? I'll mak ye somethin licht an tasty.'

'Thenk ye, Jinnet. I think I've joukt Auld Daith again, an I'm weel on the mend an back on my meat. It's only twa weeks till the Candlemas Quarter Day, an I'll hae tae get doun tae tallyin aa the rents due. Whit I gained in wecht at feastin wi the Earl, my puir purse lost wi interest at his caird table, sae I'm a wee bit scant o siller.' He paused as if a thocht had struck him. 'Ye luik as if ye hae been dinin ower weel since I've been awa, Jinnet . . . no sae much yersel, but thon lass Jean. I caught a sicht o her the ither day - mind ye I wis a bit bleary an hauf asleep - but she had a dowp on her like a gavel-end . . . I trust ye haenae been feedin her ower weel at my expense?'

Jinnet gulped an swallied hard. Nou she maun grup the thrissle an tell him aboot Jean. 'Maister Logan . . . there's . . . there's somethin ye shuid ken aboot Jean Weir . . .' She paused an swithert aboot gaun on . . .

'Whit is it wumman? Haes she been takin my siller as weel as my meat?'

"Na, Laird, it's naethin like that . . . she's . . . she's . . . heavy wi bairn!' There. It's dune. I've tellt him. Jinnet gied sic a deep souch that Logan heard her.

'Whit's aa the souchin for, Jinnet. Ye wad think it wis you that had a troot in the wall, no the lass . . . Weel, she'll hae tae gang on Quarter Day. We cannae hae the name o Logan Hous sullied by haein a young limmer like her in cauf . . .' Then he paused again as if struck by anither thocht. 'An tell me, wha's the faither? For if my memory serrs me richt, her laud haes been herdin ten miles ayont Muirkirk since Lammas . . . Haes he been cuckolded by ane o thae Cumnock chiels that's aye sniffin aboot?'

For the first time, his een met hers, an the guilty, pained luik on Jinnet's face spaik mair eloquently than ony words as the truth dawned. Never afore in aa his life had the Laird o Logan been at a loss for a riposte; but his famous wit left him bereft, the high colour drained frae his face, an he collapsed back on the bed. "Whit did the limmer tell ye, wumman? Whit lees did she tell ye?' he blustered as he regained his composure. 'Tell me! Tell me!'

'Maister Logan, she tellt me ye had yer wey wi her ae mornin in Mey efter ye rode back frae a nicht wi Maister Boswell.' said Jinnet in a low but firm vyce, 'an that she begged ye tae no tae fyle her maidenheid.'

"'That's a damn lee!' spluttered Logan. 'The wanton hussie wis doun in the yaird waitin for me wi nocht on but a wee scanty sark an a randie glint in her ee. We daffed thegither an I gied her a wee kittle that had her kecklin an rinnin tae the stable door wi me ahint her. She's aye been ready for it, an no for the first time, I'd wager.'

'Maister. That's no the wey it wis.' Jinnet countered calmly. "Baith Airchie an me heard the lassie's screams frae the kitchen, an I saw her come ben sabbin her hert oot, tho she didnae see me. Ye cannae throw her oot in the snaw wi'oot a penny tae her name, an her cairryin yer ain bairn! If she tells aa the warld wha the bairn's faither is, that will sully the name o Logan Hous faur waur!' Dumfounert by this revelation, an checked by Jinnet's guid commonsense, Hugh Logan shuin chynged his tune.

"Weel, gin the bairn is mine, I'll hae tae see it provided for, but only on condition mind ye, that wha its faither is will stey a secret. No a word o this maun leave thae fower waas . . . dae ye hear me! Gif it ever gets oot that the Laird o Logan is the bairn's faither, the limmer will get not anither bawbee frae me . . . an forty years service or no, you an Airchie will be in the puirhous the neist day! . . . Tell the lass I'll see her the day efter Quarter Day, when I'll be better placed tae let her ken aboot her settlement.'

'Come in!' Jean trimmlt as she opened the library door an screwed up her een tae see Hugh Logan sittin ahint a big aik desk, wi his back tae the laich winter sun streamin throu the windae. Logan didnae rise frae his chair, but at least he had the courtesy tae bid her tak a sate in the saft chair forenent the desk. 'Weel, lass,' he began gruffly, 'Jinnet tells me ye are weel on the wey wi bairn an says I'm the faither. In truth, I cannae deny it . . . but if it ever gets oot, I'll hae ye miscaad for aa the hurin Jezabels in the county, an no a penny will you or the wean get frae me again! . . . Dae ye unnerstaun, wumman?' Jean nodded in meek silence, her hauns wringin thegither ablow her muckle wame as the bairn duntit awa mercilessly.

'Guid. Nou that that's unnerstuid, I'll tell ye whit I ettle tae dae for you an the bairn. I'll let ye stey here till it's born - an for yer lyin-in time - but nae langer, for tungs wad stert tae clack. Then till the bairn is ten-year auld an fit tae stert wark, ye'll hae a settlement o five pun a year tae cleid an feed it. Afore ye leave here, I'll get Jinnet tae speir aboot in Cumnock for a room for ye. Efter that ye're on yer ain . . . Gin ye've ocht tae say, lass, say it nou.'

'Thenk ye Maister Logan, . . .' Jean's heid wis birlin, her thochts scrammlt - it had aa happened sae quick. 'I'm gratefu tae ye for yer kindness . . . Ye've ta'en a big wecht aff my hert tae ken that my wean will be luikt efter, an that we'll hae a ruif ower oor heids.' Ony thochts o why *she* had tae be behauden tae this drunkart that had ravished her were faur frae her mind. Nae dout the auld feelins o anger an bitterness wad cam back in time, but for nou she wis juist gled that he had acknowledged his bairn. 'Ye hae my word, Maister, on my bairn's life, that no a word o this settlement will ever pass my lips.'

Hugh Logan gied a grumph o approval, an turnt himsel back tae his rent buiks. Jean raise slowly, bobbed as much as her sair back wad allou, an hirplt oot the door.

The neist day, she felt an awfy pressure low doun, an her wame felt no as muckle big. She socht oot Jinnet. 'Ye've drappt, lass. It's a sign that ye haenae lang nou - mebbe a week or twa at the maist.' She wis richt, for on the mornin o the thirteenth o February, Jean's pains stertit an Airchie wis sent oot in blinnin snaw doun tae Cumnock for the howdie wife. By the time Lucky Smith had trauchlt up the Barrhill throu twa-fuit drifts, she wis weel sobered up frae the nicht afore, an Jinnet wis wyce eneuch tae gie her nae mair nor a waik het toddy tae warm her up. Puir Jean wis walkin the kitchen flair, haudin her back an moanin an souchin, then gruppin her wame wi white knuckles as the pains quickened. On the swee, a kettle o bilin water sang awa, an on the kitchen table, Jinnet had gethert some auld linen sheets that she rent intae strips o claith for bindin the bairn. Baith she an Lucky sat by the ingle an watched patiently as Jean strade back an forrit. By the fire lay a strae mattrass for the birthin, an aside it a brent new sauch tattie creel woven specially by Airchie for the bairn's cradle.

'Oh, Jinnet, Lucky, I think it's comin!' cried Jean wi a strangled scream as the pains grew stronger an she held her braith an stertit tae push. 'Na, na, lass, it'll be a wee while yet, but I think ye'd better lie yersel doun by the fire nou an gether yer strength, for ye'll need it shuin eneuch tae push this bairn oot.' advised Lucky, wi an airm roun her waist as she helped her doun on tae the beddin. Up abune in the library, Hugh Logan cuid hear the screams - an deep in his heid there dirlt the screams o a servin lass in the stable that had stertit this hale sorry mess. He cupped his hauns roun his lugs, but tho it drount oot the noise frae ablow stairs, the screams in his heid still hauntit him. Whit if the lass dee'd in his hous? Whit if the bairn dee'd . . . or baith o thaim? He paced the flair back an forrit, up an doun, up an doun.

Keepin time wi the pains nou comin every minute, Jean lay there, her face burstin rid an rinnin wi sweit, the big veins bulgin oot her neck as she gritted her teeth, gruppt her raised hochs ticht an poued thaim tae her as she pushed, an pushed. She cuidnae stop pushin, pushin, pushin . . . pushin. Then, abune it aa, she heard a vyce cryin 'Haud it Jean! Stop pushin, stop pushin, lass . . we're nearly there . . . the heid's comin up an oot fine.' Jean felt hersel tearin apairt wi pain, an gied an almichty scream that upstairs stopped Hugh Logan in his tracks. Then she heard a wee crechlin cry an luikt doun atween her legs tae see Lucky lift up her bairn, turn it ower tapsalteerie an skelp its dowp an wee feet. She baith smiled an gret wi relief an joy as it gied a muckle yelloch an its wee face turnt as pink as hers had been rid five meenits syne. 'It's a wee laddie, Jean!' she heard Jinnet cry. 'It's a wee laddie!'

The howdie smertly tied an snicked the cord, gethert the claith strips frae Jinnet an happt them ticht roun the bairn, then pouin wide the neck o Jean's goun, she placed the wee bundle in her airms, an pit the wee poutin mouth tae her breist. As Jean leaned ower, a saut tear rowed doun her cheek an drappt on her newborn's pow.

Upstairs, Jinnet entered the library. 'Is the lass aaricht?' speirt Hugh Logan anxiously.

"She is, Maister, thenk the Lord . . . She's juist had a wee boy.' Logan stopped in his tracks, an luikt faur an lang oot the windae.

'The Laird o Logan haes juist faithered a boy,' he shook his heid an saftly murmert ablow his braith, 'an he cannae caa him *Son*!'

Efter the birth, Jean wis gey puirly wi a fever. It wis twa weeks afore she raise frae her lyin-in bed, an anither fower weeks afore she gat her strength back. Jinnet had pled hard wi the Laird tae lae her stey a while langer, but wi an £8000 bond ootstaunin at Hunter's Bank doun at Ayr, he wis thrang wi money maitters, an wantit mither an bairn oot o Logan House. 'Afore she gangs awa, Maister Logan, she wad like the wean christened.' Jinnet pleaded. 'It wad be better dune here in the Big Hous raither than in Cumnock, for doun there folk are gaun tae hear tell o the faither's name.' Her argument again cairried the day, an on the twinty-seiventh o Mairch, Airchie wis sent doun tae Cumnock tae tell the meenister frae the auld kirk that he wis wantit straucht awa at Logan Hous - but no tae let on tae him for why.

The Rev Thomas Miller duly arrived on his pownie, tae be ushered intae the library. 'Mister Logan,' he speirt primly, 'Pray tell me for what reason have I been summoned so hastily to Logan House?'

'It's a maitter o some delicacy, Mister Miller,' confided the Laird, feelin mair than a wee bit pit aboot, an pacin nervously up an doun on the rug. 'Ye see, in a daft minute o fleshly weakness last spring, I dallied wi a servin lass, Jean Weir, an hae faithered a bairn that's nou sax weeks auld. The mither cannae bide here, but afore she gangs awa, I think it is only richt that the wean shuid hae a Christian baptisin . . . I ken whit ye're gaun tae sae aboot my fornication, an I'm daein my penance here the nou, an for a lang time tae come, sae dinnae threip on aboot it ower muckle!' Afore the Reverend Miller cuid draw braith faur less catch his thochts, Hugh Logan continued. 'The bairn will be christened 'Hugh Logan' here in Logan House, but when he leaves here he'll aye be kent by his mither's name, for nane maun ever ken that the Laird o Logan is his faither . . . tho I hae settlt a pickle o siller on the wean sae that he'll no want for ocht till he's ten year-auld.'

'Mister Logan, the sin of antenuptial fornication cannot be ignored, and while I cannot compear you to appear personally to answer before the kirk session, the same cannot be said for this unfortunate woman Jean Weir . . .' the meenister began. Hugh Logan suddenly stopped walkin the flair an stuid rid face tae face wi the man in black. 'Guidsakes, man, hae I no made mysel plain! There will be nae compearin o this puir lass afore ony Kirk Session . . . an nae mention o my name or o this christenin in ony kirk records . . . itherwise, I'll be haein a word wi the Earl o Dumfries anent yer leevin as the meenister o Cumnock! . . . I think nou we unnerstaun each ither, sae Airchie will tak ye dounstairs tae get on wi yer wark, an I'll get back tae mine. Guid day tae ye, Meenister.'

The neist day, facin baith the snell wind and an uncertain future wi unco smeddum, Jean Weir slipped oot the back door o Logan Hous. Upstairs, Hugh Logan tallied his rent money. Nestlin in the cruik o yae airm, snug an weel happt up in a plaid oot o the cauld, wee Hugh Weir slept aa the road as his mither - wi Jinnet cairryin her bundle o gear, an cleekin her ither airm tae stell her ower the icy grun - trauchlt the lang mile doun the brae intae Cumnock, an her wee cauld garret room in the Tanyaird.

Chapter 12

1788 - THE MUIRKIRK MINER

Now Nature cleeds the flowery lea,
And a' is young and sweet like thee,
O, wilt thou share its joys wi me,
And say thou'lt be my dearie, O?
The primrose bank, the wimpling burn,
The cuckoo on the milk-white thorn,
The wanton lambs at early morn
Shall welcome thee, my dearie, O.
Robert Burns - *Lassie wi the Lint-white Locks*

It wis nae straik o chance that fand John Broun daunerin twa mile oot the Embro turnpike road toward Glenbuck House that warm Sunday efternuin in June 1788. Faur up in the blue lift, unseen laverocks sung their wey tae heaven, an the hauntin cries o glidin whaups dirlt ower the lambies on the green braes abune the Watter o Ayr. A pair o peesweeps screamed an dived at his heid as he gaed doun on his hunkers tae luik at twa wee bleck-streikit baas o yella fluff, courit heids-doun amang the stanes an stour o the toll road. If he hadnae seen thaim move juist three steps awa, his muckle feet wad hae crushed thaim tae daith.

He kent aa thae burds frae Irvine, in their winter thousans, doun on the boglands whaur the Garnock an Irvine Watters meet the sea; an nou he kent whaur they cam back tae ilka spring an simmer. His hert wis lichtsome, like their sang.

At the en o Mairch, he had a ruch awakenin when, at last, he tuik that lang hard road frae Irvine tae Muirkirk. John had never been up kintrae afore. Doun in Irvine, the early buds were brekkin, the craws were biggin their nests, the meedows were greenin efter rain, an there wis a wee heat in the laich wattery sun. Airtin throu Kilmarnock an deid wearit, he won tae Mauchlin that furst nicht, ettlin tae stey wi Rab an Gilbert Burns, his aunt Agnes, an the faimily at Mossgiel ferm. But when he arrived, he fand the hous grievin sair ower the daiths juist twa or three days syne, o Jean Armour's newborn twin lasses tae Rab. Kizzen Rab wis naewhaur tae be seen - Gilbert tellt him he wis awa up tae Embro again, tae see about anither prentin o his buik o poems, an tae sign the lease o a ferm caad Ellisland doun by Dumfries.

Agnes an the faimily had ta'en him in kindly eneuch, an gied him a het plate o brose an some breid an cheese; but the hous wis fou wi the seiven o thaim, forby a bonny wee fower year-auld - Rab's dochter tae a servin lass caad Betty Paton. John smiled tae himsel as he beddit doun on a dass o barley strae in the cauld barn. Here wis his mither worrit aboot him gettin a lass intae trouble - an here wis Rab Burns aaready wi twa he'd cowpt an bairnt, an wis mairrit tae neither o thaim!

Early neist mornin ablow a lourin leid-grey sky, he tuik the three mile windin road ower the hill tae the village o Sorn, set laich amang a beild o trees doun by the Watter o Ayr, nearhaun an auld castle. Frae Sorn, the road raise up ower a bleak, braid muir, whaur the cranreuch cast a white frozen mist ower withered broun rashes an yella muir gress. A snell east win got up, that brocht dreeps tae his neb an tears tae his een, cuttin richt throu the threidbare coat he drew about him as he breistit the brae an stertit the lang weary streitch by Aird's Moss tae Muirkirk. Aird's Moss, whaur the Covenanter Richard Cameron an aicht ithers had been martyred by the king's dragoons, a hunner year syne. Thin ice on the dubs crecklt aneath his feet, an freezin watter soaked throu the puir leather o his shune. His bare legs turnt blae ablow his breeks, an his feet were white an frozen. Snaw wraiths frae the last faa a week syne, filled the sheuchs, an lay ahint the mairch dykes. Heid doun, founert, an chitterin wi cauld, he trauchlt on.

He smellt Muirkirk afore he saw it. At furst it wis juist a hint o tarry sulphur smeek in the win as he crossed the brig ower Greenock Watter, but as he passed by the auld clachan o Greenock Houses an skirtit Dalfram, a thick fog o blae-black an yella reek rowed doun the Ayr valley on the east win. Nearhaun Wellwood, he turnt the corner an saw Muirkirk for the furst time - or whit little he cuid see o the village for aa the reek, spewin frae the tarwarks lums an smoorin a bonny view o Cairn Table an the Garpel muirs. Sae this wis Muirkirk! John gied a wee shudder, as he wunnert gin he had dune richt in airtin tae sic a cauld, bleak, an god-forsaken place.

Frae a wee muirlan clachan, wi a kirk tae serve the pastoral needs o few hunner hardy fermin folk scattert aboot an scrapin a bare leevin frae the uplan braes an glens, the village had grown tae haud mair nor a thousan sowls in a single year. New coal pits, tarwarks an airnwarks were soukin in men frae aa the airts o the south-west an ayont - maistly ferm lads ettlin - like John - tae better themsels, an mak fifteen or twinty shillins a week, insteid o their sax shillins an board when fee'd tae a fermer. Some fand ludgins amang the aulder Muirkirk folk, but maist bided in laich raws o ruch dwallin houses biggit by John Loudoun McAdam's British Tar Company an Admiral Stewart's Muirkirk Airnwarks Company, lyin south o the Ayr Watter by the Linkieburn - wi a pickle mair tae the east o the furnaces, by the Kirkgreen.

It wis here, efter speirin, that John fand Tam Brewster's brithers, juist lowsed frae their shift. Their wee single room had a guid lowin fire - for there wis nae want o coal - an John gat himsel thowd oot in nae time an het up wi a plate o thick parritch in his wame. Juist thenkfu at gettin tae share their room, he happt himsel in a blanket, laid his heid on his pack an fell intae a deep sleep on the dirt flair. He'd get himsel a strae mattrass, an luik for a job in the mornin.

Murmurin tae himsel as he steppt ower the wee peesweep chicks, he strauchtent up, bemused, tae watch hauf-a-dizzen moss-cheepers flytin at a muckle grey, lang-tailed burd that had alichtit on a haw-tree, snaw-white wi Mey blossom. 'Cuck-ooh! Cuck-ooh! Cuck-ooh!' He smiled. He kent nou whit it wis - a Gowk! - singin awa while its mate wad be sneakin intae a puir wee burd's nest tae lay its egg. He hoped he wadnae be seen like a gowk himsel in the neist wee while!

By the brig ower the Ponesk Burn that twistit its wey deep intae the hills tae the hirsel o Priesthill, he sat himsel doun on the dyke wi his back tae the sun, an cast his ee north tae whaur the burn disappeared ahint a laich rig. Frae heich in the hills cam a plaintive, musical, whustle 'touer-a-loui, touer-a-loui', then - his hert gied a lowp an his pulses quickent - a wee white speck cam roun the rig, an slowly neared him doun a ruch pownie track that ran alangside the burn an cam oot by the turnpike brig. John sat still, tryin tae luik as if he wis juist there by chance - had juist stoppt for a wee rest.

As the young lass trippt blithely up the wee blin rise on tae the road, she gied a stert when she saw a man sittin there by the brig. 'Guid day tae ye, lass.' John nodded - an she coloured as their een met.

'Guid day tae you, sir.' She gied a wee nod back. She had seen this young callant afore - in aboot the Kirkgreen - on Sundays, when she wis gaun tae the kirk wi her faimily. She had thocht he wis new tae Muirkirk. As like as no he wis a miner, but - she noted keenly his fresh, honest face - no lang eneuch doun the pit yet tae hae gotten coorse, ruch, an clarty like maist o the collier chiels.

'Wis that you whustlin up on the hill?' John mimicked, 'touer-a-loui, touer-a-loui, touer-a-loui.'

'No. That wisnae me!' She lauched an tossed her bonny fair hair. 'Ye must hae heard the muir plover - a bonny wee burd wi gowden wings an a bleck belly.'

John kent fine it had been a plover - an he kent faur mair about this young lass than she jaloused. His wee ploy had warked - she wis daffin wi him. 'A muir plover,' he repeatit slowly, 'a bonny wee burd wi gowden wings . . . Ye're a wee muir plover yersel then . . . wi gowden hair instead o wings.'

'Whit dae ye mean by that?' She stuid afore him, her dancin blue een challengin his for a reply. She wis aboot twinty, her lang fair hair hingin loose an framin the high cheekbanes an fresh open face o a Scots fermin lass. Her white linen blouse an high-kiltit russet skirts showed aff the tan o her bare airms an legs. Like maist kintrae folk in simmer, she wis barefuit, an walked wi ease an grace ower the ruch stanes o the toll road.

'Weel, daur I say it . . . ye're a bonny wee burd frae the muirs aboot Priesthill . . . yin o Jamieson's dochters . . . Meg, if I'm no wrang.'

There - he had gotten it oot. His hert wis nou on his sleeve - an in his mouth tae - as he waitit, dreidin her response. Back at the Kirkgreen, he had watched her frae afaur - a bonny, jimp lass, heid an shouders abune the thrang o jauds an hures that drank an skreicht in the howfs wi the miners an airn-men, an fleecht thaim o their hard-won siller. They were no for the likes o him. There wis a muckle want o guid weemin in Muirkirk, wi hunners o men airtin there for wark - some laein their wives an faimilies at hame - but maistly single, like himsel. He had speirt wha she wis frae a Muirkirk wumman, an had learnt that she wis the youngest o fower dochters tae Andra Jamieson an his wife Agnes, that herded Nether Priesthill aboot fower mile oot o the village - an she wisnae spoken for! He had aften thocht o gaun intae the kirk on a Sunday an sittin ahint her in the pews, but he wis feart that he wad be lauched oot the toun by Wull Brewster an his cronies. Sae he had daunert oot tae Ponesk twa or three times, juist on the aff-chance she wad be there. An this verra day . . . !

'My, ye ken a lot aboot me!' She cocked her heid, an luikt asklent. 'But I ken nocht aboot you an whaur ye come frae.'

'I'm caad John Broun, an I come fra . . . '

'Priesthill!' Meg interrupted him wi a geegle.

'Whit dae ye mean - Priesthill?' speirt John, dumfounert.

'Aabody kens aboot John Broun frae Priesthill!' She tossed her heid, perjink-like - an seein the glaikit luik on his face - 'Hae ye never heard o John Broun?!'

'There's a lot o Brouns aboot . . . an a wheen in my faimily!' He tried tae jest his wey oot o his ignorance '. . . My faither's kizzen Agnes is a Broun, an she is the mither o Robert Burns the poet . . . hae *you* heard o him?'

'Of course!' said Meg, wi anither toss o her heid. 'Aabody up in Muirkirk kens o Robert Burns . . . He wrote Epistles tae John Lapraik, the poet, that fermed Dalfram on the Sorn road. Auld John is a freen o my faither's, an I hae seen the verses that Burns screived . .

> "Then may Lapraik and Burns arise,
> Tae reach their native kindred skies,
> And sing their pleasures, hopes, an joys,
> In some mild sphere;
> Still closer knit in friendship's ties,
> Each passing year!" . . . See!'

She gied a wee mock curtsey an lauched at her ain cleverness. This lad wis nae ordinar, coorse collier, an she wad play a wee gemm wi him - an him wi her.

'I . . I think I've heard my faither talk aboot John Broun . . . when I wis a wee lad.' John wis rackin his harns for mair. 'Wis . . . wis he somethin tae dae wi the Covenanters, like Airds Moss?'

'Ye're hauf richt, hauf wrang!' offered Meg, saftenin for fear she micht pit him aff the bile. 'It wis at the Killin Times . . . a hunner year back . . . John Broun wis the shepherd at Priesthill - an a true Covenanter - till Bluidy Claverhouse huntit him doun an shot him at the door o his hous, in front o his wife an weans, when he wadnae tak The Test an say that the King wis heid o the Kirk . . . He's buried aboot hauf a mile frae the ferm.' She paused, hesitant. 'If . . . if ye'd like, I'll tak ye tae see the Martyr's Grave sometime.'

John swallaed hard, his hert an heid gaun tapsalteerie. Wis he hearin richt? Wis he in a dwam? He felt himsel shakin his heid, near nippin himsel tae see if it wis aa true, an heard a vyce that wisnae his sayin - 'Aye, Meg, that wad be braw.'

'I'll hae tae gang nou, John,' smiled Meg. 'Ye've taiglt me ower lang, an I've my kizzen Alison tae see at Glenbuck.'

'Eh, when can I see ye again?' he blurtit oot anxiously, juist in case this lass wad slip oot o his hauns like a wee burn troot aff the heuk.

'Here . . . at the brig . . . same time neist Sunday?' cam the saft invite he'd hankered efter. 'I can aye tell my mither I'm gaun ower tae see Alison again . . . an mebbe I'll see ye aforehaun when we gang tae the kirk!' She tipped her heid an smiled wi a wee sidieweys glance as she turnt east alang the road tae Glenbuck.

John tuik the gate west tae Muirkirk, whustlin the sang o the wee muir plover, the warm efternuin sun in his face, a spring in his step, an the smile o a lass in his hert. On a simmer day like this, there wis nae better place in the warld nor Muirkirk!

Doun the pit, the hale o that week, the thocht o his tryst wi Meg garrd his flichterin caunle licht the bleckness wi a lowe like the sun; garrd him load ilka sled wi muckle roun coal like it wis juist a wee pail; an fill his lungs wi coal stour gin it were fresh simmer air. An at the en o a twal-hour shift, he sclimmt forty fathom o ledders tae the tap o the shank wi a step as lichtsome as they had been doorsteps. He tellt naebody, but his guid tid didnae gang unmarked by his neibours.

John had ta'en a job ablow grun; for he fand oot that pitheid men were gey puirly peyd, an he hadnae traipsed aa that wey frae Irvine tae earn less than a weaver. The young lads wha walked the horses roun the horse gin that drew the creels o coal up the shank tae the surface, gat a shillin a day; an the pitheid hoist men an coal stowers gat nine shillins a week.

The pick-men were kings o the pit. A seam o coal wis mined by whit they caad stoup an room. Ilka room at the face wis warked by a pick-man, howkin oot aa the coal - baur a square stoup or pillar left ahint every few yairds tae haud up the ruif. Muckle strang braid-backit chiels, a guid pick-man cuid howk mair nor ten ton o coal in his sax-day week; an wi sax pownie-sled loads tae the ton - aa marked wi his ain tally-stick - at fivepence a load, he cuid mak twinty or twinty-five shillins a week. Some pick-men uised their puir weemin an weans as free labour tae load their sleds.

At the stert, single men warkin a room baith hewed an loaded their ain coal, but that wis gey slow an drappt their tally - an their pey. Maist o thaim nou tuik a neibour tae shuil the coal while they howked - an this is whaur John had been lucky. Juist efter he arrived in Muirkirk, Davie Brewster, Wull's brither, lost his neibour when a pownie skitit an fell on a wat douk, an the fou sled drapped back an crushed the puir lad agin a stoup. The wark wis John's if he wantit it - at saxteen shillins a week - if atween thaim they cuid shift fourteen or fifteen ton o coal.

John had lowpt at the chance - but hirplt for a fortnicht efterhaun, when he fand oot the hard wey, that the hicht o the room whaur he had tae wield his shuil wis twa feet aicht - an no the hicht o the yin he slep in! Lyin on his side on the hard stane pavement, juist ahint Davie, an chokin wi the coal stour, he had tae haul oot wi his bare hauns, muckle dauds o roun coal - an slabs o stane that he had tae pack awa tae the yae side, for the pitheid grieve wad dock tippence aff a load o dirty coal. He lost a fingernail that furst day, that tuik months tae heal, an crackt his heid a dizzen times aff the laich ruif. Bruised an scartit frae heid tae fuit, he had tae shuil the smaa coal on tae a widden sled, an haul it, a hunnerwecht at a time, twinty yairds frae the room tae the road, whaur he loadit the pownie-sled markit wi Davie's tally stick. Wi juist a wee brek whiles tae slocken his drouth wi cauld watter an hae a bite o breid, John lost count o the nummer o times he crawled in an oot o that room, but tallied thirteen loads drawn oot by the pownies alang the road tae the pit bottom.

The nerra road wis hewn juist wide eneuch tae allou passage o pownie an sled, an since the puir wee beasts themsels stuid nae mair nor fower feet at the shouder, the laich ruif wis less than five. Sae puir John feenished that furst day's darg walkin oot doublt-up for a hunner yairds tae the fuit o the shank, an then had tae face a forty fathom sclim up shoogly ledders tae the surface. Faint an forfochen, an dwaibly wi pain an hunger, his legs gied oot hauf-wey up; an if Davie, comin ahint, hadnae stelld him up, he'd hae been doun that shank again - for the last time!

It wis dark at yokin time when they went doun the pit that furst mornin, an it wis dark again when they lowsed that nicht. Back hame at the ludgins, John nou realised the truth o whit auld miners had tellt him - that frae October till Mairch, they never saw daylicht - baur Sundays; an that wis the reason for the pallor he saw in their faces on their day o rest. The ither sax days, they were aye clarty - as he wis that nicht. By the licht o the cruisie lamps an the lowe o the fire, he cuid see Wull an Davie, baith as bleck as the Earl o Hell's waistcoat, wi white een starin oot o their sweit-streikit faces - an then he tuik a guid luik at himsel.

Strippin aff his torn, wat an clarty breeks an sark, his hingin fingernail tore richt aff when it gat heukit in the claith. His heid spun, an he near went doun in a dwam wi the pain o it. Davie smertly jawed ower him hauf the pail o cauld water that he'd cairrit in frae the Kirk Burn tae syne aff his ain pit clart an stour. That brocht him roun quick eneuch, yellochin wi pain as the icy water stung then numbed the deep screives on his back an shouders. Raxin his heid roun, he gat a fricht when he saw the lang, rid scarts, bleckened wi coal stour that nae amount o washin cuid clean.

'Aye, John,' grinned Davie. 'Ye're a real miner aaready, wi nae fingernails . . . an when thae screives heal ye'll hae lang blae lines across yer shouders - the miner's marks that'll tell aabody ye're a miner . . . juist like a sailor's tattoos!'

John wis in nae tid for daffin. His back an shouders, airms an legs - muscle, bane an sinew - were gowpin sair, an had stiffened that he cuid hardly move. Stouns o pain shot frae his burst finger, an near brocht tears tae his een. He had only twa pairs o breeks an three sarks tae his name, an aaready this set o claes wadnae last oot the week. An luik at him! Hair bleck wi coal stour; stour in his lugs, in his een, up his nose, in his mouth, an doun his thrapple; he had a crechle in his kist, an wis bringin up muckle dauds o bleck spittle.

Wull tuik pity on him, an fetchin anither pail o cauld watter frae the burn, gied him a guid syne back an front wi an auld cloot, tae get rid o maist o the clart. Then, liftin a pat o het watter frae the swee ower the fire, he timmd it intae the pail, an brocht oot a baur o saip, 'Here, auld freen. Ye can hae a len o my saip the nicht, but ye'll hae tae get yer ain the morn . . . it's ower dear tae uise every nicht - Davie an me juist uise oor saip nicht aboot, tae hain it.'

The warm watter eased John's stiff muscles, an when he saw his white skin again, he felt mair like himsel. 'Thenks, lads. I'm behauden tae ye baith . . . but hou I'm gaun tae wark the morn, or the lave o the week, I dinnae ken! . . . I'll aither hae nae skin tae cleid whit's left o my banes . . . or nae claes tae cleid whit's left o my skin!' Davie raise an brocht ower a seck that had been lyin in a dark corner o the room. 'Try thae breeks for size.' he said, tuimin oot a pile o auld pit claes on tae the flair. 'Puir Hughie haes nae need for thaim nou!' John felt a chill rin up his spine, that for a saicont, tuik awa the warm lowe o the fire. They were the claes o Davie's deid neibour - hardly cauld in his grave yet! But beggars cuidnae be choosers, an three mair sets o pit claes wad mak things a lot easier. They fittit fine.

The neist five days were hellish for John. Wi his burst finger rowed in a cloot tae save it frae herm, he had tae wrastle awa wi yae airm maist o the time, wi Davie giein him a haun wi the loadin. Their tally for the week wis nae mair nor fifty-seiven loads, or nine-an-a-hauf ton - weel short o their target o fourteen. But Davie had markt that he'd wrocht hard, wis a guid warker; an when his sair finger hardened, he wad be a guid neibour. John's share wis ten shillins - wi an extra tippence frae Davie 'tae buy yer ain saip!' Three weeks on, he wis as hard as ony man in Muirkirk; an the week efter that, they raised fifteen ton o guid roun coal tae the pitheid. The wabster wis nou a miner.

As spring days grew langer, he cuid gang oot for a dauner in the gloamin licht efter they lowsed. As Spring gied wey tae early Simmer - an the sun warmed his back on a Sabbath morn while he sat on a gressy humplock watchin the guid folk o Muirkirk gaun tae the kirk - sae young John Broun stertit tae think on ither maitters mair plaisant than wark.

Chapter 13

1793-1802 - THE FALLEN WUMMAN

Then gently scan your brother man,
Still gentler sister woman;
Tho they may gang a kennin wrang,
To step aside is human.
Robert Burns - Address to the Unco Guid

Up tae her elbocks in het watter as she leaned ower the widden bine, Jean Weir sang saftly tae hersel as she worked sapples throu the dirty claes. It wis near on five years nou since she'd left Logan Hous, an tho life hadnae been easy, it cuid hae been a lot waur. As she had feared frae the stert, her laud Andra had been broken-hertit when he fand oot frae the Muirkirk cairrier that she'd had a bairn tae anither man. She had never clappit een on him since - an wis broken-hertit hersel that she cuid never hae tellt him the hale truth.

For a while in her dule, she had tholed the clackin tongues an clishmaclavers ahint her back o some o the nebby auld Cumnock gossips, when she walked up tae the Square wi the wean in a plaid; an she wis aye gled when Jinnet wis there tae cleik her airm an keep her company. Jinnet Murray wis a kenspeckle Cumnock body, sae efter a wee while walkin wi her heid held heich an luikin folk straucht in the ee - forby thaim that turnt their heids awa - maist folk juist laed her alane. Mind ye, they wad aa hae likit fine tae ken wha had faithert her bairn, but her secret wis safe wi Jinnet. Tho she fretted whiles that ithers micht come tae see the likeness nou that Hugh wis growin intae a sturdy big laddie for his age - wi a wee luik o his faither aboot him.

She wis thenkfu for the twinty shillins Jinnet aye brocht her on Quarter Days; an even mair thenkfu for the ten shillins ower an abune, at Mairtinmas an Caunlemas, tae see her an wee Hugh throu the winter. In truth, she wis gratefu that she wis gettin ony siller at aa nou frae Logan Hous. For Jinnet had tellt her a wheen things she didnae ken. Hou, in 1781 - fifteen year efter buyin a hantle o wee ferms an portions on the Greenock Watter tae expand his estate - the Laird had tae wadset thaim aa tae McAdam o Craigengillan in settlement o gamblin debts an his losses frae the collapse o the Ayr Bank. Durin the time she wis there in service - he had won back some o his ferms an fortune. But efterhaun, as his drinkin gat waur, he squandered even mair, an juist twa year back, had tae sell a dizzen ferms tae Quentin McAdam. An Jinnet didnae ken hou lang he wad hing on tae whit wis left. It worrit Jean.

This winter had been the warst for thirty year. Frae New Year Day 1793 the snaw had lain for twa months, wi a fuit o ice on the Lugar an Glaisnock Watters. She had been gled o the extra siller tae buy coal tae keep the wee yin warm, for at nicht the milk-joug on the dresser froze solid, an washin pegged oot on the line abune the fire wad be as stiff as a board in the mornin if she didnae keep a guid lowe in the hearth. But frozen milk wis naethin - she kent she wis lucky, for she'd heard o some puir sowls in the village that had froze tae daith for want o winter fuel.

Better kent as the years gaed by, Jean got tae tak in washin frae some o the bien folk o the toun that fand oot she had been a guid warker in service; tho nane wad hae daured let ony fallen wumman wi a bairn darken their door as a servant. But the Craigheid Inn wis no sae pernickety - aye needin some puir bodie ilka mornin tae redd up the clarty mess efter a nicht's hard boozin. Jean didnae mind the darg; for tho she cuidnae gang back up there, she aye wearit on hame, an it gied her some pleisure an company when she cuid hae a guid crack wi some treveller she that kent - or wha kent somebody she kent - frae Muirkirk.

An that's hou, at the back-en o 1792, she'd got in tow wi young Saunie Lapraik - feelin awfy saft aboot him, for she kent he'd had a sair trauchle baith as a bairn an a laddie. Doun frae Sorn, he'd been warkin as a ferm servant at Widside on the Dumfries Hous estate for near on aichteen months, when she fell in wi him ae nicht at the Craigheid.

When she wis a growin lass, she'd heard aa aboot the Lapraik faimily's troubles frae her faither an mither. Efter the terrible collapse o the Douglas Heron Bank in Ayr, that ruined hauf o the Ayrshire gentry in that bleck year o 1772, his faither John Lapraik o Dalfram wis sair burdened wi debt; an the very neist year, no lang efter wee Saunie wis born at Laich Dalfram, his wife dee'd, laein him wi five mitherless bairns. At his wits' en, Lapraik tuik anither wife twa-three year later, an leased the ferm o Netherwood on the Greenock Watter; whaur he reared a saicont faimily an wrocht awa in vain for nine year tae clear his debts. When Saunie wis juist eleiven, his faither wis forced tae sell Dalfram - an afore lang landed in the debtors' jail doun at Ayr. Oh, God, if it had only been Hugh Logan her ain maister insteid - mair's the pity - Jean thocht tae hersel as she syned oot the sapples in cauld watter - she micht hae been spared the plicht she wis in nou.

Wi near on a dizzen weans tae feed an cleid, she mused, auld Lapraik had mair'n eneuch tae dae screivin a plou across his stany rigs, athoot screivin rhymin verses - but that he did, an he even sent a copy o his rhymes tae the poet Burns. Jean had heard tell o the fine poems that Burns sent back tae John Lapraik – poems that had gied auld John some fame an glory faur ayont Muirkirk. Tho she cuid scarce read hersel, she aft-times listened in the Craigheid tae fermers an drovers an souters an wabsters - 'the social, freenly, honest men' o Kyle - talkin aboot Burns, an recitin wi great feelin, verse efter verse o his warks.

As she rung oot the claes wi her rid chappit hauns, she mindit the excitement ae day twa year syne, when the great Bard himsel stopped by for a mutchkin o yill on his wey frae Mauchline doun tae his new ferm at Dumfries. Tho he had the offer o a dizzen stowps frae aa the boozers in the howf, Jean wis fair ta'en wi his naitural dignity as he turnd thaim doun. He wis a weel-faured chiel twa-three years aulder than hersel, bleck-haired wi a braid open face an piercin, dark, rovin een. Tho he luikit like a man heich abune the lave, yet he had nae side tae him, an crackt awa wi the foregethert crood gin they'd been auld cronies.

At the door wi her besom, soopin oot some strae as he tuik his leave o the company, it wis his piercin bleck een that seemed tae enter her hert an sowl an haud her enchauntit as they luikt straucht intae hers an he gied her a wink, a backwards nod, an a wee wry smile. 'A guid day tae ye, bonny lass . . . They micht be guid companie, Cumnock men . . . but I'm shuir ye're kep gey thrang reddin-oot this auld howff an keepin it snod-luikin, day in day oot . . . wi that clarty herd fylin the flair like grumphies at a troch.' Frae the lowpin-stane anent the inn door, he swung his leg ower his grey mare an bade fareweel wi a tip o his bunnet an a nod, 'I'm ludgin the nicht wi Betty McKnight an her lads at the Auld Mill. It'll be a lang nicht o sangs an clatter, sae I'd better win awa tae New Cumnock afore the darkenin . . . Tak tent o yersel, lass.'

For the middle o Mairch, there wis a walcome wee bit o early heat in the sun, an a guid dryin win as she hung the claes oot ower a scruntit thorn tree. Jean smiled tae herself as she thocht back on thae bonny bleck een an - 'Tak tent o yersel'. She wis daein juist that. Och, Saunie micht be a wee pickle younger than hersel, but he wis guid tae her an the bairn. Wee Hughock wis doun at his Auntie Jinnet's this efternuin tae gie her peace wi the washin.

Laein the sauch creel ahint the door, she made her wey ben the hous tae chynge her weet sark, an as she flyped it ower her heid, she gied a scream as she wis grippt frae ahint, liftit across the room an cowpt on the bed. 'It's only me, Jeanie hen,' whuspert a saft vyce at her lug. 'I thocht I'd gie ye wee surprise . . . or mebbe a muckle yin!'

'Saunie! Ye daft gowk! Ye near flegged the wits oot o me . . . dinnae ever dae that again or I'll mell ye wi the cogie! . . . An whit are ye daein here at this time o day when ye shuid be plouin?'

'That's whit I'm here for, ye bonnie thing . . . the coulter spinnle broke this mornin an the maister sent me in tae the smiddy, but auld Murdoch cannae mend it till this efternuin . . . sae I juist thocht I micht as weel get some plouin dune elsewhaur!' Jean chucklt as he gently drew the clingin sark frae her raised airms, an she poued him doun an happt the blanket ower thaim baith.

As a late spring warmed intae simmer, Jean jaloused that she mebbe hadnae ta'en tent o hersel juist as weel as she micht, an that she wis nou cairryin Saunie's bairn. But she wisnae feart like last time. She had a man nou, an Saunie wad luik efter her an the twa bairns. She wis shuir o that. When she tellt him, he said nocht for a while, then gied her a wee hug an tellt her no tae worry, he wad be a guid faither tae the bairn - an tae wee Hughock.

He never saw his dochter, for by the time Agnes Lapraik wis born on the twenty-seiventh o December 1793, her faither wis ower the hills an faur awa, haein got himsel fee'd at the Mairtinmas Fair tae an auld fermer frae Derval. At juist twinty-twa, he ettlt tae hire oot his plou - an saw his wild oats - for a while yet.

For the saicont time in her life, Jean Weir had tae face the warld wi a faitherless bairn. But Jinnet stuid by her, an a wheen o the weemin o the toun felt for her ance they kent that her man had run awa. There were still a wheen o auld cluckin hens an their bleck cockerel the meenister, wha thocht she wis a lost sowl lang past savin; but she kent the meenister cuid say nocht ill aboot her for fear o the Laird o Logan - an she didnae gie a button for the lave.

Thenks be tae God, the Laird's siller still cam her wey - nou keepin three o thaim - tho she wunnert whiles gif he wad hae stoppit peyin oot had Saunie steyd tae luik efter his dochter. At the stert, wi wee Agnes at her breist, it wis a sair fecht tae haunle baith the washin an the Craigheid. But Hugh wis nou o an age whaur he cuid fetch an cairry, an hing oot the wee claes, an that wis a help. An as the years gaed by an the weans grew aulder, her sair fecht dwined awa tae naethin waur nor a day in, day oot, trauchle.

Ower twa years years had gane by - Hugh wis aicht and Agnes juist twa-an-a bit - when a wee herd o bleck nowt, frichtit by a pack o local mongrel curs, cam rinnin ram-stam intae the Square frae the Auchinleck road. Jean wis crossin forenent the Craigheid wi a brace o bilin hens for the kitchen, when the foremaist beast gied her a sair dunt wi its shouder, cowpt her on the grun and rummlt on by. The neist three lowpt clean ower her afore twa collie dugs at the caa o the drover, nippt the heels o the lave an drave thaim skitterin wi fricht awa oot her road. Lyin there on the grevel, baith her an the hens aa fyled wi coo shairn, her shouder an ribs gowpin wi pain, Jean gret mair wi the shame o it than the pain, as the man cam ower an heized her tae her feet. 'Are ye aa richt, mistress?' he speirt worrit-like as he tried tae dicht some o the shairn aff her claes wi the sleeve o his raggit jaiket. Jean wrastled his airm awa. 'Tak yer hauns aff me, ye glaikit gomeril!' she screamed. ' Ye've juist slairit that coo-shit aa doun my bodice an made it waur!' She shoved him tae yae side wi a grumph, gruppt the thrawn necks o the twa hens, an stumpt intae the Craigheid.

Later that efternuin, aa cleant up an dressed in her guid frock while the clarty claes steeped in the bine back hame, Jean wis thrang scrubbin the lang aik table set by the ingle neuk when a tap on her shouder garrd her lowp wi fricht. It wis the young drover, staunin there hauf-crouse, hauf-feart, wi yae haun ahint his back an the tither hoverin juist afore his face in case she ettlt tae daud him aboot the heid wi her scrubbin brush. An no athoot reason, for Jean had hauf a mind tae dae juist sic a thing when she saw wha it wis. 'Aw, it's you!' she cried, raisin her scrubbin airm then drappin it quick as her shouder gied a stoun o pain. 'Ohhh! . . . see whit ye've dune tae me, you an yer bluidy kye . . . ye've an awfy nerve tae show yer face in here, whae ever ye are!'

'Ah juist cam by, Mistress, tae fin oot hou ye were daein . . . an tae say I'm sorry ma beasts gied ye sic a sair dunt this morning an fyled aa yer claes . . . tho I micht say that ye're luikin gey bonny in that braw frock.' It wis clear the young chiel kent a thing or twa aboot chairmin a wumman; an like maist weemin when a bonny frock is praised, Jean's anger liftit an the brush fell oot her haun. She luikit him ower, an tuik in that he had ta'en the bother tae get rid o his auld workin jaiket an pit on a new sark – tho his buits were still clarty. A wee bit younger than hersel, middle-sized an braid, wi a broun theik o hair an bauld grey een, he wis no ill-faured an – daur she say it – even interestin.

'My name's Edam . . . Edam Begg. I wis drivin thae beasts doun frae Whiteflets at Cautrine tae Dumfries Hous for the Earl's grieve – wha's juist bocht thaim frae the Laird o Logan. They tell me Auld Logan is in a bad wey nou . . . still sellin aff beasts and ferms tae pey for his gamblin an drinkin . .' Adam Begg paused. '. . An talkin o drink, I've got a fair drouth on me, lass . . . Eh, whit's yer ain name? . . . Jean? Weel, Jean, cuid ye pour me a mutchkin o tippenny. . . . Thenks.' He took a lang sup at his stowp, sat back in the chair, smacked his lips, gied her an approvin wink as he went on:

'Weel, I'll tell ye nou Jean, I've nae time for yon bastard Hugh Logan o Logan! For ower thirty year syne he gied oor faimily a richt sair time . . . an at the hinner-en forced my gran-faither Edam Begg's young brither Hugh tae sell him oor ten-shillingland portion up at the Cruikedbank on the Watter o Ayr abune Greenock Mains. . . six year afore I wis born . . . thirty-fower acres o faimily grun that had been in the hauns o *their* gran-faither Adam frae the time o the Covenanters.'

The quick lowe o het anger that fired Jean's hert at the thocht o yet anither injustice at the hauns o Hugh Logan wis quenched juist as quick by a saicont thocht - o whit micht happen tae her puir wee bairns an hersel gin the Laird wis that short o siller . . . Did Edam say Greenock Watter? She kent o Beggs frae Muirkirk, but he didnae luik like onybodie she kent frae that airt. 'Dae ye come frae Muirkirk yersel, then?' she spiert tentily.

'Naw. My gran-faither Edam wis the tenant at Netherwood for ower thirty year, an my faither Edam wis born there. When my gran-faither dee'd an they lost the tenancy, Faither gaed ower the hills tae New Cumnock tae ferm, an that's whaur I wis raised. But my brither Hugh an mysel gaed back up tae Muirkirk tae wark; for wi the coal pits an the airnwarks, there's mair siller tae be won there than at New Cumnock. Oor Hughie's a blecksmith an I gang drovin.'

'Edam . . Edam . . Edam! . .' Jean wis intrigued, an forgettin for a meenit her worries aboot the Laird's lack o siller, 'Hou mony Edam Beggs are there?'

Adam smiled an countit on his fingers 'Five in a raw as faur as I ken. I'm Edam the fifth! . . . but that's no countin aa the uncle Edams an kizzen Edams roun the pairish.' Then, as an efterthocht - 'Dae ye come frae that airt yersel?'

Jean nodded. 'Aye. My faither wis Robert Weir an my mither Jean Hall . . . When my faither dee'd I left Muirkirk for service . . . an . . an . .' she hesitated – this man wis a complete stranger, but she cuidnae help hersel, '. . an I warkt for the Laird o Logan mysel for a while . . . sae I ken as weel whit it's like tae be ill-uised.' She stopped deid. Nae mair, nae mair, nae mair! Ye've tellt him eneuch! 'Then I left Logan Hous efter a year for I cuidnae staun his drinkin an sweirin an hittin me wi his horse whup.' She kent it wis a lee, but it wid dae tae satisfy Edam.

'Ye puir sowl!' Edam stertit, then, smitin his brou wi his haun, 'Jean, I clean forgot wi aa that crack aboot Muirkirk . .' He raxed doun ahint his chair an brocht up a wee clout bundle. 'Here's a wee poulet for yersel tae mak up for thae twa auld hens slairit wi shairn that some puir trevellers is gaun tae eat in here the nicht!' Whit he didnae let on wis that he'd thrawn the neck o yin o the Earl's poulets as he passed throu the Home Ferm stack-yaird on his wey back in tae Cumnock.

'Och, Edam, ye didnae need tae bring me a fowl. That's awfy guid o ye!' Jean had a wee choke in her vyce an a tear in her ee at the thocht o this stranger's kindness – mair nor she'd had frae ony man in Cumnock aa her time here. A poulet! It wis near on aichteen months since her or the weans had tastit ocht as tender as a poulet. Even an auld teuch hen past the layin wis hard tae come by, an when it did - an wis biled lang eneuch - it had tae dae thaim for a week or mair, as flesh an broth. 'My, the bairns will enjoy this the morn. Wee Nancy is juist auld eneuch nou tae chow a wee bit o tender chicken, and Hughie's growin that big he cuid eat the rest an lae nane for me!'

'Bairns? I didnae ken ye had weans an a man at hame, Jean!' Adam cuidnae hide his surprise, an soundit a wee bit pit oot by the revelation. Wi a wee nervy lauch, Jean cam back at him smertly, an mebbe ower eager. 'There's nae man, Edam. Hughie's my auldest . . . he's aicht an growin like a stirk . . . an Agnes, wee Nancy, is juist turnt twa an is a richt steirin wean juist by wi the teethin . . . My man ran awa afore she wis born . . . wi some hurin jaud frae Mauchlin, an I hinnae seen hide nor hair o him since!' Anither lee tae mak things soun a wee better – an nae mention o twa faithers! It workt, but mebbe no the wey she ettlt.

Adam Begg made aa the richt souns that Jean wantit tae hear - aboot hou sorry he wis for her an the weans; an cuid he drap by an see her again on his neist drive o beasts throu Cumnock – aa the while wi randy thochts birlin roun in his heid that there micht be a warm saft bed for him, wi a warm saft wumman in it, instead o a dass o strae in a cauld Cumnock ferm shed, gif he played his cairds richt. Neist time, it wis a bunnet o whaups' eggs, then twa rabbits, a leg o mutton, an at the hinner-en a braw, brent new Derval lace shawl that juist happened tae come his wey at William Arbuckle's fleshmairket, durin a drive tae Kilmarnock. Auld Arbuckle's wife wad never miss it.

Jean hadnae supped as weel since yon times she an Jinnet uised tae get laid intae the leavins o Logan Hous feasts. She felt guid – an happy. Nae man had ever treated her this weel – no even her first laud Andra. Edam had even gied her a wee pickle siller efter a guid sale – an that wis lang afore he got his feet ablow her table. But shuin or late, it had tae happen, an by the Mey Feein Fair, Edam's feet were snug ablow her blankets as weel - an that's whaur they steyd aa simmer, while he warkd short hires at the hey an the hairst till the big autumn cattle drives began tae Falkirk Tryst an Carlisle.

Aa throu the lang het simmer, life wis guid tae Jean Weir an her bairns. Her only sadness wis that July day - in the late efternuin o Thursday the twenty-first - when the coach frae Dumfries coach poued up at the Craigheid, an the coachman cried oot tae aa the folk that Robert Burns wis deid. In five meenits a crood had gethert that fillt the square. There wis nae shoutin – only a quate speirin at the trevellers on the coach if they kent whit had happened doun at Dumfries; then a hush an a deep reverence that Jean felt in her hert like the rest o thaim; and mony a saut tear drappt in the stour as they mourned him like a dear brither lost.

By August, Jean kent she had faaen again, an worrit herself seik that Edam wad gang the same wey as Saunie Lapraik; but as the back-en passed intae winter, Edam wis still there. He micht be gane for a week or twa on a lang drive, but he aye cam back an aye brocht some meat or siller wi him.

Their son wis born on the saicont o Mairch 1797 – a quick birth that scarce gied Edam time tae caa the howdie wife. Even waur wis the fash o thinkin o a name for his son. Lyin in their bed that nicht, Jean speirt whit they micht caa the wean at her breist. He fidged an foutered wi the whang at the neck o his sark. 'I dinnae ken, lass . . . It's my first bairn . .'

'Hou aboot Adam then, like yersel? Wis Adam no the first man?'

'But I'm no . . . I mean, we're no . . . mairrit . . . and my faither micht tak it ill if we caad a wean born oot o wedlock, Adam, efter him . . . For oor Hugh wis born afore my faither an mither were mairrit, an he shuid hae been caad Adam efter my granfaither, but they caad him Hugh efter his uncle.' He paused as a thocht struck him. 'I've got an uncle caad James, sae mebbe we cuid dae the same.'

'That's settlt then,' Jean straikt the wee pow asleep at her breist. 'We'll caa him James Begg efter yer uncle.'

Adam Begg steyd on in Cumnock juist lang eneuch tae gie a hint o respectability tae the puir sowl he had bairnt - an his infant son. It wis bad eneuch haein a wumman an ae wean; but tae be landit wi three bairns – an twa o thaim no his ain – wis a gey puir bargain, an mair nor a slidderie chiel like him cuid thole. Wee James had scarce turnt a year auld, when his faither wis up an awa back tae Muirkirk. It's no that he left Jean – he juist didnae come back frae a drive tae Lanark – an it wis sax months afore she learnt that he'd juist gane back tae Muirkirk. Tho he wis nae mair nor ten mile awa, it micht as weel hae been the Americas for ony chance Jean had o reachin him - wi twa bit bairns an a growin lad tae tend, an seiven lang days' darg ilka week tae feed an cleid thaim aa.

Nor cuid he hae timed it waur, for whit had been juist a bit o idle clatter aboot the toun's howfs turnt oot tae be the truth - when notices went up aboot a Roup an Sale o the Lands o Logan on 12 April 1798 tae pey aff the Laird's creditors. They were sellt – or sae they said in the Craigheid - tae a Glesca merchant, James Hamilton for £11,250. Aa the while, puir Jean cuid dae nocht but hope an pray that Hugh Logan micht still hae eneuch siller - an honour - left tae support her an his son. But in vain. Nae Jinnet cam roun wi twinty shillins on Whitsun Quarter Day – for the puir sowl had nae wark hersel nou, nor siller tae spare.

Bereft o aa hope, filled wi a black-burnin shame, an dauntit tae the pynt o daein awa wi hersel, Jean hid awa frae the warld for a week or mair. Gin it hadnae been for fower wee hauns ruggin at her skirts, twa glistenin pair o starin blue een, an tears rinnin doun wee worrit cheeks ilka time she sabbed alane in her ingle chair, she wad hae been deep doun in the Lugar Dub wi an apron fou o stanes.

But thenk the Lord, Jinnet still cam aboot the place - for she wis lanesome at hame an Jean's companie wis guid for thaim baith – an that wis Jean's salvation. Tho Jinnet was gettin on in years, an no sae skeich an yauld as she had been when Hughock wis born, Jean wis gled o her cheery companie an crack, an the guid-hertit wey she tuik the twa wee anes in haun if she had extra hours tae wark at the Craigheid - for Hugh wis nou ten year-auld an whiles earnin some bawbees at the hairst, or herdin stirks on the Lugar holm at Knockroon – an that wis a great boon.

For fower lang years, she trauchlt wearily on, washin an cleanin, an even warkin at the hairst hersel gin she got the chance. Every simmer penny wis hained for the needs o winter; but aye wi a forlorn hope in her hert o mair siller frae Hugh Logan, Esquire. Jean grued every time she heard ocht aboot the latest mischance tae befaa the Laird o Logan. Young Hugh wis fourteen year auld and fee'd as a ferm servant at Borlands, when on the saicont day o April 1802, Jinnet brocht word tae her in the Craigheid that the auld Laird o Logan had dee'd at Muirkirk - whaur for a while he had resided as a hous guest o the Stewarts o Wellwood.

Her hert sank, her heid wis birlin . . . there wis nae chance o siller for the bairns nou the Laird wis deid . . . juist as weel young Hugh wis daein for himsel, an whiles bringin her a pickle tatties or neeps, or a bag o meal tae feed the weans. Then her hert liftit as an unco thocht struck her like a revelation. Young Hugh - her Hugh - wis Hugh Logan, the son o the Laird o Logan, an nane cuid deny that! . . . Hugh wis the son *an heir* o the Laird . . . There micht be nae Logan estate left, but there micht still be a pickle o siller left in his pouches, or a gowden watch an chain – she kent he had a gowd watch! . . . She wis nou free frae her aith o secrecy . . . an sae wis the auld meenister . . . an Jinnet . . . Nou she cuid tell Hugh wha his faither wis; an efterhaun she an Jinnet wad gang an see the meenister.

Tellin Hugh wis nae easy maitter. Tae be caad Hugh Weir for aa his bairnhood, and nou tae be tellt that the faither he never kent – an that denied him – wis a Laird, wis mair nor the lad cuid haunle. 'I've been caad a bastart aa my days, Mither,' he cried, 'but the real bastart is that drunken auld swine that uised tae mak us lowp oot his wey wi a swipe o his whup when we were wee bairns playin in the square - an he wis canterin hame fou frae Dumfries Hous . . . I'm gled he's deid!'

'But Hugh,' his mither besocht him, 'while ye micht hate him . . . an I'll tell ye, ye hate him nae mair nor I dae mysel . . . ye are his only son an heir, an hae a richt an entitlement tae ocht that's left oot o his estate. Sae for yer mither's sake, an for the sake o yer wee sister an brither, ye maun come up tae the manse wi Jinnet an me an the bairns, an staun afore the meenister.'

An sae it wis that a timorsome wee huddle forgethert ootside the manse on the last day o April, as Jinnet gaed forrit an gied a canny chap at the door. Grizel the hous servant answered wi a wee awkward hauf-smile o welcome, and athoot a word tuik thaim ben tae the meenister's study. The Reverend Miller wis staunin wi his airms ahint his back, warmin himsel at the coal fire, when they shufflt throu the door. On the left, raw upon raw o leather-bound tomes lined muckle buikshelves frae flair tae ceilin, an the lowe of his fire cast the meenister's lang shedda on the waa opposite. Young Hugh an the twa bairns had never seen as muckle a room - fou o buiks an pictures - or a widden flair an a carpet. Wee James gruppt his sister's haun an luikit aa aboot him wi big wide een; Agnes felt the warmth o the carpet ablow her bare feet an curlt her taes intae the pile as she squintit at names on the spines o buiks an tried tae mooth tae hersel the few words she kent frae the schule; while Hugh, a sturdy hauflin lad ootby on the ferm, nou stuid heid-doun, gawky an blate, fummlin awa at the buttons on his jaiket. Jinnet alane felt at hame in sic a place, an Jean gethert strength frae her mainner as the meenister spake furst tae her freen.

'Mistress Murray, I wis vexed tae hear o the passin ower o yer auld Maister, an that ye hae been for some time withoot regular employ . . . but wi the Lord's blessin, I hae nae dout that ye'll find anither situation afore lang.' His tone wis saft an kindly, an Jean tuik hert an held up her heid proud as he turnt tae her an the weans.

'Mistress Weir . . . We've spoken already last week, but wi your bairns foregethert here, I will say nae mair anent your past circumstances, an the iniquitous strictures placed on myself by the deceased Hugh Logan Esquire of Logan. Suffice it tae say . . . "Let not the sins of the fathers be visited upon the children" . . . but for you and these men, the Lord will decide at the Great Day of Judgment . . . Tho you hae maist grievously sinned, I am satisfied that you hae socht tae mak some amends by standing sponsor for, and presenting your twa bairns this day for baptism, an declaring for your son Hugh.'

He moved across an sat doun at his desk forenent the windae whaur a wee bleck buik lay open. Heid doun, an dippin his quill in the ink well, he speirt, 'Tell me again, what was date o the boy's birth an baptism? . . . For I hae nae mind o the date, tho a richt guid recall o the event.' Jean reponed quately an watched as he wrote in a lang slow haun – *"Logan – Hugh Logan, natural son of Hugh Logan Esq., of Logan, now deceased, and Jean Weir in this village of Cumnock, was born on the 13th of February and baptised on the 27th of March according to his mother's decn in the year 1788."*

Then he raise an beckoned wi his fingers for the twa bairns tae come forrit an staun aside a big siller bowl o watter set at the corner o his desk. Haudin hauns an luikin at yin anither wi anxious een while haudin back a wee nervous geegle – for their mither had warned thaim on pain o a guid leatherin tae behave themsels – they stuid afore this lang lean man in his bleck coat as he laid his hauns on their heids an said a wheen things they didnae unnerstaun. Then he dipped his richt haun in the watter an dreept it ower their brous till it ran doun their cheeks an kittlt their necks as he said - 'In the name of the Father, the Son, and the Holy Ghost, I baptize thee Agnes Lapraik, and thee James Begg . . . May God bless thee and keep thee, may God make his face to shine upon thee and be gracious unto thee, may the Lord lift up his countenance upon thee, and give thee peace'. Then he delved his haun intae his pouch, patted thaim on the heid, an gied thaim baith a siller thripenny afore he sat back doun ahint his desk an screived in his wee bleck buik – *"Lapraik – Agnes, natural daughter of Jean Weir in this parish and Alexander Lapraik was born on the 27th of December 1793 and baptised on the 31st April 1802." – and – "Beg – James, natural son of Adam Beg in parish of Muirkirk and Jean Weir in this village was born on the 2nd of March 1797 and baptised on the 31st of April 1802. 'N.B. The mother stood sponsor for the last two mentioned children.' "*

'The mother' – Jean - staunin close haun his richt shouder, noted that he had written doun thirty-furst instead of thirtieth o April, but wis ower thenkfu that it wis aa by, an ower feart tae let on that the meenister had made a mistake. She wis juist dwallin on this wee mishanter when the Reverend Miller stuid up aside her an spake saftly. 'Mistress Weir, aboot that ither maitter we addressed the last time ye were here, I dout nocht guid haes come o it . . . On your behalf, I made some enquiries o Mr Robertson, lawyer tae the late Laird, an his opinion was that there wis nae siller left . . . ony little that there wis went tae affset his client's board at Wellwood . . . an nae dout tae pey his ain muckle fees.' He sniffed wi disapproval an gaed on.

'He informed me as weel, that yon guid gowd watch ye talked aboot wis bequeathed on his daith-bed tae Admiral Stewart himsel. Sae I'm sorry my lass, that yer trials an tribulations hae not been eased by the passin o Hugh Logan . . . an that ye'll still hae tae wrastle awa as ye've aye dune tae raise up thae twa bairns in the sicht o the Lord. But whit ye hae dune this day, as sponsor tae Agnes an young James, tells me that ye hae the smeddum an speerit – wi the Lord's blessin - tae guide thaim alang the true path . . . I wish ye weel.'

Jean strauchtent hersel up an luikt the meenister clear in the ee – 'I thenk ye Reverend Miller for aa yer kindness . . . I've yin bairn that's aaready flown the nest, an I ken he'll mak a guid life for himself despite it aa . . . I've wrocht an trauchlt on for fowerteen year wi help frae nane, baur my guid freen Jinnet here, an my ain wits an worth . . . but nou that Hugh Logan is deid, a great wecht haes been liftit frae my sowl . . . an my hert's at peace nou that Nancy an wee James hae been christened an blessed . . . an tho we'll aye be puir, I'll cairry on daein my best tae rear my bairns tae be prood an honest folk when they're grown up.'

Getherin her twa weans ablow her cloak wi baith airms, like a mither hen, Jean Weir gied a wee hauf bow, turnt awa, an wi a firm step an heid held heich, followed Jinnet an Hugh oot intae the gloamin o a fine spring evenin.

Chapter 14

1788-1795 - THE ACCIDENT

Lord help me thro this warld o care!
I'm weary-sick o't late and air!
Not but I hae a richer share
Than mony ithers;
But why should ae man better fare,
And a' men brithers?
Robert Burns - Epistle to Dr Blacklock

The gurly watter o Ponesk Burn wis rinnin porter efter a nicht o heavy rain, as Meg led John by the haun oot ower the muir. No that she wis coggly on her feet, or needin his haun tae stell her as she skippt frae stane tae stane across the burn; for she wis as skeich an shuir-fuitit as her faither's blackface yowes that scattert up the brae wi their hauflin lambies when she landed, skaithless an lauchin, on the faur side.

John, juist ahint her, an tryin tae mak it in twa lowps insteid o three, skitit on a wat mossy stane, an sprauchlt on his hauns an knees in a fuit o watter. Meg, doublt ower wi lauchter, raxed oot wi her hauns an poued him up the rashy bank. 'Ye daft gomeril!' she choked. 'Luik at ye! Ye're droukit!'

'C'mere, ye wee besom!' He grabbed her suddenly by the waist an drew her ticht in his airms. His clashin sark front an sleeves sent cauld watter shivers throu her thin bodice, an as they kissed, he sensed her drawin back, an wunnert whit wey - for they were faur eneuch oot o sicht o Priesthill, an her faither.

"This is no the place for courtin, John.' she whuspert gently, haudin him close for the reassurin warmth o his body. 'There wis a puir wumman lost her John Broun jist ower yonder.' She hugged him tichter as she nodded toward a ruch gravestane hauf-hidden by the rashes ahint him, that marked the martyr's grave. O John Broun's hous itsel there wis nocht left, forby the faint ootline o a gavel-en an some laich auld fail-dykes aneath the sheep-crappt gress. The rest wis sunk deep ablow muir gress an rashes, as tho it had never existed.

Airms roun yin anither, they stuid for a while, wunnerin hard juist hou ony man cuid hae scraped a leevin for a wife an bairns, a hunner year back, in sic a bleak an barren place. Some micht hae said 'god-forsaken', but never a man wi the faith o John Broun wha, Meg said, had eked oot the pittance he got frae his score o sheep an a coo, by warkin wi his pack pownies as a cairrier - an that's why folk roun aboot had caad him 'The Christian Cairrier'. There wis a tear in her ee as she tellt hou

John Broun's wife an weans had tae staun by an watch as troopers dragged her man tae the gavel-en o the hous, whaur Graham o Claverhouse shot him throu the heid as he knelt in prayer, an then threitened tae kill her as weel. It wis an eerie, lanesome place, but as they sat for a while in the beild o a fail-dyke oot o the win, the heat o the late August sun dried oot their claes an brocht some warmth an cheer tae twa herts that were aaready drawn thegither as yin.

In kintraeside as open an treeless as Muirkirk, it hadnae ta'en lang for Andra Jamieson an Nance tae hear that their dochter had a laud - an wis walkin oot wi a young collier. Nor wis it lang afore Meg wis tellt tae bring him up tae Priesthill, for her faither tae speir aboot his intentions an prospects. Fermin folk aye mairrit an kep amang their ain, sae the thocht o a clarty collier chiel wi their youngest dochter had thaim gey worrit.

John tae, wis nae less worrit, for he kent fine whit the feck o folk in Muirkirk thocht aboot coorse tar warkers an colliers; an he'd uised up a hale baur o saip an near drount himsel in het water an sapples, scrubbin aff hauf a week's coal stour afore dressin himsel in his yin guid sark an pair o breeks. He had ettlt tae weir his shune as weel, but efter aa the heavy rain, he stappt thaim in his coat pouches, an ploutert barefuit throu the dubs an glaur o the toll road oot tae Ponesk brig, an up the pownie pad. Juist forenent Priesthill, an oot o sicht ahint a humplock, he sat doun on a stane by the burn an syned aff aa the clart frae his feet an legs, slippin on his stockins an shune afore he went forrit tae the door.

It wis a guid ploy, for it pleased Agnes Jamieson tae think that Meg's young man had ta'en aa this bother tae mak himsel sae trig - an they were few an faur atween that cam ower her door at Priesthill wi clean shune on their feet. An it pleased Andra tae ken that John wis frae fermin stock, an even mair sae, that he wis a kizzen o the poet Burns, whase verse had trevellt tae Muirkirk by word o mouth - an some sheet copies sent up by Mauchlin freens lang afore his Kilmarnock Poems had been prentit. An aa this wis thenks tae Rab Burns's - an his ain - freenship wi John Lapraik, late o Dalfram.

As they blethert ower tatties an a mouth-watterin mutton stew that Nance had dune as a treat, John kent there an then that he had his feet ablow anither wumman's table - an her dochter's tae, when the time came. It wis the first time he'd tastit guid meat since he left hame, an he felt a wee bit ashamed as his mind waunert back tae Irvine. He hadnae gied his mither a thocht for weeks since he met Meg; but he comfortit himsel that this wis whit she had wantit for him - tae get a wife o his ain. Mind, he hadnae asked Meg yet, but he thocht he kent her answer.

The heat wis oot o the sun when John tuik his leave. An uplan chill rowed across the muir alang wi the grey cloud blanket that driftit doun ower Cairn Table - as if tae gie warnin that Autumn wis at haun. Meg, wi a woollen shawl ower her shouders, cleikt his airm as she walked him tae the rig-en ablow the steadin. Suddenly, abune their heids, the lift echoed wi a 'touer-a-loui, touer-a-loui, touer-a-loui,' repeatit ower an ower again, tirlin frae yae braeface tae the tither, as dizzens o plovers appeared frae naewhaur, swung an melled thegither intae a great flock birlin an wheelin in the sky, afore settin course swift an steadfast for the settin sun.

John stoppt, an held Meg ticht tae him. Her airms clasped his waist, an her heid tiltit on his breist, as they stuid an watched the last burds disappear ower the faur rig; an listened intent, till the last 'touer-a-loui' faded awa intae the stillness o the gloamin. 'That's oor wee muir plovers awa doun tae Irvine for the winter, my luve,' he whuspert wi a kiss, as he nuzzled an straikt her brou, 'but my ain wee muir plover is still here wi me, an I'd like her aye tae bide wi me, an never flee awa . . . Meg, will ye mairry me?'

The banns were cried the followin February. John an Meg were mairrit on the last day o the month in the cauld vestry o the Muir Kirk by the Rev John Sheppard, afore Andra an Nance, and Meg's sisters Annie an Elizabeth; while Davie an Wull Brewster witnessed for John. He had sent a message tae his mither and faither, but it wis the middle o a sair Muirkirk winter, an ower faur tae trevel frae Irvine.

Hame wis nou a single room in Kirkgreen raw, juist alang frae the Brewsters, wi a box bed that John had cobbled thegither, an some pats an a griddle frae Nance Jamieson. Mairch wis aye a guid time for young folk in Muirkirk tae set up hous. Wi a guid lowe in their hearth an their herts, they were het eneuch thegither aneath the blankets - an cuid thole the bitter uplan cauld that aye tuik its winter crap o the auld bodies; an provided some sair-needit tocher for the young lasses. The Weedow McCron across the Green dee'd o an apoplexy, an auld Grizel Wilson passed ower wi double pneumonia the week efter they were mairrit. At the roup o their wardly gear, John picked up twa-three chairs, a shoogly table, some crockery, and an auld dresser wi broken drawers that cuid be mendit. It wis aye a stert. By the simmer, Meg had her wee room luikin gey bien an trig - an by the back-en, she had a bairn on the wey!

Life as a collier's wife didnae come easy tae Meg Broun; an even mair sae efter she'd gethert three bairns aboot her in three years - Elizabeth, James, an wee Agnes. It wis yae thing for a young lass at Priesthill tae suckle a wee orphan lamb wi a finger in the milk pail for twa or three months in the spring; but twa toddlin weans, hingin an girnin at her petticoats, an anither at her breist, on a bitter cauld winter's nicht like this, left her whiles disjaskit an sair trauchlt. Her mither wad come by on Kirk days tae gie her a haun, but that wis nae uise, for John wis aye at hame on a Sunday - an it wis ower faur tae Priesthill tae rin for help when she needit it maist. For aa the state o some o thaim, on a Januar nicht like this, wi heavy wat snaw blawin in on a snell north win, hou Meg envied thae Muirkirk village lasses wi mithers juist up the raw, or roun the corner. Oh, she wished John wad come hame!

John wis a guid man, an a guid faither, but she worrit aboot him. Siller, or the want o it, had been nae problem ower the past three years, for he'd brocht hame a guid pey ever since the new coal face opened up. John had tellt her hou easy it wis nou tae howk an shuil coal frae a fower-fuit seam; an it had been mainly guid roun coal, that fetched a better price at the pitheid. An nou an again there wis the odd leg o lamb or mutton drappt in by her faither. That wis maist walcome, an mair nor maist miners' faimilies preed - unless it had been ta'en frae the hill. But that wis a rare happenin nou, because o the penalty o a hingin, or transportation, gin a sheep thief wis gruppit. An there wis nae need for thievin, for the pits an Mr McAdam's Tarwarks were growin aa the time; an doun at Admiral Stewart's Airnwarks, the twa blast furnaces had stertit blawin this simmer - an they were aa luikin for warkers. Her faither had even tellt her that the committee that luikit efter the turnpike road cuidnae get eneuch labourers tae mend it.

No, her worry wis mair aboot John himsel. He wis nou thirty-yin, and had been warkin ablow grun for ower five year. She frettit on whit he had tellt her a lang time back when he stertit, that pick-men an ithers warkin ablow grun didnae last much ower thirty; an nou every time he went doun that pit, she feared for him. A man had been killt, an anither twa crushed an cripplt by a ruif faa juist last month, laein three wives an saxteen weans dependent on the pairish - an she an hers cuid be next. An tho he'd come oot skaithless frae ruif faas, the coal stour an hard darg wis takin its toll. His kist rummlt maist o the time wi a deep raukin hoast, an the spittle wis aye bleck or green. He hirplt when he walked, wi a beat knee that whiles needit a breid poultice; an his back had a twist that had him grippin his hochs an grainin every time he raise up frae the chair. But he wadnae listen, juist wrastlt on!

Nor did he listen for anither twa year. It wis only at the back-en o 1795, when Meg fell wi wean again, an they had tae face the drear prospect o sax o thaim in a single room, that it cam hame tae John at last, juist hou his wee muir plover had lost aa her virr an speerit, an wis dwinin awa afore his een. When he won hame frae wark early, he wad aft-times fin her blear-ee'd an sabbin by the ingle, wi three wee worrit faces clingin tae her hems, an greitin alang wi her. It brak his hert tae see her like that, but wi a growin faimily needin a guid wage, there wis nocht else for it but coal-face wark. The smeek o the furnaces or the tarwarks wis even waur than coal stour, an juist as mony there were scorched by blaw-backs frae the blast furnaces, or jaups o burnin tar frae the bilers, as were cripplt in the pits.

Muirkirk winters were bad at the best o times, but auld Edam Dalziel their neibour cuidnae mind a waur storm in his seiventy-fower years in the pairish. The win had blawn frae the east for weeks, drivin snaw-wraiths up tae the eaves o the houses. Pouder snaw driven throu cracks, lay a fuit deep alang the waaheids an inside the door; an even wi a fire roarin up the lum, watter froze in the joug on the dresser. John tried his best tae stap every hole he cuid fin wi auld clouts, but tae nae avail. For a hale week, durin the day, the weans an their mither cuddled ticht thegither in bed tae keep warm, under a hap o sheepskins frae Priesthill - an if it hadnae been for thae fleeces, Meg kent they micht hae dee'd o cauld. The melancholy hit her sair, an she despaired. She wis worrit tae daith aboot her mither an faither up there on the muir. They had been snawed in for twa weeks, an while this wis no byordinar for Priesthill, her faither wis gettin auld, an she feared that he micht get founert oot luikin for sheep on the hill, an no win back hame alive. An the nicht . . . John wis ower late hame frae the pit . . . an whit wis taiglin him? The hours gaed by, an she waited, an she feared.

Juist as she wis raxin in desperation for her plaid an cloak, tae lae the sleepin weans an gang doun tae the pit-heid, there wis a muffled rummle as John pit his shouder tae the door tae brek the frozen seal o ice an snaw, an burst intae the room as it suddenly gied wey. He stauchert an fell, an as Meg rushed forrit tae gie him a heize tae his feet, she cuid see by his grey, drawn face an starin een, that somethin awfu had happened. She steikit the door ahint him, as a whirl o pouder snaw filled the room.

"Whit is it, John?' she cried fearfu for him, an tentless o the freezin snaw on his jaiket as he clung tae her.

'It's Davie!' he whuspert, an repeatit, as if he cuid say nae mair. 'It's Davie . . . it's Davie . . . it's Davie!' Meg kent in her hert wi'oot speirin, but she had tae draw it oot frae him, tae lay the ghaists. 'Whit aboot Davie?' She murmured, gently cradlin his wat heid tae her breist, an straikin the frost an snaw frae his hair as John chittert an shook wi a mixter o cauld an grief. 'Haes Davie been hurtit?'

'Naw, hen . . . it's waur nor that . . . Davie's deid!' For the furst time in their life thegither, she saw her man greit, an as he struggled wi his words, she saw as weel, the bluidy, torn finger nails an skint hauns. 'A ruif faa . . . a muckle stane cam doun an crushed him . . . juist as he wis howkin oot the last o the coal at the en o the shift . . . Aa I cuid see wis his legs stickin oot ablow it . . . It wis the size o that table, Meg, an I tried tae shift it aff him, but I cuidnae move it . . . it tuik seiven o us uisin pinches an trees tae raise it eneuch tae pou him clear.' John shook at the thocht o the crushed heid an shapeless, lifeless corpse that they'd dragged oot on his sled in a trail o bluid, tae the pownie road. He burst intae tears again, an gruppt Meg aa the tichter. 'I've lost my neibour . . . the best neibour a man cuid hae askit for!'

Meg slipped aff his wat jaiket as she hugged him, an set him doun on a chair by the lowin fire. 'But, John,' she said wi a sab, 'I've still got you . . . an ye've got me, an the weans . . . and it micht hae been the ither wey aboot, leavin me a weedow wi three faitherless bairns - an anither on the road.' John sat there, his heid in his trimmlin hauns, an gret again at the thocht. As she stripped aff his bluidstained claes, an bathed his wounds gently wi warm watter, Meg suddenly felt a strange feelin come ower her - an inward surge o pouer, a liftin o her melancholy; a feelin that a muckle wecht wis risin frae her hert, an that Davie's daith - horrible tho it wis - wad in time, free her an the weans frae the fear o the pit. She wad be strang for John, as he had been for her ower the years; an this time there wad be nae gaun back!

It tuik three weeks afore the snaw meltit an the grun thowed eneuch tae let thaim bury Davie. That gied thaim some time tae gether themsels, an tak stock o whit had happened. John had broken twa fingers as he wrastlt wi the stane, an cuidnae gang tae wark. In a wey, he wis gled. Whether sittin by the fire at hame, or in his bed at nicht, the rummle o that stane an Davie's terrible cry as he dee'd, cam back tae haunt him. Time an again he grued at the ugsome thocht that, if he had juist pit anither shuil o coal on that sled afore he dragged it oot frae the face, he wad hae been crushed like a simmer clocker alang wi Davie. He aft-times gret at the thocht o his weans wi'oot a faither, an Meg left cairryin his unborn bairn; an nou he dreidit the verra thocht o gaun back doun that bluidy pit ever again.

He cuid never fin anither neibour like Davie. He wis ower auld nou tae stert as a pick-man himsel, an there were nae ither jobs - baur the pit-heid. His auld back an knees gowpt wi pain, an crunched like grevel ilka time he courit doun - sae there wis nae wey he cuid shuil coal on tae a bing aa day lang, in rain an snaw. An wi as mony cripplt colliers in the village, licht pit-heid wark wis gey hard tae come by. John had never felt sae dowf an disjaskit in aa his days when, at the hinner-en, he gethert himsel eneuch tae tell Meg o his fears.

'I cannae face doun the pit again, lass . . . but I dinnae ken whit we'll dae for siller. Aa the wark aboot here is heavy wark, an my puir auld banes are past that nou . . . An luik at thae hauns!' He streitcht oot his broken, scaured, swallt, nail-less fingers. 'Thae souple fingers cuid yince threid a loom smerter than ony wabster in Irvine, but nou they cuidnae tie a pownie tae a tree! . . . An even if I cuid weave, the linen tred is as deid as puir Davie!'

'Whit's for ye, will no gae by ye, John.' Meg soothed, gled in her hert that she'd let him mak this decision by himsel. 'An dinnae fash yersel aboot siller the nou, for a guid wife aye pits somethin by . . .' Wi a secret smile, she raise frae her chair, raxed doun ahint the dresser, an poued oot a wee linen poke. Lowsin the strings, she tuimt a hantle o siller on tae the table. 'See! . . . ower the years when ye were bringin hame guid money, I aye held some back, an hae hained fifteen pun an aicht shillins! . . . This is oor rainy day, John, an this siller here will keep us gaun till ye get a job somewhaur!'

Chapter 15

1796 - THE TOLL-GETHERER

To make a happy fireside clime
To weans and wife,
That's the true pathos and sublime
Of human life.
Robert Burns - Epistle to Dr Blacklock

Efter the kirk on the third Sunday o Mairch 1796, Andra an Nance Jamieson cam by wi a leg o mutton; Nance tae see her grandweans an speir hou Meg wis daein; an Andra tae speir gin John micht be weel eneuch tae gie him a haun wi the lambin in April.

'I've lost hauf-a-score o lambin yowes, John, but it cuid hae been waur . . . for I managed tae bucht maist o thaim in by the steadin afore the warst o the storm . . . an dug oot a wheen o the auld yowes wyce eneuch tae get themsels intae a beild oot on the hill . . . they were buried a fortnicht, but scartit awa at the moss for feed. Some micht hae lost their lambs, but we'll juist hae tae wait an see.

'Ech, an I near forgot! Did ye ken that the three-year lease o the new Toll oot at Darnhunch is due up in June - an that the tacksman that has it the nou is sweirt tae tak it on again? . . . That micht be the very job for ye, if ye can get it! . . . I hear the let is in the hauns o Gavin Hamilton, the Mauchlin lawyer . . . he's the clerk tae the turnpike road committee.'

'Oh, John, John, gin ye cuid only get that position, oor prayers wad be answert!' Meg cried wi excitement. 'Wi a hous oot there, we wad be nearhaun Priesthill an my mither. . . an the tollhous haes twa rooms . . . Ye'll hae tae gang for it!'

'Gavin Hamilton, did ye say?' John wis deep in thocht. 'Wis he no gey sib wi Rab Burns at Mossgiel? . . . I wunner . . . if it micht be worth while speakin wi my aunt Agnes . . . she micht pit in a word for us!'

Near on aicht year tae the day that he furst walked it, John tuik the lang road back tae Mauchlin. He hadnae airted that wey since he cam tae Muirkirk an, like the last time, he had the win in his face. But this time it wis a westlin win, saft an mild, wi a blink o spring sun tae warm his breist. Wi his worn-oot back an knees, he'd forgot juist hou lang a road it wis; but the wheeple o whaups up abune, an the 'touer-a-loui' o the muir plovers heidin back tae the hills, fair gleddened his hert an helped shorten the miles.

Even sae, it wis the grey darkenin gin he won tae Mossgiel. Gilbert Burns wis juist pittin the horses by efter a day's plouin, but tellt him tae gang awa ben the hous an see his mither. John thocht Agnes had gotten gey auld-luikin in the aicht year sin he last saw her - but nae dout she must hae thocht the same aboot him when he hirplt throu the door. An she wore a dulesome luik that he'd never seen afore. He kent that Rab's young brither William had dee'd a while back, but shuirly she wad be ower the grievin by nou. 'Guid day tae ye, Mistress Burns,' he greetit her cannily, 'an hou is life treatin ye this wather?'

Agnes Burns luikt up frae her spinnin wheel. 'Wha's that?' she demanded, squintin tae see wha wis staunin in the licht o the door. Then, efter a lang searchin luik at his face, 'Oh, it's you John Broun! My, I hardly kent wha ye were there, till I saw the likeness o kizzen James in yer face . . . ye're a lot mair like him nou than ye were the last time I saw ye! . . . God rest him! . . . Mebbe it's that ye're gettin aulder . . . ye're hirplin like an auld man! . . . But we're aa gettin aulder . . . an some o us lang afore oor time.' She stopped, an her een mistit ower wi tears.

'Whit's a-dae, Aunt Agnes?' John speirt saftly. 'Are ye no weel, yersel?'

'No me, son. I'm fine for my age . . . It's oor Robert I'm vexed for doun in Dumfries, an Jean an the weans . . . He's been gey no weel wi rheumaticks an a fever since Januar, an we've juist had word that he's had a relapse, an hasnae warked for three months nou . . . I'm feart for him . . . that he'll mebbe never wark again - or waur!

'But, whit brings ye by Mossgiel tae see us? . . . I wis awfy sorry tae hear aboot yer faither. Hou is yer mither takin it?' John had gotten word o his faither's daith juist three weeks efter the accident, an had been ower waik himsel tae gang doun tae Irvine for the burial. Agnes speirin aboot it nou brocht back awfu feelins o guilt - that he'd never been back tae see aither o thaim in aicht years; that they'd never seen their grandweans; an that he hadnae been weel eneuch tae gang hame tae kist his faither.

'I hear tell that she's haudin thegither no bad. Airchie still bides wi her, an oor Helen haes come back hame as weel, tae keep her company for a while.' Tears walld up in his een, an his vyce choked, as he went on tae tell his aunt o his ain faimily's problems - an gether the courage tae ask for her help - when he kent fine she had eneuch bothers o her ain.

But Agnes Burns wis still blessed wi a rare smeddum an a feelin for ithers, that had cairrit her throu a troubled bairnhood at Craigentoun; the trials an trauchles o failed fermin at Mount Oliphant; bankruptcy at Lochlie an her ain guidman's daith; carin for Robert's wee bastard dochter - nou a bonny lass o twal - the loss o William; an nou the lourin prospects o anither daith doun in Dumfries. Her hert went oot tae this puir lad, her kizzen's son, an if she cuid dae ocht tae help - 'I can mak nae promises, John, but we'll talk it ower wi Gilbert . . . ye'll bide here the nicht an tak meat wi us . . . an in the mornin, we'll try an hae a word wi Mr Hamilton.' That nicht, John slept the sleep o a contentit man.

The neist mornin, he woke, stiff an sair frae his lang journey, but in guid spirits. Agnes peyd nae heed when Gilbert tellt her tae bide at hame, but happd hersel in a plaid, tuik up a hazel cruik that wis stellt ahint the door, an hirlpt the lang Scots mile doun tae Mauchlin Cross wi the twa men. As they gaed doun Castle Street, juist aff the Cross, Gilbert pyntit oot the rid sandstane hous whaur Robert had steyed wi Jean Armour afore they flittit tae Ellisland. Nearhaun wis a fine twa-storey hous, biggit agin the waa o an auld castle tower that raise heich abune aa the Mauchlin ruifs. John mindit seein the auld castle ruin as he passed by on his wey tae Mossgiel, an had wunnert aboot it. 'That's Gavin Hamilton's hous.' nodded Gilbert. 'Juist haud here a-wee, till I chap the door an see if he's at hame.' A young servin lass answert, and gaed awa tae see if her Maister wad be at hame. Five minutes o waitin, an they were ta'en ben tae a grand room, lined frae flair tae ceilin on three waas, wi raws an raws o stoury law buiks. Ower by the windae wis a muckle desk, the ae side covered by piles o rid-ribboned scrolls, an the tither hidden ablow yet mair stoury buiks. Ahint the desk, sat a stout man o middlin years, his roun rid face an claret-bottle neb set in grey-white haffits ablow a baldin croun. He raise wi a courteous smile when Agnes Burns cam in, an poued up a chair for her. Gilbert an John stuid forenent him.

'Mistress Burns, it's guid tae see ye, but whit brings ye tae my door this mornin? . . . It's nocht tae dae wi Gilbert's lease o Mossgiel, I hope.' John saw that Gilbert luikt a wee bit pit oot by this remark an fidged on his feet afore he spoke. 'We're no here aboot that, Mister Hamilton.' he butted in. 'Naethin haes chynged since oor last meetin on that score . . . It's tae dae wi my kizzen here, John Broun, an my mither wad like tae speak for him . . . but John will speak for himsel furst.'

Gavin Hamilton leaned back in his chair an listened, snortin a wee pinch o snuff an tappin awa at his sneeshin-mull, as John tellt o his misfortunes, an hou he had heard that the Darnhunch Toll wis up for let, an hou it wad save his faimily frae the Pairish if he cuid get the post. Then Agnes Burns spoke up.

'I ken ye were guid tae Robert when he wis here in Mauchlin, Maister Hamilton, but I dinnae ken if ye hae heard frae him o late.' Hamilton stiffened, an luikt lang at the auld wumman afore he replied. He saw hurtin an sadness in her een, an guessed at somethin faur wrang.

'Mistress Burns, I haenae seen Rob or even had a letter frae him for aicht year nou . . . Dumfries cuid be as faur awa as the Americas . . . an I maun confess we didnae pairt the best o freens, on account o a maitter o business that I'll no gang intae!'

At thae fell words, John's hert sank - aa his hopes sundert - Meg wad be in despair! Whit wad he tell her?

'. . . But I've been kept weel informed o his fame an progress by my guid freens an colleagues in Embro an here in Ayrshire, an I ken he haes spoken highly o me in conversation . . . It wad please me tae tak his haun again 'for auld lang syne' . . . Hou is he farin in the Excise? . . . the last I heard wis that he had a promotion . . . an that he had ta'en tae writin ballads an sangs for a Collection.'

'Weel, Maister Hamilton, I hae my douts gin ye'll ever haud Robert's haun again, for he's been ta'en badly wi a rheumatick fever, an haesnae warked for ower three months . . . he micht never wark again. I've had a letter frae Jean juist last week tae say that he's failin, an can hardly walk wi'oot a stick . . . I'm sair vexed for thaim baith, an the weans . . . for I'm feart Robert will no see in anither year.'

Gavin Hamilton luikt gey shaken by this news, an John cuid imagine he wis feelin the same stouns o sorrow an guilt ower Rab, that he had juist felt aboot his faither.

'Mistress Burns, it grieves me sair tae hear these sad tidings anent Rob. He wis aye a dear brither tae me when he wis at Mossgiel, an I still treisure his poems an aa the memories they haud . . . I'm sad that we hae driftit apairt ower the years . . . an I can only hope an pray that ye'll hear better news frae Dumfries gin the simmer wather comes . . . an that I will yet again tak the haun o my auld freen.' He turned tae John. 'Mister Broun, ye come frae a faimily beset by sair misfortune, an ye yersel wad seem tae hae mair nor yer fair share o mishanters. I unnerstaun that ye'll hardly be able tae raise the quarterly rent o a tacksman for the lease o the toll at Darnhunch, but I can let ye ken, in confidence, that sae faur nae ither body haes shown an interest in biddin for the lease as a tacksman . . . it's ower faur oot in the wilderness! The offer closes neist Friday, an if there are nae bids, it faas tae the Roads Committee tae employ a toll-getherer at Darnhunch. As the Clerk tae the Committee, it behoves me tae select an appoint a suitable, honest man for the position . . . Dae I tak it then that ye micht be interestit in this post, shuid the chance arise?' He closed his speech wi whit John thocht wis a wee wink frae his left ee.

'Maister Hamilton. Shuid the chance arise, I wad tak it wi baith hauns, an my wife an faimily wad be forever in yer debt, Sir.' Blin wi tears o thenks an joy, John steppt forrit, an gruppin a saft pink palm in his muckle, ruch, coorse, scaured nieve, warmly shook the lawyer's haun.

John thenkit Agnes an Gilbert frae the bottom o his hert as they left Gavin Hamilton's hous, but declined their offer o anither nicht at Mossgiel. Tho time wis weirin on, he cuidnae wait tae tell Meg, an straucht awa set aff in haste for Muirkirk, aa his aches an pains forgotten. It wis efter dark gin he won hame, an the bairns were lang beddit doun. Meg fell aboot his neck sabbin wi joy at the prospect o sic guid news. It wis a lang, lang week, waitin an prayin that naebody wad be sae cruel as tae come forrit nou wi a tacksman's bid, an rob thaim o their only chance o happiness.

The sun shone for their flittin in the last week o July. Hauf the street wis oot tae see thaim aff as the wee procession left Kirkgreen wi a horse an cairt borrowed frae the fermer at Crossflats, an auld freen o Andra Jamieson. A fortnicht earlier, Meg had been confined wi anither son, Archibald, but nae lyin-in wis gaun tae haud her back frae her new hous! Heich abune thaim aa, she lay wi her new bairn happt in a woollen shawl on a strae mattrass set amang the table an chairs an pots an pans; keppin an gleg ee on the twa wee yins, James an Agnes, in case they fell aff the cairt in their excitement. Young Elizabeth wis gey prood o hersel, haudin the reins, an walkin barefuit wi her grandfaither at the heid o the horse; while John wis kep thrang for a mile oot the road, huntin aa the street bairns that were tryin tae get a hurl an a hing frae the back o the cairt.

For Meg, the journey itsel wis an escape back intae the kintraeside she luved. She'd miss her guid neibours, wha had aye been there in time o need, but she wadnae miss the stink o tar an sulphur in the reek that aye hung ower the village an turnt her new-washed claes bleck on the bleachin green. An her mither wis juist three mile awa nou, insteid o fower - an that wad mak aa the difference. Trauchlt wi three wee bairns, she had never been able tae venture faur frae her doorstep in aa her years in Muirkirk; an it had been a fou twalmonth since she had airted oot by Ponesk, trailin wee James ahint her while Agnes rade on her faither's shouders, an Elizabeth ran on aheid pickin gowans. It wad be guid tae dae that mair often; an the bairns wad hae the muir tae rin on, an kirstal-clear burns tae guddle troots an paidle in; insteid o thae foul, clarty syvers rinnin throu the village.

John tae, had his ain thochts as he silently walked ahint the cairt. The news had juist spread throu the kintraeside like wildfire, that Scotland's Bard, Robert Burns, had dee'd in Dumfries on the 21st o July, an that a grand funeral wis tae tak place on the 25th. His ain joy at the birth o his saicont son, had been aff-set by the daith o his kizzen Rab. They'd only met twa or three times, when Rab warked in Irvine at the flax hecklin, lang afore his poems made him famous - an he wis puirly even then. Yet, if it hadnae been for Rab Burns, he wadnae been here! His wee muir plover up there on the cairt had recited Rab's verses tae him, the furst day they met at Ponesk Brig. The auld herd wi the wee lass at the horse's heid wad hae been sweirt tae let his dochter mairry a collier chiel - but he had been Rab Burns's kizzen! Gavin Hamilton wad hae shown him the door when he speirt aboot the job - had he no been Rab Burns's kizzen! His heid boued on his kist in a wee prayer o gratitude an feelin for his aunt Agnes, an Gilbert. Wad Gilbert get doun tae Dumfries for the funeral? His thochts were wi thaim baith - an Rab's puir wife an bairns.

But God be thenkit, he nou had a guid life for his ain wife an faimily. Tho his knees still gowped a bit, his back had settlt doun, an for the furst time in years, he wis breathin easy, wi less o a hoast; an his bleck spittle had turnt white. He soucht in the caller air an gied thenks that he wad never again hae lungs fou o coal stour.

His wark wad be in the open air - hail, rain, sun or snaw - he wadnae mind. He opened an shut his scaured hauns. They were mair souple an less swallt, an he reckoned that mendin holes in the road nearhaun the tollhous wi twa-three shuils o grevel, wad be nae bother at aa, compared wi loadin sleds o coal doun the pit. Mr Hamilton had warned him aboot ruch drovers an cairters tryin tae rin beasts an cairts throu wi'oot peyin their dues, but he wis braid an strang frae his years in the pit, an kent he wis still a match for maist men hereaboots. They cuid try it if they daured!

Frae Ponesk Brig, the turnpike road tuik a wee raise alang the brae face by Darnhunch ferm, afore it turnt roun the en o a rig, ower the county border, doun the Watter o Douglas, an on tae Lanark an Embro. The tollhous wis set on the brae face, twa furlongs ayont the ferm, an luikit back doun ower the valley o the Ayr tae the pownie track frae Priesthill. Meg felt she wis hame. John an her faither gied her a haun doun aff the cairt, an stuid watchin as she went forrit an cannily pushed open the creakin door. The kitchen wis aboot the same size as Kirkgreen, an had been left like a midden by the last faimily; but Nance an her kizzen Alison, had redd oot maist o the trasherie an gied the flagstanes a guid scrub. On the windae-sole, they'd set a broun stane jaur wi a bunch o fresh meedow flouers. Meg had a wee happy greit. The lauchin weans ran skippin ben tae their ain room – an their mither an faither luikt forrit tae some peace at nicht.

John tuik ower the tollbar the neist mornin, wi his table o chairges tae learn - a coach an fower horses 2s 6d, a coach an pair 1s 6d; a waggon drawn by sax horses 6s, drawn by three 2s; a horse sledge 6d, an a pack horse 3d. A drove o kye wis 10d a score, an sheep or cauves 5d a score. It wis a quate road maist o the time, an at furst he had tae mind no tae chairge the Mail coach, for it wis exempt; nor corn for the mill, nor folk tae the kirk on Sundays. But he enjoyed his crack wi the fermers, the cairters an the drovers; an fand that keepin a calm souch, wi a smile or a lauch, wis mair tae his profit, than a thrawn, crabbit, greitin face that wad stert a collieshangie. At 14s a week, the wage wisnae the best, but he wis rent-free, an trouble-free, wi a guid bank o peat on the moss, an the odd daud o coal aff a cairt tae keep the hearth warm. Wi mutton frae Priesthill, an a wee plot o grun ahint the hous for tatties, neeps an kail, John wis content.

Settlt in his wark, there wis even time nou an again in simmer, when the road wis clear, tae gang doun the Watter o Ayr, or up Ponesk, wi a fishin wand an some worms, an bring hame a creel o gowden, rid-specklt troots. Meg wad hae Elizabeth on the luik-oot, ready tae rin an fetch him if they saw trevellers in the distance; for it wis aye worth the effort for a panfu o wee, sweet, fresh burn troot fried in butter an oatmeal for her growin weans. Wi her bairns rinnin free, an her man in guid health, she wis happy sittin at her front door wi her spinnin wheel in the simmer sun, or by the lowin peat fire on a winter's nicht wi the bairns cuddlt doun ben the room.

At the back-en o the followin year, when Meg wis again wi bairn, John gat news that Mr Hamilton had been dismissed frae his post as Clerk tae the Mauchlin Road Trustees. He wis sair fashed that he micht himsel loss his job when his three years wis up; but Meg had eneuch bothers wi anither wean on the wey, sae he kep quate, an hoped that honesty an hard wark wad speak for him neist time.

An that mirk December efternuin, juist afore Yule, he had eneuch worries o his ain when Meg's confinement stertit. In the drivin sleet an rain o the grey darkenin, he cuidnae send wee Elizabeth ower tae Glenbuck for Alison an her mither, sae had tae rin the mile himsel, laein the fower bairns wi Meg - an her pains gettin waur by the minute. Elizabeth had dune awfu weel, keppin the wee yins ben the room, whiles haudin her mither's haun, an tendin a kettle o bilin watter on the swee. Gin John won back, the croun o the bairn's heid wis showin, an he wis gled tae hae twa skeely weemin, weel uised tae the lambin, tae bring his new wean intae the warld. Turnin the bairn tapsalteerie an giein its dowp a skelp tae mak it greit life intae its gaspin lungs, while her mither smertly tied the cord an gethert the efterbirth - Alison cried oot 'It's a bonny wee lass, Meg! . . . Whit are ye gaun tae caa her?' Meg raised her wearit heid frae the pillow, her airms ootstreitched tae collect her wee bundle, aaready swaddled in a warm woollen shawl tae kep oot the bitter winter cauld.

'Jean . . . I'm gaein tae caa her Jean.' She smiled, as she put the wee pink lips tae her breist, an happt the blankets aboot thaim baith.

But Darnhunch Tollhous hadnae seen its last o new bairns. The neist spring, John wis fillin in some winter holes on the Muirkirk side o the tollhous road, when his een were drawn tae a man walkin in the faur distance. As he cam closer, John thocht he kent the gait. It wis his brither Airchie, that he hadnae seen for near on ten years.

'Airchie!' He went forrit an gruppt him roun the shouders. 'Whit are ye daein up here?' He hauf feared the answer afore he askit the question.

'Aye, John . . . Mither dee'd a fortnicht syne. She juist slippt awa in her sleep, wi nae warnin . . . I kent ye cuidnae be lowsed frae toll-getherin for her burial, sae I thocht I'd juist come up an tell ye mysel.' He swithert, then went on '. . . Eh, there's naethin tae keep me doun in Irvine nou . . . for the wine tred imports is gey puir because o the Napoleon Wars, an they're no needin coupers. Sae I've left hame an thocht I'd try my haun at the airnwarks or the pits.'

'Naethin tae keep ye in Irvine? . . . Nae lass tae haud ye back, then?' John chaffed. 'An whit kin o wark are ye luikin for in the pit, Airchie? . . . For heavy wark did for me efter seiven year . . . an ye're aulder nor me!'

'I'll settle for whit I can get when I stert luikin the morn . . . I've naewhaur tae stey, John . . . Can ye tak me in for a wee while till I get ludgins?'

'I've a wife an five weans, an only twa rooms . . . we micht cuid pit ye up for twa or three days . . . but nae mair. I'll hae tae ask Meg.' Big-hertit Meg fand Airchie a corner o the bairns' room, an brocht Elizabeth ben tae the kitchen tae sleep on a strae mattrass by the ingle, till, like his brither afore him, he fell in wi some auld cronies frae Irvine an gat ludgins doun by the Linkieburn. A week later, John heard he had won a job as a pownie driver, an apairt frae the odd dauner oot tae see thaim on a Sunday, Airchie juist kep himsel tae himsel - or sae they thocht.

Early the followin simmer, Meg fell again - juist aboot the time John fand oot that his job as toll-getherer wis safe for anither three years - an mebbe the faut o a wee celebration on their pairt! In the middle o August, Airchie appeared oot o naewhaur, luikin gey waefu an pit aboot.

'Whit's wrang wi you, big yin?' speirt John. 'Ye've a face on ye that wad turn milk! . . . Hae ye lost yer job, or haes yer pownie dee'd?'

'Naw, it's waur nor that, John!' his brither gruntit. 'I'm gettin mairrit!'

'Weel dune, Airchie! An it's no afore time! Ye're the auldest - an the last - even wee Tammas bate ye tae it by five year! . . . Wha's the lucky lass?'

'Mebbe no sae lucky!' Airchie mummled. 'I've bairned a wumman caad Agnes Gibson frae Sorn, an nou I've got tae staun by her . . . Mither made me promise that I'd never wrang a lass . . . She's warkin in service oot at Wellwood, but we'll hae tae move awa frae Muirkirk unless I can fin us a room . . . she can hardly share my ludgins wi three colliers! . . . Will ye staun witness for me at the kirk vestry on the thirtieth o this month at twa o'clock?' John promised, an Meg offered tae hae a wee getherin for the new-mairrit couple efterhaun, oot at Darnhunch.

On the waddin day, John wis at the vestry door at the appyntit hour, while Meg gat things ready at hame. When Airchie cam up the kirk pad wi his spouse-tae-be, John's een stuid oot like curlin stanes. Agnes wis the size o a blast furnace! He'd expectit she micht be showin a wee bit by nou, but Airchie must hae bairned her aboot last November! An he micht hae had the gumption tae let Meg an him ken! Introduced in the vestry tae Agnes - or Nan, as she wis kent - John's mind waunert aa throu the betrothal as tae juist hou in God's name wis he gaun tae get Airchie's bride oot tae Darnhunch, faur less back tae their new room at Megslee. An whit wad his Meg say!

'Och, I'll be fine, John.' reassured Nan, as they cam oot o the kirk intae bricht sunshine. 'I've a wee while tae gang yet, an three mile is juist a dauner tae me!' John wisnae sae shuir, an at the hinner-en, Nan wis gey gled tae hap on the Darnhunch hey waggon for the last mile. If Meg wis dumfounert, she didnae show it, but made her guests at hame, an wi a wumman's insicht, made up beds for aa the bairns in the kitchen; for she kent fine Nan wisnae gaun hame tae Muirkirk that nicht. The waddin feast wis modest but fillin, wi a guid scotch broth, then tatties an kail, an a leg o lamb frae her faither, an kebbuck an fresh bannocks tae feenish, washed doun wi a flagon o yill John had brocht hame wi him frae the Irondale Inn. The weans were aa steirt-up an cairryin-on like dafties wi their uncle Airchie an his new wife in the hous, an it tuik hours, efter they were aa beddit doun, for thaim tae faa asleep.

Meg hersel wis restless, kicked an rummlt aa nicht by the bairn in her ain wame, an juist when she an John had dovert ower - aboot sax in the mornin - there wis an almichty cry frae the room, an Airchie cam staucherin ben wi a caunle in his haun, an a frichtit luik in his bleart een. 'John, Meg, there's somethin wrang wi Nan! . . . She's got a sair belly . . . mebbe it's the broth or the lamb . . . for she ett ower muckle yestreen!'

"It's no my broth!' muttered Meg ablow her braith. 'Mair likely the bun he pit there nine months back! . . . She'll be stertin her pains, an that's aa we need this nicht!' For yince Meg's guid nature left her, but when she saw the feart luik in Nan's face, as it twistit wi the labour pains, her wumman's hert went oot tae her. Nan wis nae chicken, a stout lass thirty year auld or mair, an this wis her furst bairn. While she hersel had only been aboot twa hours wi wee Jean, her fifth, this cuid be a lang confinement - it luikt like a big bairn, an she micht be better wi the howdie-wife tae tend her.

Efter a plate o parritch that Airchie had nae stamack for, Meg sent him at fou gallop intae Muirkirk tae fetch back Mirren Braidfuit the howdie; an tellt John tae tak Elizabeth an the three middlin bairns across tae Alison at Glenbuck. She kent fine that the Tollhous wad be nae place for wee searchin een an cockit lugs this lang day. Fower hours later, when Airchie arrived wi auld Mirren, Nan's pains were gettin strang an sair. But as the efternuin dragged on wi nae progress, John left the weemin tae the hous, an tuik Airchie a dauner ower tae the Douglas Watter, juist tae get him oot the road an caumed doun. As they got nearhaun the toll on the wey back, a risin clood o white stour on the Muirkirk side tellt John that a drove o beasts wis comin by, heidin for the Lanark market. 'Help me coont thae kye, Airchie!' he cried, as the wild e'ed wee bleck nowt clattert by, slaverin, skitterin, an duntin yin anither wi their heids an horns, as they squeezed atween the nerra dykes at the toll bar. Yin nearly got awa, an wis heid an shouders throu the door o the tollhous, when Meg skelpt it on the neb wi a besom an sent it lowpin back intae the herd. 'Aichty-twa!' shoutit Airchie, distractit for a minute frae his thochts.

'That'll be three shillins an fivepence, my freen.' John demanded frae Edam Begg, a wee stourie drover frae Muirkirk, wha draw level juist as a muckle scream, then anither, cam at thaim oot the hauf-steikt door. 'Whit in Hell's name wis that!' jumped the wee man, ready tae rin.

'It's my guid-sister,' explained John. 'She's haein a bairn.'

'God, she near had me wi kittlins!' retortit the drover as he delved in his pouch for the siller. 'Guid luck tae her!' he noddit tae Airchie, wha wis nou as white as a sheet, 'Raither you nor me, freen! . . . I like my weemin, but I aye mak shuir tae keep mysel as faur awa frae thaim wi bairns as I can get!'

That wis juist the stert o Nan's real labour. Wi strang pains comin every twa or three minutes, an nocht tae gie her relief, apairt frae Meg rubbin her back when the pain gat bad, an squeezin her haun an dichtin the sweit frae her brou efterhaun, there wis nocht for the twa weemin tae dae but keep her companie, talk tae her, an gie her wee sips o cauld watter tae ease her drouth frae aa that pechin an screchin. The bairn wis big, an it wis midnicht afore its heid had drappt faur eneuch for Nan tae stert the pushin. By nou the puir lass wis faur-gane, an sae waik an wabbit, that Mirren had tae uise aa her wiles - wi flytins an sweirins - tae gether her failin strength for yae last effort.

'Push, lass, push . . . Push hard for the bairn's sake . . . ye're nearly there . . . dinnae gie up nou . . . c'moan, c'moan . . . he's got bleck hair juist like Airchie . . . yin mair push!' Nan, wi her een rollin, an her rid face near burstin, gave a desperate last shove and an almichty yell. As the wean's heid cam throu, Mirren, wi canny skill eased the muckle shouders free, an the rest cam easy. 'It's a big laddie, Nan . . . Airchie will be awfu prood o ye!' Nan didnae hear a word - for she wis aaready sleepin. Airchie, fidgin up an doun ootside the front door wi John, heard naethin aither, for when Nan let oot that frichtsome scream, he drappt doun in a dwam, an only learnt he had a son when John tuimt a joug o cauld watter ower his heid. 'Whit the hell are ye daein?' he lashed oot at his brither.

'Juist wattin yer bairn's heid, Airchie!' John lauched. 'Whit are ye gaun tae caa him?' Airchie squintit, an rubbed the watter oot his een, juist tae hae thaim fill again wi tears. 'James. . . efter oor faither. Juist like you did. Mither wad like that.'

Fower months later, juist afore the Yule o 1799, young Thomas Broun wis born in Darnhunch Tollhouse - in less than an hour! An for Meg, he wis the last!

Chapter 16

1815 - THE BIGAMIST - AFOREHAUN

Twa gaed to the wood, to the wood, to the wood,
Twa gaed to the wood, three cam hame:
An't be na weel bobbit, weel bobbit, weel bobbit,
An't be na weel bobbit, we'll bob it again.
Robert Burns - The Bob o Dumblane

On a cauld blashy November mornin forenent the yett o Maybole Castle, aicht score men and hauf as mony weemin foregethert in the High Street for the Mairtinmas Feein Fair. Droukit an chitterin, thin claes clashin weet frae the heavy shouers stottin aff the causey stanes, some stuid wi their backs tae the win like nowts on a rig-en, while ithers socht the beild o door-mouths an gable-ens.

It wis a faur cry frae the warm days o the Mey an August Fairs when the douce folk o Maybole melled wi Carrick fermers an their wives, herds an ploumen, ferm labourers an their weemin, as thousans thranged the booths an stalls in Maybole High Street. Chapmen an hawkers, tinklers an farriers, tailors an haberdashers aa sellin their wares - bonnets an claes an shune, ribbons an gee-gaws, pots an pans, pownies an ferm graith. Soothsayers an yill vendors pairtit fowk gey quick frae their siller - an the barley-bree pairtit a wheen mair frae their wits. Lads an lasses daffin an lauchin, trystit doun the Black Glen in the gloamin, when ower muckle yill had lowsed their breeks, bodices an morals; while at the preachin tent, like black an white collie dugs, the meenisters barked an worrit an focht in vain tae gether in the strays frae their flocks - tho kennin fine that the day o judgement for a wheen wad juist be nine months awa - an they cuid bide their time.

But on this bleak Autumn mornin there wis nae sic daffin. Bien an bunneted stout rid-faced fermers in warm coats an gaitered breeks struttit back an forrit amangst the huddles, stoppin and castin a practised ee ower the puir folk like they were buyin queys at Ayr mercat. Nou an again a finger wad poke a kist, or a haun on the shouder micht gar a young chiel birl roun, an the fermer wad speir twa-three questions. Gif the repone wis tae his likin, a guid haun-shake an a florin sealed the bargain o a sax-month hire.

For mony, Mairtinmas wis a desperate time. Aulder ploumen an byremen were aye in demand, but no auld ferm labourers. Wark wis ill tae come by at the back-en, an wi nae wark their faimilies cuid sterve. It showed in the dowf, worrit faces o the aulder men, an the sag o their shouders an heids as fermers waled oot the pick o the crap o sturdy young callants an left thaim staunin disjaskit; kennin fine that ony jobs

Kirkoswald and Maybole to Ayr

left wad be the scrapins o the parritch pat an gey puirly peyd - split atween thaim an bare-fuit young hauflin lads keen tae tak ony wark. An the same went for their faimilies - wi the weemin-folk expectit tae gie the mistress a haun in the fermhous, dae byre wark an the milkin, or mak cheeses, while their bairns had tae herd kye or sheep, an help oot wi the hairst.

John Stewart gied a wee quate souch o thenks as Auld Baltersan gruppt his haun wi a gruff grunt that wis mair an order than a question - 'Ye'll can stert the morn then? Eh?' Maybole wis a faur cry frae New Cumnock, an he had ta'en an unco risk trevellin thae thirty miles tae hunt for wark doun nearhaun the coast at the back-en o the year. But ower the winter months in the uplan pairish, auld fermers were gey sweirt tae tak on labour when the grun cuid be airn-hard ablow a fuit o snaw for sax or aicht weeks, an they micht hae tae pey a man for daein nocht. An that wis no a fermer's wey.

For twal year - frae the time he wis a wee lad o ten sneddin thistles an dockens wi a heuk, an forkin hey tae dry it oot in the wat summers - he'd wrocht wi his faither Wull at Mansfield Mains. Durin this time, wi a guid price for beef, hides an wool, the Laird did weel oot o the Frenchie Wars against Bonaparte; but nou that Auld Boney wis safe in gaol in some fremit place caad Elba, the ferm prices had drappt richt doun; an nae mair cuid the Laird afford tae pey grown men like him - when he cuid get the same wark dune by hauflin lads at hauf the term-fee.

The Laird's grieve offered him wark doun his maister's coal pits, but he grued at the verra thocht. Tho the money wis guid, even the drear prospect o leavin hame in winter wis better than back-brekkin darg doun some clarty bleck hole - for John Stewart wis gey easy scunnert o hard wark. He wis a wee shilpit-luikin chiel, yet as strang as a whitreck, an no ill-faured - wi a face that wad get a scone at ony door, an a slee siller tongue that cuid chairm a lintie frae a briar bush. When the grieve wis cryin oot for a muckle task tae be dune, oor John aye made shuir that he wis weel oot o sicht or hearin, an eident an fasht at some ither wee ploy.

Baltersan Mains lay in the pairish o Kirkoswald, facin the auld Tower o Baltersan across the Girvan Post Road. The tower wis an auld Kennedy castle, John shuin fand oot, that had been biggit ower twa hunner year back on the lands o Crossraguel Abbey by John Kennedy o Pennyglen - no lang efter his kinsman Gilbert Earl o Cassilis, 'The King o Carrick', had roastit the Abbot o Crossraguel on a spit in Dunure Castle till he signed ower the title deeds. A gey ruch crood doun here, John had thocht – an thon puir Abbot wis a Stewart like mysel - sae I'd better keep my ain counsel for a wee while!

It wis a muckle ferm, ane o the biggest on Cassilis estates an three times the size o Mansfield Mains; an when he tramped intae the courtyaird that neist mornin John Stewart wis dumfounert tae learn that, forby the tenant fermer an his faimily, there wis a plouman an a cattleman an their faimilies as weel as three single labourers like himsel. Wi the biggin o the new castle at Culzean, aa the ferms roun aboot had been enclosed an improved ower the past forty year by Earl David, an then by Archibald the First Marquis; an John Stewart wis gleg eneuch tae see that the grun here wis faur mair fertile than up by in New Cumnock. He had left frost-brunt withered pasture at hame, yet doun here the gress wis still green, an the bleck Galloway nowt still sleek an fat. The stackyairds were stowed wi weel-theikit corn stacks, an the kists aaready hauf-filled wi grain. He cuid see there wis plenty o threshin still tae be dune, an wisnae ower keen on the prospect.

John Ferguson the cattleman met him at the byre door. He wis a big stout grizzled man o fifty wi a queerlike saft wey o speikin Scotch that John wis no acquaint wi - a wee bit like the speik o yon Irish tinklers that had ance come aboot Mansfield luikin for wark - or hens tae steal. Then Sibbie his wife cam oot, curious tae see the new lad; an ahint her, their dochter Mary, a sonsie, bonny lass aboot twinty. They aa speik the same wey, thocht John as his een met Mary's, but it's gey pleisant tae listen tae - an this lass as weel.

'I'll tak ye tae yer ludgin the nou, lad', said Ferguson gruffly, catchin the glance that gaed frae dochter tae the new man. 'It's in the laft abune the meal-hous.' John picked up his bundle an followed the big man across the close an up a widden ootside stair at the faur-en o the barn. Liftin the sneck, the cattleman swung open the creakin door an pyntit wi his ither haun. 'Yon's your corner . . . there's aye plenty o fresh strae dounstairs gin ye need it for the mattrass. The ither three are awa getherin wrack this mornin, sae ye can gie me a haun tae muck oot the byre till they get back.' John blinked as his een gat uised tae the gloom an he cuid juist pick oot fower strae mattrasses, ane in ilka corner, wi a stoury table an fower stuils in the middle o the flair, and twa-three coats hingin frae widden pegs on the ruif-trees. Thin blankets lay crumplt on the beds aside each man's wee bundle o claes an belangins.

John wis puzzled. 'Wrack? . . . Whit's wrack?' he heard himsel say oot loud.

'Whit! Ye dinnae ken whit wrack is!' cried Ferguson. "Whaur in Heaven's name dae ye come frae, man, that ye dinnae ken whit wrack is? . . . New Cumnock! Ach, I micht hae kent! I suppose ye'll never hae seen the sea aither? . . . Weel, wrack is the seaweed, an we gether it at the back-en an mix it wi lime shells an the shairn frae the midden tae pit on the fields as manure. It gies a guid crap o corn an tatties as weel as guid pasture.'

Ower the neist twa months John learnt the hard wey aa aboot wrack an shairn, for efter every back-en storm the bays an beaches alang the Ayrshire coast were piled heich wi rotten seaweed that cuid be smelt for miles inland. It wis the great annual boon frae the sea, a free hairst that brocht fermers doun wi their cairts frae miles aroun, like dung flees tae a midden. Rinnin doun tae every bay an shore were the wrack roads, weel bottomed an weel uised, for it wis the free richt o every cottar an fermer tae tak their cairts doun tae the beach wi'oot let or hindrance. On the Cassilis estate ilka year, hunners o cairtloads o wrack dragged an creaked for miles alang the ruch tracks back tae the ferms, an puir John's back wis gowpin an sair an his hauns rid-raw an blistert, gin they had forked their hinmaist load. For day aboot, he wis aither loadin frae Balchriston shore three mile awa, or up tae his hochs in Baltersan midden, cowpin wrack an seashell lime intae the cou shairn that wad be skailt ower the fallow fields the followin August.

Gin he'd had his ain wey, an tae mak his life easier, John wad raither juist hae skailt the wrack straucht on tae the fields like some o the puirer tenants, but the heid grieve had gied instructions for a proper manure tae be mixed an uised on the Earl's properties - an the pruif wis there in the green Baltersan pasture an the fat nowt. Life at Baltersan wis no wi'oot its blessins tho; for back hame on a winter morn he wad hae been up at 5 o'clock wi a flail, threshin corn for three hours afore rubbin doun the horses for wark ootside till the darkenin. But doun here they had a new-farrant threshin machine - a gin warked by twa horses gaun roun in circles wi a wee lad at the reins - an aa he had tae dae wis fork in the sheaves, fork oot the strae, an stack the fou secks o grain.

Even sae, he hardly saw Mary aa winter, forby when she pit his bowl o parritch afore him at breakfast, an his brose an herrin at nicht - an her auld faither wis aye there juist across the table. An maist nichts efter wark, he wis that forfochen an sair that he wis juist gled tae get up thae stairs tae the bothy for a mutchkin o yill wi the lads an a gemm o cairts by the lowin fire afore beddin doun. Efter the wrack hairst an the threshin cam the winter plouin, tendin the horses for auld Mungo McDowall; an winter-feedin the nowt. An doun here by the coast, spring lambin cam early, wi the furst lambs born in January, aboot three months aheid o the hill sheep o New Cumnock pairish.

Ae day at the en o Mairch, when a waik spring sun wis trickin oot the furst gowden blooms frae the whins on Mochrum brae, John wis humphin a truss o hey across tae the stables when Mary cam rinnin throu the yaird kiltin her skirts abune the glaur an cryin 'God save us aa, God save us!'

"Whit is it Mary?' John gruppt her by the shouders an shook her. She drew close tae him an he cuid see the fear in her een as she sunk intae his airms, an he felt the warm heavin o her breists agin him as she caumed hersel doun. Her mither an faither had gethert roun by this time an John cannily lowsed his grip an stuid back.

'I've juist come back from Maybole, an there's a crood o folk doun the High Street ootside the Castle, an a Sergeant frae the Fencibles is luikin for volunteers tae tak the King's shillin. They are sayin that Bonaparte haes escaped frae Elba an is mairchin up throu France at the heid o a muckle airmy. Some o the ferm lads an souters hae jyned up aaready. Oh, mither an faither, God help us if they come ower here!'

'Ach, they'll no dae that, lass. Oor Navy will blaw them aa oot o the watter . . . if Wellington disnae get him furst!' Her faither put his airm roun her shouder an gied her a wee hug. For the neist three months, the kintraeside wis crawlin wi rumours o Frenchie spys comin ashore frae strange ships in the Clyde, an bizzin wi tales o victories an defeats awa ower in France. In thae doutsome times, John an Mary fand themsels drawn mair an mair thegither in wee simple weys - Mary haudin a horse's heid while John checked for a cast shae, or John bringin ben a pitcher o watter frae the wall - an their fingers wad touch an hauns clasp an haud ticht as lang's they daur if her mither or faither were aboot.

Doun at Culzean, the Marquis, as Colonel o the West Lowland Fencibles, wis privy tae events in France, an gradually the dulesome gossip frae ablow stairs tuik on a mair cheerfu note that burst intae a resoundin flourish o fifes an drums in the middle o June, when word cam throu of Wellington's great triumph at Watterloo. The Marquis wis awfy keen that aa his loyal tenants and their servants shuid share this famous victorie, an declared a day's holiday an a feast o celebration tae be held in Maybole - capital o Carrick - in honour o His Majestie King William an his brave sodgers.

Dawn broke on a glorious June day for this glorious victorie feast. Since early morn, on lowin fires spread the length o the High Street, fower bullocks an a score o sheep were slow-roastin as folk gethert in great excitement frae aa the airts o Carrick; drawn in mair by the prospect o a guid splore - an free meal an drink frae His Lordship - than by ony loyalty tae a King awa doun in London. They toastit Wellington weel eneuch - an mair sae, the sodgers - for some had kith an kin that had served an dee'd in the French Wars, an some were waitin in dreid for news, or the safe return, o their ain sodger laddies frae the battle. But meat an drink is aye guid comfort, an as the sun sank intae the west tae the merry skirl o pipes an fiddles, the streets o Maybole were lowpin wi dancers an revellers, young an auld. As the nicht wore on, an the auld yins wore oot, young callants an limmers meltit awa intae the gloamin an the sheddaes o the Black Glen on the laich road tae Ayr - an amang thaim were Mary Ferguson an John Stewart.

Sleekit John had ta'en guid care o her aa day, tendin tae her every whim an fancy, plyin her wi the best o the roast, an ribbons, an a bonnet; an mair tippenny yill than the puir lassie's heid cuid thole - aye makin shuir he tuik a wee pickle less for himsel. A wee bit shougly on her legs, wi baith airms roun him for the fun o it as weel as the balance, an her heid on his shouder in case it birlt awa, the pair o thaim stauchert, kecklin an cooin, doun a nerra pad aff the Glen road. Fou weel John kent whit he wis daein, an gin he had reached the verra spot, he gied a wee staucher tae the richt that cowpt thaim baith nately on a saft grassy bank ablow a sweet-scented bourtree. Mary lauched saftly as he kittled her here, an there, an places whaur she had ne'er been kittled afore. He kissed her gently, again and again, till, wi a risin passion in her breist she drew him on her an kissed him back sae hard an sae lang that she scarce noticed the raisin o her petticoats an the fumblin afore the pain. By then she wis past carin an yielded hersel tae the pleisure o the moment.

Efterwards, as she lay snug an dozin in his airms, John straiked her hair an pecked a wee kiss on her neck. 'Ye're a bonny lass, Mary Ferguson,' she heard him whusper in her lug, 'The bonniest lass in aa Carrick . . . an this is a bonny place tae lie wi my bonny lass . . . can ye smell that sweet honeysuckle up in the bourtree . . . an listen tae the lullaby o yon blackie . . .' Mary courit intae him, her heid on his kist, takin in the fragrance o the honesuckle abune, an the mellow evensang o a distant blackie. But as she strained her lugs, aa aroun her she heard ither sounds - the rustle o leaves an crack o twigs, laich whuspers an keckles, wierd pechin grunts an loud moans, wee cries o pain - an sabbin. It wis the sabbin that gied her a stert oot o her dwam, cleared her heid, an garrd her jalouse whit had juist happened. She sat upricht, shovin John tae the side an pouin doun her skirts. "Whit hae ye dune tae me, John Stewart!' she cried. 'Whit hae ye dune!'

'Wheesht, Mary lass. Ye'll no want the hale o Maybole tae ken, div ye?' he wheedled. 'Whit's dune is dune, an ye'll no get it back, but it wis dune because ye're my lass an I luve ye . . . an . . . ' he leaned ower an gied her a wee cuddle ' . . . tell me ye didnae get some pleisure oot o it!' She poked him in the ribs wi her elbuck, an snuggled back against him. 'I think we had better get awa hame, John, afore my faither comes luikin wi the collies.'

But as puir Mary fand tae her cost, ance the key's been turnt in the lock, the door is gey easy opened, an ower that lang het simmer she an John dallied whiles amang the lang gress an flouers in the dip at the faur en o the hey meedow; an efter the scythin wis by, deep in the saft, sweet, fresh new-mown hey o a hauf-feenished ruck. By this time, her folks kent that she had a new laud an wis walkin oot wi John Stewart - tho he got nae favours frae her faither wha, as like as no, aiblins jaloused whit micht be gaun on wi his dochter. For day in day oot, in midden or byre, cairtin hey or stookin corn, whether by the orders o the maister or no, Auld Ferguson made shuir that John wis workit hard, hopin by nichtfaa that he wad hae nae virr left in him for ony thochts o hochmagandy.

But aa in vain - for by October, Sibbie Ferguson noticed Mary gettin mair sonsy an awfy fou-breistit, even tho she'd been juist pickin at her meat for a while; an when she raise frae the breakfast table yae mornin wi a face as white as a ghaist an raced for the door, Sibbie wis richt ahint her as she boked ower the causey-stanes in the yaird. Luckily, her man wis awa ootby wi the beasts.

'Weel, my lass,' she speirt in a saft vyce that betokened mair o an unnerstaunin nor a flytin, as her airm gaed roun her dochter's shouder, 'haes that laud o yours got ye in trouble?'

'I dinae ken, mither, I dinnae ken.' Mary sabbed intae her apron.

'When did ye last see yer illness, lass? An are yer breists sair?'

'Aye, sair an gey heavy . . . an I haenae had my illness since June.' Mary's secret fears were nou bein shared wi her mither. She'd kent in her hert for twa months that she cuid be wi bairn, but hoped she micht be wrang an hadnae even tellt John o her worries. Nou that her mither kent, she felt a muckle wecht liftin frae her shouders, as if Sibbie's strang airm wis drawin the pain oot frae her, like a poultice on a bealin sair. She stopped greitin an felt caumer. 'Dae ye think I'm wi wean, mither? . . . An whit will my faither say? . . . He'll want tae murder John, I ken he will, I ken he will. . . Stop him, mither, please stop him!'

'Lae yer faither tae me, my lass.' soothed her mither. 'As the Scriptures say - "Let him wha is wi'oot sin cast the furst stane" . . . an believe me yer faither is no wi'oot sin, for he had tae dae his penance alang wi me when yer brither Wull wis born.' Sibbie luikit a wee bit uncomfortable as Mary's heid cam up sherpish an their tear-filled een met in a kennin sort o wey. 'You an faither . . .' Mary began, dumfounert, 'I never kent . . .'

'Aye, ye're no the furst . . . an ye'll no be the last, as lang as men hae pintles!' Sibbie murmered wi feelin. 'But John Stewart will hae tae staun by ye, an dae the daicent thing, even if it means the cutty stuil at Kirkoswald Kirk. Yer faither will see tae that, ye can be shuir.'

Whit John Ferguson said tae John Stewart, naebodie kent, but it wis a gey chastened an ruefu young chiel that went meekly heid-doun aboot his wark efterhaun. Gane wis the cocky, glib-tongued callant wi the smert answer for aathings an aabodie. For lang months he hirplt as he walked across the yaird, an wis gey sweirt tae sit doun ower lang or cairry ocht on his shouders - nor wad he tak aff his sark in the bothy at nicht for fear that the ithers micht see the sorry state o his back an hurdies. They were mairrit at Kirkoswald on the saxteenth o November 1815, afore it wis obvious tae the folk roun aboot that she cairryin a bairn.

But then cam the shame an the penance. By January twa eident kirk elders were countin on their fingers the weeks back tae Mary's betrothal, an clypin tae the Meenister. A fortnicht later, John an Mary were compeared tae staun afore the Meenister an Kirk Session at Kirkoswald, whaur they were *'rebuked and absolved from the scandal of antenuptial fornication with one another'*, and sentenced tae sit on the cutty stuil afore the congregation for three Sundays tae atone for their transgressions. For Mary, the shame wis bad eneuch, but for John, while the staunin wis nae bother, sittin on that hard widden stuil throu hauf-hour prayers an hour-lang sermons wis gey sair tae thole, a purgatory in itsel. Thus absolved frae their sins, wee John was born twa month later, on the third o Mairch.

Nou wi a wife an wean tae feed, John Stewart had nae choice but tae settle doun wi his in-laws at Baltersan, whaur he wrocht awa for the neist aicht years, keppin his distance frae a carnaptious guid-faither wha aye had misdouts aboot him an kent him too weel ever tae chynge his laich opeenions. Auld Sibbie wis mair forgiein - wi a hantle o granweans tae cluck ower an pet. Furst cam William, caad efter John's faither, then wee Isabella - efter hersel. But by the time James wis born in 1823, the but an ben wis ower wee for a growin faimily, greitin weans an grumphin in-laws; beef prices had drappt, an the maister had been hintin at a cut in wages neist term. John Stewart wis fidgin tae get awa.

'Lass, I've been thinkin . . .' he stertit cannily ae nicht by the fire, feart o Mary's reaction.

'Thinkin o whit?' Mary luikt up frae shewin breeks at the kitchen table. John didnae 'think' ower often, an when he did there wis aye some bother an fash linkt tae it.

'I'm thinkin it's time we flittit . . . I'm feart that the maister micht no hire me for the Whitsun Term if I haud oot for the seiven pun we get nou . . . an we cannae leeve on ony less. I met an auld freen in Maybole last nicht that tellt me there's mair wark aboot Ayr an Tarbouton, an I thocht I micht try my luck at the Feein Fair in Ayr neist week. Whit dae ye think?'

It wis Mary's turn tae think. Apairt frae Maybole, she'd never been oot o Kirkoswald in her life, no even tae Ayr. Whit wad her mither an faither think? . . . But why shuid she worry whit they thocht? Her faither had gied her John a hard time for aa thae years when maist times he didnae deserve it . . . An she'd leeved in this auld ferm aa her days, an mebbe it wis time for a chynge afore she got auld hersel, an set in her weys like her mither. Ayr micht be nice. She'd heard aboot the fairs an mercats an the fine things that cuid be bocht in the toun, an aa the fine folk that bided in the big new houses. 'Weel, John, gin ye think we'd be better aff in Kyle, I think we'll gang.'

The maister wis no aa that pit oot when John gied in his notice, for it saved him the fash o tellin him tae gang. Auld Ferguson juist gied a grumph, tho in his hert he wis wae that his dochter wis leavin - juist when Sibbie an him micht weel be needin luikin efter themsels in twa-three years' time. Puir Sibbie gret sair an dichtit tears frae her een wi the corner o her milkin apron as the cairt poued awa frae the ferm close, an her twa wee lauchin grandweans waved guidbye tae their grandmither - as like as no for the last time she thocht, for Guid kens whaur they micht feenish up wi that man o hers.

An juist as the auld sowl feared, they feenished up - no in Auld Ayr - but miles inland, in the pairish o Tarbouton, juist aboot as faur awa frae Ayr as Maybole, an juist as hard for Mary tae trevel intae the toun. Whit wis even waur - on a snell Hogmanay nicht in the bitter winter o 1825 - puir Mary wis by her lane, faur apairt frae her mither an aa her freens, when wee Robert cam intae the warld. The fermer's wife wis kind eneuch tae gie a haun at the birthin an the lyin-in, but efter that she wis on her ain - wi three weans ablow three-year-auld, an a man that wis aye never whaur he wis needit. Tae mak maitters waur, young John wis maist times ootby wi his faither herdin kye, or forkin hey tae feed the beasts till the spring gress appeared, an wis never aboot the hous for fetchin an cairryin.

The neist twalmonth wis a bad time for Mary Stewart. Their cothous wis cauld an puirly theikit, wi twa holes in the theik whaur watter dreipt on tae the flagstanes after a wee shouer - an ran like a burn in heavy rain - when hauf her time wis spent wi twa widden cogies; aither placin an empty yin inside or tuimin the fou yin ootside. An if the win wis drivin frae the west, when she opened her door, mair watter wad come blatterin ben the hous than she jawed oot. John had tried tae theik an stap the holes wi some auld strae frae the barn but made a gey haunless job o it. The stane flair held a fell dampness aa winter an weel intae spring, that seeped intae the bairns' strae mattrass, an waur still, intae their wee kists an banes. Early that spring young John brocht in the chickenpox an smit his wee brithers, the ane efter the tither; an she had sax weeks – day an nicht - o greitin weans girnin wi sairs in their mous an lugs, an scartin their blisters intae rinnin scabs that left thaim wi muckle pock marks aa ower their wee bodies.

It wis a puir simmer, cauld an wat, as if the winter had never gaed awa. The hey lay in the meedows for weeks, nae shuiner forkit dry an ready for ruckin, than the neist storm wad drive in an drouk it aa again. Mary cursed the day she had left Kirkoswald. Even wi three wee bairns tae tend, at the first sign o a dryin win auld Paiterson expectit her tae be oot there in the meedows wi the rest o thaim, giein a haun at the hey; wi aa the fash o sittin doun an pittin wee Robert tae the breist when he gret wi hunger, while aye checkin wee James an Isabella frae rinnin aboot an cowpin the ruckles. An then traipsin awa back hame wi her bairns tae get the denner ready for John comin in.

Life wis a sair trauchle. Tarbouton, like maist ither ticht wee Ayrshire villages whaur aabodie kent aabodie, had nae time for incomers – for an incomer wis an incomer till the day they dee'd. Sae apairt frae the mistress, an a nod frae the plouman's wife on the neibourin ferm, she had naebodie nearhaun for a crack, or tae share her troubles. She felt trapped an helpless, thirled tae the same dreich darg, day in day oot, gaun roun an roun in endless weary circles like yon puir auld mares threshin corn at Baltersan. She'd never gied a thocht for the puir brutes when she wis a young limmer at hame wi aa the warld afore her, but nou . . .

As autumn gied wey tae winter, an winter brocht in the measles that nearly cairrit awa wee Robert an left wee Billy hauf-deif wi bealin lugs that dreept foul-smellin maitter for months, Mary daured a thocht that naethin waur cuid befaa her an the faimily. Forfochen an wearit wi want o sleep, she gat mair an mair dowf an disjaskit; an aftimes when John wis oot in the byre an the bairns were snugglt doun, she wad fin hersel by the ingle sabbin her hert oot, blinnt wi saut tears, an jaggin her thoum wi the dernin needle. Yet she wis angert at hersel for feelin this wey. She had aye been kent aboot Maybole as a big strang lass, an a strang wumman that ithers wad come tae for a shouder tae greit on; an hard tho it wis at times, she'd aye kep John in his place ever since yon nicht he had ta'en his wey wi her doun the Black Glen.

But nou she had nae hert for ocht. Mair nor yince the milk turnt sour in the pails afore she had mindit tae skim aff the cream tae mak butter - an the mistress didnae tak kindly tae the loss o her pats o fresh butter. Time an again efter a waukrife nicht, she wad drag hersel oot o bed in the mornin, an sit in her sark for hours afore she cuid be fashed tae get on wi her hous-wark. The bairns gat mair an mair raggit an ill-clad, as she sat there in a dwam luikin at piles o claes that needit washed or mendit. An whiles John wad hirple in frae the fields at lowsin time, sair an cauld - tae an oot fire an nae het meal on the table - an that aye led tae wild words an anither greitin match.

Doverin by a deein fire juist afore the darkenin on a blashy Januar day twa weeks efter Ne'erday, wi a snell win gaun roun tae the north an the cauld rain turnin tae sleet, there wis an awfu hemmerin at the door that garrd Mary's hert lowp intae her mouth, an hersel lowp oot o the chair wi fricht. Stellin the door wi yae fuit, she keeked roun an peered intae the mirk at the ghaistly white face forenent her, hidden ablow a droukit bleck Kilmarnock bunnet. She gied a wee cry o forebodin, for she kent fine in her hert the only reason her young brither wad ride twinty miles frae Kirkoswald on sic a nicht. 'Rab, whit is it? . . . Come awa ben oot o the rain! . . . Is it Faither . . . or Mither?'

Rab drappt his clashin coat on the flair an held oot ice-cauld blae hauns tae the lowe o the fire for a meenit afore turnin slowly roun an gruppin his sister by the shouders. She cuid see the trouble an the tears in his een. 'It's waur than that, Mary lass . . . It's baith o thaim . . . o the fever!' Mary's een blinnt wi tears as her hert gied sic a rug that her thrapple steikt an nocht cam oot but a skirl o sabs. She clung tae him an buried her face in his gravat. 'Oh, No . . . No. . . No!' she wailed as he led her gently tae the ingle chair an set her doun by the hearth.

'Whit happened, Rab, tell me.' Mary gethert herself, and dichtit the tears frae her een on the tail o ane o John's sarks dryin aside the fire.

'Yer faither tuik no weel about ten days syne wi a bad hoast an a fever. He's been puirly wi his kist for twa-three years since ye left hame, but aye wrastlt on at his wark, tho he wis sair peched an cuid hardly sclim the stairs tae the meal-laft athoot stoppin for a braith. But this time it wis waur than his usual, an it must hae been gey smittle, for efter tendin him for three days ma mither gaed doun wi the same fever. We kistit Faither on Monday and puir Mither dee'd on Tuesday morning . . . juist turnt her face tae the waa. The burial is set for Friday for baith o thaim, an oor Wull sent me up tae let ye ken, in case your John an mebbe young John cuid come doun tae Kirkoswald.'

Tho maist o his fields were rinnin wi watter an there wisnae muckle wark tae be dune, it wis wi a gey ill grace that auld Paiterson lowsed John Stewart for the burial – tellin him he maun get there an back on the ae day, an that he'd haud him tae an extra day's wark at the en o his term tae mak up for the lost time. No that John wis ower keen himsel tae gang twinty mile juist tae pey his last respecks tae a thrawn, crabbit auld guid-faither that had gied him sic a sair leatherin aa thae years syne. But auld Sibby had been guid tae him an Mary . . . an Mary wis sair-stricken wi grief an a guilt that she'd never ever seen her mither efter they'd flittit tae Tarbouton . . . sae for her sake he'd gang . . . but that auld midden Paiterson . . . frae nou on he cuid drive his plou an Clydesdales richt up his ain furrow!

An sae, come the Mey Fair, Mary Stewart fand herself trauchlin alangside an auld pownie on her wey throu Mauchline on the lang road tae the uplans o New Cumnock. On its braid back wis aa their warld's gear, an wee James an Isabella. At its heid walked young John wi Billy haudin the rines . . . an Robert on his faither's shouders – their faither, leadin thaim whaur God only kens! . . . She'd gaun this gate afore . . . but wad it be ony better this time?

Chapter 17

1816 - HERDS AN HIRSELS

And far up in heaven, in the white sunny cloud,
The song of the lark was melodious and loud;
And in Glenmuir's wild solitudes, lengthened and deep,
Was the whistling of plovers, and the bleating of sheep.
James Hyslop - The Cameronian's Dream

Six days shallt thou labour. For sax lang an weary days John Lammie had wrocht hard at the clippin. Fingers, airms, elbucks, back an shouders were gowpin sair frae gruppin shears an wrastlin sheep; an on this bonny, still, warm June mornin he wis fair gled o his Sabbath day o peace an rest. Set doun on a gressy humplock, his braid back stellt agin a muckle stane on the brae abune the cothous, he soukt slowly on his cutty pipe an watched in a dwam o content as the drift o blue reek waftit ower his wather-brunt brou toward Dornal Moss. Frae its gentle spring-green slopes, the faur-aff tirl o whaups an nearer-haun wheeps o peesies melled wi the sweet, heaven-sent sang o a laverock tae glorify the warks o God.

Snugglt in its howe by the watterside, in the beild o a wee shaw o aik, hazel, aish an hawthorn, an gairded by the ruined stanes o auld Kyle Castle perched on its stey knowe abune the meetin o the watters o Glenmuir an Guelt; the sheil o Dalblair - whaur his bonny Peggy had blessed thaim baith wi a hantle o bonny bairns - had been his happy hame an hirsel for the past eleiven year. At twal nou, young Geordie wis a grand help at the herdin an keppin sheep at buchtin time - an wee John an Robert wadnae be faur ahint. The ither bairns were ower wee tae wark, but their guid naiture an keckles o innocent lauchter brocht a great joy tae baith their herts. He had been double-blessed as weel, wi a guid maister in David Limond, Esquire, the Laird, an cuidnae ask for muckle mair.

Frae the hous ablow, he cuid hear the sing-sang murmur o the aulder bairns at their Catechism. He had learnt thaim weel, he mused tae himsel wi pride as he drew again on his pipe. Up here at Dalblair, they were aicht lang miles frae the pairish kirk at Auchinleck. It wis ower faur tae walk the bairns tae Sunday worship, but the meenister wad still expect tae examine thaim in the Shorter Catechism; an sae John had ta'en it on himsel tae instruct thaim, ettlin they wad aa dae weel.

Brocht up as a bairn wi his younger brither Andra at the sheil o Auchtitench, five mile awa ower the moss at the heid o Glenmuir an the faur-en o the pairish, they'd been fowerteen miles frae the kirk at Auchinleck. Sae every Sabbath his faither William airted thaim the ither wey - doun tae Nithsdale. An that traipse - seiven lang moss-miles tae Kirkconnel Kirk an the same back again - had blessed him an Andra wi a guid herd's stride as weel as a guid versin in the Scriptures. But the greatest blessin o aa ilka Sunday, wis the sicht o bonny Peggy Lammie in her pew. Peggy wis a saicont kizzen, that wis spoken for by a sleekit wee whitret o a man caad Hyslop frae doun Sanquhar wey. John aye kent he wis a ne'er-dae-weel. It broke his hert when they were wad; an later on - in the year o 1798 - when she bore Hyslop a wee laddie they caad James.

But strange whiles are the weys o the Lord, an afore lang - in the deep hard winter o 1800 - puir Hyslop wis fand deid in a snaw-wraith on his wey hame frae a drucken splore at Whigham's Inn. John wis herdin his ain hirsel for David Limond at Whyteholm on Glenmuir by this time, an it wis tae there that he brocht bonny Peggy as his new bride in the simmer o 1802 - an whaur wee Geordie wis born twa year later, afore they moved tae Dalblair.

Dalblair wis ower faur frae ony schule, an wi a gey sair hert, Peggy felt obliged tae lae young James Hyslop ahint at Kirkconnel wi his grandfaither Lammie. For he wis a steirin wee lad, aye speirin aboot this an that, an keen tae learn, an she ettlt tae gie him a guid chance in life. Gin he wis fower year-auld, he cuid recite maist o the Short Catechism, an gin he wis five he wis aye threipin on about the words, an whit the alphabet letters meant that were prentit inside the cover o the Catechism. A fine upricht elder o Kirkconnel Kirk, auld George Lammie learnt him the rudiments o readin - frae the Catechism an the Bible. But he had nae siller tae pit him tae the schule; an syne wee James wis sent doun tae Sanquhar tae bide wi his Hyslop grandfaither on the Crawick Watter. Here at Wee Carco he wis o mair uise tae auld Hyslop herdin kye on the braes than ocht else; an sae it wis only in the deid o the year that he wis sent tae the schule. Here the sherp an faur-sichtit dominie saw that he wis a gleg wee lad o pairts; brocht him on, an lent him buiks on French an algebra an Latin tae read at hame.

Like Robert Burns afore him he wis self-learnt, an like Burns young James stertit rhymin an scribblin verse as he herdit kye on the Sanquhar braes. At the age o fowerteen when he wis auld eneuch tae mak his ain wey in the warld, he flittit tae Muirkirk, whaur John Lammie his step-faither fand him wark herdin sheep on Nether Wellwood, only five mile ower the hill frae Dalblair.

His mither Peggy an John tuik him intae their herts an their hame as ane o the faimily, as an aulder brither tae their ain bairns. Sae when herdin ootlyin Wellwood sheep heftit on the heich muir marchin on Dalblair - or giein a neibourly haun at the clippin - James wad whiles bide at Dalblair, for twa weeks at a time, or mair.

John Lammie loued him like a son, an ower the past week he'd been gey gled o a helpin haun wi the clippin - an this fine Sabbath morn as weel, when James offered tae gie the bairns instruction in their Catechism. The lad had streitchd an braidened ower the past twa year intae a strappin young chiel, but still had a gentle wey wi him, an a fine gift o language that wad staun him in guid steid - for he ettlt on becomin a dominie. Nou he'd been fee'd tae anither hirsel back doun at Corsebank on Crawick, Peggy wad be hert-broken tae see her big braw son gang awa. He'd be gey sorry himsel tae see him gang, but . . . Ach, he'd better steir himsel an check the lambs.

He tappt oot his pipe on his heel, an as he raise up frae the gress, raxin his airms heich abune his heid tae ease the stiffness oot his shouders, his een were drawn tae the Moss whaur wild cries o alarm frae the whaups ower their young tellt him that Johnnie Tod micht be at haun. He scanned the hill. It wis nae fox, but the faur-aff figure o a man stridin doun the brae at a great pace. He kent the gait - an the man - it wis brither Andra. Andra wis herdin ower at Netherwood, sax miles awa on the faur side o Greenock Watter - a lang traipse on his day o rest - an Andra didnae veesit ower often. The lambs cuid wait a while. He sat himsel doun again an waited.

'Whit brings ye ower the hill the day, brither?' he speirt as Andra lowpt the inby dyke an strade doun the park. He wis a skeich, sturdy young chiel in his mid-twinties, o middlin hicht, clad in plain grey woollen breeks an a broun cotton sark. Despite the lang fast tramp ower the hill frae Muirkirk on sic a warm day, there wis not a drap o sweit on the brou o his braid face, tanned the peat broun o a muirland burn. Andra stelld his cruik aside his brither's on the back o the stane an sat doun on the humplock. Hauns fidgin wi excitement, he poukt the heid aff a dandelion as his blue een stared at the grun forenent him.

'Weel . . .' he staumert, bauldness laggin faur ahint blateness in a fecht tae gether his thochts on whit tae say. ' . . . Weel, Jock . . . I'm . . . I'm tae be . . . wad!' He blurtit oot the fatefu word, as a rush o crimson flushed his peat-tanned cheeks.

'An it's no afore time, ye muckle sumph.' cried John in delicht, giein Andra a daffin dunt wi his shouder that cowpt him aff the humplock. 'Peggy and me had near gied up hope on ye . . . An wha's the lass, gin ye dinnae mind me speirin?'

'She's caad Jean Broun . . . she's in service at Wellwood . . . her faither John wis the tollkeeper oot at Darnhunch till he dee'd fower year syne. Ye micht hae kent him, Jock.'

'I kent him tae see . . . His wife wis Meg Jamieson frae Priesthill . . . Auld Andra's youngest as faur as I mind . . . Sae she cannae be that auld - this lass o yours?' he speirt cannily.

'Aichteen'.

'I thocht I heard vyces! . . . Ach, it's yersel, Andra!' The tall, bleck-haired young callant stridin up the brae frae the cothous stopped; his gentle dark een searchin the troubled face o his step-faither's young brither. Wi only nine year atween thaim, Andra Lammie wis mair sib tae him as an aulder brither than a step-uncle.

'Aye, it's yersel tae, James . . . Ye'll hae been giein the auld yin here a haun wi the clippin, nae dout, afore ye gang awa doun tae Crawick . . . He's no getting ony younger, ye ken!' Anither dunt frae John laid him again on his back.

'Hey, haud on, young brither, less o the auld yin! . . . I wad juist pynt oot that there's gey near the same difference atween you an yer lass as there is atween you an me . . . Sae juist whit micht she think aboot you, then! . . . Eh!'

'Sae ye've tellt him aboot yer bonny Jean?' laucht James.

'Whit! You kent aboot this lass an didnae let on!'

'Och, juist that they were walkin oot for the past twalmonth . . . Ye've been buried awa here in the hills ower lang, John . . . an ye'll never get ony daicent clash or clavers frae yowes an lambies. . . . It's time ye waunert ootby a bit mair! I ken Jean Broun tae speak wi up at the Big Hous . . . she's a bonny jimp wee lass. Whit's mair, I learnt that her faither wis a kizzen o Robert Burns . . . an as a bit o a rhymer mysel, I'd hae likit fine tae hae met a body like John Broun - that wis sib tae Burns . . . Then aiblins some o the Bard's rhymin muse micht hae rubbed aff on me.'

'There's no muckle wrang wi yer verse, young yin.' declared John Lammie. 'Frae whit I've read, an heard ye speak, ye're as guid as Burns whiles, an a sicht better nor auld John Lapraik.'

'Thenks for thae kind words, John. It's aye pleasin tae ken that somebody thinks my scribbles are o some merit . . . but talkin o "merit" . . .' He turnt tae Andra wi a grin, 'Sae when's the Banns gettin cried then . . . auld yin?' Andra coloured again. 'They were cried the day . . . an that's why I cam ower frae Netherwood tae tell ye afore ye kent it frae ither folk.'

'That's gey quick, is it no?' mused John, giein James a wee nudge an a slee wink. 'I hope the auld biddies in Muirkirk are no stertin tae count the weeks on their fingers - are they?' Ance mair Andra felt his cheeks burn like a smiddy furnace as he shook his heid.

'Fegs, Andra man, ye've had a richt dose o the sun on yer wey ower frae Muirkirk.' observed his brither wi a wry smile.

In February 1817, their furst dochter Mary wis born tae Andrew Lammie and Jean Broun at Netherwood, - an the auld biddies' count wis short by five fingers. Sax months efter the birth, Jean tuik no weel wi a dry hoast an nicht fevers, an Andra wis gey worrit. Tae be nearer-haun her mither they left Netherwood, an he tuik on the hirsel at Auldhouseburn in the shedda o Cairn Table, three mile awa on the faur side o Muirkirk.

He kent o a wheen lads that wad hae gledly flittit a hunner mile tae redd themsels o their guid-mithers, but he aye got on weel wi Meg Broun. Efter her man John dee'd, Meg shuin gethert hersel thegither, an kep hersel thrang luikin efter her dochters an guid-dochters an their hantle o bairns. There wis scarce a week gaed by that she wisnae ludged wi yin or tither; nursing a seik grandwean, attendin at a lyin-in, or luikin efter the ither weans when a new bairn wis at the breist. Still weel-faured in her middle fifties, she wisnae muckle mair nor twinty year aulder nor himsel, an he aft-times wished that his puir Jean had hauf the virr an smeddum o her mither.

For he feared he'd lost the lichtsome lass he'd courtit on the Garple braes. Ower the past year, the spunk o life had drained awa oot o her like the bluid frae her rosy cheeks. Her hoast gat waur, for months she ett puirly, an her wecht dwined awa till she wis nae mair nor a rickle o banes. Forfochen maist o the time, she wis scarce able tae soop oot the cothous flair, faur less cairry a creel o peats frae the muir tae the stack.

He blamed himsel when she fell again; but thenks maistly tae Meg's cheery ministrations, durin aa the time she cairrit the bairn she kep better. Meg made shuir she ett for twa, an got her rest. The hoast settlt doun, her cheeks filled oot ance mair an her wecht cam back - alang wi a blythe wee sang an whustle as she cairded an spun wool, or tended a batch o scones on the griddle. When wee Andra arrived in the August o 1819, he wis a gey proud an happy man. But sadly again, the birth tuik its toll o Jean. She had a terrible sair time o it wi a childbirth fever, an had it no been for Meg nursin her day an nicht for near on twa weeks, he wad hae lost her there an then.

That winter wis cauld an wat, an he lost ower a score o lambin yowes and yearlin gimmers tae fuit-rot, braxy, an the corbies. His wee blackface yowes cuid thole frost, an survive ablow a sax-fuit snaw-wraith for a week or mair. But droukit week efter week in pourin rain up tae their hochs in glaur; gin they lost their fuitin an cowpt ower, the sodden deid wecht o their fleece wad haud thaim flat on their backs tae face a slow, agonisin daith frae the corbies. Gien hauf a chance, thae bleck deils wad pick oot a puir yowe's een afore turnin their evil dagger beaks tae pierce her thin, heavin belly skin, and trail her guts - an her unborn lamb - oot ower the heather moss.

The jerkin, trimmlin limbs o a sichtless, cowpt yowe aye seikened an depressed him. It some-hou linkit up in his troubled mind wi the brave struggle o his ailin Jean, tryin tae nourish an infant son at her breist in the chill damp o their cothous at Auldhouseburn that lay cauld an untouched by a laich winter sun sulkin ahint the brou o Cairn Table frae November till Mairch.

He wis gled tae see the back o winter, an hail the stert o spring when he cuid pit a blast o shot throu the fuit o every corbie's nest on the braeside rowans (an up the erse o every hen corbie sittin on her eggs) afore lambin time. He wis hertened by the lambin, an a guid nummer o twin lambs drappt by the aulder yowes, that near balanced oot his winter losses. The mild spring o 1820 brocht an early flush o spring gress, an a walcome flush o colour back intae Jean's cheeks. Baith the bairns were thrivin. Warm simmer days drew Jean oot tae sit on her stuil at the cothous door, spinnin in the sun an croonin awa tae wee Andra in his cradle, while keppin an gleg ee on Mary as she toddled an tummlt efter her pet lambie. For a while Andra wis content, his cup o happiness weel plenished.

But in next tae nae time, it wis the dreid back-en; the nichts drew in, an gurly broun spates raired doun the wee burns aff the hichts o Cairn Table. Alang wi the rain and autumn chill came anither chill - a fear an forebodin on whit the winter micht bring. Andra cuid see it in Jean's een an her mainner. The hoast had come back, an whiles at nicht, he cuid feel her lyin aside him, burnin-up wi a fever an chitterin ablow the blankets an sheepskins. Dowf an disjaskit, she drew back intae hersel, an wad only speak if spoken tae. She began tae pick at her meat an eat less. She negleckit her chores - but never her bairns - an spent maist o her day happt up for warmth an hoastin awa, courit ower the fire steirin the pat, an pokin the peats for mair heat. Ablow her layers o claes an plaids, the wecht wis drappin aff again.

Ae nicht in late November juist aboot the darkenin, there cam a loud chap at the door. Andra wis juist back frae drivin the last o his sheep doun frae Cairn Table tae the inby. Efter twa days o heavy rain, the win had gane roun tae the north-west. It wis gey snell, and there wis a smell o snaw in the air. His thick hamespun woollen jaiket hung steamin on a raip abune the fire. He had chynged his wat breeks, an Jean wis hunched ower a pat o mutton stew. He went tae the door, opened it juist a wee crack tae kep oot the furst pilins o snaw, an gasped: 'James! . . . James Hyslop! . . . Jean, Jean . . . It's James Hyslop! . . . Come awa ben quick, man, oot o this cauld an intae the warm. Ye must be founert.' Jean raise frae the ingle wi a smile, and James gied her a hug.

'Jean, my lass! Hou are ye daein, Mistress Lammie?' Gruppin her by the shouders, he wis ta'en aback tae feel hou thin she'd got; but luikt her kindly in the ee at airm's length an gied no a hint on the worrit thochts rinnin throu his heid. ' . . . An the bairns . . . ye've twa nou . . . that must keep ye thrang.'

Jean's een lichit up. It wis the furst time Andra had seen thaim sparkle for weeks. 'Och, James, it's sae guid tae see ye again. Here, sit doun by the ingle an jyne us in a plate o mutton stew.' She bustled tae the dresser for plates, laid an extra place at the kitchen table, an ladled oot three muckle platefus o tatties an steamin stew. James gruppt his horn spune an raxed ower for his plate. 'My, that smells awfy guid, Jean. I've juist walked ower frae Dalblair, an hae the worst dose o hill-hunger I've had since I left Crawick for Greenock twa year syne . . . I'm stervin!' Jean raise tae the compliment an gied a wee bob. 'Weel, there's mair in the pat whaur that came frae.' Andra noted wi pleisure that she feenished her ain plate wi the rest o thaim.

'An hou's my brither ower by?' he speirt cannily, ower blate tae speir richt oot, juist whit had brocht James back doun frae the port o Greenock tae the uplan muirs.

'John an Peggy are fine, baith fine, an the bairns . . . Ye'd ken that they've anither yin on the wey?' Andra nodded, an shook his heid wi a wee wry smile.

'An yersel, James? Whit aboot yersel? Are ye still thrang wi yer teachin up in Greenock? We hear aboot ye whiles frae John when ye send a letter . . . an I hear ye're gettin yer verses published in the Edinburgh Magazine . . . My, John an Peggy are richt prood o ye.'

Weel . . .' James hesitated. 'Weel, that's why I'm doun hame the nou. There's no eneuch wark for a dominie in Greenock . . . an I've had muckle bother wi a wee sleekit skellum that caad himsel a freen, an then pursued me for siller he said I owed him. It's left me feelin awfy doun an ill-dune tae . . . an wi a sour taste in my mou aboot the nesty side o human naiture. Folk in thae big touns are no like oor kintrae folk that ye ken ye can trust. Greenock is fou o pick-purses an thieves . . . an glib-tunged rogues that wad cheat ye oot o every penny ye had . . . Mind ye, there are a wheen guid folk as weel that tak ye for yer worth, an its thenks tae thaim that I've done sae weel wi my poems.'

'Hae ye written ocht this wee while back?' Jean wis sittin there, wide-ee'd an gleg tae fin oot mair. ' Can ye read us a poem?'

James shufflt on his stuil, blate an sweirt tae blaw his ain horn - in true Scotch style - yet shuir an certain o his ain sense o worth. Then he bent forrit, dipped his haun intae the trusty auld herd's bag - that had furst cairrit lambs at Wellwood, an then aa his hopes an wardly goods frae Sanquhar tae Greenock an back - an poued oot a wee leather-bound buik. 'Weel, this is a poem that I screived doun at Crawick last week when I saw my Grandfaither Hyslop. It's caad 'The Cameronian's Dream' - an I think it's ane o my best sae faur . . .

In a dream of the night I was wafted away
To the moorlands of mist, where the martyrs lay:
Where Cameron's sword and his Bible are seen
Engraved on the stone where the heather grows green.

'Twas a dream of those ages of darkness and blood,
When the ministers' home was the mountain and wood;
When in Wellwood's dark moorlands the standard of Zion,
All bloody and torn, 'mong the heather was lying.

'Twas morning, and summer's young sun, from the east,
Lay in loving repose on the green mountain's breast;
On Wardlaw and Cairntable the clear shining dew
Glistened sheen 'mong the heath-bells and mountain flowers blue.

And far up in heaven, in the white sunny cloud,
The song of the lark was melodious and loud;

And in Glenmuir's wild solitudes, lengthened and deep,
Was the whistling of plovers, and the bleating of sheep.

And Wellwood's sweet valley breathed music and gladness;
The fresh meadow-blooms hung in beauty and redness;
Its daughters were happy to hail the returning,
And drink the delights of green July's sweet morning.

But ah! there were hearts cherished far other feelings,
Illum'd by the light of prophetic revealings,
Who drank from this scenery of beauty but sorrow,
For they knew that their blood would bedew it to-morrow.

'Twas the few faithful ones, who with Cameron, were lying
Concealed 'mong the mist, where the heath-fowl was crying;
For the horsemen of Earlshall around them were hovering,
And their bridle-reins rang through the thin misty covering.

Tho their faces grew pale and their swords were unsheathed,
Yet the vengeance that darkened their brows was unbreathed:
With eyes raised to heaven, in meek resignation,
They sung their last song to the God of Salvation.

The hills with the deep mournful music were ringing,
The curlew and plover in concert were singing;
But the melody died 'midst derision and laughter,
As the hosts of ungodly rushed on to the slaughter.

Though in mist and in darkness and fire they were shrouded,
Yet the souls of the righteous stood calm and unclouded;
Their dark eyes flashed lightning, as proud and unbending,
They stood like the rock which the thunder is rending.

The muskets were flashing, the blue swords were gleaming,
The helmets were cleft, and the red blood was streaming,
The heavens grew dark, and the thunder was rolling,
When in Wellwood's dark moorlands the mighty were falling.

When the righteous had fallen, and the combat had ended,
A chariot of fire through the dark cloud descended;

Its drivers were angels, on horses of whiteness,
And its burning wheels turned upon axles of brightness;

A seraph unfolded its doors bright and shining,
All dazzling like gold of the seventh refining,
And the souls that came forth out of great tribulation,
Have mounted the chariots and steeds of salvation.

On the arch of the rainbow the chariot is gliding,
Through the paths of the thunder the horsemen are riding.
Glide swiftly, bright spirits, the prize is before ye,
A crown never-fading - a kingdom of glory!'

James luikt up frae the page - tae a deid silence. Andra wis dichtin a tear frae his ee an a dreep frae his neb wi the back o his haun, an Jean wis sabbin quately intae her apron.

'James,' she said in a trimmlin vyce, 'that wis beautiful, the bonniest poem I ever heard . . . an tae think it's aa aboot us . . . oor ain folk an oor ain places . . . Wellwood, Cairn Table an Glenmuir . . . an Ayr's Moss . . . James, dae ye think ye cuid screive me a copy o yer poem afore ye gang awa . . . I'll treisure it forever.'

"Aye, I'll dae that for you, Jean - an for yer plate o mutton stew. I'm hopin tae get it prentit in the Edinburgh Magazine when I get there next January.' Andra cockit his lugs.

'Are ye gaun tae Embro then, Jimmock? Whit taks ye tae Embro?'

'I'm scunnert an feenished wi Greenock. Efter this schule term is by, I've an invite frae the editor o the Magazine tae gang tae Embro, an I hope I'll fin some guid folk there that will help advance my prospects.'

Tho James Hyslop's visit wis short an sweet, it seemed tae Andra tae gie Jean that vital heize tae her speerits that tuik her safe throu the winter months an intae spring. She learnt aff by hert an wad recite 'The Cameronian's Dream' an a wheen ither verses that James had screived oot for her that nicht. An ilka time Andra airted ower tae Dalblair, he wad bring back news from John an Peggie that wad interest her. Letters frae James tellin hou he had met wi the literati o Embro, includin Lord Jeffery, the High Court Judge an editor o the Edinburgh Review, wha had become his patron; an that he had made the acquaintance o the poet James Hogg, the Ettrick Shepherd.

In April 1821 cam a surprise, when, on a visit tae his mither an John at Dalblair, he drappt in for the day at Auldhouseburn an tellt thaim aa aboot Embro; an hou he left there tae spent some time in the Borders wi 'The Ettrick Shepherd' at his hame on the Yarrow - whaur he had seen the Waverley Novels o Walter Scott - afore walkin ower tae Nithsdale an Crawick, an on tae Dalblair.

'My, Jimmock, that's a fair tramp - even for a herd like yersel . . . Ye maun still hae the legs for it.' observed Andra wi some admiration.

'Aye, Andra . . . an the buits! I made shuir I swapped my dominie's shune for my auld herd's buits afore I stertit.' The poet tapped the upturnt taes o his trusty pair o weel-worn tackety buits o souple brown leather, weel slairit wi mutton tallow tae haud oot the watter. 'They're mebbe no whit ye micht wear in the fancy salons o the Embro New Toun, for fear o laein slabbers o mutton creish aa ower the fine leddies' guid Aixminster carpets . . . but they're grand for the dubs on the turnpikes an muirs.

'But my main guid news', he went on efter a pause, 'is that I've secured a position throu Lord Jeffrey.'

'Oh! That's guid news, richt eneuch.' cried Jean, clappin her hauns . . . In Embro?'

'No, Jean lass . . . A wee bit faurer nor Embro.' he replied gently. 'Lord Jeffrey introduced me tae a Captain Grahame o His Majesty's Navy, an he has secured me a position as tutor an schule-maister on his ship - the HMS Doris.'

'On a ship!' exclaimed Andra. 'Fegs, Jimmock, ye're a hill-man that kens muckle aboot sheep, but nocht aboot a ship! . . . Are ye shuir the puir man didnae mis-hear ye when ye were talkin aboot sheep?' James lauched.

'Na, Andra, he didnae mis-hear me . . . The Navy needs tutors tae teach their young officers an men hou tae read an write weel eneuch tae fill their log buiks an ledgers, an read charts an almanacks . . . the English common folk are no as weel educatit as maist o us Scots. Maist o thaim hae never seen the inside o a schule. They're aa that thrang warkin as bairns in their muckle factories an mills . . . at least oot on the muirs herdin kye or sheep we aye had the chance tae read a buik.'

Jean wis dismayed. 'An whaur will ye gang in this ship o yours, the . . . the Doris?' she speirt anxiously.

'Faur awa, Jean . . . Faur awa. We set sail in July for South America, an will be awa for three years. It will be a great adventure, visitin aa thae fremit lands wi their jungles an savages an weird wild beasts.'

'Dinnae talk aboot wild beasts an savages, James! Ye're makin me feart for ye aaready! Ye *will* tak guid care o yersel . . .' James nodded an gied her hauns a wee squeeze in his. '. . . D'ye promise?'

'Aye, Jean, I promise. An I'll write hame often tae my mither an John, an ask kindly for yersel an Andra . . . an tell ye o aa the ferlies an ploys an adventures we get up tae.'

Sadly, puir Jean Lammie didnae leeve tae listen an mervel at the fremit ferlies o the mountains o Madeira an the wild beasts o Brazil. That back-en, as the lambin yowes were buchtit inby, as the nichts grew lang an the winter sun bade its fareweel an dippt laich ahint the brou o Cairn Table, her puir waik shell wis smitten by anither fever an a pneumonia that cairrit her sowl awa tae everlastin peace in the fauld o the Guid Shepherd in the land o the leal. She wis juist twinty-three.

In the land o the leevin, Andra Lammie wis left alane wi his grief an twa wee mitherless bairns.

Chapter 18

1826-1855 - BROUNHILL ON DEUCH

... The day was the shortest, the breath o't was chill,
For keen was the frost and the mountains were hoary,
And iceshuggles hung in the brows o the rill.
Yet calm was the weather, the flocks feeding quaitly,
And sae for the shepherds the prospect was rare,
They hied frae the wilds o the Nith, Deugh, and Afton,
To haud as they ca' it, New Cumnock Herd Fair.
Thomas Murray - New Cumnock Herd Fair

'Andra, thae bairns need a mither . . . an I ken fine this is whit Jean wad hae wantit.' Meg Broun felt she had tae say her piece. Andra Lammie had been stricken ower the last aichteen months since Jean dee'd; an she didnae ken whether he wis sweirt tae gang luikin for anither wife oot o grief; or juist feart tae try oot o respeck an consideration for hersel tendin her grand-weans. 'I'm no gettin ony younger, an tho I lou my wee Mary an Andra wi aa my hert, I'll no be here for ever tae luik efter thaim . . . an the langer ye lae it, Andra, the sairer it'll be for baith o thaim when I'm no here.'

'Ach, Meg. I'm behauden tae ye for mair nor ye ken ower this past year.' Andra sat in his ingle chair, heid in hauns, his fingers wrunklin throu his hair. 'I've sair missed Jean. She wis ta'en awa faur ower young, an the hole in my hert has aye felt ower muckle tae fill . . . an the trauchle o fillin it ower muckle tae thole . . . When ye're oot yonder on the hill wi the dugs, there's aye a kin o peace that soothes, but when I gang ben the hous at nicht, my hert's as tuim as that cauld bed in the chaumer.'

'I ken, son.' Meg laid her careworn haun on his shouder. 'I felt it wi my John, an still dae. But my bairns were lang flown the nest. Ye're still a young man, wi twa young bairns, an a lang life aheid o ye. Dinnae think on account o Jean bein my dochter that I'd be pit oot or fashed in ony wey gin ye mairrit again. I'll be mair fashed gin ye dinnae! . . . An whit's mair, gin ye're no walkin oot wi some young lass in sax months time, I'm awa!'

This unexpectit threit frae Meg duntit Andra oot o his self-peety like a daud on the erse frae the horns o an auld yowe gairdin its lamb. He hadnae thocht that faur aheid - on hou he micht hae tae manage someday athoot his guid-mither. It had juist been ae day at a time; an Meg wis aye there tae feed an cleid his bairns, an tend their skint knees, hoasts an fevers. She wis richt. Jean wad hae wantit her weans aye

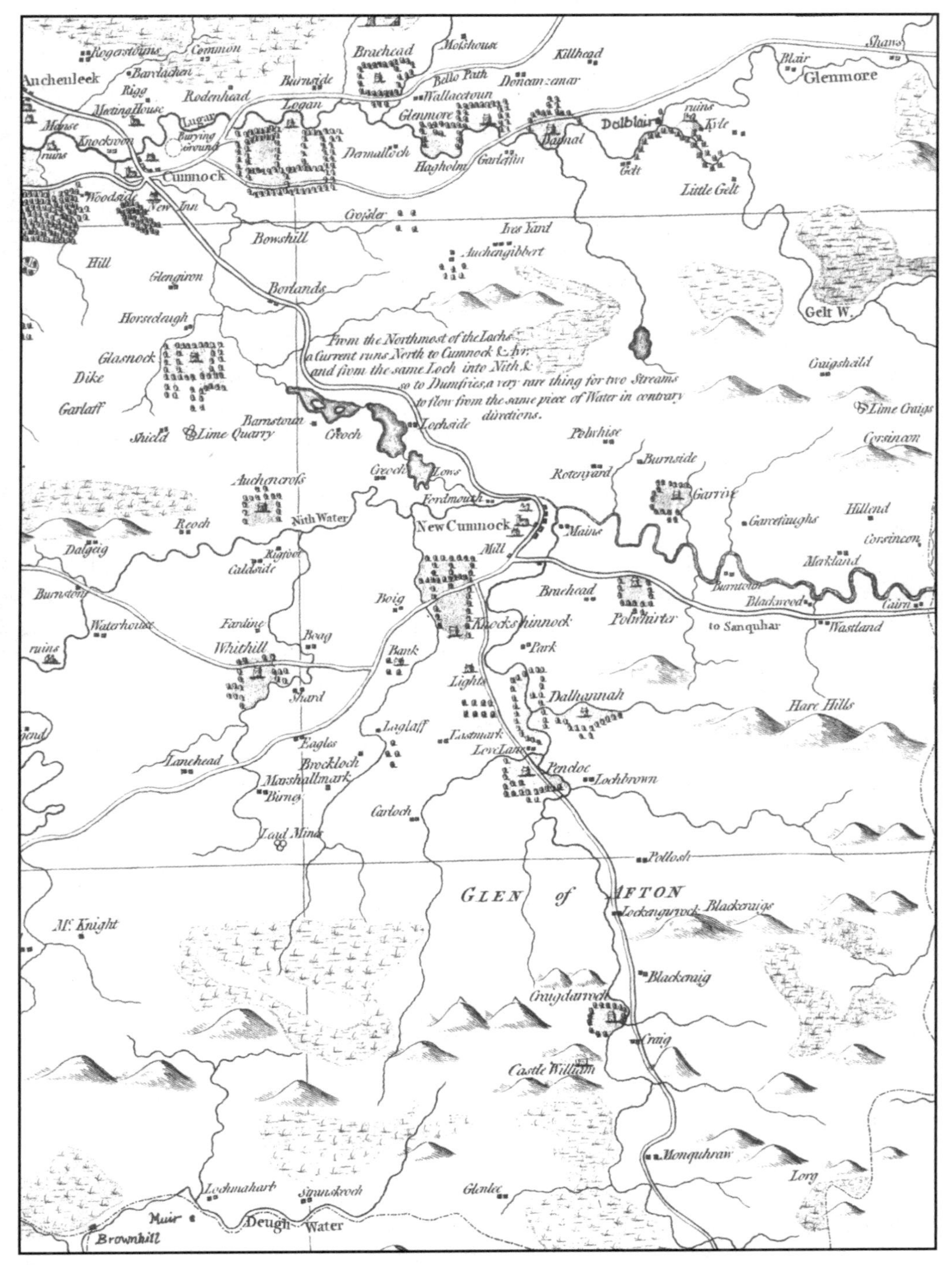

Brounhill on Deuch, and New Cumnock, to Dalblair

tae hae a mither. An the mair he thocht on it, the mair he mindit wee hints frae time tae time, when she wis puirly, that he juist pit awa oot his heid - an hers - when she got weel again. Aye, he wad hae tae steir himsel an stert luikin for some lass wi a stout hert - a lass that wisnae ower sweirt tae tak on a man o middlin years wi twa bairns in tow.

Efter lettin oot he wis on the hunt for a new wife, there wis nae shortage o hints an nudges frae freens an faimily. At the hinner-en, it wis ae sic hint that tuik Andra tae the door o Dugald McFarlane, under-keeper tae the new-styled Marquis o Bute - aforehaun kent by aa the folks rounaboots as the Earl o Dumfries. A Hielanman frae Loch Fyne, McFarlane had been brocht doun by the Marquis frae his lands on the Isle o Bute five year syne tae tend his muir-cocks on the muirs abune Glenmuir - whaur Andra whiles had a crack wi him when ower at Dalblair clippin wi John. The fact that he had twa dochters wis o nae consequence tae Andra while Jean wis his life an luve; but word that Christina the aulder - a bonny lass by aa accounts - wisnae yet spoken for, garrd him caa in 'by chance' ae day for a crack wi Dugald on his wey hame frae drivin lambs tae the mairket at Cumnock in the back-en o 1823.

The lass wis frae hame, but Dugald wis maist greeable tae his aulder dochter walkin oot wi sic an honest, upstaunin, weel-faured man as Andra Lammie the shepherd - gin she tuik that norie hersel. Guid men are ill tae come by, an Christina McFarlane wis laith tae let her best chance slip. She wis a bonny, broun-ee'd, dark-haired lass, an when she spoke, her gentle Loch Fyne Scots had a saft Hielan lilt an the odd word o the Gaelic that wis pleasin tae Andra. His twinty-mile roun trips doun Cumnock-wey on Sundays an mairket days were weel marked nou by a slee 'Aye, Andra, ye're faur-trevellt the day!' - an a wink an smile frae ony freens or acquaintances he met on the Muirkirk road. Sae it wis nae surprise when the banns were cried quick, an they were wad at Muirkirk in July 1824. Mebbe a wee surprise, but no unforeseen ither, when their first-born Janet arrived at Middlefield a wee pickle early - in February 1825.

New wife, new hame, new bairn. Cauld Auldhouseburn had ower mony dulesome memories for Andra o his puir Jean; an he felt it only richt tae bring his new wife tae a hame whaur they cuid stert a new life o happiness wi wee Andra an Mary. Three mile awa tae the north, on the ither side o Muirkirk, lay the hill ferm o Middlefield ablow the gentle slopes o Middlefield Law. Warm an bricht frae morn tae nicht in the simmer sun, set on a braeside abune the glintin watters o the Greenock whaur the bairns cuid play, it seemed juist richt for his new faimily.

Yet Andra cuidnae settle. Aa roun aboot him still were memories o Jean - Wellwood whaur he'd walked ower frae Netherwood tae court her; Netherwood whaur wee Mary wis born; Priesthill whaur Meg cam frae. Ilka time he gaed intae

Muirkirk, there, juist across the Ayr Watter, wis Auldhouseburn whaur he'd lost Jean efter Andra wis born; an faur abune loured the dark braes o Cairn Table, whaur for twa years he'd mourned her in solitude. Jean had been his link wi Muirkirk an she wis gane. He had nae great ties nou wi this place o sadness. He thocht on the braid yella muirs ower on Glenmuir. He wis mair at hame there. Guid memories - but scant o hirsels. He tuik himsel ower tae brither John at Dalblair. Oh God, hou he yearned for but a wee drap o that sweet cup o content an happiness that wis aye brim-fou in his brither's hous.

'Andra, son, whit's for ye will no gang by ye . . . Ye'll fin happiness, never fear, tho ye micht hae tae gang faurer nor this pairish, or Muirkirk, tae fin it. But count yer blessins, man. Ye hae twa steirin weans by puir Jean, an nou a fine new wife an a bonny new bairn. Christina is a strang able wumman, an she'll mak ye a guid hame whaure'er ye micht gang. Whit ye need is new memories, an I think ye'll hae tae seek thaim elsewhaur. . . . I hear frae the herd at Pencloe ower in Glen Afton that the laird o Craigengillan is luikin for a guid steady herd for his Brounhill hirsel on the Watter o Deuch, gin ye're sae mindit.'

'The Watter o Deuch! That's a deil o a traipse, is it no - awa ower by Dalmellington an Carsphairn . . . It's faur ower faur tae tak a wife an three bairns!'

'Ach, havers, man. Ye're gaun the lang wey roun. Ye're best tae tak the turnpikes tae New Cumnock . . . it's easier than gaun ower the hill frae Muirkirk . . . then up the Afton Watter tae Aishmerk. Frae there, twa pair o guid hill pownies an sleds wad shuin tak aa yer graith up ower the Yowe Hill Rig an doun tae Hillend on the Watter o Deuch, an it's only anither mile doun tae Brounhill . . . A bonny spot, an fou o bonny specklt troots. . . I went there ance wi oor faither when ye were juist a toddlin bairn, an he wis luikin tae buy a tup.'

John Lammie wis richt. Andra's Christina wis a strang able wumman, that in the five years frae the time she settlt intae Brounhill in the simmer o 1826 - as weel as rearin Jean's Mary an Andra, an her ain Janet - bore her man fower mair bairns, Elizabeth, William, John an James: an then had tae bear the grievous loss o wee Elizabeth, cairrit awa at the age o five wi the measles in the winter o 1831, when she still had James at the breist.

Facin the mornin sun, wi the byre tae the west an cothous tae the east, the lang steadin o Brounhill lay laich alang the north bank o the Deuch . . . ower laich at times, for in a wild back-en spate, the broun watters wad whiles lap the front-door step, an gar thaim gether aa their gear on the kitchen table an stap the door wi secks fou o saun. There wis a shalla ford across the river that linkit up wi the ruch track rinnin east tae the Muir, Hillend an Glenlee, an west down the watter tae Clennoch, Darnshaw an Watterheid.

When she furst got there, Christina wis gey feart that she micht be aa her lane, but wis hertened richt awa when aa the herds' wives frae the neibourin sheils cam roun wi a wee pickle saut or a kebbuck o cheese tae walcome thaim tae their new hame. Annie Dixon frae the Muir wis there for the birthin o her bairns; tae gie her a saft shouder tae greit on when Elizabeth dee'd - an wis there again when she gied life an name tae anither Elizabeth in 1833.

Wi the Muir only a mile awa, Christina wad gang up there wi the bairns an meet wi the ither wives frae Hillend an Lochmeharb for a blether ower the knittin, or a crack ower a cup o tea an a scone; while their men were oot on the hill, or drivin sheep doun for the clippin. The bairns enjoyed thae jaunts, wi the wee anes pouin gowans an bluebells, an the aulder anes haudin buttercups tae their craigs tae see gin they likit butter; or pouin 'pee-the-beds' tae see if they warked; or pickin up a wee hairy-maggie as it crawled across the track on a het day - an squealin wi lauchter as it kittled their luifs an they drappt it back in the heather. When the blaeberries were ripe, she wad tak a basket alang an they wad aa gether berries; but faur mair fruit went doun their wee thrapples or fyled the front o their claes than ever reached hame. The aulder boys wad paidle up the Deuch guddlin for troots - wi mair wat breeks than success - while she wis kep thrang herdin her wee anes awa frae siclike wanchancy ploys.

Andra Lammie tae, had ten guid years o that peace an sweet content he'd aye envied his brither John - broken only twice. The furst time, in 1829, when a sad letter cam frae John at Dalblair tae lae him ken that young James Hyslop - awa on anither lang voyage on *HMS Tweed* - had dee'd o a fever on some faur-aff island near darkest Africa. He wis only twinty-nine. Andra had gret a wee tear or twa oot on the hill for this puir giftit lad he'd aye felt mair sib tae as a younger brither. He gret muckle mair tears twa year later for wee Elizabeth. Whit a terrible waste tae be ta'en sae young. The lanely hill brocht comfort. Wi nocht tae steir the senses baur the souch o a saft wind throu the bents, mellin wi the cry o plover, sheep an whaup, the hill wis naiture's kirk; whaur a body cuid feel nearer tae God; whaur he cuid think an grieve an pray, be still, sit at peace wi his twa dugs; an hae a wee greit wi'oot fashin Christina an the weans.

Richt at the hub, Brounhill wis a grand howf for the men o the glen; mair sae in the deid o winter, wi the sheep inby, snaw on the grun, a keen frost, an time on their hauns. Like sailors, the Deuch herds were skeely at readin the wather; for the lives o their flocks, their faimilies an themsels dependit on it.

When the hard frost came, an five snell winter days had passed; when the pale yella sun raise in the clear blue lift abune Moorbrock an skimmed swift an laich alang the hill-taps, lichtin the hoary kirstals on the muir-gress an frozen Deuch like a mantle o sparklin diamonds; then cast a cauld cloak o lang purple sheddaes ower the snawy braes an dark clints o Cairnsmore as it sank in a red lowe ower the Rhinns - then it wis time for the 'Roarin Gemm'. For on the wee Muir Loch on the shouder o Meaul Hill, the black ice wad nou be bearin; an it wis here that aa the Deuch herds - an whiles even New Cumnock men frae the Heid o Afton - wad forgether for a curlin match.

An sae it wis that keen crisp mornin in December 1835, that Andra tuik some dauds o breid an cheese for himsel an young Andra (an a wee flask o whisky for himsel) - frae Christina, wha had been quately nursing wee George, their latest bairn, by the warmth o the peat fire. Steikin the door ahint him, he checked his flock inby; then cannily testin the ice an stellin himsel wi his cruik, he guided thaim baith safe across the Deuch. Followin close ahint, young Andra stellt himsel wi twa broom-cows he wis cairryin tae soop the slide at the curlin. A pair o blackcock raise wi a birr frae a clump o rashes, an auld Andra noted the straucht line o a fresh set o tod fuit-prints alang the bankin. Nae problem for his yowes the nou, but in fower months, at lambin time it micht be a different maitter gin Johnnie Tod won throu the deid o winter. But there wis scant pickins up here for a hill fox in January, an wi ony luck he'd sterve tae daith afore the spring.

'Here they come, son,' he remarked wi a nod as they sclimmt the mile-lang, stey brae that led up tae the Muir Loch, ' . . . the opposition!' Airtin frae the east, the south an the west, were wee scatters o fast-movin folk, craw-bleck agin the snaw.

'Ye'll be playin lead, an I've got young Davie Ferguson o Lochmeharb in as saicont, an Tam Stuart frae Clennoch as my third . . . This is a big day for ye, lad, gettin tae play the roarin gemm wi yer faither agin the cream o Deuch curlers - weel, mair like sour-dook some o thaim! . . . Sae juist mind aa the tricks I've showed ye aboot this new in-twist an oot-twist that I learnt last winter frae Wattie Howie o Fenwick . . . Thae Fenwick curlers are the kings o the tee the nou. I've watched thaim play, an it's eerie hou they can bend their stane roun a gaird an bury it in the hous . . . Gin we can dae that oorsels the day, we micht hae auld Wull Gibson greitin aa his wey hame tae the Muir! . . . An mind aye tae play the brush . . . Gin ye cannae in-twist, juist mak shuir ye get baith yer stanes ower the hog-score . . . an when I cry "Soop!" . . . ye'll soop like hell till I tell ye "Up!"'

'Aye, faither, aye. Fine.' Young Andra had heard it aa - an thocht he kent it aa. They reached the lochan brim, an he watched wi interest as the ithers trauchlt ower the brou o the brae.

'C'mon, Watterheid! Ye're trailin ahint there like an auld lame tup, Jimmock . . . an that's afore ye throw yer furst stane! . . . Gin yer draw's as slow as yer stride ye'll hog every shot!'

'Awa wi ye, Brounhill! . . . I'll gether mair stanes intae the heid than you cuid bucht yowes wi fower dugs!' James Shaw the fermer frae Watterheid wis there wi his brither Saunie an twa o their herds, baith young chiels an strang. They wad be ill tae bate.

'Ach, ye're a pair o blaw-hards - an it's no juist wi sclimmin that brae!' Auld Wull Gibson had juist drawn up anent thaim wi his rink o fower - aa frae the Muir. At near-on saxty, an the auldest herd in the glen, he wis still as yauld an skeich as the rest o thaim. 'I've as guid a rink o curlers here wi me the day as ever threw a stane . . . sae ye micht as weel aa gang awa back hame nou tae yer ain firesides!'

Young Andra listened tae the banter wi amusement melled wi respeck. He kent aa thae auld men, an as a bairn wis whiles feart o their crabbit bowffin; when they were thrang an forfochen efter twal hours at the clippin, an him an the ither laddies were ower slow at trampin doun the fleeces intae the wool secks, an cuidnae keep up wi the rowth o fleeces flung at thaim; or when he wis keppin sheep at the buchtin an sheddin times, an let some some lambies get back tae their mithers. But they were different here - awa frae the cark an care o their wark, an oot tae enjoy themsels. Yet he'd better haud his wheesht till spoken tae, or his faither wad ding his lug. Saxteen year-auld or no, hauflin laddies aye kent their place.

Anither aicht men breistit the brae, ae rink frae Glenlee an Finglanfuit, an anither aa the wey frae the Craigs an Craigdarroch, five mile awa ower in Glen Afton. That wid mak sax rinks - an a guid bonspiel.

'Dinnae staun aboot like a knotless threid, young Lammie! Come an gie us a haun tae cairt thae stanes ower tae the hacks.' Wullie Wilson frae Darnshaw had brushed the snaw aff a clump o heather by the loch wi his broom-cow. Andra gaed ower. Hidden ablow the heather were aboot three-score curlin stanes, ilka ane ruch-hewn oot o whinstane, wi a roun hole caad throu its middle for a widden peg haunle. They were gey heavy, but he cairrit twa at a time tae show thae auld men juist hou strang he wis. Then they aa gethert in a lang line an sooped aa the snaw aff the ice whaur the twa rinks wad be markit oot.

That dune, he watched as his faither an the ither skips scored twa wide rings aside ane anither on the ice, uisin a muckle nail tied tae a sax-fuit lang string centred on the tee-line they'd scored earlier; then paced oot thirty yairds alang the ice an screived the ither tee-line an twa mair rings at the faur end o the lochan. Then they paced five yairds oot frae the tees at aither en, an drew the hog-scores across the ice. *This* wis the score that his faither had warned him tae mak shuir aa his stanes crossed. Nou they had twa rinks side-by-side, up an ready for the play.

'It's a gey snell day, Watterheid, even for these pairts.' opined Wull Gibson, daudin his airms hard across his kist tae warm his hauns. ' . . . an we hae sax rinks. Sae tae gang for oor usual twinty-ane shots the winner will mak for a lang gemm an a lang staun in the cauld for thaim that's no playin.' Turnin tae the ither skips he speirt, 'Whit dae ye aa think aboot fifteen shots the winner, lads?'

'That'll dae me fine.' cried Darnshaw as he sneakt a wee dram frae the flask ablow his plaid - the furst o mony. 'For at the rate that Watterheid plays, if I'm staunin aboot, I'll aither be fou or frozen deid - or baith - gin he's won twinty-ane shots!' Wi sax rinks set tae play, it wad be a lang day - on ane o the shortest o the year - an aa greed on the fifteen shots. Auld Wull shed the rinks like sheep intae twa groups o three that wad play ane anither - wi the winners o ae group meetin the ither winner in a grand final.

In their furst gemm - agin Darnshaw - young Andra juist cuidnae get his stane 'wecht' richt on the ruch uneven ice, an had tae thole sair flytins frae his faither wha wis rairin like an auld bull frae the heid for Davie an Tam tae soop his stane ower the hog-score. For the furst twa ends he hogged baith stanes, an learnt the hard wey that he wisnae as guid as he thocht he wis. But he grittit his teeth like a man, an swept like the deil for Davie an Tam - an his faither -tae draw their ain stanes intae the hous. As the gemm gaed on, an rummlin stanes raired up an doun the rink, smoothin an polishin the ice, his play grew better, till on the aichth end he did an oot-twist that drew his stane by the Darnshaw gaird tae lie weel-tuckt awa ahint it in the hous. Davie pit twa tae the front o the hous an Tam chappt thaim in tae lie three shots. Wullie Wilson wickt ane o thaim oot but ran richt throu the hous wi his ain last stane; laein his faither tae draw for a third shot tae gie thaim their fifteen.

Straucht back on the ice efter a dram or twa they faced Craigdarroch in a hard focht match whaur baith sides sooped till their airms gowpt, the sweit flew frae their brous, an steam raise frae their backs like a kettle on the bile. At the hinneren, they cam guid tae win by twa shots an gang throu tae the grand final.

As the twa ither gemms were bein settlt, young Andra ate his breid an cheese an watched an listened tae the rairs o stanes an skips, the cries o onluikers an sweepers, the skelp o heather or broom-cows on ice as they sooped their stanes; an the crack o stane on stane as thirds an skips tried tae tak oot the opposition stanes wi muckle throws that had aa the fearsome pouer o a Gallowa bull breengin at a dyke. Nou an again there micht be anither lang, loud, fearsome crack - as the ice rentit ablow thaim - an aabody stuid still for a meenit tae see gin watter wad seep throu a rent. But as lang as ony rents were at the edge an no the middle, naebody bothered ower muckle an the gemm went on.

By twa o'clock, a chill win had picked up frae the east an it grew caulder. There wis a great cheer as auld Wull Gibson triumphed ower Watterheid tae win intae the final. The licht wis fadin. Lourin grey clouds filled the lift an cast a bruch roun the sun. There wis snaw comin. Aabody there kent it. They cuid smell it - an a wheen o thaim had a guid five or sax mile tramp hame in the last hour afore the darkenin.

'Andra,' auld Wull cried as they cam aff the loch. 'There's snaw comin . . . an muckle o it. Whit dae ye say gin we haud ower oor grand battle till anither day, an let aa thae fellas awa afore the wather closes in. It'll tak thaim till nicht-faa tae win hame, an there's nae pynt in takin risks for the sake o twa or three drams . . . an you takin a sair curlin lesson frae the best rink in Scotland . . . weel, on the Deuch onywey!'

'I'll gree wi yer furst sentiment - but no yer last, Wull Gibson, ye auld bugger!' wis Andra's quick retort. 'I ken fine it's juist because ye're dune wi sclimmin up that brae, an staunin there bawlin yer heid aff for fower hours . . . an sae founert wi the cauld that ye've nae pith left tae face up tae oor in-twists an oot-twists . . . Ye juist cannae match oor skeely shots wi yer auld-farrant rummle-thaim-doun-an-daud-thaim-oot gemm, an I'll luik forrit tae oor match ony day ye feel up tae it! . . . The shuiner the better! . . . Until then brither curlers, we've aa had a guid gemm, a guid crack, an a guid dram . . . an it's high time we were awa hame tae oor guid wives an oor yowes.'

"I'll drink tae that!' cried Darnshaw. At that they aa raised their glesses, shook hauns, gied each ither a slap on the back, bade 'fareweel an safe hame', poued bunnets hard doun ower their brous, happt their plaids ticht aboot thaim, an airted their various weys back tae hame an hearth as the furst big snawflakes tummlt gently doun frae the lift.

The storm blew for three days. On the saicont day, Christina wis sweirt tae rise frae her bed. Andra had slept weel, but had been conscious o her fidgin an turnin aa nicht.

'Whit ails ye, lass?' he speirt when he cam back frae checkin the stells wi young Andra. The yowes were haudin up weel, packed in thegither for warmth, an chowin awa at the wee pickle hey he had forkt ower the dyke for thaim. He had tae caa canny wi the fodder, for the hill kintrae wis scant o guid grun for growin hey, an ony crap hained wis shuin spent in a hard winter. The last thing he wantit wis for this snaw tae lie for weeks.

'Naethin, Andra. Juist a wee pain in my wame. It'll pass nae dout . . . Cuid ye lift the pat on the swee an get Janet an Billy tae steir the parritch . . . I'll get up an pit my claes on later.'

Christina Lammie never pit her claes on again. The nigglin pain settlt laich doun in her richt-haun side an juist got waur an waur; an by the next nicht there wis nae sleep for onybody. Faintly lit by a flickerin caunle that cast eerie dark sheddaes ower the room, her aish-white face screwed wi pain as she lay there aside Andra. Clenchin her hauns ticht till her nails drew bluid frae her palms, an feart tae move for the bairns' sake, she near bit her lip richt throu tae stop hersel frae cryin oot. It wis waur when she moved, an her only relief wis tae lie still.

The following mornin, even that scant relief had gane, when she gied a terrible cry as somethin gied wey inside, an a fierce pain seared throu her belly like the lowin coals o hell. Andra wis beside himsel wi torment but cuid tae nocht tae ease her distress. He tried giein her a wee whisky an then anither tae numb her pain, but she juist grued at the taste, an stertit wi an awfu dry boke; an the mair she boked, the waur the pain. He juist sat there, haudin her hauns in his for hours; prayin tae the Lord for her deliverance frae this sufferin. Aboot noon, he raise an paced up an doun, wringin his hauns; an then had anither luik ootby. The snaw wis slackenin an turnin mair like sleet. The sky wis lichtenin, an the win had gane roun tae the west. 'Thenk the Lord,' he murmurt saftly tae himsel, 'we micht win throu yet!'

'Andra! Andra!' he cried. Young Andra cam ben frae the byre whaur he had ta'en the bairns tae play wi the dugs; tae get baith thaim an himsel awa frae the sicht an soun o their mither sufferin sic terrible agony. 'Andra, seddle the pownie quick, son, an hap yersel up in my coat an plaid as weel's yer ain. We'll hae tae fetch Doctor McDowall frae Dalmellington afore it's ower late . . . The snaw's easin an turnin tae rain, sae there'll be nae mair driftin. But ye'll hae tae get awa afore the thow sterts. Gin ye keep auld Nell on the taps o the rigs an knowes whaur the snaw's been blawn aff by the win, an keep her weel oot o the deep wraiths doun in the howes, she'll hae the strength tae cairry ye throu tae the toun . . . But dinnae drive her ower hard . . . an mind tae walk her for a spell gin she's peched an luikin dune. Aff ye gang, my lad, while there's licht tae get ye there an back.'

He watched wi a tear in his ee an a fervent prayer on his lips as auld pownie an young rider slowly raise up ower the rig an vanished in a flurry o sleet. Please God, he wadnae hae tae face a double loss gin this day wis oot. Steikin the door ahint him an kickin an auld seck across the fuit tae kep oot the cauld draught, he cried the bairns ben an tellt thaim that Andra wis awa for the doctor tae tak care o their mammy. Then he got Billy tae bile a kettle an spread some bannocks wi cheese; an Janet tae milk the coo an feed wee Elizabeth an the baby. It wad gie thaim baith somethin tae dae as weel as feed the faimily. Christina had settlt doun a-wee. At least, he thocht she had. She wis gey near sleepin, whiles in a dwam an haverin on aboot the bairns an her mither, then doverin ower again. Her wat dark hair draiglt ower a daith-pale brou that wis rinnin wi sweit. He felt her brou wi his luif - she wis burnin-up wi a terrible fever. Her sark wis clashin-weet, an he tried tae tak it aff an pit on a dry ane, but ony movement garrd her scream oot in pain, an he gied ower tryin. He cuid hear the teeth chitterin as her hale body shook an her airms an legs fidged ablow the blankets; but he cuid dae nocht else for her, baur hap her up wi mair blankets an a couple o sheepskins - an wait.

It wis twa hours dark when the dugs stertit barkin. He thocht he heard the snickerin o a horse ootby, an rushed tae the door tae see the swayin gliff o twa lanterns, then twa faint bleck shapes agin the snaw slowly makin their wey doun the brae tae Brounhill.

'Doctor McDowall . . . Man, I'm gled tae see you.' Andra's gruff vyce cracked, an tears welled up in his een as he tuik the doctor's gloved haun in baith o his, shook it warmly, an led him ower tae the bed by the ingle. 'Andra, when ye've chynged oot o thae wat claes an had a plate o het parritch, cuid ye help Janet get the wee anes' beddin up the stair. They can aa sleep in the laft the nicht an gie their mammy peace tae sleep an mak her better.' He nodded kenninly at his son. 'Oh, an when ye are at it, Andra, cuid ye ladle oot a muckle plate for the doctor as weel, for I'm shuir he needs warmin up efter his lang traipse oot here in the snaw.'

'In guid time, Maister Lammie, aa in guid time . . . efter I've seen tae Mistress Lammie. Young Andra has tellt me aboot her sufferin a terrible pain ower the past twa days. Hou is she nou?' McDowall's practised physician's ee had gied him his answer lang afore he gently asked the question; but he owed some comfort tae this puir man afore he tellt him there wis nae betterment for his wife. He warmed his hauns ower the lowin peats, then knelt doun aside Christina's bed an laid a haun on her brou. She haurdly steered tae his touch, juist giein a wee grain an a flicker o her een. He slipped his haun ablow the blankets an felt her stamack. It wis as hard as a board an tichtened mair as he dipped his fingers an pressed. Christina gied anither grain an waikly tried tae push his haun awa. Her shalla breathin wis saft an rapid, an he cuid scarce hear the souch o it.

Wi a wee shake o his heid the doctor stuid up, laid his haun gently on Andra's shouder, guidin him tae the byre door at the faur en o the room. He wis lang acquaint wi the weys o hill folk an hou they leeved day-in, day-oot wi life an daith, tendin their beasts. 'Andra, I think ye'll ken as weel as mysel that there's nocht mair I can dae for Mistress Lammie . . . She's got a ruptured abscess o the bowel an she's failin fast . . . Gin she can swalla it, I can gie her a wee dose o laudanum tae tak awa her pain an make her mair comfortable, but it's my opinion that she's failin sae fast that she's nou beyond pain.' Throu the byre door, he cuid hear the whimperin o dugs that kent somethin wis faur wrang.

'Weel, doctor, that's a blessin if she's passed ayont sufferin . . . I've been prayin for relief o her torment, an if it's nou God's will tae tak Christina awa oot o her sufferin tae a better place, then sae be it . . . But I wad be behauden tae ye gin ye thocht fit tae lae me a wee dose o that medicine juist in case the pain comes back.' Andra felt a strange caumness come ower him, faced nou wi the certainty raither than the fear. 'Dae ye ettle tae stey the nicht, Doctor, for it's a lang ride back hame on a winter's nicht, an I can aye set up a strae mattrass for ye by the fire.'

'Na, thenk ye, Andra. I'll juist let this guid het parritch warm me up an then mak for hame.' Andra tuik a glance oot the door as the doctor supped his parritch. The sleet an snaw had stopped, the clouds had liftit, an nou a muckle mune cast its siller licht oot ower the snaw-clad hills sae bricht that he cuid see as faur as the bleck shedda o Cairnsmore. 'Weel. Doctor McDowall, I think the Lord micht be shinin his licht upon ye for comin oot aa this wey tae see Christina on sic a terrible nicht; an for nou ye shuid hae nae bother airtin hame by the mune-licht . . . Young Andra will ride wi ye as faur as Brockloch on the Carsphairn road, an ye'll be able tae see yer wey hame frae there.'

Christina Lammie slipped awa three hours later, wi her guidman on his knees by her side, an her weans soun asleep in the laft abune. Ben the byre, at the very moment her speerit depairtit, Meg the auld border collie gied a lang laich mournfu yowl for her mistress, an Andra's twa young dugs Glen an Jess whined an scartit at the door. At furst licht he roused young Andra tae gang up tae the Muir for Annie Dixon; for wi'oot help he cuidnae haunle baith his grief - an tellin his bairns their mither had been ta'en awa. Annie tuik the bairns an wee George back up tae the Muir - whaur Janet an Billy cuid gie her a haun tae luik efter thaim till efter the kistin.

The dulesome word o Christina's daith passed swiftly up an doun the glen an folk rallied tae Andra's side. Willie Wilson o Darnshaw spoke tae Edam Dalgleish o Knockengurroch wha rade doun the Deuch tae Carsphairn an brocht back tae Darnshaw a plain pine kist on the back o his pownie. Darnshaw in turn, cairtit it up tae Brounhill, whaur the weemin laid oot Christina an dressed her in her finest white sark afore she wis kistit.

The nicht o the kistin wis sair on Andra. When Jean dee'd, Mary an wee Andra had been ower young tae ken whit it wis aa aboot, an he cuid haunle it fine himsel. But when, wi his airms ticht roun thaim, he brocht Janet an Billy ben tae bid fareweel tae their mammy; an felt their wee shouders shakin wi saft silent sabs that juist welled up intae a richt guid bairns' greit as they clung for comfort tae his jaiket an buried their heids on his wame; that caumness - that had cairrit him alang since the doctor's veesit - desertit him an left him bereft, as he felt their saut tears soak richt throu his sark. It wis only the noble peace in Christina's face as she lay there, nou freed frae aa the pain an cark an cares o this warld, an safe in the airms o God, that gied him the strength tae haud back his ain tears for her bairns' sake.

Aa the neibours quately foregethert in the hous. Annie had dune a bakin o scones an bannocks, an as the tea an drams gaed roun, reverent whispers slowly gied wey tae crack, tales, an memories o guid times wi Christina an Andra an the bairns, that liftit his hert an sowl. James Shaw, auld Watterheid, led thaim aa in the twinty-third Psalm; then Jane Wilson, Wullie's wife an a rale guid singer, sang Robert Burns's 'Sweet Afton', an when she got tae the words o the last verse - *'My Mary's asleep by thy murmuring stream, flow gently sweet Afton, disturb not her dream.'* - she broke doun in tears an set aabody a-greitin.

It wis nine lang miles tae the burial grun at Carsphairn Kirk, an juist the same ower the hill tae the kirkyaird at New Cumnock. Durin his years at Brounhill, Andra had mused whiles on whaur they micht baith be yirdit when their time came, an had settlt on his native Ayrshire.

Neist mornin early, the pownie track up tae the Muir wis clearin o snaw when the kist wis laid on Andra's sled, poued by twa o Wull Gibson's pownies - for auld Nell wis still lame frae her travails fetchin the doctor. Young Andra led the pownies, an his faither walked alane ahint the sled. The herds frae Clennoch, Darnshaw, Watterheid an Knockengurroch followed on bareheidit, boued, an respeckfu; tae be jyned by Wull at the Muir, an by Lochmeharb, Finglanfuit, an Glenlee as the wee pairty made its wey up the banks o the Deuch, ablow the lourin crags o Craignane an ayont Strandlud, afore airtin north ower the brae tae Monquhill. On the hill, lyin snaw made drawin the sled easier for the pownies on the three miles alang the Yowe Hill rig abune the Carcow Burn an doun tae Aishmerk in Glen Afton - whaur Aishmerk had his cairt ready for the last twa miles tae New Cumnock. At the fuit o the Kirk Brae, the cairt drew up, an the men tuik it in turns as bearers tae shouder the kist the last hunner yairds tae the kirkyaird.

It wis young Andra's furst burial. Haudin the cord wi trimmlin hauns at the fuit o the kist an facin his faither at the heid, he gruppt it ticht as they aa lowered Christina Lammie intae her lang hame an sprinklt a wee pickle yird on the lid o the kist efter the meenister had declared 'dust tae dust, an ashes tae ashes . . .' Luikin across at the deep grief in his faither's face, he cuidnae but think on hou ony man cuid thole the loss o ae young wife, faur less twa. In the founess o time he wad fin oot himsel.

Auld Andra Lammie wis sittin at the lang table wi a stowp in ae haun an his pipe in the ither; his back tae the hostelry fire at the Crown Inn at New Cumnock on a cauld December nicht in the year o 1851. My, hou muckle warmer wis a guid rairin coal fire than the gentle lowe o his peat hearth at Brounhill. An ye didnae need tae howk, dry, an cairt it on a sled frae the muir every simmer . . . juist pey some weel-tochered coal owner for the hard wark o some puir clarty collier clawin awa ablow the grun like a mowdie . . . whit a life!

But it wis grand tae hae anither guid nicht at the New Cumnock Herd Fair; whaur storemaisters an herds frae ten or fifteen mile rounaboot airted every December tae forgether at the Crown. Saxty year syne it uised tae be held in the Auld Mill, but efter a while the ferm kitchen an spence juist cuidnae haud thaim aa. The Storemaisters' business wis dune. Aa the sheep that had strayed frae their heft on tae a neibour's grun - or even faurer nor that - had been returned tae their richtfu owners; an thaim wi nae keel marks were auctioned aff, an aa the siller gethert (efter expenses) wis shared oot amang a dizzen needy folk o the pairish. Then they aa got tore in tae a grand tasty meal o steak pie an tatties - aa the mair tasty for hill shepherds that leeved on mutton stew an lamb an the odd creel o troots frae the burns, an never saw beef frae ae Herds Fair till the neist. Nou it wis time for a stowp o yill or a dram, a sang or twa, a tune on the fiddle, an a blether aboot auld times an new gossip, afore they aa airted hame again ower the hills. A roun trip o mair nor twinty miles for maist herds wis naethin at aa - an worth it juist for the crack.

An here he wis wi maist o his faimily. For some reason or ither, they had aa airted tae New Cumnock. Forenent him wis brither John, nou seiventy, retired frae Dalblair and bidin up at Sunnyside on the Dalmellington road wi his youngest boy, Thomson. It wis juist a wee seiven mile jaunt ower Enoch Hill tae Sunnyside; an nou that maist o the herdin at Brounhill wis dune by Billy an John, he wad whiles dauner ower for the day. Takin his greenhert rod an pirn, an a claith poke o worms or docken grubs happt in wat moss, he wad fish up Stra'wiggan an doun Crocradie Burns; aiblins catchin a guid creel o bonny burn troots tae cheer up John - wha wis slowly failin, an gey wee-buikit wi rheumaticks efter saxty year on the hill.

John's saicont youngest, Andra, nou herdit aside thaim up at the Muir - a guid neibour tae his kizzens - an wad whiles keep him company gaun ower tae see his faither. An his ither boy Robert, still a bachelor an no very stuffie, had gied up the fermin an nou kep a wee Johnnie-aa-things store in the village; whaur they'd juist bocht a wheen provisions - caunles, saut, tea, meal, spunkies, an a pickle geegaws that Janet needed back at Brounhill. Baith the lads' lambin bags were stappt fou - an he'd kep a guid ee on their yill stowps aa nicht, for fear that they micht get fou as weel, afore the journey hame. Young Geordie, sat here aside him, wis nou saxteen an herdin Monquhill at the heid o Carcow Burn juist twa mile short o the Muir, an he cuid aye share the load. There wis mony a year he'd humphed twa lambin bags himsel back ower that hill, but thae days were gane, juist like his auld knees. Och, but it wis grand tae hae his bairns aboot him, juist like brither John. He wis content.

Wis it thirty year since Jean dee'd . . . an saxteen year since Christina? Whaur had aa the years gane? Auld Andra cuid scarce believe it. Fegs, at saxty-twa he wis nou three year aulder than Wull Gibson wis when Brounhill bate the Muir curlers in thon famous match the year efter Christina dee'd. At yon sad time, young Mary had been a great help wi the bairns - tho it had cost him fower guid gimmer yowes in lamb in a settlement wi Maister McMillan o Lamloch, tae get her lowsed early frae her term o service at the big hous an bring her hame. An nou she wis mairrit an up an awa wi James Carson tae bide at Newfield at Dalry. An here's young Andra - mebbe no sae young nou at thirty-twa - herdin in New Cumnock ower at Benston, efter aicht year doun at Crawick; an walkin oot wi a lass caad Ellen Heron. An is she no the dochter o auld Wull Heron frae Kingsbrae at the fuit o Mennock. It wis a smaa warld.

'Here, Faither.' Young Andra wis at his shouder wi anither hauf-mutchkin. 'This'll dae ye for the nicht. It's gaun nine o'clock an ye've a lang road aheid o ye . . . a damnsicht faurer than Benston . . . sae drink up an I'll gether my brithers an kizzen Andra, an get thaim set for the hill.'

Duly gethert, they set aff up the Auld Mill brae by the siller licht o a waxin hauf-mune risin ower Blackcraig, that shone doun on their path throu Glen Afton tae Aishmerk an Carcow, an lit up the lang sclim ower the Yowe Hill - their steps made easier an the journey shorter, by guid crack, their ain guid company, an a guid hard frost underfuit.

Auld John didnae see anither Herd Fair. Auld Andra dee'd content, fower year later at Brounhill, an followed Christina ower the hills tae New Cumnock.

We linked to the top o the mill brae, and halted,
And there took gude nicht, and sent cheers to the air:
Then each held awa to his wife or his sweetheart,
To tell them the news o New Cumnock Herd Fair.

Thomas Murray.

Chapter 19

1832 - THE NEWTON COLLIER

I wadna mairry a collier chiel,
For a wee, wee pooch wad haud his meal,
An ye'll gae rattlin tae the Deil,
The day ye mairry a collier chiel!
Anon

Jean Currie laid doun the poker an cocked her heid at the scliff o weary feet sclimmin the ootside stair up frae the unlit back-close ahint her tenement hous in Wallace Street. Then cam a click as the sneck liftit an the door opened.

Her man stuid framed in the doorway, his bleckened face an pit claes makin him near invisible in the darkness o the nicht, except for the whites o his een lit by the gutterin flame o a cruisie lamp. A snell gust o win sent a chill throu the room. 'Steik that door, Davie, afore the weans freeze tae daith!'

For Jean Currie it wis a nichtly ritual when Davie wis on the backshift; tae get the three weans fed an beddit doun on their strae mattrass in the faur corner o the kitchen flair; an bank up a roarin fire tae bile twa muckle kettles for heatin the tin bath-tub hauf fou o cauld watter she'd drawn earlier frae the pump in the street.

He shut the door, but didnae move, juist stuid there, a wee man, shouders saggin, heid boued, deid-wearit an disjaskit. Jean jaloused there wis somethin faur wrang. There wis a silence, then he spoke.

'It's bate us, Jean, it's bluidy weel bate us at the hinner-en!'

'Whit's bate ye, Davie?' she speirt, wi a worrit luik on her face.

'The watter, lass! The bluidy watter! Nummer Three Heidin's floodit, an Nummer Five is gaun the same wey . . . Watter broke intae Nummer Three last nicht an the pumps cuidnae cope. They had tae abandon it this mornin . . . An nou it's risin sae fast in Nummer Five that the road tae the pit bottom is a fuit deep in watter aaready. They've juist poued oot aa the men, an are gaun tae shut doun the pit! . . . I'm oot o wark!'

Newton Colliery wis ane o the auldest pits in Ayr an had been worked for near on seiventy year. The pit shank wis on Newton Shore, a stane's throw frae the watter's edge, an the workins ran oot ablow the sea. The coal seams were rich, but it wis weel kent as a wat pit. Watter had aye been a problem. Sae much sae, that sixty-five year syne, in 1767, the Burgh o Newton itsel - wi shares in Taylor o Newark's Ayr Coal Company - had gied £150 toward the purchase o ane o the first-ever beam-engine steam pumps, tae keep the pit bottom dry. The pump had helped keep the pit profitable, but did naethin for the warkin conditions o the colliers. Threepence a day extra for 'wat workin' on their basic pey o 1s 6d tae 2s a day wis an insult tae the puir men that wrocht aa day in watter; forced tae lie on their sides in it as they howkit coal wi their picks; tae wade up tae their hochs in it as they drove new roads or gethert graith frae abandoned workins; or juist tae thole the dreep, dreep o icy watter on their backs nae maitter whaur they went.

Wee Davie, droukit tae the bane an chitterin wi cauld, juist stuid there, ower deid-wearit tae move. Sensin this, Jean grabbed haud o his jaiket - 'Tae hell wi nae wark! Furst things furst! Luik at thae claes - they're clashin wat! Get thaim aff an get straucht intae that bine o het watter - ye're founert!' She stripped him nakit an helped him intae the tub forenent the bleezin fire. The lowe o the flames cast a movin shedda agin the back waa o the room as she syned the bleck coal stour frae every crease an pore, back an front, tae reveal the daith-white pallor o a miner's skin that for sax months o the year never saw daylicht - doun the pit afore dawn, an back up again efter dark. She wis a miner's dochter hersel, born an raised at Glenbuck near Muirkirk, an had been throu it aa afore.

Davie's chitterin stopped as warmth an life ance mair began tae flow intae his stiff, sair muscles an jynts. He stuid up, an toastit his back at the fire as he towelled himsel dry wi a bit o hessian. Slippin intae a clean sark an a pair o breeks, he drew up a chair tae the ingle an warmed his hauns roun a big bowl o fish stew that Jean ladled frae the airn pot simmerin on the swee. Twa helpins later, he felt like a new man, an his speerits began tae rise.

'Ach, I suppose it had tae happen sometime, Jean,' he conceded. 'Maist o the guid seams are warkt oot, an it's been gettin harder an harder tae win coal - an mair dangerous tae. Nummer Three's been gettin that near the surface that some o the men sweir they can hear the cod talkin! I widnae be surprised if there's shoals o herrin swimmin about the warkins the nou, eatin oor pit pieces!' Jean lauched, an Davie gied a wee wry smile.

'C'mon, Hen.' he said. 'Let's get awa tae bed. Aa I need is a guid nicht's sleep!'

It wis the barkin that woke thaim. Davie lowpt oot o bed wi a stert. It wis daylicht! He'd slep in for the pit! 'My Goad, Jean, I'm late for my shift! Get oot o that bed an get my piece ready!' Then he sank back, mindin he wis oot o wark. But the barkin went on.

'Jean! Jean! That bairn's no weel. He's got the croup.'

Jean wis on her feet by this time, wi a plaid roun her shouders, couryin ower wee Billy wha wis lyin neist the waa. His breathin wis sair an raspin.

'That's a bad hoast the boy haes! We'd better get him tae the doctor the day. Hae ye ony siller?'

'I think there's a shillin left ower frae last week's pey,' said Jean, cradlin the wee lad in her airms. Billy wis three year-auld, but luikit mair like a bairn o aichteen months, a shilpit wee sowl that had been puirly since the day he wis born; his waik kist no helped ony by lyin nicht efter nicht on a strae mattrass on the bare widden flair o a cauld damp hous.

His wee sister Jean, twa year-auld but bigger nor her brither, lay soun asleep aside him, but the noise had woken the wean Mary, an stertit her greitin for her mornin feed. Jean's shouders sagged. She gied a weary souch, put her haun tae her brou, an shuik her boued heid. Davie cuid see she wis trauchlt. He tuik wee Billy frae her an walked the flair wi him, talkin gently an straikin his pow. Jean picked up the wean, sat doun by the ingle, an poked the deein embers intae a lowe. Then wi her spare haun she pit mair coal on the fire an swung the parritch pot ower the flames. This dune, she opened the front o her goun, drew oot her breist, pit the wean tae the tit, an set tae steirin the parritch wi her free haun. Wee Billy fell back tae sleep, an peace returned.

Ower the parritch, Davie spoke - 'I'll tak the bairn ower the brig tae Doctor John as shuin as there's a wee bit heat in the sun. He's aye been guid tae you an the weans - no like some o thon ither siller-grabbin quacks that wad tak yer last penny for a cure-potion an then watch ye sterve tae daith!'

Cairryin the wee lad weel happt in a plaid, there wis a sherpness in the September mornin air as he cam doun the Brig Port aff the Auld Brig an made his wey throu the stink o the Fish Cross. A wheen fishwives in their strippit blue aprons an broun petticoats, wearin mutches that framed their tinker-tanned faces, were clackin awa tae a clamjamfry o toun folk ower their creels o herrin, haddies an coalies. He'd get hauf-a-dizzen herrin for Jean on his wey hame - gif he'd ony siller left efter seein the doctor. In Newmarket Street, the Buttermarket tae wis thrang wi folk, but he kent fine that the price o butter, cheese, or a poulet, wis faur abune whit he cuid afford.

He reached the Sandgate, lined baith sides wi heich tenements an the new-biggit Toun Hall wi its muckle spire - a fine braid street that led up the brae frae the New Brig tae the grand toun-houses o the county gentry in Wellington Square. Stoppin tae let a coach an pair clatter by, he crossed ower by Lady Cathcart's auld hous, whaur they said John Loudoun Macadam the Road Maker wis born. Twenty years back, Jean's brither had worked at Macadam's Tar Kilns up the Garpel Burn at Muirkirk - makin the furst tar ever made frae coal, that wis uised tae pent the hulls o Nelson's ships durin the Napoleon Wars.

Roun the corner, in Cathcart Street, stuid Dr Taylor's hous - a grand three-storey buildin wi pillars aither side o the close mooth. Davie's ee ran ower the queue o folk ootside. A trauchlt mither wi a screichin bairn in her airms an anither three ruggin at her skirts; Wullie Sim, a collier like himsel frae Newton, auld at forty, an oot o wark for a twalmonth wi miners' lung, an a kist on him like a steam engine. There wis Geordie Bingham's lass, an by the size o her, she wis near her time - somebody must hae bairned her last Hogmanay. Ahint her stuid a young lad o twinty in his bare feet, wi sunken een an clappit jaws - a rickle o banes happt in an auld jaiket an breeks. He had a rackin hoast. Davie drew back instinctively as he coughed, an a splatter o bricht red bluid hit the causeystanes. Consumption! . . . an a bad case at that . . . he'd be lucky if he saw this Ne'erday!

Ane by ane, the puir sowls shauchlt throu the close in the hope that the guid doctor cuid dae somethin tae ease their misery. Some were by aa help save the Lord's, for there wis nocht that John Taylor cuid dae but gie thaim a heize, wi a kindly haun on the shouder, an a wee word o comfort. Ithers mair fortunate emerged gruppin whitever saw or potion micht serve their ailment.

It wis wee Billy's turn. Davie chappt the door and went in at the doctor's cry. Raws o green bottles an jaurs o saws an linaments lined the shelves ahint the doctor's desk, an he grued at the sicht o a wheen leeches, slitherin an writhin like ugsome bleck slugs, across the fuit o a watter-filled jug on the dresser by the door.

Doctor John wis staunin by the windae, an turnt wi a smile o recognition when he saw Davie an the bairn. He wis a young man, only twinty-seiven, yet the carin luik on his braid open face, framed by a bushy sailor's beard, wis that o a body wha had experienced some o the hardships o life himsel; an wha had thocht an fashed lang an hard aboot the poverty an injustice tholed by the puir faimilies o weavers, seamen, miners, labourers an time-served craftsmen leevin oot a miserable existence in rat-infestit hovels up the dark closes an vennels aff High Street an Sandgate - an across the Auld Brig in Newton-on-Ayr an Wallacetoun.

Not only had he thocht aboot it - he had dune somethin aboot it. Born intae great wealth himsel at Newark Castle in 1805, son o John Taylor the proprietor o Ayr Coal Company, wha ran the Newton an Blackhouse Collieries, he trained as a naval surgeon efter the Napoleon Wars. It wis then that he'd got in tow wi republicans an radicals in France an Greece - an rumour had it that he spent his twinty-furst birthday in a French jyle! Some said this had turnt his heid, for nou that he had come o age, as shuin as he won back hame he sellt aff his late faither's Blackhouse estate an the collieries, an spent maist o the £30,000 fittin oot a ship tae help the Greeks fecht the Turks for their independence.

An only twa months syne, when the Reform Act finally got throu the Hoose o Lords at the third attempt in July 1832, he celebrated the grantin o the vote tae the burghers o Ayr by mairchin throu the toun at the heid o the Grand Procession alangside his uncle Provost William Fullarton an the Toun Cooncillors, followed by the Hammermen, Weavers an Spinners, Colliers an Engineers, Shoemakers, Squaremen, an aa the ither treds.

An only last month, he stuid as a Radical in the County Election, when the new voters o Ayr sent the auld Tory Member Colonel Blair awa wi his tail atween his legs, an elected Oswald o Auchincruive as their Whig M.P.

For Davie an his workmates - still withoot the vote - the last few months had seen a glimmer o hope for the future o their bairns, if no for themsels. They needit men like Dr John Taylor - Radicals wha had the courage an pouer tae staun up for the warkin folk, an speak oot agin their sufferin an oppression - an they had gied John Taylor their support. Davie had ta'en pairt in the demonstrations an the celebrations - an his heid still birlt at the thocht o the yill he'd drunk the nicht o the Grand Procession.

'Are ye keepin better yersel, Currie? Ye werenae luikin aa that grand the last time I saw ye!' It wis as if the guid Doctor wis readin his thochts. 'Whit's wrang wi the wee lad nou?'

'It's wee Billy, Doctor - he's been gey puirly the last nicht or twa wi a bad hoast that souns like the croup.' Davie gently unwrapped the plaid an laid the wean on the doctor's table. John Taylor, juist as gently, drew the raggit shirt up ower Billy's kist an watched the indrawin o his ribs as the bairn struggled tae souk precious life-giein air throu a hauf-stapped thrapple. He bent ower an placed his lug tae the heavin breist.

'He's got a bad dose o croup, Currie,' he spoke saftly as he stuid up again an luikt Davie in the ee. 'His wee throat is in a ticht spasm. Ye'll hae tae get him hame oot o the cauld as shuin as ye can an gie him a steamin . . . Here, tak thae crystals an pit a wee pickle in the bilin watter tae ease the spasm . . . an watch his colour. If he turns blae, let me ken. Wi the passin o time, an God's Grace, he'll win throu.'

Davie happt the wean up again in his plaid, an held oot the shillin he'd ta'en frae his pouch. Wi a wave o his haun, Doctor John tellt him tae pit his siller by. 'Ye've mair need o that than me, Currie,' he gestured, 'I hear the Auld Pit is flooded oot an shut doun, sae nae dout ye'll be oot o wark, like a wheen mair.'

Wi a tear o thenks in yae ee - an a tear o worry for the wean in the tither - blinnin him as he left the room, Davie hurried back hame the wey he came, past the Fish Cross. The herrin would juist hae tae wait, he thocht tae himsel . . . an Jean an me will juist hae tae gang hungry the nicht, or until this bairn is better.

Billy did pick up the neist day, an for a wee while at least, wis spared.

Chapter 20

1836 - THE BIGAMIST - THE TWA WIVES

I, wha sae late did range and rove,
And chang'd with every moon my love -
I little thought the time was near,
Repentance I should buy sae dear.
The slighted maids my torment see,
And laugh at a' the pangs I dree;
While she, my cruel scornful Fair,
Forbids me e'er to see her mair.

Robert Burns - Young Jamie, Pride o the Plain

'Are ye there, wife!' The back door slammed ahint him as John Stewart stauchert ben the room still gey the waur o weir - despite a sax mile walk in the caller nicht air hame tae Pathheid frae the Mey feein fair at Cumnock. He tripped ower the rag rug, duntit his hurdies agin the dresser, caad ower the milk jug, an sent it crashin doun on the flagstane flair.

Mary Stewart, doverin in her chair by the deein fire wi a hauf-shewn patched pair o breeks for young Robert still in her lap, awoke wi an awfy stert.

'Wife! Ah'll wife ye, John Stewart, comin hame fou at this time o nicht, ye drunken auld sot! . . . An luik whit ye've dune tae my mither's guid jug . . . an thae jaups o sour milk aa ower my clean washin!'

'Ach, stop yer threipin, wumman! . . . Ye'll no hae tae pit up wi me for lang nou!' Crouse wi the drink, he thrust his face intae hers an leered at her throu rid bleert een as she drew awa frae the guff o his yill-sodden braith. '. . . For Ah've juist got mysel fee'd for a twalmonth doun at Ochiltree – at Plotcock - stertin the morn . . . sae ye'll get the bed aa tae yersel frae nou on . . . juist whit ye aye wantit . . . wi nae mair fash frae puir auld Jock Stewart juist wantin whit's his!'

'Plot-cock, did ye say?' Mary cam back at him in a flash, wi a bitter hardness in her vyce. 'Ye picked a guid name for yer ferm, richt eneuch . . . Gin I'd juist plottit yours in bilin watter sax year syne, I micht hae had a quater life nou!'

She'd had a gey ruch time o it when wee Andrew wis born in 1828; but try as she micht tae protect hersel, twa years later at the age o thirty-aicht she fell again – this time wi twins. Her confinement wis aicht weeks early, an efterwards she nearly dee'd, for she bled for weeks an wis that waik an dwaibly that her milk dried up, an she cuidnae suckle the bairns. Wechtin nae mair than twa or three pun a-piece, the puir infants had nae chance. Wi the help o her guid freen Nance, she tried wattertdoun coo's milk, but that turnt their wee stamacks an gied thaim the scour. Afore her een, she'd watched them slowly dwine awa till Nance, fearin the warst, caad in the meenister an had the wee sowls christened. Thomas an Mary. They dee'd the neist mornin, baith within the hour.

Tho it tuik nine lang months afore Mary gethert her strength, it tuik a further twa year an mair tae gether her speerits. For the hertfelt loss o her only wee dochter, efter five sons, wis ill tae thole - an whiles in her grief, the thocht o the Nith brig on a dark nicht wis a sair temptation. Richt or wrang, she blamed John Stewart. She set her mind on it. There wad be nae mair bairns – an nae mair pintle.

John dree'd his weird wi guid naitur for the first twalmonth, for he felt for puir Mary an aa she had gane throu; tho he aye ettlt in guid time, nane-the-less, tae get back tae his auld nicht-plouin. But Mary wis juist as thrawn as he wis randie, an as the lang months gied wey tae years, his guid naitur gied wey tae a carnaptious, crabbit girnin - followed by coorse, hard, bitter words, but naithin mair. For while twinty year syne, John Stewart micht weel hae chairmed his bonny lass intae the busses, nouadays his Mary wis a big sonsy wumman an mair nor a match for him had he tried tae force himsel on her. Sae, like a randie wee bull on the wrang side o a muckle stane dyke frae his queys, he cuid dae nocht but rant an rair an rowt, foam at the mooth - an whiles droun himself in the nappy when he had siller.

Tho weel content tae bide by hersel for a while, Mary wis gey worrit aboot her boys. John the auldest wis lang awa intae ferm service, but Robert an James were steirin lads o ten an eleiven, an wee Andra at seiven wis awfy close tae his faither. They aa needit a faither.

'An hou am I gaun tae feed an cleid yer three bairns while ye're awa at Ochiltree . . . for apairt frae the wee pickle shillins I get frae the eggs, I've got naethin!'

John Stewart by nou wis sprauchlt face doun across the bed, wi juist eneuch sense left in his heid tae grunt that there wad aye be eneuch siller tae tak care o his guid wee laddies - afore drappin aff intae a deep an drunken sleep.

Her luik o disgust tinged wi a strange sense o relief, Mary crept ower tae the bed, rugged the twa blankets frae oot ablow him, happt thaim roun aboot hersel, an settlt doun for a waukrife nicht in the chair. For lang an weary, her heid birlt an stouned wi a mixter-maxter o worrit, fearfu thochts an auld memories guid an bad; an it wis gey near cock-craw when at the hinner-en she drappt ower hersel intae a deep slumber.

She waukened tae young Robert's cry in her lug as he shooglt her shouder. 'Mither, mither! It's time ye were up! . . . It's by oor denner-time, an my faither's left an awa tae Ochiltree tae wark twa hour syne . . . He said juist tae lae ye sleep an no tae wauken ye . . . an that this wee poke o siller wad dae ye till hauf-term in November.' Mary rose quick, grabbin the poke frae Robert's haun, an as she tuimt it oot, a satisfyin jingle o coins rowed across the table. Fower pun an twal shillins. Wi prudent care, they wad juist aboot get by ower the simmer months.

Doun at Ochiltree, John Stewart got settlt in fine at Plotcock. At forty-fower, he wis still whitreck-thin an wiry, wi a guid heid o dark hair that belied his years. Apairt frae gowpin knees an the odd stoun o pain in his back when he wrocht ower hard - which wisnae that often - he wis still gey skeich for his age, and forby, had juist as keen a hunger for the lasses as when he first socht wark awa frae hame twinty year syne. A hunger sherpened by the gey puir fare served up by his Mary thae past five years.

Mary Gillespie wis the milkin lass at Plotcock. The younger sister o big James Gillespie the tenant at Steel Park, she wis a big-breistit strappin wench o aichteen, ripe in her prime an wi a guid conceit o hersel. She wantit nane o thae glaikit Ochiltree hauflins, wi their gawky mainners an fummlin hauns, an wis aye on the luik-oot for a grown man wi a pickle siller, that wad trait her weel an mak her feel guid.

John Stewart needit nae saicont biddin when she gied him the gled-ee at first sicht. In a maitter o weeks, his whitreck wiles had her tranced like a rabbit, an in nae time at aa they were gaun at it like buck an doe amang the rigs, an down by the shaws on the banks o the Lugar. For three months his harns were in his pintle an his heid in the clouds. Sae much sae that he gey near believed his ain whud - that he wis thirty-five an single – that garrd young Mary spread hersel for him yon first nicht in the hey-laft, efter a quart o yill. Vanity tint aa reason. Besottit wi pleisurin sic a bonny young queen nicht efter nicht, an flattered by her wanton needs for mair, the tentless pair went ram-stam, heid-lang, intae the auld, auld trap.

Scarce a fortnicht had gaed by frae John sendin hame fower pun tae Mary Stewart at the November hauf-term, when the auld lecher learnt he had bairned his ither Mary - an it hit him like a cairt-load o shairn. At the stert he panicked. My, goad, he wis aaready a mairrit man, wi a wife at hame wi three growin laddies. He thocht he micht juist up an rin awa back tae Mary at Pathheid; but he wis fee'd tae auld Plotcock till Mey and wad be held tae account on that bargain. An efter aa, he had promised tae provide for his boys. Oh why the hell had he tellt Mary Gillespie he wis a single man. If the Kirk fand oot he cuid be in bother. On the ither haun, if big Gillespie fand oot, he'd be in even mair!

Ae cauld November nicht efter lowsin early frae a hard day shawin neeps, as he steirt a pat o kail an mutton broth on the bothy fire, John stertit wi fricht at the loud clatter o a stick on the door as it burst open. Gillespie had fand oot. He stuid there fillin the hale door frame, heid stooped ablow the lintel, gruppin a muckle, bossed blackthorn stick in his richt nieve an tappin the heid o it in the luif o his left haun.

'Ye sleekit wee shite, Stewart! Nou that ye've bairnt oor Mary, whit are ye gaun tae dae aboot it? Gin ye dinnae tak her on an mairry her richt nou, I'll grind yer baas intae pin-meal wi this stick, an ye'll never saw yer oats again!'

'For Goad's sake, James, hear me oot!' Jock Stewart fleecht, still mindfu o yon sair hemmerin twinty year back frae auld Ferguson; his heid birlin smertly as he socht hard tae jouk anither. 'I own I've kent your Mary . . . an nou it's cam tae this! I didnae ettle tae bairn her, but . . .' he strugglt hard for words. An then it cam clear tae him in a flash. Big Gillespie airted frae Coylton in the west. He wad be sib tae naebodie frae New Cumnock or Tarbouton, faur less Kirkoswald. Ochiltree wis faur eneuch awa for there tae be nae chance o him kennin aboot Mary Ferguson an his faimily at Pathheid. An luckily, he had lee'd as weel tae auld Plotcock aboot his age an that he was single; for there wad hae been haet a chance o winnin a guid hire for an auld mairrit ferm servant o forty-fower.

'Luik, Jimmy,' the weasel words cam easily, his hert liftin, 'yer sister has her hert set on me, an me on her . . . We're sort o trystit . . . an I'm single an ready tae mairry her nou, the morn, or ony day.'

Gillespie scowled as he lowsed the blackthorn stick frae his luif an laid it on the bothy table. 'Weel, Stewart, no this time . . . but if ye renege on this promise, sae help me, ye'll be floatin doun the River Ayr!'

Wi the Reverend James Boyd nane the wycer, he an Mary Gillespie were jyned thegither in holy matrimony at Ochiltree on the third day o February 1837. Jock Stewart had hauf a notion that whit he had dune wis mair nor a sin, that it micht be a crime; but had he kent that the heinous crime o bigamy cuid hae got him jyled - or transported tae Australia - he micht hae been mair fearfu o the wrath o the law, than the wrath o big Jimmy Gillespie.

Nane-the-less, it wis gey obvious tae the meenister – an the hale village - that a sin had been committed an sae, for the saicont time in his life, John Stewart wis compeared tae present himself afore the Kirk Session three weeks later, tae answer for the sin o antenuptial fornication – while leein throu his teeth wi his fingers crossed ahint his back, tae avoid the cardinal sin o adultery. Sittin wi the meenister were twa elders William Smith an James Wyllie. John didnae ken thaim frae Adam, but they baith kent James Gillespie an his sister - for Wyllie wis Gillespie's guid-brither. Ahint the unctuous faces that stared by him at puir Mary's shame, he cuid sense their hidden lust an slaverin enjoyment as the Reverend Boyd speirt juist hou often they had sinned, an whaur; an efter their confession exhorted thaim seriously tae repent o their sin - an instructit thaim tae appear publicly afore the congregation on the fifth o Mairch tae be rebuked an absolved frae the scandal o antenuptial fornication.

While Mary wis mortified, an cuid feel the curious stares o the guid folk o Ochiltree burnin a hole in her back as she sat oot the front wi John on a pair o cutty stuils, it didnae bother him - tho he wis sherp-wittit eneuch tae jalouse that he shuid get as faur awa oot o the pairish as smert as he cuid, afore the gossips stertit tae speir ower muckle aboot his past. For it luikt gey queer tae Ochiltree folk that a new wife shuid be steyin at her brither's - an her man in a bachelor's bothy.

Ower the neist few weeks, he thocht oot a likely ploy. At the Mey Fair, his term at Plotcock wad be up, an he'd tell big Gillespie he'd fand wark an a hous for Mary up by at New Cumnock. As faur as big James wis concerned, it cuid be America – for aa the chance o him an Eliza ever takin the twal mile jaunt tae see his sister. An by Mey, Mary wadnae be too faur gane, an still strang eneuch tae mak the journey hersel. If he cuid wheedle her a hurl frae a cairter as faur as Cumnock, she cuid aye walk the rest. Aye, things wad work oot. He kent a neibourin hous at Pathheid had lain empty since auld Jennet Gibson dee'd in February. Like as no, it wad need a quick reddin oot, but he wis shuir that her auldest, Tam, wad agree a chape rent for sic a moger o a place. An his auld Mary wad juist hae thole it, haud her tongue, an stey neist door wi his laddies - for she had naewhaur else tae gang bar the puirhous.

It wis a fine Mey morning wi a guid dryin win frae the west as Mary Stewart hung oot her washin on a raip atween twa auld rowan trees at the back o the hous. The sun wis weel up ower the Knipes an glintin on the Afton Watter whaur it wimpled amang sauch busses intae the Nith ablow the Castle meedows. *'Flow gently sweet Afton amang thy green braes . . .'* she sang saftly tae herself . . . *'My Mary's asleep by thy murmuring stream, I charge thee disturb not her slumbering dream'*. She checked her singin wi a wistful faur-awa luik as she cast her ee tae the high hills still clad in the tawny withered gress o winter. The parks wad be green at Kirkoswald. But spring wis aye a lang time a-comin in this uplan pairish – an sae wis John Stewart. Ye're nae Robert Burns, ye auld scunner, she mused, but I'll be gled tae see ye hame again - aa the mair sae gin ye hae sax months' wages in yer poke for the bairns an me.

Aa she'd had frae John wis a message frae Ochiltree that he'd be back hame this efternuin, an that he'd juist got himself fee'd for the neist term at Castlemains. Afore that, apairt frae the siller at Mairtinmas, she'd heard nocht frae the day he left, for he cuid naither read nor write. If truth be tellt, apairt frae his siller, she hadnae missed him ower much in the past year - tho her boys had. For wi spinnin wool yarn for the blanket weavers, an cleanin for Mistress Gordon the doctor's wife, tae add tae her egg money, she an the bairns had gat by fine. But as the weeks gaed by tae John's hamecomin, she fand herself strangely luikin back tae the John she'd ance kent; an luikin forrit tae his crack, his slee humour, and the guid wey he had wi his laddies. An she kent fine that Robert, James an wee Andra were fair fidgin tae see their faither again.

It had juist gane three o'clock when there wis a licht chap at the door. The boys were doun the Nith fishin for troots, an Mary only heard it the saicont time roun as she peelt a bilin o tatties for their denner. Dichtin her hauns on her apron, she slowly lowsed the bolt on the front door. A single wumman wi three bairns cuidnae be ower canny, wi aa thae chapmen an gaberlunzies passin by on the Glesca tae London road.

Keekin roun the door-jamb, she spied John's face fillin the crack, wi a muckle pack ower his shouder. She swung the door wide. 'Come awa ben, John, it's guid tae hae ye ba . . .' She stopped deid as she luikt ahint the pack an saw anither body – a young limmer!

'An wha's this?' she speirt, her heid jalousin that it micht juist be a treveller on the road like himsel; while deep in her sinkin hert she feared the warst - mair sae when a single glance tellt her that the hizzie wis aicht month gane.

By this time, John Stewart had come awa ben, beckoned the lass throu the door wi a hurried wave o his haun, an steikt it ahint him quick, slippin the bolt hame so as nae nosy neibour cuid 'juist drap in'.

'Mary, I'll tell ye . . . I'm in bother. This is Mary Gillespie frae Ochiltree, an as ye can see, she's heavy wi bairn . . . an we've juist walked aa the wey frae Cumnock . . . can she sit doun?' Despite her burstin wrath an a seik feelin in her stamack, Mary drew up a chair for the lass.

'Ye dinnae need tae tell me John Stewart . . . that it's you that's bairnt her!' Mary's vyce wis hard wi white rage, yet trimmlin wi shame an pain.

'Aye, I cannae deny it. Ye ken me ower weel.' Suddenly aa the thochts in John Stewart's heid dried up. Like wee strandit minnons lowpin aboot desperate in the last dregs o a simmer sheuch, the thochts in his brain jinkt an joukt an strugglt tae fin a wey oot o this het watter he'd gat himsel intae. Frae the stert he'd denied himsel ony thochts that, at the hinner-en, he wad hae tae face up tae Mary an the laddies – wi aa the disgrace an shame - for he cuidnae wark it aa oot in his heid. An nou this wis it. Like listenin tae somebody else in a trance, he heard himsel blurtin oot – 'But it's waur than that, Mary, for I had tae mairry her in Ochiltree in February! . . . She's nou Mary Stewart!"

As if a stane-mell had hit her richt atween the een, the aulder Mary stauchert back, an mair by guid luck than ocht else, cowpt intae the ither chair by the ingle. For twa lang meenits she sat there, her mouth an lips warkin, but nae soun, her een wild an wide starin sichtless at the dresser, her white knuckles knottin an twistin at the faulds o her apron; while John Stewart juist stuid there like a wee stookie, his mouth an left ee twitchin in a tic as he luikt pathetically frae ae wumman tae the tither.

Then Mary's een stopped starin, an flashed venomously at him as she lowpt oot the chair and pyntit an accusin finger at her rival. 'Mary Stewart, did ye say . . .Mary bliddy Stewart! . . . Weel, John Stewart, ye can tell this big hure that there's only yae Mary Stewart . . . an that's me, yer rale wife . . . an it's steyin that wey!'

It wis young Mary's turn for dumfounerment. 'Mary Stewart . . . Mary Stewart!' She raise screamin an rushed at her trimmlin spouse, drawin bluid frae his brou wi a skillet she'd liftit frae the hearth, then thumpin his kist wi her nieves, 'Ye leein, cheatin wee bastard! You tellt me, an my brither, an the meenister, that ye were a single man . . . Itherwise I wadnae be staunin here cairryin this bairn!' Of a sudden, her een raise skywards as she went daithly pale, swooned, an wad hae tummlt headfirst intae the fire had Mary no dertit forrit an gruppit her ticht. 'You!' she screamed at the feckless John. 'Dae something richt for yince in yer life! Grup the puir lassie's legs an help me lift her intae my bed . . . The shock o aa this, an you makin her walk aa the wey frae Ochiltree, has been ower much for her. We'll sort aa this oot when she comes roun an feels mair at hersel . . . an we'll hae tae wark oot whit tae tell the weans. Whit a bluidy mess!'

Mary Stewart suddenly felt a great pouer gether inside her, a surge o strength she'd never felt afore; an a clearness o thocht that showed her the wey forrit. If she gied in tae thaim baith nou, she wad be a lost sowl an oot in the streets at forty-fower, wi naewhaur tae gang but the puirhous. For nae man wad tak her on nou, an nae mistress wad daur hire a disgraced wumman wi three bairns. And, she reasoned, John Stewart had gane weel ower the score this time. It wis no unkent for a wumman's man tae gang astray. Heavens forfend, Rab Burns had dune it a wheen o times . . . but for this gomeril tae gang an mairry the jaud wis juist plain daft . . . an whit's mair, it wis a wicked crime that cuid land him in the jyle gin he wis fand oot. And that wad serr nane o thaim weel – neither Jock, nor Mary Gillespie, nor hersel, nor the bairns. Naebody maun fin oot!

She set young Mary up in the bed an gied her cheese an bannocks an a cup o tea that quickly rallied her speerits. 'Juist you bide there in bed, lass, an I'll grup this eediot by the lug an draw him ben!' Heid in hauns, a disjaskit John Stewart had been sittin oot the back door on an upturnt cogie, wunnerin whaur his warld had gane. Mary dragged him ben.

'Juist you staun there an listen weel, Jock Stewart, till we sort oot this bluidy mess ye've got us aa intae!' Mary drew up her chair by the bed an John felt himsel shrivel afore the scornfu stares o twa sairly wranged weemin.

'Furst, afore the bairns come hame . . . they'll hae tae learn nocht aboot their faither's ongauns. Ye can tell thaim that Mary here is a faur-oot kizzen frae Mauchlin that's lost her man at Ballochmyle quarry, or some sic thing - an ye brocht her hame tae me till her faitherless bairn wis born.' Mary laid great store on the 'faitherless'. Young Mary wis still too faur gane an dumfounert wi events tae object ower muckle, but gleg eneuch tae ken that whitever bed she had made for hersel, she had tae lie in it - or else she micht be hameless an oot on the road wi a faitherless bairn. She kent she wis ower faur on tae mak the lang journey back tae Ochiltree, an that she'd better haud in wi this big wumman wha had the meisure o John Stewart, an wha - tho sair shamed hersel - had been daicent eneuch tae lay her doun in her ain bed, when she cuid hae flung her straucht oot on the street.

Lyin ower on her side tae make hersel mair comfortable, an stelld up on her left elbuck, wi her richt haun claspin an straikin her wame, she turnt tae the aulder wumman wi disbelievin tears in her een an a choke in her vyce, 'Efter aa this, Mary . . . can I caa ye Mary? . . . ye wad still tak me in till my time?'

'Aye, lass,' said Mary Stewart wi feelin, 'ye're no the first he's bairned wi his weasel words an cadger's chairms, but gin I've got ocht tae dae wi it, ye'll be the last! We'll get ye attendit by the howdie wife when it's near yer time, but for nou . . .' she turnt tae her man wi a fearsome luik – 'juist whit had ye intendit, John Stewart, when ye dragged this young wumman aa the road here frae Ochiltree?'

John fidged frae yae fuit tae the tither an stammert – 'Ah . . . Ah wis gaun tae speik tae Tam Gibson aboot the let o auld Jennet's hous . . .' This wis a nesty gunk for auld Mary, that her man had ettlt tae set up his jaud juist twa alang frae her an the laddies. 'Oh, ye were, were ye . . . ye sleekit wee taid! . . . Sae ye had it aa warkit oot . . . an juist hou were ye gaun tae explain me an yer three sons tae yer new-mairrit wife then?' He fidged even mair, discomfitit, douncast een, poukin at the buttons on his waistcoat. This wisnae whit he had ettlt wid happen – wi Mary nou layin doun the law at him - when he'd thocht he cuid hae frichtit her intae keepin quate.

'Weel, Ah thocht . . . Ah hadnae thocht . . . Ah mean Ah thocht . . . that Ah micht hae got ye tae say ye were . . . eh . . . the weans' auntie that had luikt efter thaim since my furst wife dee'd . . . efter Ah had confessed tae Mary here that Ah had been mairrit afore.'

Auld Mary lauched wi scorn. 'Ye thocht! . . . ye thocht! Ye stippit wee bauchle. ye hinnae a thocht in yer heid! . . . Juist hou lang did ye think this fantasy wad last afore ye were the lauchin stock o the pairish an heidin for the jyle . . . wi me an the bairns - an young Mary here - aa dragged doun wi ye intae the syver? Weel, I'll tell ye, yer first wife's no deid . . . an yer saicont wife's ettlin tae mak ye pey for the wrangs ye've dune her . . . sae ye'd better get yer erse across tae Tam Gibson's an then get back here quick wi yer sleeves rowed up tae redd oot auld Jennet's midden. Mary will bide here wi me an the bairns, an you can lie on strae on the flair neist door like the hog ye are, till it's fit an ready for a mither an her new bairn.'

John shrank frae the flytin, an slunk oot the front door like a collie dug on the wrang en o its maister's stick, juist as young Andra, Robert an James cam skippin an lauchin in the back door wi hauf-a-dizzen wee broun troots. That excitit wi their winnins, they peyd scant heed tae the young wumman in their mither's bed, an acceptit athoot ony speirin, the story that she wis a kizzen o their faither's whase man had rin awa an left her. An when their faither cam back an hour later, his laddies were aa ower him; wrastlin an shoutin an lauchin, an draggin him ben tae gut their troots. As he passed the twa weemin wi a wee wry hauf-smile on his face, the twa Marys luikt at ane anither an juist nodded.

Wi the help o his laddies, an eident John redd oot thirty years o clart an cobwabs frae the auld but an ben. By the en o June, Mary Gillespie wis weel settled, bien an snug, in her ain wee hous when – attendit by Mary Stewart and Bella Murdoch the howdie wife - she gied birth tae a wee dochter, Mirren. This nou brocht on a rare quandary for her an Jock, for the bairn's birth had tae be recordit in the pairish records by the new meenister, Mr Kirkland. But bauld John an his glib tongue raise tae the task - wi a muckle whud that Mary wis his guid-dochter. His son John wis warkin faur frae hame on a ferm at Kilmaurs. Sae his young wife had come tae bide wi her guid-mither an him. She wis nou pairt o their faimily, for her ain mither wis deid she had nae ither faimily. This tale sae touched the hert o the young meenister, that he screived on the kirk roll - *'23 June 1837, Mirren Stewart, lawful daughter to Mary Gillespie and John Stewart.'*

Wi that trial safely ahint him an the twa Marys distracted by the new bairn, John's auld jauntiness returned. Life wis guid. It wis but hauf-a-mile hame frae wark at Castlemains, an he had twa weemin tae luik efter him. By an large, his neibours believed that the young wumman wi the new bairn wis his guid-dochter, an that wis fine by him. Nane were kirk-folk, sae they were hardly likely tae hae a crack wi the meenister. Twa or three o his randy auld cronies had gied him a wink an nudge anent the sonsy young limmer, but he juist played alang an chawed thaim aboot hou lucky he wis tae hae twa weemin when they had nane.

The twa Marys had gat gey sib wi ane anither, an that made life a lot easier. Gif he juist kep his gab shut an his neb clean, an tholed the odd threipin he gat frae the pair o thaim frae time tae time, it micht get even better. Young Mary wis luikin gey bonny, an micht even be takin a fancy tae him again – that wee lang luik ower a ladle o broth, a brush o the fingers as she haundit him a daud o breid, the slee lowsin o ties that let the saft white curves o her breists spill ower the rim o her linen bodice like the reemin heids on pints o yill, when she scrubbed the flair or bent forrit tae lift his empty plate aff the table.

Within a saxmonth, gin auld Mary an the boys were oot the hous, John's ticht gusset ance mair tuik chairge o his brain, as he fand himself sneakin oot the back tae mak his grand entrance next door. But as they bobbit awa in lust an guilt, little did the pair o thaim jalouse that auld Mary – faur frae bein ignorant o their ongauns - kent fine but juist didnae let on. For the wanton young limmer an Jock wad reap whit they'd sawn, an Hell mend thaim! She had reaped a bitter eneuch hairst hersel ower the years, an faur frae bein angert an betrayed, she wis juist gled that the auld tup wisnae caain awa at her tail.

But when whit had tae happen, happened, an wee Mary wis born at the back-en o November in 1838, auld Mary let rip wi aa the aggrieved wrath o a wranged wife an betrayed freen – for it suited her weel. His bigamy had John Stewart juist whaur she wantit him, an likewise Mary Gillespie - wi a bairn at her breist an anither at her heel. Jock wad hae tae wark hard tae keep thaim in siller, while young Mary cuid tak the wecht aff her in the hous - as weel as the bed. She wis nou her ain wumman, siccar in her ain hame an behauden tae naebody; but tae mak it aa 'hame sweet hame' at Pathheid, she cuid afford tae forgie an forget, an drap a wee hint alang the wey tae young Mary that if she wantit that end o Jock she wis walcome tae it – as lang as his back lastit – but she wad keep a ticht grup on his heid, an his siller.

His back worrit auld Mary, for tho it micht haud up for twa-three meenits wark in bed, she doutit gin it wad last anither twa-three hairsts – an he had a wheen mouths tae feed an backs tae cleid. Sae she ettlt on a ploy tae yoke young Mary tae the spinnin wheel, an when she wis guid eneuch, the pair o thaim cuid spin the wool for John Stewart tae wark as a blanket weaver. That wad mak shuir he'd never be oot o their sicht - wi haet o a chance o rinnin awa. For unlike the cotton pattern-weavers o Cautrine, or the Derval lace weavers, ye didnae hae tae be ower skeely tae learn hou tae weave plain grey or white blankets, an in the sheep kintrae hereabouts, woollen weavers cuid still mak a leevin oot o it.

Tae her surprise, when she put this notion tae John, there wis nae argie-bargie, for he had the gumption tae ken when he wis bate, whether by his back, or his twa wives – or baith. He bocht an auld haun-loom frae the weedow o a Cumnock weaver. The twa auldest, James an Robert were flittit neist door tae Mary Gillespie's, an the loom wis set up in their auld room wi young Andra sleepin in a corner.

It wis rounaboot this time, in 1841, that a chiel cam by wi a nieve-fu o papers tae speir juist hou mony folk bided in the hous. He said it wis a Census frae the government, an aabody had tae tak pairt in it, an 'Wha's heid o the hous?' John Stewart said he wis, gey smertly. Naebody had ever poked their nebs intae his business like this fellow did, an he wis gey feart that if the government fand oot aboot his twa wives he wis for the jyle. He rattled aff that he wis forty-nine, a weaver, an this wis his wife Mary Stewart an she wis forty-aicht. His boy Andra steyed wi thaim, as weel as a ludger, an auld man caad James Lyle that wis peddlin tobacco. An his twa aulder lads - James wis fifteen an Robert thirteen – were baith warkin as labourers, an they steyd twa doors awa alang wi his three youngest, Mirren, Mary an wee John that wis only three months - an his kizzen Mary Gillespie that helped oot his wife. Och, she wis aboot twinty-five – an a spinster. The man tuik it aa doun wi'oot ony mair questions bein asked, an John souched wi relief as he showed him tae the door.

Mary Gillespie tuik it ill - tae be caad a *'spinster'* when she'd cairrit John Stewart's three bairns. Mebbe it had ta'en ower lang tae sink in, but she nou realised at twinty-five, that there wis nae future in drappin a bairn every twa years, juist because she liked bein pleisured whiles by John Stewart - when it wis aye big Mary that ruled the roost. Ower the neist twa years it ranklt awa in her mind, as wee John grew frae a greitin wean tae a sturdy toddlin bairn. Mary an Mirren were growin intae bonny wee lassies, but John Stewart wis aye ower thrang at his loom tae pey muckle heed tae thaim; aa the mair sae since she had tellt him 'nae mair!' an steikt her door juist like big Mary had dune ten year syne. Nou he hardly luikt the road she wis on. Big Mary wis getting ower auld for a squatter o wee bairns rinnin aboot her feet, an cuid be gey carnaptious an nesty at times when they were spinnin thegither.

But it wis when young Robert tellt thaim aa that he wis leavin hame tae seek wark in the big pits up aboot Dalry whaur the wages an conditions were better, that she began tae feel that it wis time she wis awa hersel, tae mak a better life for her weans – but hou? She owed John Stewart nocht, but he owed her plenty. She kent Mary kep a stash o siller ahint a stane in the chimney-neuk, an by richt, hauf o it wis hers, for she wis juist as much mairrit tae John Stewart as his ither wife. Geordie Lammie the cairter frae Ochiltree came tae New Cumnock every Friday wi a load o drainin tiles for the ferms, an gin she speirt, he micht gie her an the bairns a hurl back hame tae Ochiltree. An neist Friday wis the day that John an Mary ettlt tae gang doun tae the Blackwid - whaur they had juist finished the clippin - tae buy a seck o wool frae James Craig.

Secretly that week, she gethered thegither the weans' claes an aa her bits an pieces intae bundles that she hid ablow her bed – the last place John Stewart wad be near! Her plates an ashets an aa things ordinar, she left on the dresser whaur they cuid be seen by big Mary an lae her nane the wycer. The weans she tellt nowt till the Friday efternuin, when finally the clack o the shuttle stoppt on John Stewart's loom, she heard the front door slam, an the soun o big Mary threipin in his lug aboot some faut or ither, as the clatter o their fuitsteps faded awa doun the brae tae the Nith brig. Smertly she happed aa the blankets in a knotted sheet, gethert the plates an pans intae a couple o secks, drew the claes bundles frae ablow her bed an stacked thaim ahint the door; then tellt the weans that they were gaun for a lang hurl on a horse an cairt - an that itsel excitit thaim eneuch for thaim tae forget tae ask whit wey.

Wi her bundles weel hidden ahint the cairt sides, the weans kneelin on the flair, haudin on wi ae haun an wavin tae folk wi the ither, Mary sat alangside Geordie Lammie as the twa big Clydesdales breistit the brae oot o Pathheid, an she left New Cumnock for the last time; caain oot tae neibours that she wis takin the bairns on a hurl oot tae Lowes tae see her freen Meg.

That nicht big Mary wis dancin mad when she discovert the note in her tin box an hauf her stash o siller gane. This time it wis John that kep a caum souch - for he kent fou weel that for seiven year he'd had a gey chape bargain wi this young wench. He pyntit oot tae Mary that it micht be a blessin, an money weel spent, for she wad hae nae mair screichin bairns rinnin aboot an fanklin her wool – tho he wad miss thaim – an they wad hae fower less mouths tae feed. An whit's mair, he went on, wi this bad back o his there wis haet a chance o him ever strayin again. An if she only thocht aboot it, nou wi the extra rooms richt neist tae the high road, they cuid tak in anither twa or three ludgers - for the days o haunloom weavin were nummert, an apairt frae walkin at the heid o a horse an cairt, there wis little else he wis fit tae dae for a leevin.

Durin the neist twa or three weeks the pair o thaim made a hauf-hertit effort tae trace the rin-awas, but wi nae success - for Mary Gillespie an her three bairns had managed tae vanish oot o sicht intae the depths o the big wide Ayrshire warld ayont the Waa-heids. Whitever befell thaim, tae this day, naebody kens.

Chapter 21

1841 - THE PLOUMAN

Think ye, that sic as you and I,
Wha drudge an drive thro wet and dry,
Wi never ceasing toil;
Think ye, are we less blest than they,
Wha scarcely tent us in their way,
As hardly worth the while?

Robert Burns - Epistle to Davie

'Eh, whit age are ye, Begg?' Wi a puzzled froun on his face, Auld Blackwood wis sittin at ae end o the lang widden ferm table, alangside a snod wee man wi a pen in his haun. 'This man's here on an early stert tae collect aa thae details the day, an I've mair tae dae wi my time than be fasht wi it! Come awa ben!'

It wis hauf-seiven on a cauld Spring mornin. The grey dawn wis brekkin an there wis plouin tae be dune. The man at the door hesitatit, pit doun the harness graith he wis haudin, gied his buits a dicht on the auld bit o seck-claith by the back door, an entered the laich kitchen.

As she steirt the parritch, young Christian the ferm lass gied a glance ower her shouder at the lang, lean man in his raggit workin claes, at the hair beginnin tae thin oot on his bare pow, an at the grey grizzle o his beard. He wis a single man, no ill-favoured, an a guid worker, an she wis curious aboot his age as weel as the maister. There wis a mystery aboot him. She kent he had been mairrit afore, but naethin mair.

James Begg leant ower the auld fermer's shouder in the hauf licht o the flichterin ile-lamp, for a better luik at the paper. The snod wee man had written a list o names:

James Craig, Farmer, . . . Jane Craig, ...

John . . . Barbra . . . Hugh . . . Daniel . . . James . . . Margaret . . . an at the fuit he cuid juist mak oot . . . James Begg, Agricultural Labourer . . . . .

'Whit's aa this aboot, Mr. Craig?' he speirt cannily.

'It's this new-farrant Census, for the year 1841. The government wants tae ken whaur everybody bides, an whaur they come frae . . . An hou mony bairns folk hae, an hou auld they are . . . Next they'll be wantin tae ken hou mony kye I've got - an hou mony lambin yowes! I dinnae like it . . . There'll be anither tax at the hinner-en o it, believe you me!'

The ferm servant smiled tae himsel . . . the auld skinflint! . . . Fermers were aye the same when it came tae peyin oot siller that wis hard wrocht for - an even harder tae pairt wi! But Auld Craig wisnae the warst . . . aicht pun the term, wi bed an board . . . It wis a damn sicht better than the sax pun he'd got frae yon carnaptious auld swine in his midden up at Hoggston, last year juist afore Ellen dee'd. Hou cuid ye expect tae feed an cleid a wife an sax weans on sax pun a term, twal pun a year. An nou she wis awa, it cost juist as muckle tae ferm the bairns oot tae guid freens. An thenk God he had guid freens! Young Jim wis wi David Arthur at Wellhill, Margaret wis in service, an the ithers scattert tae the fower wins ower three pairishes.

The ten year-aulds cuid aye dae a bit o byre-wark for their keep, but nane wis earnin baur Margaret. He wunnert hou they were farin - for he hadnae seen thaim for three months.

'I suppose my ain bairns will be coontit whaur they bide the nou . . .?' he ventured.

'Were ye born in the County?' Auld Craig gruffly interrupted.

'Aye. At Auld Cumnock.'

'Ayrshire'll dae fine!' The wee man wrote doun a 'Yes'.

'An I've asked ye aaready . . . Whit age are ye?' Christian cockit her lug.

'Oh, Thirty-five!' cam the quick reply. The clerk wrote it doun. Her curiosity satisfied, the kitchen lass swung the swee aff the fire an began tae ladle the thick, het parritch intae widden bowls an set thaim doun afore the men at the table. The wee clerk said no thenk ye, for he had a wheen mair folk tae see, an left thaim tae it.

James Begg soucht his braith atween his teeth, an drew up a stuil. Jane Craig, the fermer's wife, laid a jug o fresh warm milk doun aside his parritch plate an he set tae withoot anither word. He'd lee'd aboot his age at the Feein Fair at Cumnock last back-en tae get Auld Craig tae tak him on. Fermers aye liked their pun o flesh, an Craig wad hae been sweirt tae tak on a man o forty-fower, e'en tho he kent he wis a grafter. He didnae like tae lee, but he had sax weans tae luik efter, an he shuddered at the thocht o the puir-hous. He wis lucky he didnae luik his age - even wee Chrissie thocht he wis thirty-five - an he had aye wrocht as hard as men ten year younger nor him, an cuid still haud his ain at scythin hey, or forkin sheaves in the stackyaird.

'Hae ye feenished stappin that hole in the bankin anent the tap holm?' Auld Craig speirt. 'For I want nae mair floodin o the meedows.'

'Aye. It's dune. The grun's dry, an I'm juist gaun tae stert plouin the tap holm the day.'

The Blackwood wis a guid arable ferm set atween the River Nith an the Kirkconnel road whaur it sclimmt the Blackwid Brae an traversed the side o the

Knipes. Here the Nith swung roun in muckle curves caad The Bends, an the flat holms in atween were fertile, but gey easy flooded. The hale valley had been a loch till thirty year syne when Sir Charles Menteth, the new Laird o Mansfield on the ither bank, had stertit land improvements, an made a deep straucht cut in the river bed juist ablow Corsencon Hill that had drappt the watter level an won a wheen new acres o guid fertile grun. Flood banks had been biggit, but even they cuidnae aye haud back a guid back-en spate. The back-en floods were the warst, an a wat September, like last year, cuid see fields o corn stooks washed doun intae the Solway.

This wis whit he had come tae last back-en - a thirty yaird slap in the flood-dyke, wi hauf a field o corn no there, an the ither hauf a mixter-maxter o cowpt stooks edged wi a tidemark o wat sheaves an deid yowes.

It had been November afore they got the hairst dried oot an in the stack-yaird, an he'd wrocht awa aa winter mendin the bankin wi nocht mair nor a spade, a yoke, an twa auld widden milkin pails. It had been a hard darg. The grun had aither been airn-hard wi the frost an snaw, or he wis plowterin aboot up tae his knees in glaur efter yet anither flood. An when the level drappt back, he'd tae wade in the icy watter, dredgin grevel frae the stream bed tae strengthen the slap. An Auld Craig had been ill-pleased when he had ta'en tae his strae bed in the bothy for a week wi a bad hoast an a fever. Nae wark, nae pey! He wis no richt yet, but that wis the job dune, an the holm wis dried oot an ready for plouin.

The stable felt warmer nor the kitchen as he heaved the muckle collar ower the noble heid o as bonny a Clydesdale stallion as he'd worked wi onywhaur. At least Auld Craig's plouin graith wis a guid sicht better than he'd provided for the bank mendin. A puff o stour raise frae the braid chestnut shouders as he gied the horse a wee pat. The big heid lowered obediently an nuzzled his pouch for the carrot he kent wis there as James slipped on the bridle an placed the bit. Peg the young mare cam ower for her share an wis duntit awa by the big horse. James gied her nose a wee scart an bridled her up as weel, then slipped anither carrot in her mou.

'C'mon, Samson, Peg. There's wark tae be dune,' he murmured as he led the big horses oot intae the daylicht. It wis a braw, still, snell mornin wi the cranreuch siller-grey on the grun. The sun wis still hidden ahint the shouder o the Knipes, but across the valley, it wis warmin the yella back o Corsencon, an gin he'd gat twa oors o plouin bye, it wad be warmin his back as weel.

A pair o peesweeps birlt owerheid, an dived at his bunnet wi their 'pees-weep-weep-weep'; an frae the hill cam a faur-aff tirlin cry o a whaup. The whaups were back. Spring wis here - an he liked Spring. In twa or three weeks he micht hae a bunnet-fou o peesweeps' eggs an mebbe a clutch frae the whaups tae tak hame. It wad be a pleasant chynge frae parritch an brose.

Mairch had come in like a lion - he'd ta'en the brunt o it - but it wis gaun oot like a lamb. An talkin o lambs, James Craig an young John wad be hard wrocht themsels for the neist twa-three weeks at the lambin. There were five score gimmers an yowes inby, an seiven had lambed aaready. He had seen the corbies pickin the een oot a wee corps yestreen, sae Craig had better get aff his mark, for he cuid ill-afford tae loss mair siller, efter that September flood, an the puir hairst.

As they reached the holm, a flock o grey geese raise frae the meedow wi an awfy clamour, an gethert themsels intae a 'V' wi an auld gander at the heid. He noticed they didnae juist flee up the watter tae the neist holm as they had dune aa winter, but raise heich intae the lift an set aff ower Mansfield an awa tae the north. He watched thaim till they were but wee specks in the faur distance ower Guelt Hill, an still their hauntin cry cam back at him. It wis a soun that aye gied him a wee shiver up his spine. At the back-en it meant winter wis at haun - but nou it meant Spring!

Oh, hou he missed the warmth o Ellen in his bed!

The auld plou lay whaur it had been left efter the plouin last spring, cowpt on its side anent a cairn o field stanes. He checked the coulter wis rinnin free on its spinnel, an gied the ploushare a daud wi his hemmer tae strauchten oot a bend. Then he backit Samson an Peg tae the plou an yokit the chains tae their collars. Gruppin the haunles, he swung the ploushare roun an lined up wi a whin bush on the faur brae-face. Ae flick o the reins an the horses' muckle shouders tuik the strain as the sherp coulter sliced the stibble turf an the share turnt it ower like a brekkin wave. There wis nae need for a whup wi Samson or Peg. They were a team.

The holm wis easy plouin, a fine licht loam that aye gied a guid yield - no like thon fields o Burnton on the brae-face abune the Kirkconnel road, whaur ye cuid tak oot as mony stanes efter a plouin as wad big a hunner yairds o dyke. Yon had been puir hert-brekkin grun for Auld Burnton till he stertit pittin on the lime. Aa the hill fermers in the pairish, an doun Nithsdale, had seen a muckle improvement in hill pasture frae skailin lime, wi mair sheep tae the acre, an a better crap o hey.

The Laird o Mansfield had ta'en on mair men tae wark his lime quarries ower at Craigdulleart, an miners tae howk coal frae his pits on Grieve Hill tae fire the kilns. Cairters were comin frae as faur awa as Thornhill an Cumnock for lime an coal, an some o the young lads had left the ferms tae work the mines. They micht weel be makin fifteen shillins a week -mair nor twice his wage - but on a day like this, they cuid keep their darkness, dirt, an stour.

The sun had sclimmt abune the Knipes, an he felt its saft warmth throu the back o his woollen jaiket, easin awa his winter pains. But he wisnae temptit tae cast a clout, for it wis still a guid twa months yet till the Mey blossom-time. Steam raise frae Samson's braid back as the ance roosty coulter an ploushare, nou burnished like siller, flashed in the noon sun as he spun the plou roun at the end o a furrow.

'Whoa, big man! Ye're ower keen, an I'm wabbit! . . . Ye've earned yer corn this mornin, the pair o ye - an so hae I! . . . Here!' Samson stopped, an Peg drew up as weel.

Big heids lowered wi a snort intae the proffered nose-bags as their maister sat doun on the flood bankin, drew a clout oot frae his jaiket pooch, an unwrappt a hunk o breid an a big daud o cheese. Her man micht be an auld scunner at times he thocht, as he sat there in a dwam, gazin at the faur-aff black reek risin frae the Craigdulleart limelikns, but by Goad, Jane Craig wis a guid baker an made a grand cheese. He'd tastit waur - an less o it - mony a time!

Wipin the last crumb frae his beard, he raise, an as he stepped doun the bank tae the watterside tae slocken his drouth, he stertit at the clatter o wings as a wild deuk flew up frae a clump o rashes nae mair nor fower yairds frae whaur he'd had his piece. It's my lucky day, he thocht, as he pairtit the rashes tae fin a clutch o aicht pale green eggs snug in a bed o warm down. Pickin oot ae egg, he knelt doun by the river an set it in the watter. If it sank, it wis fresh; if it floatit on tap, it wis near tae hatchin. It floatit. 'Ach, it's clockin . . . nae fresh eggs the day, Ah dout!' he murmured, disappyntit, as he laid it back wi the ithers, an flyped the rashes back ower the nest. 'Micht as weel get back tae the plouin an let the auld deuk back on her eggs.'

He paused for a meenit on the crest o the bank as a pair o courtin dippers dived ablow the watter, bobbed oot an joukt frae stane tae stane, singin a wee sang an chasin ane anither at the same time. Then he liftit the nose bag frae Samson's heid - 'C'mon auld yin . . . ye've had yer oats - an it's mair than I've had this while back!' Peesies an whaups, dippers an laverocks, lambin yowes an clockin deuks; they were aa at the auld, auld gemm bar him. He cuid stay single nae langer; the weans needit a mither, an himsel a guid wumman.

That efternuin as he ploued, he cuid think aboot naethin else. It worrit him. Aa winter lang he had grieved for Ellen, an shed mony a saut tear in the quate o the bothy. She'd been a grand wife tae him an had borne sax bonny bairns . . . Oh, Lord, why had she been ta'en awa sae sudden?

But that wis nine months syne. It wis a wearisome life in that cauld bothy, alane in that strae bed - an he had nae notion o gaun efter sheep like thon daft gomeril o a herd ower at Penbreck.

There wis young Chrissie throu the waa. He'd seen her ance, by accident throu the hauf-steikit door, bent ower the ewer haein a wash, wi nocht on but her wee skimpy chemise. Oh, sae saft an roun, sae ripe an ready - the sicht o her had pit a lowe back intae the deein embers o his hert. She wis a bonny wee lass, an mony a time as she bent ower the meal-kist in the barn, he cuid hae gruppt her hurdies an cowpt her in the strae. But she wis juist a bit lass - young, innocent, walkin oot wi her laud - an no that muckle aulder than his ain lassies . . . an God help ony chiel that daured lay his dirty hauns on thaim!

Ach, he wis romancin. Young limmers were no for the likes o him - they'd wear him dune a damn sicht quicker nor a day's plouin - gin he'd eneuch puff left at nicht-faa tae plou his furrow! Na! That wis a young lad's gemm, tae plou by day, an plou by nicht, saw the seed, an reap the bitter hairst. An young lasses were flighty an kittle. Whit he needit wis anither Ellen, a douce, grown wumman wi settlt weys, an a warm hert.

. . . A maukin, risin quick frae lang gress at the edge o the meedow, lowpit smertly awa up the brae-face on its lang hin-legs an waukened him frae his dwam. For a saicont he wunnert whit wey he had lost sicht o it sae sune, then he realised wi a stert that the grey darkenin had come on, an wi it - lowsin time.

He wis gey forfochen gin he'd rubbed doun the big stallion an young mare, gied thaim their oats an watter, an pit by the harness graith. The lowe o a guid-gaun bleeze in the grate lit up the kitchen an het his back as he sat doun in silence tae his brose, tatties an smeekit ham. His airms an back were gowpin frae wrastlin wi that plou, an he had nocht in his mind but tae get awa ben the bothy, an beddit doun early.

The morn wis the Sabbath, Thenk God, his day o rest, an he ettlt tae tak an aicht-mile dauner doun tae Sanquhar tae caa in on his auld freen Bob Johnston, the byreman at South Mains.

Chapter 22

1841 - SANQUHAR

And fair thee weel, my only Luve,
And fare thee weel a while!
And I will come again, my Luve,
Tho' it were ten thousand mile!
Robert Burns - A Red, Red Rose

It wis gaun on ten o'clock gin he reached the ootskirts o Sanquhar. At the west en o the toun, the harled gable o the auld tolbooth jutted oot intae the main street, near haufin its width. As he drew near he cuid see a crood foregethert at the fuit o the steps an blockin the road; an heard the coorse lauchter as yae wag efter anither took a rise oot o some puir body yokit tae the jougs at the fuit o the stairs.

'Ye'll no doun a quart o yill as quick wi that airn collar roun yer thrapple, Libby!'

'Aye, an ye'll hae the deil o a job haudin on tae the fower quarts ye had last nicht! It's a gey cauld corner for somebody wantin a pee!'

'Ach, nae bother! Libby's got a blether as big's a hogsheid - it wad haud hauf the Nith!'

'Whit wis that ye said tae the Provost last nicht, Libby, up the back-close o the Queensberry Arms? Ye didnae caa him a spinnel-shanked, whey-faced, poxy wee fart, did ye? Wis he no comin up wi the money?'

'Ah, weel, Libby, if ye will open yer mou as weel as yer legs, ye deserve aa ye get!'

Libby Morton, James kent, wis nae saint, an had been cowpt at yae time or anither by hauf the men in Sanquhar for the price o a pint o yill. She wis a big-baned, big-breistit, wild-e'ed wumman, still in her twenties he jaloused, but wi mair o the luiks o a forty year-auld. Time hadnae stuid still for Libby. Braider o the hips than in her prime, her ance bonny face had gane red an coorse, fired wi the drink, an - like the rest o her - wis in sair need o a guid wash. Touslt, black, creishy hair draiglt doun across her brou an ower her shouders as she stuid erect at the stair-fuit. She tosst it back wi ae sweep o her haun, an her black een bleezed as she faced her tormentors. The plouman's hert gaed oot tae her.

They were mainly young colliers and ferm chiels, still fou themsels efter their high jinks the nicht afore, when they fand Libby the waur o the weir wi drink in the wee smaa hours, an yokit her tae the auld toun jougs. But nou a fair pickle o the toun's gentle-fowk were stertin tae edge by the fringe o the crood on their road tae the kirk, an mair than yae douce burgher wi his wife cleikin his elbuck, luikit the ither wey tae avoid catchin Libby's ee. But she was mair nor ready for thaim. Why shuid she alane staun pilloried for the hochmagandy o hauf o Sanquhar?

'Aye, ye'll no luik at me nou, Maister Fingland,' she skreiched at the wee toun tailor, 'but ye cast yer ee ower plenty yon nicht in Whigham's stables! No that ye did muckle wi yon wee thimmle o yours!' The puir man's face went claret-red, an the coorse crowd lauched as he wis dragged awa by his black-affrontit wife.

Willie Borthwick the flesher wis next for a flytin - ' "Sins o the flesh an earthly lust", the meenister caas it! There's a man that's committed mair sins o the flesh wi me than there are mawks in his meat - an that's sayin plenty! An him an elder o the kirk!'

Twa or three, on hearin the ithers sair miscaad, tried tae gie her the slip by gaun roun the back o the tolbooth, but she spied thaim an let rip at auld Geordie Hoggan the baker. 'An whaur are ye gaun, ye sneaky auld lecher?' she cried, as he froze in terror, his face as white as his bakehouse flour. 'Ye're tip-taein awa as if ye'd juist been up Mackie's Close wi me again. My Goad, I've seen scones rise quicker nor you! Try a dose o bakin sodie next time!'

The street wis in an uproar. Nane but the guiltless an pure in hert daured rin the gauntlet o Libby's tongue that mornin, an the kirk endit up mair nor hauf empty, as yae douce burgher efter anither suddenly discovered he'd got an awfy sair heid, or 'the grip', or had forgotten tae lock awa his week's takins.

The plouman chucklt tae himsel as he drew awa frae the stushie. The meenister wad hae somethin tae say tae his flock neist Sunday - an nae dout the guid burghers themsels wad hae somethin tae say tae the Provost for laein thae auld jougs still hing there on the tollbooth, ready for stottin-fou young colliers tae yoke Libby Morton on tae - an juist afore kirk-time on a Sunday mornin. Whit a daft-like thing tae dae!

Then his smile chynged tae a deep froun, as distant memories o his ain bairnhood cam floodin back. He'd heard aa this afore, lang syne. Mebbe no frae a crood o glaikit sumphs like thae young birkies baitin puir Libby, but frae ither weans at the schule in Cumnock; o bein caad names gaun doun the street; o the wey some mithers widnae lae their weans play wi him or come hame tae his hous; an o the things folk said ahint his back aboot his ain mither.

As a wee lad, he never kent his faither, Adam Begg, but had leeved wi his mither Jean Weir an his hauf-sister Agnes Lapraik. His hauf-brither Hugh Logan wis ten year aulder nor him, an had left hame by the time he wis five. His mither Jean aye kep the name o Weir, an it wis only years later, when he wis auld eneuch, that he learnt the sair truths o his ain upbringin.

She wis twinty-three in 1786 when she went intae service at Logan House, hame o Hugh Logan Esq., the Laird o Logan. The Laird wis forty-seiven year-auld at that time, an still a bachelor. He wis a muckle coorse man, wechtin aboot aichteen stane, an like maist o his kind, wis ower fond o the drink, the cairds, an the weemin. Jean wis alane at the Big House early ae mornin, when Logan cam hame the waur o the weir efter a nicht's hard drinkin wi James Boswell at Auchinleck House, an forced himsel on her against her will. She fell wi wean, an when he fand oot he'd bairned her, he tried tae keep it quate. When the bairn, a boy, wis born at Logan House, in early 1788, he wis secretly christened Hugh Logan; an efterhaun she gat a room doun in Cumnock wi a wee allouance tae help wi his upbringin; on a promise that the bairn wad aye be caad Hugh Weir - an never a word said that the Laird had ocht tae dae wi her.

Five years on, she fell again wi Agnes, this time tae a Muirkirk man caad Alexander Lapraik wha, James fand oot mony years later, wis ane o the sons o John Lapraik, the poet an freen o Robert Burns.

His ain faither, Adam Begg, New Cumnock-born but bidin in Muirkirk, had deserted his mither shuin efter he wis born, an never mairrit her. He slunk awa back tae Muirkirk whaur he got wark as a ferm labourer an drover; an then got in tow wi anither wumman caad Christine McCrone wha bore him twae bairns - baith laddies - but didnae mairry her ither. It had ta'en him anither twinty years afore, at the hinner-en, he mairrit a Muirkirk body by the name o Braidfuit.

As faur as James kent, his faither wis still leevin, but he must be gettin on a bit nou. Ower the years, they had met an odd time at the Cumnock Feein Fair. It wis nae mair than a noddin acquaintance, juist passin the time o day, but wi naethin in common apairt frae a wee likeness. James cuid never forget or forgie the sair fecht his mither had, aa her lane, tryin tae raise himsel an his sister tae a daicent life. He cuid juist mind as a wee lad o five year-auld, back in 1802, when his mither had ta'en himsel an Agnes, wha wis aicht, up tae the manse tae be christened by the meenister. It wis his first memory - the lang lean man in the bleck hat, bleck claes an white collar, wi his rid cheeks an grey haffets; hou Agnes an him had loukt at each ither, hauf-feart, an geegled as he caad thaim afore him; hou the proud luik an tear in his mither's ee as she answered the meenister's questions, had stopped their nonsense wi'oot a word bein spoken; an hou the dreeps o watter on his brou had tricklt ower his heid an kittlt him as they ran doun his neck. The meenister had been a kindly man, an had gied thaim baith a siller thripenny efterwards.

He hadae kent then that a great wecht had juist been liftit aff his mither's shouders, for the Laird o Logan had dee'd three weeks afore, an his mither wis nou free o the obligations he'd pit on her. An sae, at the same christenin, his hauf-brither Hugh Logan's name wis added tae the baptismal roll as weel - registered as the natural son o the Laird o Logan. No that he cuid ever faa heir tae the Logan Estate - which wis mebbe whit his mither ettlt - for the auld Laird dee'd bankrupt, laein no even a wee annuity on her tae help feed an cleid her bairns till they left hame. It wis that lang, sair fecht tae keep gaun that killt her in the en - for she had been cairrit tae the grave, worn oot an dune, when he wis but fifteen year auld.

He'd aye be proud o his mither.

'Come awa ben, Jimmock auld freen, an meet the wife's kizzen, Betsy.' Here he wis, at the South Mains bothy door afore he kent it, an here wis Bob Johnston welcomin him like a lang-lost brither. It had been five months since they'd last had a crack thegither, the short winter days an the lang distance alloued nae time for sic social pleisures.

The twa weemin were sittin aither side o the kitchen fire, an Janet raise tae steir a big pat o broth bubblin awa on the swee. 'Ye'll no be for hame withoot a plate o this inside ye, Jim.' She luikt up an smiled.

'Weel, I didnae tramp thae aicht miles juist for a bellyfu o him!' He jerked his thoum at Bob. 'An ye ken fine Jinnet, that I'd walk a hunner juist tae catch the smell o the best broth in Scotland!' Janet acknowledged his flattery wi a wee curtsey. 'I had a guid teacher.' she replied. 'Betsy's mither uised tae mak a mutton broth sae thick an rich ye cuid staun a spurtle straucht up in it; an a man cuid dae a hard day's wark on yae platefu.'

'Aye, but it didnae help my faither at the hinner-en.' Betsy Austin spoke up frae the ither side o the ingle. James Begg luikt at her wi interest. She was a jimp wee body aboot thirty, wi broun hair swept back ablow her mutch, an a pleisant roun face. The hems o her skirts were clarty, an the dried glaur on her buits tellt him she'd walked a fair distance hersel tae get tae Bob an Janet's.

'Hou's that?' he speirt, for her remark seemed tae invite the question, an he'd aye had a keen interest in hou ither folk had fared wi their ain faithers an mithers.

'My mither Agnes wis a shepherd's dochter frae Mennock, an met my faither William Austin when he cam up frae Sanquhar tae tak wark as a leid miner at Wanlockheid. She wis a fine healthy wumman till he went doun thae hellish mines!' She swore bitterly.

James kent o the leid mines in the Lowther Hills. They said leid had been mined there since the time o the Romans, an that there wis gowd in the burns as weel. He'd never been up tae Wanlockheid, but he'd heard tell it wis a hell on earth - as Betsy said - whaur bairns o aicht or ten year-auld spent aa day up tae their knees in the cauld burn washin the dirt oot the leid ore; an then went doun the mines themsels at the age o twal tae haul ore sleds frae the warkins oot tae the mine entrance. They said that reek an fumes frae the smelters forenent the houses had turnt the grun that sour that nae gress wad grow, an kail an tatties dee'd at the plantin. An wi the washin o leid in the Wanlock Burn, there wis no a leevin troot or minnon in the watter frae Wanlockheid tae the fuit o Crawick thirteen mile awa.

He'd heard tales o hale an herty men growin seik an dwinin awa efter ten year in the mines, while a wheen ithers gaed gyte afore they grew auld. An at hame, the consumption wis rife amang their wives an bairns, Wi that grim picture in his mind, he gently asked Betsy aboot her mither an faither.

Efter they were mairrit, Wull Austin had laboured as a pick-man for fifteen years in the nerra leid-bearin veins o the Straitsteps Mine juist abune the village. It wis hellish wark, hewin galena ore wi a pick frae veins that nerra that a man cuid jam his shouders if he turnt braidside on tae the lode. They warked by caunle-licht, shovellin leid-ore intae widden sleds that were dragged by weemin an laddies oot tae the mine-mouth. Even when he wis warkin flat oot, the constant dreep, dreep o icy watter on his back chilled the marra o his banes an set up a rheumatism that garrd him dreid ilka warkin day. The stour an fumes efter gunpouder blastin seared his kist an laed him wi a wheezy hoast baith day an nicht.

Tho thae fifteen years ablow grun tuik a terrible toll o his health, he struggled on warkin tae haud tae his bargain wi Crawfords, the Mining Company, wha peyd their teams or pairtnerships by the fathom dug - an a guid miner cuid earn twinty pun a year. But miners were only peyd ance - at the en o the year - an that wis aye a great problem, for they had tae buy aa their graith, caunles, claes an food frae the company store on credit. Gin a man wisnae carefu wi his credit durin the year, or took seik an cuidnae earn, he cuid fin himsel wi nae money - or in debt tae the Company - on the annual pey-day.

When Adam their first son wis born, Betsy's mither had wrastlt on wi next tae nocht as best she cuid in a puir heather-theikit but-an-ben wi nae gless in the windies, an a cley flair spread wi rashes. The sheep-crappt Leidhills were bare o trees, an firewid wis hard tae come by. Wanlockheid itsel stuid sae heich in the hills that in hard winters it cuid be cut aff for weeks frae the ootside warld, an snaw micht lie for three months or mair. Whit little peat there wis had tae be cairtit for miles, an if a miner ettlt tae warm his freezin bairns by takin a wee pickle coal frae the smelter ree, baith him an his faimily wad be oot in the snaw in hauf an hour, gif the overseer heard tell o it.

There wis nae howdie wife in Leadhills, an even tho it wis mid-simmer when Betsy wis born in 1804, her mither had a bad birthin an tuik a lang time tae recover. When wee Agnes wis born aichteen months later it wis the end o December an bitter cauld. Gey seikly an a waik feeder frae the stert, by New Year's Day she wis smitten wi a crechly hoast that cairrit her aff in fower days. The grun wis hard as airn - that hard that fower pick men cuidnae scrape oot a wee hole even for a twa week-auld bairn. For near on a month, Betsy's mither grieved an gret sair, wi her new-born bairn lyin happt up in a windin claith in a cauld corner o the hous, hid by a wraith o pouder snaw blawn in throu the windae shutters.

Twa simmers on, her mither fell again. Wee John wis born in the February o 1808, and as spring brocht the whaups back tae the hills an the laverocks sang in the simmer sun, Agnes stertit tae enjoy the new bairn at her breist an the wee lass at her skirts. For the neist aichteen months she felt fine, but as autumn storms sent peat-broun spates tummlin doun Wanlock Water an Crawick on their lang windin road tae the Nith, the prospect o yet anither bleak Leadhills winter lay heavy on her hert – aa the mair sae since she wis heavy wi bairn again. She turnt no weel wi a bad kist that rattlt on for weeks, an durin the lang cauld winter nichts she wad wake up dreepin in a cauld sweit. She went aff her meat an her wecht drappt awa. Whiles she had scarce the pech or virr tae rise an tend tae ane or tither o the bairns, chitterin wi cauld ablow their blankets an greitin wi sair lugs or a crechly kist.

Gey puirly himsel, by mid-December Wull cuid see his wife wis failin. Gin he didnae get her oot o the Leadhills shuin, baith she an the bairn in her wame wad be lyin wi wee Agnes in the kirkyaird. Gin his wife an bairns were tae win throu - they had tae leave nou an no hing on till the Januar snaws blocked the pass for weeks, for she wis due by early Mairch. That nicht efter his shift, Wull tramped sax miles doun Mennock tae Auchens whaur his guidfaither wis herd, tae ask thaim tae tak in Agnes an the twa weans till her confinement; then walked aa the wey back up in the wee sma hours. The neist mornin, on the Sabbath – his day o rest - the Austin faimily left Wanlockheid ahint thaim.

Only fower at the time, Betsy still mindit, like it had been yestreen, that lang trauchle doun the glen tae her grandmither's hous. By guid chance it wis a clear snell mornin, wi the snaw on the hill crisp an firm ablow their feet. Her mither cairrit wee John happt in her plaid, and wis gey slow at the walkin. Betsy walked an run on afore thaim, lauchin an playin as she skitit an fell in the snaw - till her wee bare hauns turnt rid an chappt wi the cauld, an her fingers an feet froze sae sair that she wis greitin. Her faither, wha wis cairryin a bundle o claes an blankets, heized her up on his shouders and cairrit her up the stey brae tae Auchens - an a warm welcome, a lowin fire, an het broth.

When the new bairn wis christened Agnes - efter her mither an the wee yin that dee'd - they moved back tae Wanlockheid, whaur anither three bairns were born. Sae frae the age o seiven, Betsy's place wis aye helpin her mither luik efter the hous an the five wee yins, feedin an cleidin, washin an cleanin; an haein a meal ready for her faither when he cam hame frae his wark. It wis the time o the Napoleon Wars, an for a while the miners were thrang at howkin leid tae mak the musket baas for Wellington's airmy; but efter the great victorie at Waterloo, times were hard durin the peace.

Her faither wis luckier than maist – or sae they thocht - for Crawfords took him on as a pouder-man in chairge o the blastin, an they got ane o the new company houses in Leidhills, wi twa rooms an gless windaes. Her mither wis fair ta'en on wi the hous – nae draughts an mair room – an Betsy had never seen her sae happy. Till that dreid chap on the door on the seiventeenth o Mairch 1817, when the mine foreman cam tae tell her that Wull had been killt by a fleein stane - efter the strum o a fuse had burnt ower quick, an the pouder exploded afore he cuid tak cover. Betsy wis only twal year-auld at the time.

A puir weedow wi sax weans tae feed meant nocht tae the Company; for the stane-hertit Factor gied Agnes nae mair nor a week tae clear oot the hous for anither pouder-man. Betsy wis sent doun tae see her brither Adam (nou workin as a cairter in Sanquhar wi her faither's auld freen Geordie McMinn) aboot the flittin. They were gled tae be awa in fower days – juist efter the burial in Sanquhar kirkyaird. Apairt frae a dresser, a table an fower chairs, a set o pans an crockery, an twa secks o claes an blankets, there wisnae ower muckle tae redd oot o the hous for Geordie tae flit doun tae Sanquhar on the back o his cairt, efter he'd brocht up a rake o coals tae the smelter.

Here, Betsy's vyce broke doun an a tear cam tae her ee as she tellt wi pride o the sair struggle her mither had ower mony years tae feed an cleid her faimily; an hou she had managed tae gie thaim aa a guid education an a guid stert in life. A wee silent tear gethert in the ee o the plouman . . . here wis anither fine mither.

When she wis twinty, Betsy left hame an entered service at Castlebrae. Afore lang, she trystit wi Tam Laurie, a young byreman at Newark, an they walked oot thegither for fower years while she saved her tocher. Five months afore they were due tae be wad, Tam wis killt by a bull.

Betsy wis bereft an beyond aa comfort, an left service at Castlebrae. Janet here, had mairrit Bob the byreman at South Mains, juist ower the watter frae Newark, wha had aye been like a brither tae her Tam. They tuik her in an gied her a bed; an a fortnicht's rest an halesome fare in their guid company wrocht wonders. Efter a while, Bob managed tae fin her a new place doun at Eliock Grange - no ower-weel peyd, mind ye, but wi a guid mistress. Betsy worked there for aicht years, till her mither's health stertit tae fail an she came hame tae Sanquhar tae tend her. It wis a slow drawn-oot illness - consumption in an auld kist waikened by lang years in yon cauld damp hovel up at Wanlockheid. Agnes Austin had passed awa sax months syne – in October. By guid fortune, Betsy got her auld post back at Eliock Grange in the November, an this wis her caain in tae see Bob an Janet for the first time in three month, on her day aff.

The plouman had listened intent, athoot interruption, his hert swallin wi feelin for the lass; an anger risin in his breist that the common folk shuid hae tae thole sic sufferin while the likes o the Laird o Logan in his day - an nou Menteth o Mansfield, the Duke o Buccleuch at Drumlanrig, an thae Crawfords - cuid wine an dine in their big houses wi ne'er a thocht in their haughty heids on the hardships an miseries endured by their ferm folk, foresters, labourers an miners; wha wrocht an dee'd for a pittance tae mak thaim their fortunes.

Then his thochts turnt quickly back tae Betsy hersel. She had smeddum - that much wis obvious frae the wey she tellt her story, wi ne'er a hint o self-pity. She wis a fine-luikin wumman tae, still in her prime, no like yon puir hure, Libby Morton;

an she wis in guid health despite o aa she'd gane throu . . . An if whit Janet said wis true, she wis maist like tae be a guid cook as weel . . .

Finally, when he did speak, he felt himsel soundin blate an near tongue-tied, like a gawky sixteen year-auld trystin wi a young lass for the first time. 'An whit are ye gaun tae be daein wi yersel, Betsy, efter the neist feein fair?' he speirt, tryin hard tae no luik too keen, tae haud his lowpin hert in check, an hide the excited trimmle in his vyce. It wis juist as weel for him he cuidnae see Bob gie Janet a wee nod, smile, an wink, ahint his back.

Tae his pleisure, he detected a certain warmth in her reply - an in the wey she spoke his name.

'I've nae plans, Jimmy. I'll feenish my term wi the Mistress at Eliock an see if she still needs me. Guid places in service are ill tae fin thae days, an it's aiblins better the deil ye ken . . .!'

'Aye, but it's been aa wark wi puir Betsy since she lost Tam. She hasnae gied muckle thocht tae some o the pleisures a bonny wumman like her shuid be haein - like courtin, an whit hiv ye!' Janet gied Bob a playfu dunt in the ribs wi her elbuck. 'Sae ye'd better luik oot, Jimmock - ye're an eligible man!'

Jimmock readily jyned in the lauchter, jalousin that Janet wis tryin a wee bit o match-makin - an keen no tae let the chance slip by himsel, he cracked - 'Weel, ye ken me, Jinnet, I'm aye eligible for a guid cook!'

'Whit did I tell ye, Betsy, aa thae years ago?' cried Janet. 'The wey tae a man's hert is aye throu his stamack!'

Chapter 23

1851-1871 - THE TIES THAT BIND

At length his lonely cot appears in view,
Beneath the shelter of an aged tree;
Th' expectant wee-things, toddlin, stacher through
To meet their dad, wi flichterin noise and glee.
His wee bit ingle, blinkin bonilie,
His clean hearth-stane, his thriftie wifie's smile,
The lisping infant, prattling on his knee,
Does a' his weary carking cares beguile,
And makes him quite forget his labor and his toil.
Robert Burns - The Cotter's Saturday Night

High Boig, an auld ramshackle theikit raw o three wee but an bens, stuid on a gentle rig abune Bank Glen. It had been built a hunner year year syne for his ferm servants by the Laird o Bank wha leeved in grand style in Bank Hous, hidden amang the trees ower the glen tae the east. While they cuid juist aboot caa him neibour - furst cry went tae the craws fleein abune her heid wi sticks in their nebs, as Betsy Begg pegged oot a washin on the line. The craws were biggin in the Laird's wid, an Spring wis at haun. It wis a guid dryin day, an she prayed they wadnae fyle her claes in the passin.

When they flittit up frae Sanquhar sax months back, Betsy's man had been lucky tae get a hous alang wi a ferm job oot at North Boig. Tho their hame wis scarce a palace, she liked the spot. Gin ye stuid at the gavel-en o the cothous - whaur a muckle tattie an kail gairden for the tenants wis laid oot on the braeside - it had a bonny prospect frae north-west richt roun tae south-east, luikin doun ower the Castle Meedows an the village, an awa toward the Waaheids. Tae the south they were weel beildit frae the prevailin wins by the brae an trees ahint thaim; an her wee hous had its back tae the cauld north blast.

Ablow thaim, the turnpike road wound its wey up a stey brae by the Bank Glen Inn tae Craigbank, then on tae Burnfuit an awa ower the faur hills tae Dalmellington. The Glen Inn wis (she shuin jaloused frae the drukken sots that stottit their wey hame ilka Friday an Setterday nicht) the main howff for aa the colliers, airn warkers, an ferm servants frae the tap o the pairish. There micht odd-times be a stramash or a richt collieshangie on the road, gin some roarin-fou collier said ocht ill aboot a blin-drunk airnwarker - or tither wey aboot - but maist nichts, aa they heard frae the brae-fuit wis the skraichins o auld sangs oot o tune.

She wis gled her Jimmock wisnae a boozer; for there wis scant eneuch o siller tae feed the bairns at the end o a quarter, athoot seein maist o it dreeble oot a waik bledder hauf wey up the Bank Brae. The landlady o the Glen Inn wis an wee English biddy caad Lizzie Watson, a weedow wumman frae Durham; wi ae dochter, an a son that wis a cairter. Betsy had spoken wi her whiles when takin a dauner up the brae wi the weans. She seemed a daicent sowl; but Betsy wadnae had her job for aa the tea in China, haunlin thae coorse miners. Her ain faither had been a miner. But awa up yonder in the Leidhills, the leid-miners were a different breed frae colliers - or sae she thocht. Maist faimilies had bided up there a hunner year or mair, an were aa guid neibours - for there wisnae anither leevin sowl aboot for a dizzen miles or mair - baur sheep.

But here the coal pits were new - an warkin doun a pit wis new for local ferm lads an ruch incomers frae the touns, aa luikin tae earn mair siller; an for the coorse navvies frae the railway nou ettlin tae settle doun somewhaur awa frae thae terrible famines back hame in Ireland. There were a wheen ither English folk like Lizzie Watson - aa brocht up frae Durham in the North o England tae wark the new airn furnaces by the Connel Burn. She'd ta'en the bairns ower by tae see the three muckle furnaces spewin oot their hellish flames an bleck reek intae the bonny blue lift. For her washin's sake, she wis gey gled they were a mile awa frae High Boig, an that the win seldom blew frae that airt. The Nithsdale Iron Company had biggit a square o new houses for their warkers up at Craigbank, richt on the tap o the hill. But even afore aa the folk were flittit-in, it luikt a god-forsaken place tae stey - a place that wad be sair battered frae aa airts by win, rain, hail an snaw.

Betsy wis gled she bided weel doun the brae. Her ludger, Davie Mitchell frae Ayr, an their neibour Jim Paiterson frae Dalrymple, were ferm labourers like Jimmock, but were incomers - juist like hersel. The Robinsons twa up were English. Geordie wis a wid merchant, sellin timmer props tae the pits, an his son John wis a blacksmith at the airnwarks. Mary his wife wis ages wi hersel - an juist as thrang, luikin efter her three youngest bairns. Jennet Paiterson an hersel gat on weel wi Mary Robinson, but had a wee bother at furst pickin up whit she wis sayin. But then they jaloused that a wheen o her words were juist like Scotch words - like bairn, an canny, an toun - an nou wi their lugs tuned in, they cuid cleck awa fine ower the washtubs at the front door on a guid dryin day. An Mary said the same aboot their Scotch. The bairns had nae bother - bairns can play in ony language - an gin twa months gaed by, the wee English bairns were bletherin awa in Scotch, an hers had picked up a Geordie twang.

Maist o the folk aboot the village were incomers - the only three in High Boig born in the pairish were Jimmock's Annie frae his furst wife, her ain wee Agnes, an Jennet Paiterson's new bairn. Puir Jennet had her wark cut oot nou - wi five bairns, her man, an a niece in service, bidin in twa rooms. Mind ye, she wis only yin ahint thaim hersel - wi Jimmock, fower bairns, an Davie Mitchell. Still, the wee pickle extra siller that Davie brocht in wis a great help; for Annie wis nou saxteen, an cuidnae fin hersel a place in service. But she wis guid at the needlework an wis aye shewin claes for the bairns - an that wis a great savin.

It wis guid that her brither James an aulder sister Jane were weel set up, warkin thegither oot at Haa o Auchincross, juist ower the Nith an less than twa mile awa. Word had it that Jane wis walkin oot wi a young servant frae Auchincross the neibourin ferm, by the name o Robert Wight; but since she had never let on, there wis nae pynt in speirin aboot it till she tellt thaim in her ain guid time. She wis pleased for Jimmock. It wis grand for him tae hae aa his bairns thegither, when Jim an Jane cam ower maist Sundays wi hauf-a-dizzen eggs, an supped wi their young sister an the rest o his faimily.

'I'm hame Betsy! . . . I'll juist tak aff my buits afore I come ben the hous.' Ootby she cuid hear him gruntin an grainin as he lowsed a fanklt lace, an heard the thump as furst ae tackety-buit an then tither clattered doun on the doorstep. The door creaked open an her man cam hirplin ben. 'My, Jimmock, ye're like an auld man, comin ben like that! Whit hae ye dune tae yersel?' She flyped the hauf-baked soda scones on the griddle, dichtit her floury hauns on her peenie, an cam across tae draw his chair tae the fire. 'Anither five meenits an ye'll hae a fresh scone an cheese tae fill that hole till yer denner's ready.'

'By sangs, Betsy, I feel my age the day . . . I micht no be auld, but aicht hours howkin sheuchs disnae mak ye feel ony younger when ye're fifty-fower!'

'Och, ye're only as auld as ye feel . . . ye're juist gettin saft in yer auld age. It's juist yer furst day at the diggin . . . yer auld muscles will feel better the morn, an there'll be nae stoppin ye gin Wednesday.' Jimmock listened wi a wee twinkle in his ee.

'But whit wad you ken aboot growin auld, Betsy my luve . . . you that can wark magic an tak years aff yer age juist by thinkin aboot it.' Betsy turnt her heid frae the griddle. 'Whit maks ye think that, ye auld blether?'

'Weel, last simmer ye were forty-six, an this spring ye're only forty!'

'Juist whit are ye gaun on aboot?' she demandit, hauns on hips, a puzzled luik on her face.

'D'ye no mind yon wee mannie that cam tae the door a fortnicht syne wi the Census form an speirt yer age . . . an ye tellt him ye were forty . . . efter thinkin aboot it!'

'Och, you!' No able tae jouk smert eneuch, Betsy hit him smack on the side o the heid wi a wee daud o rolled dough left ower frae the scones. 'I juist didnae want yon sleekit wee chiel gaun roun aboot the toun an sayin tae folk - "d'ye ken that wumman Begg up at High Boig haes a three year-auld wean . . . an she's forty-six an auld eneuch tae be its granny" . . . An as faur as I mind, you tellt juist as big a whud yersel - sayin that ye were fifty-yin!'

'That maks me only hauf as big a lee'r as you, then . . . for I only tuik three year aff my age.'

'Then that's why ye're feelin yer age then . . . ye didnae tak eneuch aff it!' Weemin maun aye hae the last wurd, an Betsy wis juist like the feck o thaim. 'But that's eneuch o auld age for the nou . . . here's yer scone an cheese afore it gets ower auld as weel!'

James raxed ower for the warm, steamin soda scone wi a muckle daud o fresh ferm cheese stappt atween the twa haufs. The smell o't garrd his mooth slaver afore it even reached his haun, faur less his thrapple. He tuik ae bite, syne anither, savourin the sweet taste o scone melled wi the tang o guid cheese as it meltit awa in his mouth an set him cravin for mair. It wis like nectar tae a bum-bee. Anither bite, slowly rowin the scone roun his cheeks wi his tongue as he chowed - then a fourth bite an it wis gane.

'Betsy Begg, ye're the best wee scone baker in the hale warld,' he wheedled, 'Can I hae anither y...?' Weel she kent his mind, for anither scone wis clappit in his luif afore he'd feenished speikin. For had she no won his hert ower a plate o broth ten year back.

For that conquest, Betsy Begg had nae regrets. Her Jimmock wis a fine, kindly man, an in time they shared three bonny bairns. But mair nor that, they nou shared anither fower. For at last he wis able tae gether in puir Ellen's bairns, that had been scattered tae the fower wins since she dee'd - three year afore they furst met. She'd whiles heard auld greitin-faced, stane-hertit Sanquhar biddies threip on aboot some puir body or anither haein a 'furst faimily' an a 'saicont faimily', an hou it wid never dae; but for Betsy there wis nae furst or saicont. She wis thirty-seiven when they were wad in 1842, an thocht she micht never hae a chance o a wean hersel. Sae she wis gled an willin tae tak on the care o Jimmock's bairns.

Heich up on the side o the Knipes, Blackwidhill, their furst hous, wis an auld biggin that belanged tae Jimmy Craig. It wis a rale pigsty o a place when they moved in, but Jimmock had bucklt tae, redd it aa oot, an mendit the theik whaur it let in watter. They fired it for twa weeks wi creels o deid wid frae the glen till it aa dried oot; an then the care an luve o Betsy for Jimmock's bairns, an their fondness for her, kep it snug an bien till the arrival o wee Agnes Copland a year later.

No that they aa came tae stey at Blackwidhill. At aichteen, Margaret the auldest wis lang awa in service at Ochiltree, an Jane at saxteen, wis weel settlt in at Castlemains. Young James wis keen tae gang doun the brae tae Blackwood ilka day wi his faither. Efter sax year ludged wi the Arthurs o Wellhill when his mither dee'd, at twal year-auld, he wis gleg an skeely eneuch tae dae maist jobs aboot a ferm. Young Annie at aicht, wis aye hingin aboot Betsy, giein her a haun wi her chores, and playin nursemaid an mither tae wee Agnes. She wis Betsy's pet. Helen wis fowerteen, an it wadnae be lang afore she tae, wis settlt in service. But that saicont back-en, she wis gey puirly wi her kist, aye courit ower the fire, hoastin an crechlin awa like an auld man; an Betsy wis worrit for her.

When the snell east win blew its sleet an snaw up Nithsdale that terrible winter, Blackwidhill wis a gey cauld, bleak an blashy place tae handsel in a wee new bairn an tend a seik lassie. They had a sair fricht when wee Agnes near dee'd o the croup; an when Helen as weel juist kep gettin waur an waur, Jimmock wis forced tae think aboot flittin his faimily back doun the valley tae the beild o the Sanquhar holms. They moved at Whitsun. Bob Johnston had tippt him the wink that there wis a job an a hous gaun at South Mains. The hous wisnae muckle better nor Blackwidhill, but in the Spring sun, it felt better; an set in the beild ahint some trees, Betsy kent it wad be a guid-sicht warmer in wintertime.

She wis richt. Bein doun aff the hills wis guid for Helen's kist, an baith she an wee Agnes thrived. That simmer, Helen stertit in service up at Cairn abune Kirkconnel - an Betsy stertit wi anither bairn.

When her saicont wee lass wis born in the spring o 1845, it wis hersel that whuspert tae James that the bairn shuid be caad Helen; for she kent that it wad please him tae hae anither Helen in the house, an let him ken that his furst wife Ellen - lang deid - cuid still be pairt o his thochts an memories, an pairt o their life thegither.

She wis fair content doun in Sanquhar, wi her bairns an Jinnet Johnston an ither auld freens for company. By the November o 1848, when William wis born - an caad efter her faither (for Jimmock wis deid set agin caain ony bairn efter his ain faither) - Betsy thocht they were weel settlt in the auld burgh. But gin wee Billy wis three year-auld, she cuid see her man wis fidgin tae get awa back up tae New Cumnock tae be nearer-haun young James an Jane, nou at Haa o Auchincross. An thinkin o the grim, faitherless life he'd tholed as a laddie, Betsy cuid weel unnerstaun why he wantit tae be a guid faither tae aa his bairns - an no juist hers.

'Whaur's wee Billy? Whaur's my wee man?' she heard him cry as she syned oot her bakin bowl at the front door. 'They'll be back in a meenit . . . Agnes an Helen hae ta'en him oot for a wee dauner . . .' She paused as she heard the keckles o happy bairns on the pad up frae the Bank Glen road. 'Mercy on us! Whit hae ye dune tae that bairn . . . an luik at ye . . . juist luik at ye! Turn roun!' James heard her cry frae the back room an cam rinnin tae the door - aches an pains forgotten. Betsy didnae often raise her vyce tae the bairns. Whit a sicht! Three wee heid-hingin, yella-ersed bairns stuid there, backs tae their mither, their claes clarty frae heid tae hem wi yella dirt.

'Juist luik at thaim! . . . they've been slidin doun that sauny brae again . . . an I've juist washed thae claes! Agnes, ye're auld eneuch tae ken better . . . I've tellt afore no tae tak yer wee brither an sister on the sauny brae . . . they micht slide richt doun on tae the road an faa ablow a horse an cairt comin frae the pits.' Juist across the Glen, lay ane o the wee coal pits sunk by William Hyslop the auld Laird o Bank. There were a wheen o thaim roun aboot the Bank Hous lands, wi twinty or thirty colliers warkin ilka ane; an the Bank Glen road wis aye thrang wi cairts an coorse cairters takin rakes o coal doun tae the new Glesca tae Dumfries railway that had juist opened a year syne in the August o 1850.

Frae their High Boig gairden, they cuid hear the whustles, an watch the clouds o bleck reek an belchin white steam twa miles awa at Pathheid, as engines poued awa frae the coal-rees an airn yairds, takin muckle waggons o coal an pig-airn up tae Glesca - or doun the line tae Dumfries an on tae England. While bidin doun at Sanquhar, James had aftimes seen cairt efter cairt o coal frae New Cumnock rummle doun the road tae Dumfries. That trip tuik twa days there, an twa back, an nou this muckle steam machine cuid dae the wark o a hunner cairts in juist twa hours. His auld warld wis chyngin - an chyngin fast. Nae dout, in guid time, they wad be cairtin folk up an doun that line as weel; an they micht even stert uisin machines tae reap the hey an corn. It cuidnae come quick eneuch gif it spared him back-brekkin hours at the scythe. But they'd aye need a guid man tae haunle Clydesdales, for muckle steam machines cuid never wark saft ferm grun - they'd get ower easy laired. There wad be nae pits for him. He'd ferm till he dee'd. But whit aboot young Jim - an wee Billy here. The wey puir folk were leavin the ferms for the pits nou-a-days in their hunners, he cuid see a time - God forbid - when ane or tither o thaim micht be forced tae dae the same tae feed their faimilies.

He raxed his gowpin shouders, bent forrit, picked up wee William by the oxters an swung him roun. 'Luik at ye, yer mither says . . . luik at ye, ye wee messan . . . yer dowp's aa saun an yer sark's aa clarty! . . . Whit am I gaun tae dae wi ye?' He turnt him ower an laid him across his knee as he sat doun on the front step. 'I ken whit I'll dae wi ye . . . I'll skelp yer bum an caa aff aa that stour!' He raised his richt haun, then kittlt the bairn wi tither, afore lichtly skitin a luif across his dowp an dichtin aff the stour as wee Billy kecklt an kicked on his knee. The twa lasses gied a wee hauf-lauch, then kecklt in relief as weel, when oot o the corner o their ee, they saw their mither try tae hide her smile. He wis ower saft, Jimmock - but awfy guid - wi thae bairns.

'Oh . . . a deedle-um - a deedle-um - a deedle-um - a dee . . . a deedle-um - a deedle-um - a deedle-um - a dee . . .' Haudin baith totie wee pink hauns in his ruch fermer's nieves, James Begg diddled his grandson on his knee. Wee James McClew geegled an kecklt as he stottit gently up an doun; an his lauchin een stared trustingly intae his granpa's. It wis a bonny simmer Sunday efternuin, an sittin on a stuil in the sun at the back door o his cottage at Greenheid, luikin across the braid holm an Afton Watter tae the Auld Mill, wi a gran-wean on his knee, auld Jimmock cuidnae been happier. Betsy wis ben the hous getting the denner ready an Annie wis giein her a haun.

He wis gled tae see Annie back hame thae twa year - efter her stravaigin awa doun tae Ballantrae in 1859 tae wark at Glendrishaig, a sheep ferm deep in the wilds o Glenapp. His fears had been weel-foundit when she got hersel bairned an had tae mairry the young plouman at Currarie; but she had the guid sense tae come awa back hame tae her mither. For 'Mither' his Betsy wis tae thaim aa - nae dout aboot that. Nou warkin doun the pits, John McClew wis a daicent eneuch young lad, forby a Gallowa twang that made him whiles soun a wee bit like yin o thae Irish navvies that built the railways. An gin it hadnae been weel-kent aboot the place that he wis the guid-son o Jimmock Begg, he micht hae landit on the sair-en o a leatherin frae some o the hot-heidit young colliers o the village, that were aye up for a fecht wi the Catholics. No that John even wis a Catholic. Ach, he had nae time for sic pig-ignorant bigotry. He'd had mair nor his share o't as a laddie. Robert Burns, that uised tae ludge ower by there at the Auld Mill on his wey up an doun tae Dumfries, got it richt when he wrote *'Then gently scan yer brither man, still gentler sister wumman...'* He liked his Burns.

He wis a happy man. As dairyman doun at Castlemains, tho the milkin hours were lang, an the cauvin time a sair trial; wi young William there nou tae gie him a haun, the ferm wark wis a lot lichter - an for auld banes at saxty-fower, this wis a blessin. But a greater pleisure by faur, wis the getherin aboot Betsy an himsel o a richt squatter o bonny gran-weans. That wis Annie nou wi twa, an Jane had three, wi anither yin on the wey. They didnae see muckle o Jane nou-a-days, wi her man Bob Wight a plouman doun at Kirkconnel; but nae dout Agnes an Helen wad see mair o thaim, while in service doun the Nith at Polshill an Merkland.

'But pleasures are like poppies spread, you seize the flower, its bloom is shed...' That back-en John McClew caad in tae tell him they were flittin awa doun tae Annbank tae the new pits. 'I'm sweirt tae gang awa, Faither' - he aye caad Jimmock faither - 'but wi the fower o us ludged in a single room at the kirk manse, it's no like a hame o oor ain; an wi the meenister's wife aye gaun aboot . . . weel, ye ken . . .' Jimmock nodded, but said nocht. 'They've built guid new raws wi widden flairs for the miners at Annbank, an they are luikin for mair men . . . wi better wages than I'm makin at Pathheid Pit.'

'Gin it's for the best for Annie an the weans, weel, sae be it,' her faither spake saftly but sadly, 'but oor herts 'll be wae tae see ye gang . . . juist when Betsy an me are gettin tae ken oor wee gran-weans.' James Begg hid his disappyntment. Frae a hous fou o lauchin bairns, tae nane bar young Wull - yin meenit a rowtin young bull o saxteen; a daft bairn the next; an a dour, plouky hauflin in atween - wi nocht tae say for himsel forby bleck luiks, gin he wis tellt tae steir himsel an dae somethin for his faither or his mither.

Mind ye, he wis a thrawn young bugger that kent his ain mind - like yon day in April at the 1861 Census, when he said plenty tae the puir man that wrote him doun as 'Farm Servant'; tellin him 'I'm nae man's servant - sae ye can score that oot an pit doun Agricultural Labourer like my faither' - an he did! Young Wull wis only thirteen at the time, but James wis gey proud o whit he had dune - no that he wad ever let on tae the laddie - for he had bother eneuch tae kep him weel reined-in.

Their herts were sair, an tears blint their een that September day when the cairt poued awa ower the Afton Brig, wi Annie an the twa bairns waving frae the back, an John walkin aside the cairter. God only kent when they wad ever get tae see Annie's bairns again, for it wis a gey lang wey tae Annbank.

Twa months later, they had a letter frae her wi guid tidins. John had a job as a coal drawer an wis makin guid money. They had a single-en hous o their ain in the Annbank raws, an it wis a guid size room an warm; an the bairns were keepin fine, but missin their granpa an granny - an she wis haein anither bairn in the spring - an if it wis a wee laddie she wad like tae cry it efter William. That cheered up the auld yins, an young Wull had tae staun a bit o banter about mebbe haein a bairn caad efter him - afore his time. Then word cam up frae Kirkconnel that Jane had juist had anither wee lassie, caad efter her aulder sister Margaret.

'Jimmock, ye'll hae tae mak a leet o aa thae grandweans, for yer heid must be stertin tae birl like mine tryin tae mind wha's wha! An juist you wait till our ain three get stertit as weel . . . It can be gey smittle.' They baith lauched; then Betsy suddenly gruppt her wame an doublt ower, her face drawn, an white wi pain. 'Ohh . . Ohh . . . that wis sair!' she grained.

'Whit wis sair, my luve?' Jimmock wis on his knee by the side o the chair.

'Och, it's likely juist a wee touch o wind frae that lentil broth. It daes that whiles . . . an I ken whit it daes tae you!' She grinned a wee sair smile. 'I think I'll gang awa tae my bed till it wears aff.' But wear aff it didnae. Ower the neist twa days it slowly got waur, an she cuidnae eat for fear o bokin. Her bowels got costive an gied up movin. By the fourth day, Betsy wis eatin nocht - an whit little she drank, she brocht up mixed wi green bile. Her wame swallt tae double its size. By nou, Jimmock wis worrit eneuch tae caa in the doctor.

Dr Stirling Sloan, the new young Colliery doctor, cam roun that efternuin. Betsy wis lyin in her bed. He cuid see straucht awa by the sunken bleck-ringed een an clappit cheeks, that the wecht wis drappin aff her. Her tongue wis dry an she had a terrible drouth. In the fuit o the bucket on the flair by the heid o her bed wis a mixter o phlegm, watter an green bile that tellt him things were bad. Flypin back the bed claes as she strugglt wi a pained, worrit face tae turn flat on her back, he laid a haun on her swallt wame, then pit his lug tae it an listened. Even James cuid hear the rummles o wind gaun naewhaur, an sensed the warst. He had seen it afore - in kye that had etten green corn, or ower muckle green gress too shuin efter winterin in the byre. Their kytes had swallt up wi gas - an they had dee'd in agony. Betsy had somethin the same - God help her!

Dr Sloan knellt by the bed an tuik her haun. 'You're not very well, Mistress Begg . . . but I don't think you need me to tell you that . . .' He smiled a wee wry smile an Betsy gied him a waik smile in return, as her heid drappt back an she stared lang at the ceilin. 'Your bowels don't seem to be working as well as they should, and we'll just have to wait and see if they clear by themselves. I want you to keep sipping water as often as you can. I'll give you something to try and stop you being sick, and to relieve the colic pain . . . and I'll call in again tomorrow morning and see how you are getting on.' He gied her haun a wee squeeze, and Betsy turned her heid as he rose to go. 'Thenk ye, doctor', she managed tae whusper throu dry, pairched lips, '. . . thenk ye.'

As he mounted his pownie an trap ootby, Dr Sloan leaned ower tae James as he shut the door. 'From what you've asked me, Mister Begg, you are an intelligent man, and I can guess that you well understand just how serious your wife's condition is . . . She has a bowel stoppage which might be due to a twisting of the intestine, or to a large growth . . . I am sorry that there is nothing medically that can be done to remedy this, but I will do my utmost to ease her pain and suffering. If the tincture of morphine doesn't ease the pain . . . and she may not be able to keep it down because of her retching . . . send for me tonight. I have recently bought one of these new French hypodermic syringes, and will be able to offer her an injection of morphine if the tincture doesn't work.'

The tincture didnae wark. It juist made Betsy boke even mair, an by ten o'clock that nicht, young William wis sent roun for the doctor. James watched an prayed as Dr Sloan opened a broun morocco-leather case an drew oot a wee gless tube wi siller metal ends. Tae yae en he fixed a lang needle, an tae the tither, he screwed a bress stopper thing that fitted ticht inside the tube an had a wee button-haunle that stuck oot its tap en. Then he tuik a white pill oot a wee broun bottle an dissolved it in a spuinfu o watter that he souked up throu the needle intae the syringe by pouin on the haunle. Betsy juist lay there in agony, bitin her lip, her face gaunt an twistit, no able tae haud still for the pain, yet feart tae move lest she made it waur. 'There, Mistress Begg, this will take away all your pain and make you feel much better.' Wi ae swift move, he flyped back the sheet, drew up her goun, stuck the needle in her hip, an pressed doun on the button till there wis nocht left in the syringe.

James waitit an waitit, getting mair an mair angert an fashed as Betsy still shuik her heid frae side tae side, an white-knucklt, gruppt ticht at the sheets an his haun as she focht the pain. Then the miracle happened. She stopped fidgin, the pain creases left her brou, an she hauf-opened her een an luikt at him. 'Jimmock,' she murmured as in a dwam. 'Is that you, Jimmock?'

'Aye Betsy pet, it's me.' She smiled, ' I feel a lot better nou.' an fell asleep.

'Thenk ye Doctor Sloan, thenk ye.' There were tears in his een as James shuik the doctor's haun. 'I ken there is nocht ye can dae for her, but gin ye can mak her end peacefu an free o sufferin, I'll be aye in yer debt.'

'This new morphine injection is a wonderful boon to medicine and to patients like Betsy,' Doctor Sloan replied, layin a comfortin haun o his shouder. 'You know where I am when you need me.'

Betsy lingered on for anither sax days, unable tae eat or drink; but wi regular ministrations o the morphine, she suffered little an slep maist o the time. Helen an Agnes were alloued awa frae Polshill an Merkland for a couple o days each, an tuik it in turn tae walk tae the village day-aboot, nurse their mither, feed their faither, an be back at the ferm for wark the neist mornin. On the ninth day, Betsy raise oot o her dwam juist lang eneuch tae open her een, squeeze her man's haun, an whusper sae laich he had tae pit his lug doun close tae her cracked swollen lips tae hear it. 'Jimmock . . . my ain guid man . . . my luve . . .' She paused, an as she warked her swollen dry tongue, he strained his lugs again. 'Luik efter the bairns . . . an yer gran-weans . . . an mine, when they come . . . my Jimmoc . . .' her vyce trailed awa an her een steikt for the last time.

'I will, Betsy, my ain luve . . . I will sae.' She answered by giein his haun a wee squeeze - an slept awa in peace early the neist mornin wi her guidman still haudin her haun.

'That's a fine heidstane, Faither,' said young Wull, as he stuid wi a comfortin airm roun his faither's shouder in the auld kirkyaird. 'Whit daes it read . . . *"In Memory of Elizabeth Austin Spouse of James Begg who died at Greenhead New Cumnock on November fifteenth aichteen sixty three aged fifty six years."* . . . Ye've dune oor mither proud . . . an we are aa proud o ye baith.' Agnes an Helen put their airms roun their faither, an drew Jane Wicht an Bob intae the huddle.

'Aye, son,' his faither replied wi a wee smile, 'an she'll be gey pleased that we still managed tae keep three year aff her real age on the stane . . . for fear somebody micht fin oot she'd been telling wee whuds aboot it for years . . . an she widnae hae likit that! . . . Mind ye whit wumman disnae tell lees about her age?' He luikt at his lasses wi a wee damp twinkle in his ee. 'Oh, Faither!' they aa said as yin, an gied him a big cuddle.

It wis three year since Betsy dee'd, an despite the loss o the luve o his life - up until nou, their faither had dune gey weel. He had his gran-weans back - or some o thaim - for Jane an Bob had flittit back up tae New Cumnock, wi five on the cairt an anither on the wey. Bob had left the ferms tae wark as a pitheid labourer in the

Bank pits, an they were bidin juist up the brae frae Greenheid, at Little Pathheid on the Afton road. Juist a ten-meenit dauner up the watter an ower the stepping-stanes an he wis there for his denner an the bairns on a Sunday - an mair often durin the dark winter months when he lowsed early frae Castlemains.

There had been baith bad an guid news in a letter frae Annie three months back. Wi some o the auld Annbank pits failin, an a wheen men oot o wark, they'd flittit doun tae Dalrymple five mile frae Ayr. John nou had a job as a coal miner at Broomberry - a wee pit south o Ayr whaur coal wis howkt for the lime kilns. Annie had juist had her fourth wean, anither wee laddie - caad John efter his faither - an aa the bairns were weel.

She'd heard that there were plans tae lay a new railway line frae Ayr tae Cumnock, an on tae Embro, an when that wis built, Granpa Begg cuid come doun tae Dalrymple tae see his gran-weans. It wad be ower dear for her tae bring thaim aa up tae see him. James had been fair ta'en wi the thocht, for they'd juist built a station at New Cumnock an appyntit its furst station maister - a man by the name o Inglis - a daicent honest-luikin chiel frae Kilmarnock. He'd met him ae day ower at Pathheid when he caad in at the station tae pick up some new harness graith that had been sent doun frae Kilmarnock by the train. Tho he'd never been on a train himsel, he luikit forrit tae the day when he micht get awa doun tae Ayr tae see Annie's bairns.

But juist three weeks back, on the tenth o June 1866, cam terrible tragic news frae Dalrymple that brak Jimmock's hert yet again. John McClue wis deid. A big strang man o twinty-seiven - in his prime - struck doun in juist three days by a brain fever. Young William an Bob Wight tuik the Ha'runnel road tae Cumnock an met up wi James at Roadside. Then the three o thaim walked the fowerteen miles doun tae Dalrymple for the burial. They fand puir Annie sair distressed an near bereft o reason - left a young weedow, wi fower bairns unner five, in a rentit single room, in a strange village, wi nae income. For there wis scant o custom aboot Dalrymple for a dressmaker. Kennin that her faither wis owercome wi grief himsel an fashin aboot her an his gran-weans, the twa brithers pit thegither some siller for anither fower weeks rent tae gie thaim aa a chance tae wark oot an answer - an peyd the wife o John McGinn her neibour, tae luik in whiles an see tae Annie an the bairns till maitters were settlt.

Meantime, as ill-chance wad hae it, the stanemason had juist feenished this fine rid sandstane memorial tae their mither Betsy an auld Jimmock frettit tae gang alang tae see it. Betsy had been laid tae rest near the tap o the lang brae that ran doun frae the kirk tae the Castle Meedows. Juist abune her grave, the west gavel o the wee kirk crouned the gressy kirkyaird knowe. Twa hunner year-auld, it had lain empty nou for near on thirty year, luikin doun on the muckle square tower o the new pairish kirk they'd built on the glebe. A muckle kirk that cuid haud three times as mony folk on a Sunday, but seldom did. The auld biggin luikt dowie nou - an a wee bit the waur o weir - thocht auld Jimmock as he turnt awa an raised his grief-bleart een. A bit like himsel - wi its windaes stove in, an a wheen o its slates missin, nae dout tae patch leaks in the ruifs o the Castle Inn an a wheen o the dwallin-houses alang the Dumfries road.

As his auld een blinked themsels clear-sichtit, a gentle southerly breeze got up that waftit awa the saft white simmer clouds, an let the clear licht o a warm July sun slowly sweep their driftin sheddaes awa frae the Brockloch hills, across the pairish an the meedows, an oot ower the Waaheids tae the north. The wee huddle stuid there, een an herts drawn tae the white gavel o High Boig on its distant sun-kisst braeside. As the sun bathed their upturnt faces, slowly the warmth o auld an happy memories returned, an raised hopes o better times tae come.

For puir Annie tho, efter John's daith, thae hopes were a lang time a-comin. By guid fortune, brither James got her settled intae the hous neist tae him an Mary an the bairns at Roadside - a wee clachan juist twa miles south o Cumnock - whaur she wis able tae mak a wee pickle money at the dressmakin. But for near-on twa year, she wis juist no richt. Whiles disjaskit an tearfu, an whiles joco an deil-me-care, James thocht she micht be takin tae a wee dram ower mony, nou an again, tae droun her grief - but he never saw her fou or miscaain her bairns.

Then she got in tow wi a weel-faured young groom frae Glaisnock House, that she'd met when takin a dress she'd altered back tae the heid housekeeper. James thocht naethin o it, aa the mair sae when the chiel gaed awa; but fower months later, he fand Annie greitin her hert oot ae nicht, efter the weans were beddit doun. The sleekit weasel had deceived her an she wis aicht month gane. Like every ither deserted wumman - an there wis nae lack o thaim - she had tae dree her weird as the mither o an illegitimate wean. On signin the Register, she caad the bairn Annie Begg - for she thocht her faither wad be gey hurt gin she caad her furst dochter efter her puir mither Helen.

Auld Jimmock wis sair fashed when he learnt the news. But for him it wis nae disgrace. He wis juist saddened for Annie as he leant back in his chair an luikt up at the twa treisured photographs sittin on the brace abune the fire. Bonny photographs, that Jane had ta'en him doun tae Cumnock for, as a treat, twa year syne in 1867, afore aa this happened - wi him aa dressed up in his frockcoat an guid waistcoat.

It wis a fine frockcoat that. Betsy aye kep threipin on at him aboot gettin a guid Sunday coat for the kirk; sae he had yin made by James McDonald the Castle tailor. It cost him a fair pickle o siller that they cuid ill afford, but when his Betsy made her mind up aboot somethin - that wis that! Aye, they'd made a fine couple, wi Betsy cleikin his airm alang tae the kirk on a Sunday mornin. Mind ye, puir James McDonald didnae leeve lang eneuch tae spend the siller. He'd noted that the wee tailor had a bad shake an a touch o the jandies when he wis bein measured up for the coat - an sax month later he wis deid. They said he wis as yella as a buttercup gin he dee'd. But he wis a guid tailor, an he cuid mak a guid coat. Weirin his fine frockcoat on the day Betsy's stane wis set up, Jimmock had tarried for a wee saicont at Jas McDonald's heidstane anent the kirk waa, on his wey oot.

It wis near on fower year efter Betsy dee'd when Jane planned this photographin jaunt tae gie Annie a wee heize efter John's daith - an tae cheer him up as weel. Takin the train tae Cumnock, they went alang tae see a young chiel caad Ballantine, wha advertised whit he caad 'The Studio' or some ither new-farrant name for a place whar ye tuik photographs.

He had been sat doun on a plush chair wi a velvet cushion, aside a windae that wisnae a real windae - juist pentit on the waa - an Jane stuid proud aside him in a bonny goun that Annie had made, wi her haun on his shouder. Mind ye, she wis gey faur gane wi wee Alan at the time - an it showed a bit in the photograph. They had tae stey awfy still while the man went an hid ablow a bleck velvet clout ahint a big broun widden box wi a muckle gless ee at the front. Then there wis an almichty flash o licht an a puff o white reek, an the man said thank you very much, Mister Begg.

Annie wis there for her photograph as weel, luikin as proud an bonny as a young weedow cuid be, in a fine dress she had made for hersel, an wearin a wee bleck net mournin-snood ower her hair-bun. Gin he'd only kent then whit a difference the neist twa year wad make tae her puir life . . . But saxty year syne his ain mither had tae staun wi her heid held heich afore aa the clash an snash o Cumnock folk - an nou his dochter wad hae tae dae the same. An tae tell the truth, he wis mair pit oot that she hadnae caad the bairn efter her mither Helen.

Sadly, Jimmock didnae hae ower lang tae wait for that naming - for did Annie no faa frae grace again juist twa year later, in the spring o 1871. Efter wee Annie wis born - wi her guid-sister Mary ower thrang neist door wi her ain fower bairns - she'd ta'en in a ludger at Roadside tae help wi the cookin, an luik efter the bairns while she wis shewin claes. Nan Russell wis aboot forty, a daicent weedow wumman like hersel, guid company, wi a dochter o nine - an gled o a place tae stey rent-free for daein a bit o hous-keepin. Her Janet wis o an age wi Annie's bairns an they aa gat on fine. But when Annie tellt her she wis weel on the road again, they had tae shield it frae the bairns - for the shame o it.

Nan had a sister oot at Coalburn, a wee place three mile awa near the heid o the Nith - an faur frae clackin tongues. Sae they hatched a ploy that Annie wad gang up there as a 'housekeeper' till the bairn wis born. When the wee lass wis born that

June, auld Jimmock wis hauf-sad for Annie - an hauf-angert this time - that at her age, she shuid be sae feckless an fushionless as tae lae her puir weans open tae that same nesty snash as him an his wee sister Agnes had tae thole as bairns. Then he cast back tae his ain mither - an the age she must hae been. *'Then gently scan yer brither man...'*

This time, Annie did cry her dochter Ellen - an twa year later, had the great guid fortune at last, tae fin hersel a guid, honest, steady man. John Cowan, a miner, had a braid eneuch mind an braid eneuch shouders tae cairry baith Annie an her six weans - an like as no, some mair o their ain forby.

Ance mair, auld Jimmock wis content. But by nou, he had lost count o his grandweans - he thocht it micht be saxteen . . . or wis it seiventeen. Nou . . . Jane had ten, an Annie six, an James fower . . . no, by sangs, it wis twinty! An his an Betsy's three bairns had still tae stert! Mebbe Betsy wis richt efter aa . . . he'd better mak a leet.

Chapter 24

1857-1870 - THE WAUNERIN MINERS

It's hardly in a body's pow'r,
To keep at times, frae being sour,
To see how things are shared;
How best o chiels are whyles in want,
While coofs on countless thousands rant,
An ken na how to ware't.

Robert Burns - Epistle to Davie

Davie Currie shufflt frae ae clarty pit buit tae tither as he stuid afore the Registrar at Dreghorn on a bitter, snell, winter efternuin aboot three weeks efter the Ne'erday o 1857. Like his auld faither afore him, doun the pits in the winter months he didnae see daylicht frae October till Mairch. Deid-wearit frae a lang, hard dayshift doun East Thornton Pit, he wis still in his pit claes; white, tired een starin oot o a bleck face as his broken-nailed, blae-scaured hauns fidged nervously wi his auld pit bunnet.

Isabella had tellt him tae gang an register the new bairn at the en o his shift, an he wisnae uised tae aa this new-farrant registerin o Births, Mairriages an Daiths, that had bumbased a wheen puir folk like him ower the past twa years. They baith wantit tae caa the bairn efter Isabella's faither - Owen Gourlay - for the Gourlays an Curries had been gey sib for ower twinty year, since they first neiboured ane anither in Main Road, Whitletts. He'd grown up there wi Isabella, walked oot wi her, an mairrit her at aichteen when she warkt as a flowerer o wabs – wi nimble fingers that shewed denty wee daisy paitterns on tae linen sheets an table claiths an fancy petticoats for the weel-tae-dae that cuid afford thaim. Nouadays, she juist shewed patches on his pit breeks an jaiket.

'Auld Einie' – for that's whit aabodie caad him, wis mair like a faither than a guid-faither tae him. He'd been only a year auld in 1803 when his faither an mither brocht him ower frae Ireland. Like a wheen ither Irish Protestants escapin the eftermath o the United Irishmen's Rebellion, James an Rachel Gourlay were seekin a better an safer life in the south o Scotland. Whit had stertit as a bitter protest by Catholic an Protestant radicals agin the oppressive tithes an patronage o the Established Church o Ireland, grew intae a rising that wis brutally suppressed in a bluidbath that killt thousans o baith Catholics an Protestants. Whether warkin doun an Ayrshire coal pit wis ony better or safer, micht be argied, but Ayr's whaur wee Einie wis brocht up, an whaur he mairrit an Irish Catholic wumman Jean Thomson.

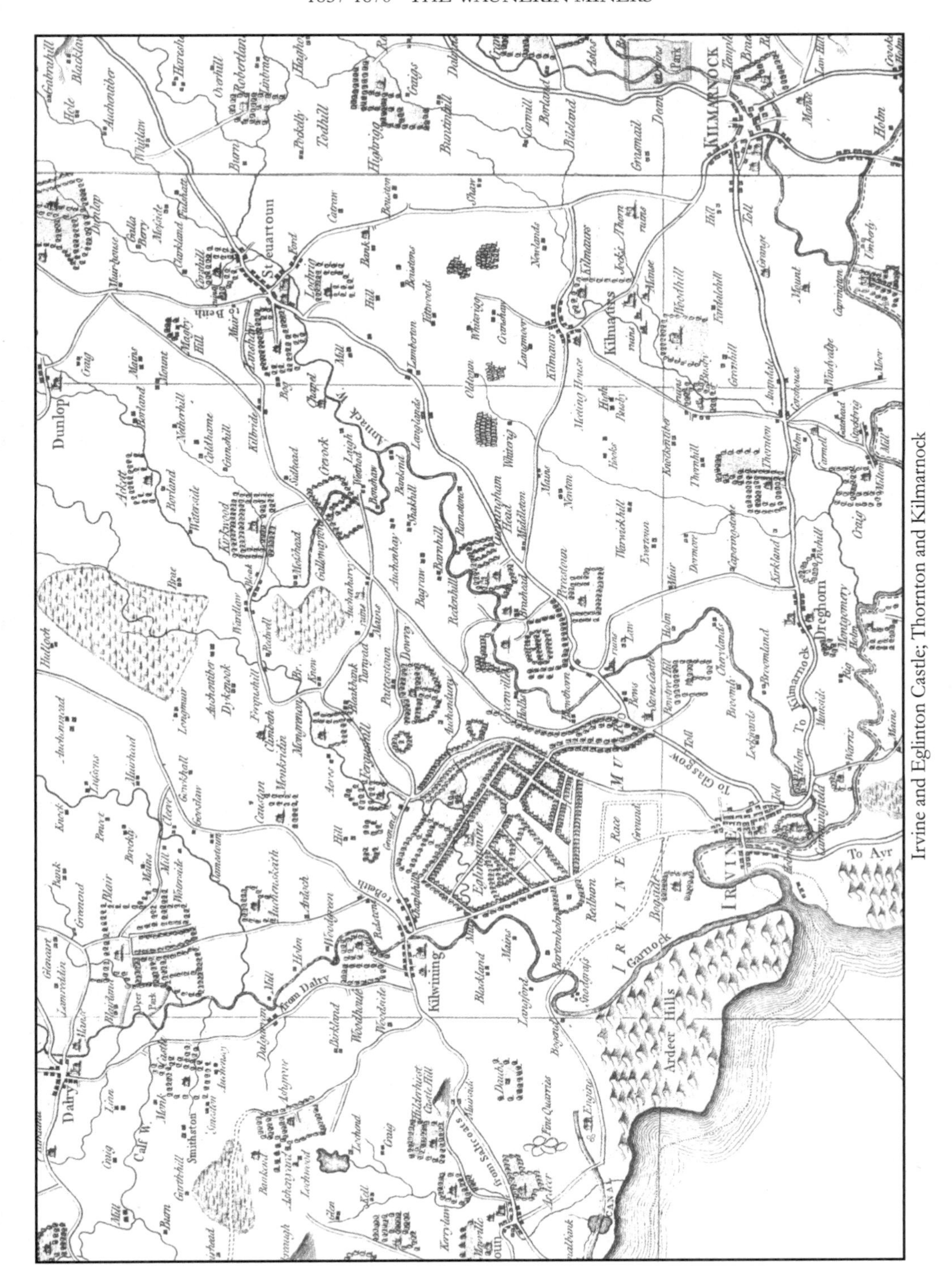

Irvine and Eglinton Castle; Thornton and Kilmarnock

Like his faither, he'd wrocht hard doun the pits aa his days, but whiles tried his haun as a hawker or broker.

Davie an Isabella kent fou weel - tho he didnae let on tae folk – that auld Einie wis disjaskit an hert-broken. For his puir Jean wis failin fast frae the consumption that for the past sax years had soukt aa the virr an strength oot o her. She had gane frae bein a sonsy, roun-faced, bricht-ee'd cheery wee body, tae nae mair nor a rickle o banes, gaunt-ee'd an clappit-jawed, racked wi a hackin hoast an bluidy spittle; wha cuid scarce lift her heid aff the bolster tae see her grandweans. Twa year syne, when he wis workin in the pits at Hurlford, Davie an Isabella had caad their first-born dochter Jean tae gie a heize tae her speerits; an this time they thocht it wad be guid for baith her an Einie tae hae a wee Owen as weel as a wee Jean, tae tak their minds aff their troubles.

John McGavin the Registrar wis a baldy stout wee man in a derk broun suit an a hurry tae get hame - wi a claret waistcoat that set aff the glint o his siller watch chain. Wi'oot a word, he gied the chain a pou wi his left haun, catched the siller watch in his pudgie white fingers an deftly flicked open the lid. 'Ech, man, ye're juist in time an nae mair. Anither five meenits an the door wad been steikt an ye'd had tae come back the morn.' He wore a stiff white collar that wrunklt the faulds o fat ablow his chin. Raisin his heid as he spake, he luikt ower brass wire-rimmed glesses balanced on the tip o a rid neb that wrunklt a wee bit like his neck, an surveyed the disreputable object staunin afore him as he dipped the nib o his quill in the inkwell.

'Weel then, whit's yer name, an whit are ye here for?' he speirt in an aff-haun mainner.

'Currie, Davie Currie . . . an I'm here tae record my new bairn.'

'Tae hae it registered, ye mean.' puffed the wee stout man, fou o his ain importance.

'Aye, if that's whit ye caa it . . . registered.'

'Date of birth, please . . . an time.'

Davie hesitatit, countin back on his fingers. 'Eh, aicht days syne . . . an aboot fower hours afore Ah got hame fae ma day shift.'

Wee McGavin frouned at the bother an fash o haein tae wark it oot himsel, but he'd been lang eneuch aboot Dreghorn tae ken that a miner on day shift left the pit-heid aboot five o'clock an micht tak anither hour tae win hame. 'That'll be the fifteenth o January, aichteen fifty-seiven, aboot twa in the efternuin.' he grumphed as his quill screived across the form.

'An whit's the bairn's name?' he went on in the same tid.

'Einie.' said Davie proudly. 'Einie Currie.'

'Sae it's a wee lassie . . . Ina.' declared the Registrar as he dipped his pen again.

'Naw, it's a boy!' cried Davie, affrontit.

'But ye said Ina.' challenged McGavin.

'Ah said Einie.' countered Davie. 'It's a man's name . . . he's caad efter my guid-faither - auld Einie Gourlay.'

'Hou dae ye spell it?' the Registrar wis gettin riled at the thocht o haein tae write the hale form oot again efter stertin tae screive "In-" on the paper.

Davie wis juist as discomfitit by the question. 'Ah dinnae ken, sir.' he confessed. 'Ah cannae write.'

John McGavin raise his een tae the heavens, then his hauns, but thinkin aboot it, kep a caum souch.

'Einie, did ye say? Weel, that's fine.' Wi that, he smertly added an "e" tae the end o "In-", an feenished the rest o the form. 'Nou, juist you pit yer mark there, Mister Currie, next tae whaur I've screived yer name, an that's it aa legal.' Aa fingers an thoums, Davie Currie gruppt the quill in his horny nieve an slowly marked his cross as wee McGavin's tap lip curled in a smirk ahint his back.

Proudly bearin young Owen Currie's birth certificate, wrapped in an envelope that the Registrar had gied him tae stop it getting fyled wi the coal coum aff his claes, Davie haundit it ower tae Isabella. Tho haurdly able tae read hersel, she stared an squintit at the paper for a while then exclaimed, ' Davie, that's no hou ye spell "Einie" . . . I'm shuir it's got an "O" at the front o it.' But neither cuid wark it oot for years, till their bairns got some schulin an cuid tell thaim.

It wis juist as weel they flittit back tae Whitletts tae be nearhaun Isabel's mither, no lang efter wee Owen wis born - for the consumption cairrit her awa at the back-en o 1859. An juist sax months later, it wis Davie's turn tae grieve, wi the loss o his ain faither. Auld Davie Currie had focht his miners' lung for mony a lang year - but at the hinner-en wis that sair peched an short o braith that he cuid haurdly pit his claes on, faur less walk. He soucht his last gasp juist as Isabella gied birth again - tae *his* ain wee namesake.

Tae mak maitters waur, the auld Whitletts pits were deein as weel. Sae wi better wages an warkin conditions on offer at the Thornton Pit, Davie upruitit his family ance mair an went back up tae Crosshouse, takin wi thaim his weedowed mither Jean an his wee brither George. Wi young George juist stertin in the pits, Davie wis able tae get him an his mither a single-en company hous in Thornton Raw; twa doun frae the room an kitchen o his guid-brither John Gourlay an his wife an weans, wha'd flittit frae Whitletts alang wi thaim.

While the pey an warkin conditions micht hae been better than at Whitletts, the houses they'd left ahint were mansions compared tae the dismal raws built for their warkers by the mine owners - Archibald Finnie and Sons o Kilmarnock. In Laurieston Raw, whaur their third boy William wis born in 1861 juist efter they got there, Davie an Isabella an their fower bairns (wi her young brither Michael Gourlay as a ludger forby), nou leeved aathegither in a single room measurin fifteen feet by eleiven; wi nae washin hous, an juist twa dry closets for twal faimilies. The Thornton Raw single-en whaur his mither an Geordie bided wis juist as bad, an the room an kitchen whaur John an Sarah Gourlay steyd wis even waur. They had twa rooms, the ane twal by ten feet, an the tither ten by ten feet. Maist hous waas were rent wi subsidence frae the pit warkins, an the room flairs were ablow road level an clad wi uneven coorse brick tiles. Aneath the beds it wis juist plain dirt. The houses were dreipin wi damp, an when it teemed wi rain, they flooded inches deep in watter.

John Gourlay an Davie Currie were neibours doun the Thornton Pit as weel as in the raws. Brocht up like brithers in Whitletts, they'd seen baith guid an bad times in a pit village – mair bad than guid – but hou nane o their puir bairns dee'd that hellish winter wis a miracle. In dark, dank rooms wi fousty waas rinnin wi damp, it angert thaim tae listen nicht efter nicht tae hoasts an wheezes passed frae bairn tae bairn, fower or five in a bed, couryin thegither for warmth ablow thin blankets an auld coats; some burnin up wi fevers like wee rid ovens, while ithers chittert an shook wi the rigors. It angert thaim tae watch their puir wives' drawn, bleck-ee'd faces as they wearily dragged themsels oot their beds tae chynge raggit sarks clashin wi cauld sweit, cool fevered brous an burnin skin wi vinegar clouts, an caum the rantin havers o wee fevered minds. Hou it tuik weeks for big sunken een starin oot o wee shrunken faces tae stert tae smile an sparkle again, as spunefus o thin gruel gied wey tae halesome plates o parritch. In the raws that winter, some bairns an auld folk did dee – o the croup an measles, an pneumonia.

A wage o three shillins a day didnae gang faur tae feed sax or seiven hungry mous. An tho their wives aye made shuir their men gat eneuch in their wames tae see thaim throu a hard days's darg doun the pit, Davie an John kent fine that they whiles did withoot themsels. Aye, but for shuir, the wives an faimilies o auld Finnie an his clan wad never want or sterve!

There had been a bad ruif-faa that day. A young Dreghorn collier had been crushed, an twa ithers brocht up the pit, ane wi a broken back an tither wis like tae loss his leg. Naither wad wark again, laein twa faimilies wi nae breid-winner, eviction frae their hames in a month, an nae compensation frae the pit owners. Davie, John an the ither day shift men had dug thaim oot o the rubble wi their bare hauns, afore jamming fower pit trees ablow ae end o a muckle limestane slab. Wi the wecht o fower men tae each tree, they managed tae heize the stane heich eneuch for the mangled corpse o the third man tae be poued oot, rowed in some hessian seck-claith torn frae a ventilation gate, an cairried oot o the section tae a road whaur a pit pownie an hutch cuid tak him tae the pit bottom.

'A bad day, Davie.' grunted John as he hirplt cannily alang the Irvine road, haudin the smaa o his back in yae haun - an ticht in the ither, the shank o a guid brush he'd stolen frae the pit-heid for a crutch tae stell him an save his racked back as he walked hame. 'That's nae pey comin intae oor hous for a week or mebbe twa, till this bluidy back mends . . . Aa the thenks ye'll get frae Archibald Finnie Esquire for helpin save his warkers!'

'Aye, an oor Bella'll be nae mair pleased than your Sarah! I'm mebbe no hirplin like a lame dug like yersel, but I cannae raise up this torn shouder . . . an can dae bugger aa wi my ither haun, wi twa bleck nails an twa mair missin . . . It's gowpin like hell, an I'm no luikin forrit tae Bella cleanin it when I get hame!' He winced an swore, as raw nailbeds rubbed agin his coorse pit jaiket as he raise his richt haun up tae his ither shouder tae ease the throbbin pain. 'But we're lucky, auld freen. There's twa faimilies that'll be on the pairish next week an for years tae come - tho I hear Tam Bell's auldest is comin thirteen, an cuid be the breidwinner in fower or five months.'

'Aye, an if ye're gaun tae get killt, like young Flynn the day, it's mebbe better wi yer heid crushed ablow a stane when ye're seiventeen an nae faimily, as mairrit wi seiven weans.' mused John. 'Aither wey, it'll cost auld Finnie not a bluidy haet, for there's aye some ither daft bugger ready tae tak their places . . . an fill their houses ance he's pit the cripples an their faimilies oot on the street in twa or three weeks.'

'Did ye see him last week when he cam doun tae inspect the pit wi the manager?' Davie speirt as they reached the en o a straucht bit o the road whaur it bent sherp tae the richt doun a wee brae.

'Aye, an auld Bob Meiklejohn had twa men oot soopin the coal stour aff the steps so as his maister widnae fyle his guid shune an new frock coat . . . an his flunkey had an umbrelly up tae stop his beaver hat getting wat . . . an I aye thocht beavers liked a guid droukin onywey!'

'We'd aa be better aff gin he pit his umbrellys ower oor ruifs, an his new coats ower oor bairns tae keep thaim warm.' muttered Davie wi feelin.

'Weel, at least there'll be less stour in oor hous nou, when Sarah gets a haud o this.' John chucklt as he tapped the brush-shank on the road. 'Whit is it they say – a new broom soops clean?'

Ahint thaim in the grey darkenin, they heard the clatter o hooves an the rattle o a coach trevellin fast. They were richt on a bend, whaur the road wis nerra wi a sheuch on the tap side an a bank o hawtrees an slaes on tither. Davie tuik the sheuch an John tuik the thorn trees as a sturdy pair o greys pouin a licht cairrage clattered by, drappin doun tae a trot as the coachman braked for the corner. By the licht o the coach-lamps, Davie glimpsed a luik o concern on the pale faces o twa young ladies at the windae as he sprauchled in the sheuch glaur, while on the ither side, twa young gentlemen lauched as John's brush-shank fanklt his legs, an his pit jaiket snagged on thorns as he fell intae a slae buss.

'Ya snotty-nosed pig-ignorant bastards!' he yelled as he tore himself free, an forgettin his sair back, bent doun an flung a big stane that stottit aff the back o the coach an liftit a scliff of bleck lacquer pent. Inside, the young ladies squealed in alarm, an the gentlemen swore discreetly, as the cairrage trundled on westwards tae the Eglinton Ball.

'Talk o the Deil an ye'll get his spawn!' John Gourlay spat bitterly on the road. 'That wis young John Finnie an his fancy freens gallivantin awa tae some big do or ither, on the sweit o oor backs an the daiths o oor brithers.' He spat again. 'Davie, I dinnae ken aboot you, but I'm for oot o this hell-hole come the spring. They're sinkin new pits up aboot Annbank, an biggin new raws for the miners. Are ye for it, auld freen?'

Davie, lost in his ain thochts o the lass wi the gentle face an the worrit luik framed in the coach windae, flexed his sair fingers an saftly replied – 'Aye, John, it's time we were awa.'

The new Annbank raws were set on tap o a knowe abune the River Ayr. Twa hunner an thirty-six new houses that ran aither side o the road that led doun tae Tarholm brig. In the middle they pairtit tae form a braid square, whaur folk auld an young cuid foregether for a crack. Wi fower bairns, Davie an Isabella were lucky tae be gien ane o the score o twa apairtment houses. Tae Isabella, it wis like a palace efter their Laurieland hovel. The kitchen an the room baith measured sixteen by twal feet – an whit's mair – they had widden flairs that she cuid scrub an cover wi rag rugs. There wis a dry closet for every twa faimilies an a wash-hous for five.

At the stert, the Gourlays had tae settle for a single-en, but gin a year gaed by, wi mair mouths tae feed, the company let thaim caa a door thro intae the neibourin empty single-en, an wi that extra room John wis upsides Davie. An this wis the pattren for ithers. The guid houses quickly bred a fine community whaur faimilies aye luikt oot for neibours in trouble; an that community juist bred – big faimilies. Anither three wee Curries - Esabella, George an Agnes – had arrived at Annbank by 1868, when times again got hard. By then the auld Auchencruive an Enterkine pits were near exhausted and shuttin doun ane by ane. Production drappt awa an earnins were low. A new deep pit, Ayr Nummer Nine wis bein sunk, but until the shank an pit bottom were ready, men were bein laid aff - an gin there were nae breidwinners left in a company hous, a faimily cuid be evicted.

Wi seiven bairns tae feed, Davie Currie wis gey worrit that this micht happen tae thaim, an felt that it micht be better tae lowp nou, afore he wis shoved. He'd heard tell o a muckle new pit, Bank Nummer Yin, bein sunk awa up at New Cumnock, whaur wages were better - for the nou - than at Annbank. The Afton Coal Company were luikin for skilled miners an offerin houses that cuid haud a big faimily. He'd spoken tae John Gourlay aboot anither flit. John an him had agreed tae pairt company twa or three year syne. They cuid baith earn mair at the coalface wi strang young neibours, sae Davie tuik on his young brither George, wha steyed wi his mither; an John neiboured wi his ain young brither Michael – him that had ludged wi Davie an Isabella at Laurieland. But this time, John - wi a growin faimily himsel - wis sweirt tae lae Annbank, an ettlt tae dour it oot there till times chynged for the better. It wad be the furst time they'd been pairtit since they were bairns in Whitletts, an it wis hard for Davie tae split frae his best freen. For even tho New Cumnock wis aichteen mile awa up in the wild hills, baith young Geordie an his mither were gemm for a flit– an that settlt it.

But furst they had tae fin oot if there wis ony wark for thaim. Sae early on a fresh Sunday mornin in late August, Davie an Geordie set aff for New Cumnock, weel stoked up wi a guid breakfast o parritch an fresh herrin, an their piece-bags stappt wi breid an cheese an some cauld tatties left ower by Isabella frae last nicht's bilin. It wis a grand day for a jaunt. It had rained durin the nicht, but nou the sky wis as clear blue as a dunnock's egg, wi the odd white cloud scuddin its shedda across fields o yella corn ripplin in the fresh nor-west win. Crossin the River Ayr by the Gadgirth Brig an souchin in deep the caller air, they thocht they cuid see for miles when they reached the Hillheid o Coylton; which wis the faurest aither o thaim had ever trevellt afore on their Sunday dauners frae Annbank.

Daunerin wis a precious pairt o maist miners' existence. It gied thaim a life. For sax days a week, year in year oot, by the gliff o a caunle or tally lamp, they wrocht in their cauld bleck wat warld, breathin in nocht but thick coal stour. On their day o rest, they stoutly claimed their birthricht o fresh air, sunlicht, blue skies an green fields. Miners were great walkers. On Sundays, aa the ferm tracks, fields, an kintrae roads roun aboot ony pit village wad be thrang wi twas an threes o bonneted men - young an straucht, or auld an boued wi thirty years o howkin nerra seams - instantly kent by their miners' pallor, oot for a dauner. Some wad heid for the hill burns wi rod an pirn hopin for a creel-fu o wee broun troots. Ithers in springtime wad quarter the ploued fields, luikin for a bunnet-fu o peesies' eggs; while the mair energetic waunert the muirs for the eggs o seagulls, whaups, or wild deuks - that wad help tae feed the hungry mouths at hame. Ithers were juist content tae sit in the sun on a gressy bank, wi a drystane dyke at their back an a cley pipe atween their teeth, haein a crack an banter as the warld gaed by.

This mornin there wis nae time for banter, as Davie and Geordie Currie strode on eastwards till they breistit the brae at Killoch. Here, afore thaim, they truly nou cuid see for miles. On aither side o the lang straucht road lay a bonny patchwork o ripenin cornfields an broun an white Ayrshire kye oot grazin green pastures, wi the hale scene buchtit in by an endless blue rim o distant rollin hills. But whaur lay New Cumnock? Davie had a ruch drawin o the road tae New Cumnock thro Ochiltree an Cumnock, but nae idea whaur the place micht be itsel; sae when they trampt doun the Main Street brae intae the sleepy howe that wis Ochiltree, they were gled o information - an a pint o yill at the inn tae wash doun their breid an cheese.

Thus refreshed, they hoyed on thro Cumnock, forsweirin anither refreshment at the Dumfries Airms. For time wis weirin on, an they had tae fin a bed in a hey shed somewhaur for the nicht. As they airted oot o Cumnock, they had a wee crack on the road wi a lime cairter wha tellt thaim tae lowp up on his cairt an he wad tak three miles aff their feet – oot tae the Benston limekilns whaur he'd tae load a rake o lime for Dumfries House estate. Frae there he said it wis a quicker wey tae Bank gaun doun the Ha'runnel an across the Nith at Fordmouth - rather than alang the Dumfries high road. Frae the tap o the Ha'runnel Brae abune the Nith, they stuid for a while, takin in a grand view as the saft yella licht o the evenin sun lit up Glen Afton's *'green braes'* - that the cairter had described wi quotes frae Burns's poems - an their een roved ower the *'slumbering hills, far marked wi the courses o sweet winding rills.'*

'By heavens, brither, yon's a bonny sicht an worth a day's walk tae see . . . an it'll mak for some guid dauners on a Sunday when we're here.' Davie's een roamed frae left tae richt an suddenly he raised his airm an pyntit. 'Luik yonner, Geordie, on the tap o yon faur knowe . . . luiks like a lum an horls . . . That cuid be oor pit.' Drappin doun tae the Nith, they tuik their buits aff on a gressy bank, whaur a fast gurly stream rummlt doun intae a deep rocky puil. Coolin their tired feet in the peat-broun watter, they baith lowpt wi fricht - an nearly as heich - as the bonny siller saumon that lowpt wi a muckle splash frae the depths o the puil, close in by the rock face on the faur side. Geordie nodded tae his brither. 'Ah think Bella micht enjoy a wee chynge frae herrin when we get settlt in at the Bank.' Davie grinned back wi a wink.

Gettin a job at Bank Pit wis the easy pairt for Davie Currie. Gettin his mither, wife an seiven weans flittit aichteen miles wis a damn sicht harder – made aa the mair sae juist afore they left, when Bella whuspert in his lug that she'd missed her illness an wis expectin again. In simmer, his mither, an Bella an the young anes cuid hae hurlt on the cairt wi the flittin. But it wis nou late September, an he wis fashed aboot his mither an the weans walkin aa that wey. For the autumn rains had stertit, an the roads wad be ankle deep in glaur, makin it hard eneuch for a pair o Clydesdales tae draw a cairt laden wi furniture, faur less cairryin the wecht o twa sonsy weemin, an hauf a dizzen weans. Bella's news settlt it. He'd speak tae Geordie. Geordie cuid gang alang wi the cairter an tak the three auldest wi him. Jean wis thirteen, an young Owen wis a guid walker for a wee lad o eleiven. An if wee Davie gat ower tired he cuid aye lowp up on the cairt, for aa the wecht he wis.

When the big cairt drew up outside the hous, hauf o Annbank drew up alangside o it tae see thaim awa, an hae a guid luik at the state o Bella's warldly gear - for whit it wis worth. Five chairs, a ruch bench, an auld table wi a shoogly leg, a dresser wi a drawer missin, their double bed an three horsehair mattrasses whaur the bairns slept, twa secks o blankets, ane o claes, anither o pots an pans, an a wee widden box fou o plates an cups. Tho it wis a dry mornin, there were twa or three big dark clouds aboot, an a risk o shouers, sae Davie wis hertened when the cairter rowed oot a muckle hap an tuik guid care tae cover aathing. The last thing his deid-wearit faimily wad want at the en o a lang trauchle o a day, wad be tae lie doun tae sleep on wat mattrasses. It wis a double flittin, for Weedow Currie an Geordie added whit puir furniture they had tae the load. Geordie went haufers wi the hire an that wis a great help.

Davie Currie wis aboot tae dae somethin nou he'd never dune afore, nor had ettlt tae dae - for he cuid ill afford it. He wis aboot tae tak his wife an fower youngest on the train tae New Cumnock. The norie had come tae him o a sudden efter Bella had tell him she wis expectin. Ower the simmer months, efter his dayshift, he'd been in the habit o takin a dauner oot the Tarbouton road tae staun on the new brig ower the cut, an watch gangs o Irish navvies howkin the new rail track that the Glesca an South Western Company wis drivin frae Ayr tae Mauchline tae link wi their Glesca tae Dumfries line. It wad tak anither year afore it opened, an that wis nae uise tae him.

But it wis only a sax mile walk tae Mauchline – an ower aichteen tae New Cumnock. His mither wis sixty-five, but cuid manage fine tae walk that distance – an mebbe even tak turns wi Bella tae cairry Agnes the wean. He cuid aye cairry wee George when he gat ower tired, an William at aicht, an Esabella at sax year-auld, were big eneuch tae walk the hale wey. He spoke wi Tam Murray, an auld neibour frae Enterkine No 2, wha'd got oot the pits an wis nou warkin as a surfaceman wi the Glesca an South Western. Tam tellt him there wis aye a train south frae Mauchline at twa o'clock that wad get thaim intae New Cumnock by a quarter tae three. It wad cost a penny a mile each for himsel, Bella an his mither, an a ha'penny for William, but the three wee anes wad gang free.

He neednae hae fashed himsel aboot the bairns no lastin the distance. They left early, aboot nine o'clock, tae gie themsels plenty o time; but the weans were that cairrit awa wi the thocht that they were gaun on a real train, that they skipped an ran gey near aa the wey tae Mauchline. It wis aa Bella cuid dae tae get thaim tae sit doun lang eneuch by the road-side at Failford for a piece an cheese, an a drink frae the burn. It wis Bella an his mither that were gled o the brek. They were in that guid time at the hinner-en, that they taiglt ower the last twa mile, pickin brammles frae the roadside busses; an by the time they reached Mauchline Station, the weans' faces, fingers an scartit airms were blae wi berry juice.

At the station, no bein able tae read, Davie wis a wee bit blate, sae Bella whuspert tae him juist tae staun a while an see whit ither folk did - an dae the same. It wisnae as bad as he thocht, till the wee clerk said, 'It's twal mile tae New Cumnock, sae that'll be three shillins an saxpence.' Davie wis ta'en aback.

'In goad's name, man, that's a day's pey ye're askin for!' As he fummlt in his pouch for siller, there wis a pouk at his jaiket sleeve, an his mither slipped twa shillins in his haun.

'Here, son', said Jean saftly. 'Ye've seiven weans tae feed an anither on the wey. Geordie gied me a shillin for my fare, an here's yin o mine as weel.' Davie gied her haun a wee squeeze o thenks. Wi missin twa days' wages, an wi the flittin an the first week's rent still tae be peyd for, he wis gled o her help - an no ower proud tae tak it.

Tam Murray had tellt him tae luik oot for the Howford Brig when the train crossed it juist south o Mauchline, because it wis the heichest an the braidest single-airch-span brig in the hale warld. An no juist that. When it wis biggit twinty year back, a young lad fell frae the scaffoldin a hunner an aichty feet intae the River Ayr ablow – an sclimmt oot the watter nane the waur o it! Davie tellt aa this tae the bairns, an when the train gied a toot-toot o its whustle as it passed slow ower the brig, he poued on the leather strap that let the windae doun a wee bit, and they aa had a guid luik ower the parapet - wi Bella an his mither gaspin their braith in fricht an drawin back intae their sates gey quick at the thocht o that lang drap. The bairns tae, drew their heids back in gey quick as a great guff o steam an reik smeekit oot their compairtment an garrd thaim aa splutter an lauch an cough, till their faither raise an steikt the windae. Wi fower wee button nebs flattened agin the gless an cries o excitement as trees an kye an sheep an cairts an houses sped by; wi the squeal o brakes as the train drew in tae Cumnock Station, whaur some folk gat aff an ithers gat on; wi the chuff-chuff-chuff-chuff o hissin steam an the spinnin o wheels as the big engine poued oot again, shooglin the cairrages wi a clank o chains an cowpin George an Esabella aff their benches; baith time an kintraeside flew by till Davie spied the three lochs by the line, an gethert his flock thegither. 'We're here, bairns, we're here. This is New Cumnock.'

As the seiven o thaim skailed oot on tae the platform, Davie's een were drawn tae a fine-luikin, weel-dressed young wumman wi a bairn in her airms, staunin talking tae the station maister - himsel a guid-luikin, braid stocky man wi a beard, mebbe ages wi himsel. It wis the kindness in her face that drew him – an somethin else . . . he kent that face frae somewhaur . . . but whaur? Then, attractit by the capers an noise o the bairns on the platform, an a wee pickle concerned for their safety as the gaird gied a blaw o his whustle an waved his green flag, she luikd straucht at him an for an instant their een met. Davie's mind flashed. That's it! That's whaur I've seen her! The bonnie young lass in Finnie's coach the nicht young Flynn wis killt in Thornton Pit. But whit's a gentlewumman like her daein here - mairrit tae a station maister?

'Davie! Davie! Dinnae staun there in a dwam! Whaur dae we gang nou?' Bella wis gey thrang, an stertin tae feel the effects o a lang, lang day – even mair sae when

Davie tellt thaim they still had anither twa mile tae walk, but didnae let on it wis aa uphill.

Past a scatter o houses caad the Castle, an the muckle kirk wi its heich square tower gairdin the meenister's glebe like a sentry, they turned up the brae by an auld mill whaur the bairns, on hearin the clackin o machinery, keeked roun the door - an saw nocht for stour but the slow burlin o muckle wheels, an a white ghaist haudin a seck ablow a happer tae gether the flour. He bowffed at thaim an they ran awa lauchin back tae their grandmither. Then ower the Connel Burn brig an up past the lang new miners' raws at Connelpark; whaur hauf a dizzen miners were playin pitch an toss at a gable-en, while three ithers sat backs tae the waa on their courie-hunkers, smokin an starin at thaim as they gaed by. 'Aye, freen.' Davie wis greetit curiously by a grizzled wee man sittin back on yae heel while he tapped a fill o tobacco intae his cley pipe. 'An whaur are ye heidin the day?'

'Craigbank.' Davie replied. 'Ah've got a job in the new pit an a hous at Craigbank.'

'Guid luck tae ye, auld freen, for it's a cauld, bluidy hole o a place up at the Bank in winter!' He nodded towards the backs o the twa weemin gaun on ahead wi the bairns. 'Dae they ken whit ye're lettin thaim in for?' Davie shook his heid an hurrit on, hopin that Bella hadnae heard, an fearfu o her reaction, for he'd never been tae see their hous in Blair Street, an had juist ta'en the pit agent's word for it.

It wis as bad as he'd feared. Built twinty year syne for airnwakers o the new Nithsdale Iron Company - that failed ten year back for want o guid airnstane - a raw o twa-storied houses an a store faced west on the left haun side o the Dalmellington road as it breistit the tap o the Bank Brae. At its faur en, Blair Street ran up tae the tap o anither brae. Twa-storied like the Front Raw an biggit wi coorse stane an brick, each hous wis a twa-apairtment wi the kitchen on the grun flair, an the room up abune. Bella gret when she saw it.

This wis waur than Laurieston Raw - an she had seiven weans nou, no fower. The last tenants had left it like a midden. The stane-tiled flair wis strewn wi stinkin auld rags, an a muckle ratton scampered awa frae a pile o fousty auld tattie peelins left lyin ahint the back door. The door had been left ajaur an hauf the flag-stanes were still soakin wat frae the driven rain o the nicht afore. Upstairs wis nae better, forby the widden flair wis dry. That at least wis a blessin - ance she'd cleaned up aa the burd-shit frae the young jaikdaw that had tummlt doun the lum an flew aboot the room for twa days, afore brekkin its neck on the windae pane.

'Davie Currie!' she screamed at her feckless man, staunin by the front door like a knotless threid, his mooth gawpin an his hauns claspin an unclaspin as he prayed for the grun tae rent an swallie him hale. A flytin frae Bella Gourlay wis a fearsome thing for ony man tae thole. 'Davie Currie! Ye can thenk Goad that the flittin's no here, for Ah'd hae yer heid flattened wi the fryin pan an yer guts for tripe! Whit in Hell's name were ye thinking aboot, draggin yer seiven bairns an me . . . an yer puir mither . . . up tae this goad-forsaken place?'

She poued open the back door an waved an angry airm at the moss ootby an the bare sheep hills that hemmed thaim in on aa sides – juist like prison waas, she cried. Her guid-mither beside her said nocht. This wis Bella's fecht an she shuid get it aa oot an no let it fester. Davie wad juist hae tae tak whit wis comin tae him. For efter aa their sufferins up at Crosshouse, the daft gomeril shuid hae kent better than tae agree tae tak on a hous athoot haein a guid luik at it furst. She juist hoped Geordie hadnae dune the same wi their single-en doun at Connelpark. Born an bred hersel at the Glenbuck Airnworks up at Muirkirk, she felt at hame up here amang the hills, an kent fine that there wad be bonny days o whaups tirlin an peesies birlin, an laverocks singin in the lift – but that wad hae tae wait till the spring.

There wis a wee chap at the front door. Bella breenged by Davie, shovin him awa angrily wi baith hauns, an opened it.

'Hallo, hen. I saw ye trauchlin up the brae wi the weans, an kent ye were comin tae an empty hous . . . an a clarty yin at that, for thae McMinns were nae better nor tinklers. She wis a lazy besom and him a richt waster. Guid riddance tae baith o thaim when he got sent doun the road last week.' Afore Bella cuid even draw a braith, the trig, stout wee wumman stepped forrit, bare airms ootstreitched, profferin a muckle plate o breid.

'I'm yer neibour across the road, Aggie Houston . . . an here's some breid for the weans an yersel . . . Whaur did ye come fae? . . . aa the wey fae Annbank? . . . my, ye must be stervin!' She turnt roun tae the twa wee laddies hauf hidden ahint her back. 'Alec, Wullie, bring ben thae pails o coal an kennlers for Mistress . . . eh . . . I dinnae even ken yer name, hen!' She gied a cheery wee lauch, an Bella lauched tae, throu a lump in her thrapple an blinkin tears at this wumman's kindness tae strangers.

'I'm Bella . . . Bella Currie . . . an this . . .' she paused an gied him a witherin luik, 'this here is my man Davie . . . an my guid-mither Jean Currie.'

'Weel, Bella, there's some coal tae pit some heat back in the hous an let ye bile a kettle till yer flittin gets here . . Och, I forgot, ye'll no hae a kettle . . . Alec, rin ower hame an bring a pan o watter . . . an Wullie, fetch the tea caddy an fower cups. . . It'll save ye gaun doun the brae tae the spicket at the Front Raw, Bella. It's aye a trauchle cairtin twa pail o watter up this brae, but ye'll get uised tae it.'

Wi a guid lowe in the hearth an the double warmth o a kindly walcome an a cup o tea in her wame, Bella wis in a better tid when the clatter o horses' hooves an crunch o wheels on the grevel road tellt thaim that the flittin had arrived. Wee Davie wis asleep on the cairt ablow the hap, an puir Jean an Owen were baith oot on their feet. Furst aff the cairt were the mattrasses, cairtit upstairs an laid oot side by side in front o the room fire, followed by seiven wearit weans, deid tae the warld.

Gin it hadnae been for guid-hertit neibours up an doun the street - that were aye there tae help ane anither oot in times o need - Bella wad hae been awa tae hell oot o Blair Street an back tae Annbank on the furst train. For that winter, snell wins blew snaw in drifts ablow the doors an throu cracks in the windae frames; an whiles outside, the snaw wraiths were sax feet up baith the doors. There were only twa dry closets for six faimilies - an nane o thaim had doors - sae young Jean an Esabella an hersel tuik tae uisin an auld roosty pail at the back door, an tuimin it oot intae the closet efter the rain or snaw had stoppt. The Stable Raw up the back wis even waur, for the twa earth closets there had nae ruifs or doors, an she heard tell o weemin visitors haein tae gang oot on tae the moss.

It wis a blessin tae hae a freen like Aggie Houston tae see her throu her confinement an her lyin-in time wi wee Mary in the Spring o 1869. That simmer, there wis anither wee blessin - a guid dryin win on maist washin days, when it cuid be gey bonny on a sunny day peggin oot the claes an luikin ower at the Afton hills - but that wis nae recompense. Tho Davie wis makin guid money – twinty shillins a week – at the Bank Pit, the only thing that kep thaim up there wis word frae Annbank that the Ayr Nummer Nine wisnae ready yet tae tak on mair skilled miners.

Frae early in January 1870, that saicont winter wis waur than the ane afore. Five bairns dee'd in epidemics o chickenpox an the kink-hoast - or whoopin cough - that swept the raws. Then in February, cam terrible news frae Annbank that Sarah Gourlay had dee'd - awa up at Annick near Irvine, whaur John had gane at the hinner-en tae fin wark. She wis only thirty-twa an had focht an suffered the agonies o peritonitis for a fortnicht afore she passed ower - laein five puir mitherless bairns. Davie tuik the news bad.

Then in the middle o Mairch, juist when they thocht the warst wis by, Geordie came rinnin up frae Connelpark tae tell Davie his mither wis puirly. It had stertit wi stamack cramps an colic that auld Jean had thocht micht hae come frae eatin three-day-auld, back-het broth, but efter five days, when the retchin turnt furst tae a dry boke an then the green bile, Davie sent for the doctor frae the Toun.

Auld Jean wis doubled ower wi the colic, an efter he'd laid his hauns on her an checked her for a fever, the doctor tuik Davie an Geordie aside, shook his heid an muttered somethin aboot an inflammation o the stamack - an gied thaim a bottle o laudanum tae tak awa the pain. It helped for a wee while, but when it got waur again, the doctor juist tellt thaim tae keep on increasin the dose tae gie her peace, for there wad be nae betterment. That spring, Jean Currie never heard the tirl o her whaups or the sangs o laverocks. On the furst o April, efter fifteen days o grievous sufferin, she fand her peace an slipped awa. The doctor's certificate juist said 'Gastritis'.

Efter the daiths o their mither an Sarah Gourlay, baith Davie an Geordie lost hert wi New Cumnock - an Bella wasted nae time, aye threipin on at thaim tae get her an the bairns awa afore somebody else dee'd. Gin three months gaed by, wi a lichter hert, she wis back wi her bairns in Annbank.

Chapter 25

1860 - HIGH SOCIETY

Ye high, exalted, virtuous dames,
Tied up in godly laces,
Before ye gie poor frailty names,
Suppose a change o cases:
Robert Burns - Address to the Unco Guid

Dappled evening sunlight burnished the bronzed canopy of a stately copper beech as Margaret Towers stepped down with youthful grace from the coach and pair, and dutifully followed her parents up the short gravel path to the portico of Uncle James Arbuckle's mansion in London Road. It had been a beautiful June day, and as the sun's warmth radiated through her light silk mantle, she almost regretted having to spend the evening indoors. But she did so enjoy her Aunt Jane's family soirees and the lively company of her young cousins; though perhaps less so, some of the none-too-subtle matchmaking observations of her aunts and elder cousins.

Announced by Nancy the maid, whose ruddy complexion and broad accent revealed her Irvine Valley country origins, they were greeted in the hall by Aunt Jane, with a proffered white gloved hand for her father to kiss, and a pale rouged cheek for both her and her mother. A sulky, sailor-suited young boy of about eight years-old hovered uncertainly in the background, while two smiling, pretty little girls in white muslin dresses practised unsteady curtseys either side of their mother, in whose arms their baby brother clung tightly, hiding his face shyly over her shoulder. If she was 'sair trauchled' with her four children - as Margaret's grandfather William Arbuckle might have said - Jane Arbuckle showed no signs of it.

'William and Jessie, I'm so pleased you have come . . . and Margaret . . . how lovely you look in that beautiful satin dress. You will have every young gentleman in town paying court dressed like this . . . it's a pity you have only your old uncles for company this evening. We'll have to do better than that!

'Jessie. Come and see our new furnishings.' Jane Wilson Arbuckle was intensely proud of 'Bellevue' - which had been built over sixty years ago for her great uncle John Wilson the Printer who had published Robert Burns's first book of poems - and of the fact that it was still a family home. Not that she had read much of Burns's poetry, finding the sentiments rather coarse, and the language difficult to understand. James enjoyed his Burns though, and somewhere in the house he had an old dog-eared volume that once belonged to his father and grandfather. He had produced it last year when he and his brothers and all the other local worthies were celebrating the Centenary of the Poet's birth - over which Sarah's uncle, Provost Archibald Finnie, presided. It was too soiled and tattered to be read in company, or displayed in her new mahogany bookcase, and if truth be told, she wondered why James didn't just burn it and buy one of the new Centenary editions, which were much prettier.

'How do you like my new carpet from Blackwood's? I think the colours and pattern really do match the fabrics of the armchairs . . . and the new lace curtains I've just had sent down from Morton's in Darvel. Doesn't the light shine through them beautifully? . . . and my new brass fender . . .' She gestured gracefully with a wave of her hand.

'That's right, Jane. Keep it in the faimily. Keep Alex Finnie an aa thae Mortons in siller. They need every penny! . . . An mebbe a bawbee will trickle doun tae me throu Sarah!' Her brother-in-law, a youngish, smiling, rather portly gentleman standing by the fireplace, briar pipe in hand and his other elbow on the mantelshelf, gave the burnished fender an impudent tap with his heel as he spoke.

'Matthew! Don't you dare say a word against my father!' exclaimed the vivacious young lady by his side, pulling indignantly at the tail of his frock coat. 'He has been very generous to us both since we were married.'

Sarah Finnie's father, Alexander, was an ironmonger and prosperous Kilmarnock merchant, whose cousin Archibald was a wealthy coal owner and iron founder, and lately Provost of Kilmarnock. Her mother's family business was the renowned Morton's Lace Mill in Darvel. She'd been married to Matthew Arbuckle for a few years, but still had the sensitivities of a newlywed.

As she watched and smiled gently, Margaret Towers' sensibilities swung between a young lady's natural romantic envy of Matthew and Sarah's fine clothes and gay social circle, and a feeling of sadness that they were still childless after four years of marriage. She knew that Sarah would give anything to be in Aunt Jane's place, and would have gladly exchanged the gaiety of musical soirees and the glitter of all the society balls in the county, for the rich happiness and love of just one smiling infant at her knee. Jane had borne four children in seven years, and Margaret often wondered just what yearning and despair might lie hidden behind Sarah's pleasant, smiling facade.

She was fond of Sarah. They were very close. At nineteen, with only ten years between them, she thought of Sarah more as an elder cousin than an aunt. She mused and smiled quietly to herself as she recalled secret girlish laughter as Sarah and her sisters and cousins exchanged confidences and described all the glamour and excitement of society occasions like the Eglinton Ball, the opulent splendour of the great houses in which they were held, and the rakish behaviour of some of the young gallants. She dreamed of the day when she too, would wear precious gems and fine gowns and waltz with some handsome young . . .

'Margaret! . . . Margaret!' Her mother's voice broke the spell of her reverie. 'Are you day-dreaming again? Your Aunt Jane was speaking to you.'

'I'm sorry, Mama. I'm so sorry Aunt Jane.'

'Was it some young man of our acquaintance?' teased her aunt with rare insight.

'No, aunt.' Margaret protested weakly, as she suddenly found herself flushing with embarrassment. 'I was most flattered by your lovely compliments on my new dress . . . and was just dreaming of . . . ' She hesitated shyly, then sensing that this was perhaps the opportunity she had been longing for, and one which was not to be missed, she took a sharp intake of breath and courage, and the fateful words rushed from her lips as fast as her cheeks crimsoned. 'I was just wondering what it must be like to be all dressed up and invited to the Eglinton Ball . . . like Sarah and Matthew . . . and the Finnies.'

There, she'd said it. How silly she must sound! Everyone's eyes were upon her, and seemed to be penetrating her innermost being. She sought an escape, but at that moment, the maid appeared in the doorway with a tray bearing the silver tea service.

'Ah, Nancy, just place it on the table and pour for everyone. Who takes sugar?' Aunt Jane had come to her rescue. Dainty sandwiches, scones and sweet bon-bons were duly passed round from the cake stand. Margaret, holding a fine Worcester bone china cup and saucer delicately in one hand, her tea plate balanced carefully on a pretty flower-embroidered linen napkin on her lap, sat quietly - and hopefully inconspicuous - on the chaise longue; and found blessed refuge in a cool cucumber sandwich as her cheeks slowly regained a more seemly, ladylike pallor. Sarah came and sat beside her.

'Dear Peggie,' she whispered softly, looking around carefully as the others engrossed themselves in cakes and conversation. 'You have just beaten me to it. It has been in my mind for some time that you have now blossomed into a young belle who is pretty enough to grace any society - and face the young county bucks. Matthew and I have been intending to seek an invitation for you to attend this year's Ball; but since it is still six months away, I did not mention it to you in case we encountered disappointment. But take heart. With your Aunt Jane and her growing brood, I think we can be certain that *their* two invitations will be going a-begging!' She arched her eyebrows, gave a little encouraging smile, and slyly and knowingly tapped the side of her nose with her forefinger. 'So I think we can start looking for that dress you were dreaming about!'

Margaret's cup and saucer rattled in her hand as she trembled with excitement, and she had to restrain it quickly with the other one for fear that the noise - as loud as a carriage clattering on cobbles to her sensitive ears - would once again attract the collective gaze of the room. 'Oh, thank you, thank you, Sarah . . . and will you really help me choose my dress?'

'Most certainly, Peggie . . . and nothing but the best . . . we'll have you measured at my dressmaker in Glasgow . . . it's not far from St Enoch's Station . . . and we can perhaps make it an expedition . . . or maybe two . . . or three . . .' she whispered archly, 'and stay at the family house in South Portland Street . . . just across the river.'

True to her word, and blessing the ease of modern rail travel, Sarah led her young cousin on several prolonged forays to Glasgow over the next few months. The Glasgow and South Western Railway Company - with London as the ultimate prize in their race with their Caledonian rivals - had reached Kilmarnock about fifteen years back, and since then had driven their line down through Nithsdale to link with England. Small village stations were springing up along the route, and while Peggie's ambition had simply been to go to Glasgow, Sarah now dreamed of visits to London.

On her several visits to Glasgow that autumn, Margaret was amazed and awestruck by the bustle and noise of this great city of commerce. From every direction echoed the sound of masons' hammers, and between the towering walls of majestic new trade houses and endless canyons of yellow sandstone tenements, the clatter of wheels on cobblestones heralded the arrival of yet more cartloads of dressed stone and timber. On still days, foul smoke hung heavy and low over the rooftops, and the air reeked of sulphur and breweries. One day, between fittings and to escape into the fresh air, they took a trip 'doon the watter' from Broomielaw on a paddle steamer, only to encounter and endure for ten miles either side of the river, the soot-smudged reek from their steamer, and yet more hammering, this time metal on metal, as riveters forged the great ships of the Clyde.

There were other boat and train trips to visit Loch Lomond, and to see the great castle of Edinburgh. But eventually the day arrived when there was no longer any valid reason to be in Glasgow - the dress was ready. Sarah suggested that it could be delivered to Kilmarnock, but Margaret would have none of it - her precious turquoise blue satin dress might be lost, or stolen. She must take it home herself.

It was a miserable dank, wet November afternoon when the train hissed and clanked into Kilmarnock Station and the two young ladies dismounted from their carriage, thankful that the First Class compartment had been just large enough to accommodate both them and their acquisitions. It was only a stone's throw to Margaret's house in West Langlands Street, and a few yards farther downhill to Portland Street where Matthew and Sarah lived above his grocer's shop; but too far to walk with such large packages in such weather. Matthew was unaware they had caught the early train, and had not sent up his lad to carry Sarah's purchases, and William Towers would still be at the bakehouse.

In the pouring rain, Sarah's eyes despairingly searched the platform for a porter. Typically, there was not one to be seen. Tottering under the burden of their expensive parcels, and anxious to keep them dry at all costs, the ladies struggled over the bridge and into the welcome shelter of the station waiting room. Sarah knocked angrily on the Stationmaster's door. It was opened by a young railway clerk.

'What can I dae tae help ye, mistress?' he asked civilly, anticipating from the sharp rap on the door, that someone was displeased.

'You can fetch me a porter, young man!' ordered Sarah, in an imperious tone that Margaret had not heard her use before. 'And tell your superior that I am most unhappy with his Company's lack of service for their first class passengers at his station.'

'Certainly, Madam. I'm sorry about that, but yin o the porters has juist ta'en a package doun tae King Street, an I think big Tam is loadin a cairt oot the front.'

'Well, I want these packages taken - dry - down to 2 Portland Street. Now!'

'Is that Matthew Arbuckle's shop? . . . and ye'll be Mistress Arbuckle then?'

William Inglis liked to know with whom he was dealing, especially if he felt trouble brewing. A carpet weaver's son, he had started work with his father Wull at the age of thirteen, as a carpet weaver's assistant. A smart, perceptive lad, he quickly realised that to succeed in his own life he needed to escape from that pre-ordained existence of monotonous, deafening drudgery at the loom, which his father - and grandfather Hugh before him - had endured. The coming of the railway opened up a rare door of opportunity, in which he kept his foot firmly planked. What little schooling he received as a bairn was supplemented by a keen desire for knowledge. By reading all he could, he advanced himself to the position of senior railway clerk at Kilmarnock by the age of twenty-one - and had a driving ambition to go further, and soon.

'I'll caa Tam and get him tae cairry yer paircels, Mistress Arbuckle . . . an tell him tae hap thaim in a mail bag tae keep thaim dry.' He glanced across at Margaret. He had seen her often before. Walking up to the station from Grange Street, where he lived with his parents, he passed by her door every morning. As a boy, they lived near The Cross, in George Street and, when they could afford it, his mother bought their bread from Towers' bakehouse in Portland Street. He'd seen her grow up into a bonny young woman - a wee bit superior, mind you - but bonny. He doubted if she'd ever as much as looked the road he walked on, but he'd better address her as weel.

'Miss Towers, is it?'

Margaret started in surprise at the sound of her name. She felt herself stiffen a little at this perceived familiarity from someone she didn't know. Apart from a few encounters at the ticket office, when she was certain she never had occasion to say who she was, she had never spoken to this young man in her life - and yet he knew her name. She felt herself staring at him with a mixture of feigned aloofness, embarrassment, and curiosity, which she found disturbing. His pale grey-blue eyes looked at her with an open frankness, neither bold nor subservient, from a broad rather pale face, which, though half hidden by a drooping moustache and railway cap, appeared kind and honest.

'Yes.' she replied cautiously, before it dawned on her that the clerk must pass her parents' house every day, would have seen her often, and would naturally know who she was, since the Towers family was well regarded in Kilmarnock. She now felt rather flattered that she seemed to be as well known as aunt Sarah.

'I ken ye bide juist doun the station brae, Miss . . .' It was the clerk's turn to feel a wee bit blate, but he paused, took a deep breath, and continued, '. . . if ye wad like, I cuid cairry thae muckle packets doun hame for ye while Tam taks Mistress Arbuckle's tae Portland Street. It wad save ye time, an a droukin.' And off he went to seek the elusive porter, who duly arrived, put both ladies' precious packages into stout canvas mailbags as instructed, and set off surprisingly smartly for Portland Street with Sarah tripping along behind him.

On the pretext of having to ask the Stationmaster's permission to leave his post, William was pleased his little ploy had worked well. The slight delay meant he could now walk this bonny young lady home by herself - even quite slowly - now that the rain had stopped. Holding the mail sack over one shoulder, he followed Margaret as she hurried out of the station, impatient for her mother to see her new dress and in no mood to tarry. Disappointed that his 'best laid scheme' was going 'fast agley', he hurried after her. Just as she reached the bend halfway down the brae, Margaret gave a squeal as her left shoe slipped on the wet cobblestones and she fell backwards. Instinctively, William leapt forward, with the presence of mind to retain a grasp of the precious mailbag, and the swiftness and strength in his other arm to grab her tightly by the waist as she fell, and hold her clear of the ground till she regained her footing - if not her composure.

Margaret first reaction was one of mortification at finding herself in the firm embrace of a strange man - and a railwayman at that - on a public roadway; followed by instant relief that there was no one around to see her, especially Sarah; and gratitude that this young man had saved her from certain injury - and more importantly - her new ball dress from ruin. She blushed furiously as he slowly released his encircling arm, and she found herself looking into anxious grey-blue eyes and heard an echoing concern in the gruff voice asking, 'Are ye aaricht, Miss Towers?'

Disconcertingly, she found herself looking straight back, deep into those eyes. She had never looked into a man's eyes before. It would have been more proper to avert her gaze as she had always been taught. She felt a strange tingle run up her spine and through her head, and a further quickening of her heartbeat, which had just been about to settle after her fright. 'Thank you, thank you . . . sir'. She paused, embarrassed. 'I . . . I don't even know your name'.

'It's William, Miss. William Inglis.'

'Thank you, William . . . You have saved my new dress.' Once again Margaret felt a surge of embarrassment. Thanks would not be enough. She would have to give him a shilling for his trouble, and she had suddenly remembered she had no money. Sarah had paid for the trip. 'Oh . . . I'm terribly sorry I cannot give you some small recognition for your help. I have no money with me.' She coloured again.

'Miss Towers, I wadnae hae ta'en a penny had ye offered. It's been a pleisure tae assist ye.' Depositing the mailbag in the entrance of 3 West Langlands Street, the young clerk turned his head and smiled as he was about to go. It was the first time Margaret had seen him smile, and noticed that the smile travelled to his eyes. She liked both. Daring herself, she smiled back into those grey-blue eyes as he tipped his cap and left.

Sitting side by side with aunt Sarah as their light coach breasted the brow of the brae by The Grange and rattled downhill along the old Irvine road towards Crosshouse and the gathering darkness, Margaret watched as the last of Kilmarnock's dim gaslights dipped below the crest. At last she was on her way to the Eglinton Ball, and talking excitedly with Sarah about what she might see and whom she might meet. Opposite the pair of them, and deep in conversation about stocks, commerce and coalmining, sat Matthew Arbuckle and Sarah's younger cousin John Finnie, who had been dragooned by her to chaperone and escort Margaret to the Ball.

"Oh, my dear Peggie, you will meet everyone who is anyone in Ayrshire society here this evening. For a start, Earl Archibald - who organised the famous Eglinton Tournament - and Countess Adela of Eglinton . . . she is the daughter of the Earl of Essex, you know . . .' Sarah conveyed this snippet in a reverential tone to impress Margaret, 'and naturally, young Lord Archibald the eldest son - he is mad about hunting and racing - and perhaps his younger brother the Honorable Seton-Montolieu, and sister Lady Egidia - what strange names!' They looked at each other and mockingly suppressed a fit of the giggles behind their silk-gloved hands. 'Now we must behave ourselves, Peggie, with no more of this disrespect towards our gracious hosts!' chided Sarah, pulling herself primly erect with a twinkle in her eye while making a vain attempt to suppress a further attack - to which they succumbed disgracefully before regaining their prim composure.

'The Earl of Glasgow and his Countess should be there . . . he is a great one for the racing like young Lord Archibald . . . and also the Marquis of Ailsa, who is a great huntsman, and his Marchioness . . . and that's only the top half-dozen of the nobility. There will lots of Sirs and Ladies, and Generals and Colonels and Majors and their ladies. The banquet will be sumptuous and the music and dancing will be wonderful. Oh, what more can I say, Pegs . . . I'm sure you will be swept off your feet by some gallant young gentleman . . . or maybe six . . . especially when they spy you in that beautiful turquoise satin dress.'

'Only if there's half-a-dozen left standing, Peg!' interjected young Finnie, somewhat ungallantly, and ever so slightly in his cups already as a result of fortification with a couple of large brandies prior to setting off, just to make his escort duty more bearable. 'The Earl keeps a fine cellar I can warrant you - mainly drunk by young Lord Archie, I hear . . .' He glanced to the right and forward out of his window - 'Hey-hey, Matthew, you're deep in Archibald Finnie country now . . . there's the lights of Thornton Pit . . . makin' the old man a pretty penny these days, provided we keep down the overheads - and these bloody colliers . . . Ye would think that payin' men triple what they could earn ploughin' fields or threshin' corn, or whatever they did before would be enough, but they're still greedy for mair . . . nae idea just what it costs to run a pit, especially when we've tight contracts to supply, and we're short-manned due to their stupid bloody accidents. If they hurt themselves it's their own bloody fault - and no comeback on Messrs Archibald Finnie and Sons. They're no use to us if they're not fit for work! The manager sent six doun the road yesterday, and . . . Dammit, Robert man, what the bloody hell are ye doin'!' The coach was slowing round a bend when it suddenly braked and lurched to the left, throwing up a scatter of gravel from the spinning wheels. Finnie and Arbuckle quickly peered out their windows, when with a shout, two men, briefly lit by the coach lanterns, stumbled off the side of the road as the coach slithered past.

'Only a couple o your bloody miners, John!' cracked Matthew as he playfully struck his young friend's shoulder. 'Like as no', fou as whulks on their big wages!' They both laughed callously, and Margaret, peering backwards into the gloom, caught the flash of angry white eyes in a tired, coal-blackened face as a young man, fist-shaking and soaked, slowly dragged himself out of the roadside ditch.

'That's not amusing!' she snapped at her two escorts. 'You should be ashamed of yourselves. That poor man looked absolutely done - not drunk!' The further roars of laughter which greeted her admonitions served only to heighten her concern for the two pedestrians - and spark off a huff of hurt pride which, unless she could conquer it, bode ill for her enjoyment of the glittering evening to come.

Still nursing some resentment, it was a rather subdued young lady whose eyes lit up only half-heartedly at the magnificent spectacle, as Robert the coachman drew up gently in front of the massive, looming, foursquare, castellated mansion that was Eglinton Castle. From its large central rounded tower to the round turrets at each corner, every window was a-blaze with light. A liveried footman stepped forward to open the coach door and assist herself and Sarah to alight. Two other flunkeys, either side of the great porch, nodded welcome and ushered them into the main entrance hall where the Earl and Countess and family were assembled to greet their guests. Here, they joined a slow queue of equally magnificently attired ladies and gentlemen, most of whom were obviously already well acquainted and on intimate terms with one another. Their voices, even to Margaret's Kilmarnock society ear, were jarringly loud, and almost overpowering in their ability to carry right across the hall and intrude three or four simultaneous conversations into her hearing consciousness.

'Your name, Madame?' It was only on the second polite repetition that she realised with huge embarrassment that the head footman wished to announce her to their gracious host and hostess. Blushing furiously, she heard 'Miss Margaret Towers', and only just remembered to drop a curtsey before accepting a stiff nod and handshake from His Lordship, a somewhat portly personage whose pale cream, richly brocaded evening coat only served to highlight the dangerously apoplectic crimson of his complexion. The Countess, glittering with diamonds and sapphires, offered her silk-gloved limp fingertips and a prim tight-lipped closed purse of a smile which did not reach her eyes, before Margaret moved on to encounter the supercilious demeanour and limp handshake of Lord Archibald; a haughty-faced young man - probably no older than herself - who seemed more intent in looking over, through, and beyond her towards the more entertaining conversations of his hunting friends, than in noticing her presence.

Ushered onwards, she found herself with the others in the main hall - almost twenty yards long by eleven broad - surveying in awe the raised, richly-adorned top table placed across one end, from which sprang regimented long rows of tables draped in snow-white linen and set with silver service and crystal goblets that sparkled brightly beneath the most dazzling of chandeliers. The surrounding walls, about twenty-five feet high, were hung with massive tapestries and large portraits of ancestral Montgomeries. Off the banqueting hall was a huge saloon situated in the main tower, with an enormously high ceiling as tall as the tower itself. Margaret was amazed by the size of the place; but was down-to-earth enough to wonder just how much it must cost to heat all winter.

By the end of the banquet she had discovered firstly, that her appetite had shrunk in direct proportion to her humour; and that Sarah's cousin John was simply a boor whose predilection for brandy soon relieved him of what little sense of duty he had to escort her happily through the evening. So with young Finnie seemingly hell-bent on slyly mocking her or studiously ignoring her altogether (which seemed preferable), Margaret now faced the painful reality that her naïve and eager anticipation of a glittering fairytale ball had begun to transform itself into an uncomfortable realisation that the ostentatious trappings of wealth and power which she saw all around her, would not necessarily fulfil her girlish dreams of future happiness.

When the ball commenced, as Sarah had correctly predicted, she did attract the attention - generally unwelcome - of a series of young beaus, mostly inebriated, some handsome, some not, whose overbearing demeanour and loud ill-manners inevitably translated into a fairly abrupt, and sometimes scarcely concealed, contemptuous retreat to the braying company of their own kind, on learning she was only the daughter of a town baker. From the sidelines, she quickly noticed how all the guests seemed to assume their natural place in high society's pecking order.

Their noble lordships and their ladies were surrounded by a hunting set of lesser nobility and landed gentry, while cliques of their honourable offspring, behaved or misbehaved with greater or lesser propriety in proportion to their ability to hold on to their drink and inhibitions. The more powerful leaders of the merchant and industrialist class might rub shoulders and converse with their landed counterparts, but in the main, lesser merchants like Matthew and Sarah Arbuckle hovered on the fringe, within aspiring coteries of like-minded friends, all longing to be acknowledged and embraced by the great and the good around them. Blissfully oblivious to her distress, they postured and prattled all evening; while close by, deep beneath a huge vase of flowers, Margaret sat un-noticed, sad, and anonymous, behind her fan.

In the midst of her misery, Margaret found her thoughts straying, despite herself, to a certain young man into whose grey-blue eyes she had looked - and seen honesty and happiness. It gave her a strange sense of comfort.

Back home at 3 West Langlands Street in the months that followed, Jessie and William Towers had no answer as to why their pride and joy - their only daughter on whom they doted and of whom they had great hopes - as to why she had set her face so resolutely against that very society on which their expectations were centred; vowing never again to attend any society ball, and stoutly resisting any further attempts at matchmaking by her dear Mama.

She and Sarah were still close friends, for Sarah felt most embarrassed and guilty about the Eglinton affair and tried her utmost to make amends. As a result, their shopping expeditions to Glasgow resumed and became more frequent - as did Margaret's station encounters with that young Inglis, who seemed to have a sixth sense of her journeys and an uncanny ability to be near-hand on the platform to tip his cap, or be of assistance in carrying her heavy baggage down the station brae to her front door. Sarah saw, mused a little, dismissed the obvious as unlikely, and said nothing to Jessie.

On the rare occasion of him not being there, Margaret found herself feeling strangely disappointed and even cheated by his absence. And even more unsettling was the strange lump in her throat - and the flutter in her heart - each time she anticipated an encounter with this engaging young man with the soft voice and the kind eyes. She found herself finding pretexts at home to visit the milliner at the foot of John Finnie Street, or Aunt Jane - by a roundabout route - any excuse that might place her in the proximity of Grange Street and a chance encounter with William.

Sporadically at first, they did meet, express surprise and swop pleasantries, and go their respective ways. Soon these pleasantries expanded into deep conversations, the gentle touching of hands, the exchange of surreptitious notes; and secret rendezvous arranged in quiet nooks which Margaret knew were unlikely to be frequented by Mama's ladies or their servants.

Six months later during one of these trysts, William broke his exciting but disturbing news. 'Margaret, ye've been walkin oot wi me on the quate for this while back, in spite o me no haein muckle in the wey o prospects . . . but this is aa aboot tae chynge, I hope, for the better. I didnae let on afore nou, but I've juist been promoted tae a new post as the first Station Maister doun the line at New Cumnock.' He leaned forward intently, and grasped both her hands in his. 'Are ye gled for me?'

Struck dumb by this shock revelation, Margaret's head spun at first, her heart sank, her emotions in turmoil. 'Oh, William, that's so far away . . . it's so far away . . .Will I ever see you again . . . We'll never be able to meet like this again, ever!' She hugged her arms around him and buried her face in his chest, sobbing bitterly. William gently took hold of her slender shaking shoulders, caringly eased her away with firm steady hands, raised her chin lovingly with the crook of his forefinger, and looked into her tear-filled eyes. 'My wee Peg, haud back thae tears an think on't . . . Ye've tellt me often eneuch that your mither an faither wad hae nocht tae dae wi a railway clerk if they ever fand oot we were courtin . . . but nou I'm a Station Maister wi a position in life, they micht think different . . .

'True, I micht no aye be close at haun tae cleik yer airm every twa or three days, but I'm only an hour doun the line, an I'll hae tae come by Kilmarnock frae time tae time tae mak reports tae the Heid Station Maister . . . when we can hae time thegither. Whit's mair, It'll be a lot easier tae send letters tae ane anither . . . Ye can write direct tae me at the Stationhous, an I'll reply care o the ticket office here at Killie, whaur young Sammle Dickson will haud on tae thaim till ye caa by. Ye can trust Sammle no tae clype, for he's a guid lad an owes me his promotion.'

After some moments of thought, and greatly heartened by the news that her laud was to become a Station Master - and that given a little time she might now be able to tell her parents of her love for him - Margaret slowly calmed down and dried her eyes with a lace-edged handkerchief. Yet stupid, irrational, nagging doubts remained. She feared that she might lose him - a Station Master would be a fine catch for any young hizzie.

'But, William . . .' she hesitated at the foolishness of it, but her deep-seated insecurity expelled it from her in a stream of anguish. 'William, you'll be so far away, and I'm scared . . . will ye stay true to your Peggie? . . . That's what I want to know above all else!' He laughed and drew her to him again, cradling her head in his right arm so close that her bonnet tipped over her nose.

'William, watch my new bonnet!'

'Peg, juist whit wad I dae wi aa thae lang-nebbit whaups up in the hills o New Cumnock, when I hae my ain wee doo doun here?' He flicked up her bonnet and kissed the tip of her nose. 'Whit's mair, my sister Maggie has agreed tae bide wi me as housekeeper, an ye can rest shuir that she'll mak yer William behave himsel! I've arranged tae get her seamstress wark sent doun by train frae Kilmarnock, an she ettles tae pick up some mair custom in the pairish.'

Chapter 26

1867-1881 - THE STATION MAISTER'S WIFE

If happiness hae not her seat
An centre in the breast,
We may be wise, or rich, or great,
But never can be blest!
Nae treasures nor pleasures
Could make us happy lang;
The heart ay's the part ay
That makes us right or wrang.

Robert Burns - Epistle to Davie

And so began a clandestine five-year-long courtship, increasingly fraught as their love strengthened; with growing uncertainty as to how Margaret's parents would react to their union. William now at twenty-nine, was highly respected and well established as the New Cumnock station master. Margaret was twenty-five, guilt-ridden with deceit, and exhausted with the effort of preserving her secret from her parents; constantly on guard from her mother's sharp and increasingly hostile probings - mortified by her social shame and disgrace at having an unspoken-for daughter in her mid-twenties fast heading for the spinsters' shelf, and without a suitor in sight.

The ever-present nettle that had to be grasped was cruelly pressed into Margaret's tender palm on the morning of her twenty-sixth birthday in January 1867 when, in the quiet of their morning room, Jessie Towers used the occasion once again to threip on incessantly about the want of a young man in her life; and did she not realise just how hard it was for her mother to bear. All her friends' daughters were either betrothed or wed, and several of her ladies already had ten or twelve grandchildren. Her own daughter was now the topic of gossip at afternoon tea and she was tired of making excuses for her - and what was she going to do about it!

Deived beyond all limits of patience, Margaret could stand it no more. 'Well, I have a young man in my life, Mother.' she replied in quiet firm even tones, amazing herself at the strength and resolve in a voice that she scarcely recognised as her own.

'A young man!' squealed her mother, eyes wide in horror. 'A young man! Mercy on us, how long has this deceit been going on? . . . and how dare you not inform your own mother and father! . . . William!'

'Will - iam!' she screamed with a rising inflection towards the half-closed door, as her face turned ash-white beneath the pale pink rouge and she sank dramatically into an armchair. 'William, come through here at once! . . . Now!' William, only too familiar with every nuance of his wife's tone of voice, responded with alacrity.

'What is it my dear?' His pale eyes glanced anxiously from wife to daughter and back, as he desperately tried to gauge the magnitude of the crisis unfolding, and formulate an appropriate response. William Towers was of a feckless, if amiable, disposition, and generally did what was bid of him without question or resistance. He kent fou weel that Jessie had ne'er forgien him since the day fifteen year syne, when he sellt oot his ain guid bakery business - that had been solidly built up by his faither - tae his guid-brither John Mather. He worked there nou as the heid baker, but Jessie Arbuckle wis black-affrontit wi a foreman baker for a man, instead o a weel-tae-dae-merchant like her ain faither - an aye ettlt for her dochter tae dae better.

'It's your daughter . . . who has been deceiving her poor mother . . . for years!' Jessie Towers' complexion was slowly regaining a semblance of colour, as shock gave way to aggrieved, self-righteous indignation. 'She has become attached to some young man without ever condescending to seek the advice or approval of her parents. It's so shameful . . . Just what will my friends and the family think of me now . . . I'm too mortified beyond words to tell them!'

'Calm doun, my dear,' soothed William. 'I ken oor Margaret wad not choose someone unsuitable. She haes mair sense. Goodness knows, she has sent a wheen packin ower the years, that I wis happy tae see rin aff wi their tails atween their legs . . .' He stopped abruptly as a withering look from Jessie reminded him with a jolt that most of these suitors had been chosen by his dear-beloved. Quickly changing tack, he turned to Margaret, standing forlorn but defiant by the front window looking over West Langlands Street to the station. 'Weel, lass, you'll hae tae come oot wi it nou . . . Wha's the young man?'

'His name is William Inglis, Father, and I love him.' She raised her chin and looked him proudly in the eye.

"Inglis . . . Inglis?' repeated her father, 'I don't ken ony Inglises . . . Dae you, Jessie?'

Jessie started up in her chair, white-knuckled as she gripped and crumpled the lace arm-covers between her fingers.

'Inglis . . . The only Inglis I knew was that young booking clerk up at the station . . . but he seems to have disappeared over the past two or three years, so it's not likely to be him, I hope!'

'It is, Mother.' revealed Margaret with a palpitating heart, but bravely concealed apprehension. 'William Inglis is a fine man of twenty-nine, and has been a station master now for the past five years.'

'A station master! I don't care if he's a Grand Master! You will have nothing more to do with him! . . . Do you hear? What would your Aunt Jane Arbuckle think . . . and all my ladies . . . if they knew my only daughter was in tow with a railwayman, the son of a carpet weaver and a mother that's nothing but a common washerwoman! I will hear no more of it! No more of it! Do you hear!'

"You'd better dae as your mother says, lass.' opined William, fearful of repercussions. 'She kens what is best for you.'

'Father . . . and Mother,' exclaimed Margaret in a steady level voice, her resolve hardening in proportion to the injustices and slurs being heaped upon this man, for whom her love was now ten times greater than in the thirty seconds before her mother opened her vindictive mouth. 'I am now a grown woman of twenty-six, and well beyond my age of majority. May I be allowed some say in my own destiny, and whom I may or may not wed. For years I have suffered the unwelcome attentions of a list of so-called 'suitable' husbands forced upon me by Mama and her friends; and for intelligence, generosity, and common kindness, not one of them comes within a hundred miles of my William. He is the man whom I have chosen to wed, and he has chosen me. All we seek is your blessing on our marriage.'

'Marriage! What marriage? Where?' cried Jessie. 'Do you expect your father and I to arrange a big wedding for our friends, when the groom's mother will probably turn up wearing her sackcloth apron, along with a squatter of broken-nailed weavers . . . You are throwing your life away on a nobody, Margaret, when you could have done so much better for yourself . . . If you marry this man, don't expect my blessing or a penny piece from either of us!'

'Jessie . . . Jessie, dear . . . Haud it!' pleaded her father. 'Don't be ower sair on the lass an say things that ye'll leeve tae rue later . . . The young fellow haes prospects an a respectable position, laein aside his lack o breedin . . . an it's clear oor Margaret's smitten by him an will hae nae ither, sae we micht as weel mak the best o a bad job. Whauraboots is your William the station maister, lass?' He placed his arm protectively round Margaret's shoulder and drew her to him with a gentle squeeze.

'New Cumnock, Father.' she replied softly, inclining her head to the comfort of his chest.

'New Cumnock!' bitterly exclaimed her mother. 'You'll be living away in the back of beyond, with only dirty colliers' women and stupid farmers' wives to speak to, and nobody of your own kind to befriend. If you're set on going there, don't ever expect either me or your father to call and visit that godforsaken place . . . ever!'

'Jessie!' pleaded William, whose love for his daughter - to his credit - overcame his own heartache and disappointment, and triggered a clear insight as to the likely consequences of Jessie's vicious outbursts. 'Jessie! Ye'll hae tae accept that Margaret haes made up her ain mind as a grown woman - nae maitter whit you or me micht think aboot it, an the least said the soonest mendit.

'If she wants tae wed young Inglis, there's nocht we can dae aboot it . . . an raither than thole the disgrace o her rinnin awa wi him, we micht as weel see her wed daicently an quatelike . . . mebbe here at hame in West Langlands Street.' Wise words. Jessie's frosted face thawed a fraction as she considered the social implications of her only daughter eloping with a railwayman - against the veneer of respectability and propriety provided by a quiet wedding at home with her parents' supposed blessing . . . if nothing else.

'Well,' she declared in a lesser pique, 'if it is to be, the quicker the better . . . but get it over and done with . . . for I couldn't stand months of tittle-tattle, and the less Kilmarnock hears of this the better. So I don't want the banns cried in the Laigh or the High Kirk, with my good friends sitting in the pews . . . and I don't want to meet this man . . . till they are before the minister of whatever kirk he belongs to . . . if any.'

'It's the Free Kirk, mother.' interjected Margaret, biting her lip for fear of saying more.

'I might have guessed! Well, William . . . you had better go and see this Mister Inglis . . . I suppose somebody must see him . . . but be discreet whereabouts you meet him. Tell him to arrange for the banns, the Free Kirk minister and two witnesses, and keep it quiet. It should take three weeks for the banns to be cried, so, ehm . . .' she turned ostentatiously to consult her calendar by the grandfather clock, 'so it could all be over by the thirteenth of February. That sounds a fine lucky date.'

Margaret gasped at this cruel barb, but held her tongue.

'Jessie, Jessie, for God's sake tak that back . . . she's your only dochter, an still deserves oor love and blessing.' Margaret had never heard her father raise his voice in anger at Mama before.

'That's easy for you William Towers, but I bore and lost three daughters before Margaret, and I'm heartbroken that my only daughter should do this to her mother. What more blessing does she want than that she can be wed in her father's house . . . After that, she can lie in the bed she's made for herself . . . and that's my final word! I just don't want the Arbuckle family to be tainted by this shame, till I can bring myself to tell them . . . I have a terrible headache, and I'm going to lie down.'

With her left hand clasped to her forehead to mask her from Margaret's gaze, she shakily rose and, pointedly holding on to every chair-back and tabletop en route, slowly left the room and her daughter's affections - for ever.

And so it was, four weeks later, on the thirteenth o February 1867, that a small solemn group assembled in that same morning room, to join Margaret Towers and William Inglis in holy matrimony. The only witnesses were Hughie Smith an old friend of the groom, and Lizzie McFie, close confidante of the bride. The bride's trunk containing all her worldly possessions was already sitting up at the station.

As she and William, arms cleeked, walked the last few yards up the station brae from 3 West Langlands Street, Margaret's joy at being finally united with the man she loved evaporated in a cloud of self-doubt, guilt, and deep bitterness. She had just sacrificed a comfortable Kilmarnock society life for the unknown pitfalls of a remote frontier-mining village. She had mortally offended and alienated the Mama who had doted on her from her birth and indulged her every whim, till William stole her away. But the doubt and guilt were as nothing to the deep bitterness she now felt towards this same Mama, who had said so many cruel things, and who had left the morning room during the wedding ceremony without even acknowledging the presence of her dear William. Her father had remained to shake William's hand and wish them both well, but she knew he would be forbidden ever to visit her at New Cumnock.

Overwhelmed by this seething conflict of emotions as they reached the station arch and the point of no return, Margaret collapsed on William's breast in a flood of tears. As he comforted her tenderly, she was conscious of another - soft gloved - hand on her shoulder. Glancing up through tear-blind eyes, she slowly focussed on a woman's blurred face, half-hidden and protected against the bitter cold by a large hood. 'Sarah!' she gasped. 'Oh, Sarah!' Leaving William's comforting arms, she flung herself upon her aunt with a huge sob of emotion.

'Peggie . . . my dear Peggie! I only heard of your wedding this afternoon, and couldn't let you leave us without coming to wish you both every happiness.' She grasped and shook William's hand as he bowed his gratitude. 'Thank ye for comin, Mistress Arbuckle. It's guid tae ken that somebody in the faimily still cares for my Peg . . . She's had tae thole muckle that she disnae deserve, an your support an love will mak aa the difference tae her.'

'I hope this will too.' smiled Sarah as she firmly pressed a paper into Margaret's palm and firmly closed her fingers over it, before embracing her with a final kiss and quickly turning on her heel to hide the tears welling in her own eyes, as the southbound train squealed to a halt beside them in a hissing cloud of steam.

The slamming of carriage doors, and the comforting warmth of her beloved alone beside her in the compartment, jolted Margaret's senses to the piece of paper still tightly crumpled in her left hand. Smoothing it out on her lap, she gasped open-mouthed and whispered, 'Look, William . . . look! . . . a twenty pound note . . . have you ever seen such a thing? . . . Thank you, Sarah . . . thank you, thank you, thank you! This will really set us up in our new home.'

For William Inglis, aa this fash an snash he'd tholed frae his new guid-mither, juist ran like watter aff a deuk's back as the train rattlt an smeekt throu the Mauchline tunnel an Margaret dovered sound on his shouder. A mensefu, free-thinkin man, he'd the smeddum tae rise abune sic clash - frae a hoity-toity wumman that aye needit a heize-up frae ithers o her ain ilk tae mak up for her fushionless man . . . Tho in fairness, William Towers had showed he'd at least a smidgin o spunk an common daicency in him, when he stuid up for his dochter an wished thaim baith weel.

Na, na. Thenks tae the Glesca an South Western Railway, he'd the gumption lang syne tae snap the threids o the warp an weft that bound baith his faither an granfaither tae the treadmill o the haunloom, then the clatter o the Jacquard power loom, for twa generations. He'd seen eneuch as a laddie, warkin wi his faither as a carpet weaver's assistant; coughin an wheezin as he crawled amang the oose an thick stour ablow the muckle looms tae mend broken threads; an deived day in, day oot, wi the hellish clatter. He wis pleased, mind ye, that his faither had nou left the looms - mair tae dae wi rheumatics in his auld fingers an thoums, than ony great notion. He had ta'en tae shop-keepin, an sellin this new gutta percha stuff frae the Faur East that they said kep oot the rain. William wunnert gin it wad ever catch on.

'We're nearly there, my luve.' He gently tapped her shouder as the train rummlt on by the three lochs. Margaret roused an peered throu the windae. It had been a clear, still, frosty day efter licht snaw the nicht afore; an a thin, hingin mist o blue reek frae five hunner colliers' lums veiled the village in its howe. Frae awa ower the back o Carsgailoch, the settin winter sun cast a deep rosy glow on the lang rigs o snaw-poudert hills they caad the Waaheids. As the train drew tae a halt, and William gied her a haun doun frae the carriage, Margaret's een were still on the hills. It micht be gey cauld, but she thocht she'd ne'er seen a bonnier sicht in aa her life.

'Aye, Wullie.'

'Aye, Robert.' William glanced ower Margaret's bonnet as a railwayman gaed by wi a mell an shuil ower his shouder. 'Anither shift by?'

'Aye. Sae this is the new Mistress Inglis . . . the Station Maister's wife, then.'

'Margaret, this is Robert Stewart, oor foreman surfaceman, that keeps aa the rails on the sleepers . . . an aa the trains on the rails.' The surfaceman laid doun his graith, gied his horny palms a dicht on his moleskins, an tuik Margaret's gloved haun in his muckle nieve.

'Gled tae see ye Ma'am, an I'm shuir ye'll be gey snug an bien in the new stationhous . . . Ye've mairrit a guid man.'

'Aye, Peggie,' murmurt William as he cairrit his new wife ben the hous tae the comfortin lowe o a guid coal fire, weel-bankt up wi a big shuil o dross by his sister Margaret afore she tuik the earlier train back tae auld Killie - her wark here nou dune. 'Ye'll fin that whitever yer auld mither micht think or say, there's a wheen guid honest men like Robert Stewart . . . and their guid-hertit weemin . . . bide here in the Upland Pairish.'

Within the year, William Towers Inglis had been christened. By richts, he shuid juist hae been caad William Inglis efter his grandfaither Inglis, but William had said, 'Peg lass, wad it no be a guid idea tae add Towers as a middle name, so that he's cried efter *baith* his grandfaithers . . . for I'm shuir yer faither's speerits cuid dae wi a wee heize up, him no bein alloued tae tak the train doun tae veesit his dochter.' Tears welled up in Margaret's een at this kindly thocht - that cuid only hae come frae a man like her William.

He wis shuin followed by Matthew, an a time o sadness for Margaret an William; for wee Matthew Arbuckle - caad efter Sarah's man for her kindness an support - dee'd in early infancy. But then cam John an Hugh; an nou Margaret had baith her thochts an her hauns fou wi three steirin laddies wha kept her thrang ower the neist seiven year.

It wis a thrang time for William as weel, for mair an mair pits were bein sunk - at Burnfoot, the Bank, Lanemark, Connelpark and Pathheid. Thousans o tons o coal were shipped oot by rail tae Glesca an England; and new miners an their faimilies were shipped in throu the station. Mony a sorry sicht did Margaret witness, as trains drew in, an their puir cargoes o sufferin yet hopefu humanity skailed oot on tae the station platform, gruppin their wee bundles o bairns an claes - an whiles it wis hard tae tell whit wis whit.

She aye mindit ae day in parteecular. Faur on wi wee Matthew an nearin her time, she had gane oot the stationhous door wi wee William asleep in her airms tae talk wi her man as the south-bound train cam in. A squatter o weans cam clatterin ower the fuit-brig an ran lauchin doun the stairs, followed by an aulder biddie, an a young trauchlt wumman that luikt juist aboot as faur on as hersel. Ahint them, cairryin twa muckle, sheet-happt bundles, cam a wee wiry man, mebbe aboot her William's age. Short dark hair framed a braid foreheid abune a pallid face, deep-set hazel een, a nerra nose, an a big moustache that curved doun ower his mou. But it was his een that struck her. As he passed, he glanced at her, hauf-stoppt, an luikt again, straucht intae her ain een. It wisnae ane o thae bauld, cocksure stares that weemin whiles get frae young callants . . . mair ane o thae 'I've seen you afore, but I dinnae ken whaur' luiks that folk aa get frae time tae time. She had felt the same sense o recognition, o a connection wi the past; but for the life o her, had never been able tae mak the link.

These seven years had taken their toll of Jessie Towers, fretting away in her big lonely house in Kilmarnock, where her conscience and advancing years gradually got the better o her festering pride - aided by some home truths an good counsel from her husband. Though she would never have admitted to a soul - not even William - she was secretly pleased tae learn that her daughter's first-born had been called after him; and grieved in her heart at the loss o her second grandson Matthew Arbuckle. She grieved nearly as much when another two grandsons were born - and never yet any sign of a granddaughter. She bitterly regretted her past flint-hearted, vindictive treatment of Margaret - and how true William's warnings at the time had proved to be. Then word came that Margaret was heavily pregnant for the fifth time.

Ae hot day in the late simmer o 1877, an envelope arrived at the stationhous addressed tae Mrs Margaret Inglis. Recognisin her mither's hand, Margaret waited in a state o great anxiety till William caad in for his dinner, afore she tuik the paper knife alang its seam. He stuid abune her, drawin on his pipe patiently as she unfolded the letter an sat doun, hauns trimmlin an lips movin soundlessly as she read it slowly line by line. He watched as her een first screwed, widened wi a gasp, then hardened tae match the set o her ticht lips as she stoppd, an haundit it ower wi'oot a word.

Dumfounert, he stertit tae speak, then stoppd an read the lines again. Luikin up, he saw tears well up, an rin doun Margaret's pale cheeks. He cradled her face gently atween his palms, an wi baith thoums gently dichtit the tears awa. Near lost for words himsel, he began wi a stammer -

'M-m-michty me, Peggie, this is a muckle shock is it no? . . . Five hunner pound lodged in a bank account in your name . . . Heavens abune, that's gey near on seiven years' wages for a station maister! . . . Whit are ye gaun tae dae aboot it?'

Margaret luikt him straucht in the ee. 'Ten years ago my mother left us to struggle on our own with not even a penny from her . . . William, we've managed fine on your station master's wages these past ten years; an God spare us and the bairns, we'll manage fine for the next ten . . . an the ten after that.

'We can do without her conscience money now . . . as far as I'm concerned, that five hundred pounds can lie untouched in that account till I'm dead and gone . . . I'll not accept a penny of it, and it can be left to the bairns.'

'If that's yer decision, lass, I'm proud o ye, and I will staun by ye. It maks me proud as weel, tae think that ye are happy wi the wey I've provided for you an the bairns, an that ye are content tae want for naething.' Margaret closed an gave him a hug.

'I'll write to Mother and tell her . . . but say that if she ever wants to come and visit her grandweans, she will be made welcome.'

When Jessie Arbuckle Inglis wis born in November 1877, it wisnae lang afore the Kilmarnock train brocht William an Jessie Towers tae New Cumnock on the first o mony a jaunt tae see their grandweans. By 1881, they even tuik a hous in Pathheid for a while, nearhaun the station - tae mak their veesits last langer - an mak up for lost time.

But even sae, at the hinner-en, wi three strappin sons an three bonny dochters tae feed an cleid, Margaret Inglis never touched a penny o that five hunner pound. It stayed firmly lodged in the bank till the day she dee'd.

Chapter 27

1870-1879 - DOUN THE PIT

Snaw-white steam rents the blue veil
O a spring morn
As the sax o'clock horn steirs
Day-shift men frae their set-in beds;
An muckle horls birl coonter-wise,
As the piston pouer
O windin engines
Plays yo-yo
Wi men's lives. *J.A. Begg - Bank Pit*

'There's nae mair schule for you, ma lad . . . Ye ken yer letters an ye can read an count . . . an that's mair nor yer mither nor me cuid ever dae. There's ower mony mouths tae feed in this hous for ye tae be wastin ony mair time at the learnin, when ye cuid be earnin doun the pit. Yer sister Jean haes been shewin cotton wi yer mither for a year nou, an it's time ye stertit tae earn yer corn.'

Juist turnt thirteen, young Owen Currie wis nae shuiner back doun in Annbank frae New Cumnock, than his faither Davie ettlt tae get him a job alangside him at Enterkine Nummer Three. Wi aicht weans tae be fed on twinty shillins a week, wee Owen kent fou weel that life wis a sair fecht for his faither an mither, an he wad hae tae pou his wecht like aa the ither laddies in the street. A wheen o his freens were aaready doun the pit an blawin aboot the wark they did, an he wis keen tae get stertit.

But that first mornin doun Enterkine gied him a sair gunk. Proud as a bantie-cock - an no muckle bigger - there he stuid in his short breeks, at sax o'clock in the mornin, alangside his faither an the ither colliers at the pit-heid, piece-box in haun. On his back wis a raggity cut-awa jaiket, on his feet an auld pair o haun-me-doun buits frae ane o his big Gourlay kizzens, an on his pow he bravely wore a tally lamp hooked tae his faither's auld bunnet, that his mither had ta'en a tuck in tae fit his wee heid. He had often stuid there waitin wi his pals at the end o a day-shift, watchin the windin-wheel on the horls stert tae birl in the ither direction as the cage raise back up cairryin their faithers, efter drappin back-shift men at the pit bottom. Nane o thaim cuid ever tell their faithers when the baur wis liftit an hauf-a-dizzen bleck-faced men skailt frae the cage, blinkin their white een in the efternuin licht as they haundit ower their tokens tae the pitheidman. Syne there wis a wave, an ilka laddie wad rin ower tae greet his faither, an try tae match him step for step up the stey brae on their wey back hame tae the Annbank raws.

Owen's hert gied a muckle lowp as the bell in the windin-engine hous gied the three rings that tellt thaim the cage wis on its wey up. Ower his heid, white steam spewed frae the valve as pistons gethert speed and the horls wheel rowed roun an roun, faster an faster. Aa o a sudden he felt awfy feart, an wad hae birlt awa hame tae his mither quicker than the big wheel itsel, had it no been for Tam Mairtin an Wullie Robertson luikin at him. He cuidnae let on tae thaim he wis feart. They'd been doun the pit for a month. The cage jerked tae a stop, an the baur raise wi a clatter as the last o the nicht-shift men sclifft awa on their hobnailt buits for a het bath an a sleep.

This wis it! This wis the pit! The cage luikt that wee. Clarty wi coal coum, gey roosty, an nae mair nor fower by sax fuit square an sax high, it gied an awfy shougle as Davie Currie, wi ae airm roun the boy's shouder, steppt in ahint the first twa men. Anither fower - includin Wullie an Tam - stuid forenent thaim richt agin the baur as the pitheidman drappt it in place; and Owen felt his legs trimmlin juist like the shougly cage. He wis gled he wis in the middle, an no neist the open door wi juist that thin airn baur atween him an the pit shank. Aa o a sudden the daylicht disappeared, an he felt the parritch fill his mouth as the cage drappt like a stane, an rattlt an shooglt an duntit agin the pitch pine sliders linin the shank aa the wey tae the pit bottom. It wis pitch bleck but for the eerie lowe o the tally lamps that flickert on the men's faces an made thaim luik like ghaists or tumshie lanterns. Wis this whit gaun tae Hell wis like? He wis gaun tae be killt! He nearly screamed but held his wheesht. The men werenae bothert, nor were Tam an Wullie. Saiconts later, he felt his body bein forced doun throu the flair as the cage drew up short, an gently eased the last twa feet tae the pit bottom.

He blinkt in the licht o a dizzen ile lamps that lit up a great cave that wis twice the size o their hous. He hadnae expectit ocht as muckle. An it wisnae bleck like coal - it wis whitewashed wi lime - no juist tae keep it clean as he learnt, but tae gie mair licht for the bottomers - the men shovin hutches o coal intae the cage. Tramlines ran awa in twa directions frae the bottom, and staunin there, luikin gey disjaskit, were three wee pit pownies yokit tae empty hutches that men were fillin wi widden props an trees for the workins. Their pownie drivers were giein thaim a nose-bag o bruised corn an a guid drink o watter afore their shift - for there wad be a heavy rake o coal in every hutch on the wey back. Owen felt hert-sorry for the puir beasts, for he had been tellt that maist o thaim never saw daylicht again - frae the day they were lowered doun the shank in big nets slung ablow the cage, till the day they dee'd. At least he cuid aye see the sun an gress at the feenish o his shift - or sae he thocht.

'Ye aa richt, Ine son?' his faither speirt as they crossed the tramlines. 'Anither hauf-hour an we'll hae ye yokit tae yer wark like thae pownies. We're workin at the nummer fower heidin the nou an it's a lang traipse in an oot. Juist follow me . . . Oh, here, haud on a meenit till I trim yer tally lamp or the flame'll gang oot an ye'll see nocht.' Wi that he poued oot a wee sherp bit o wire frae the linin o his bunnet, poked it doun the spout o the lamp an teased oot the cotton wick. The flame flared an Owen cuid see better. 'See, son, gin it flames ower muckle, juist poke the waddin back in a bit wi this picker. . . an gin the flame dees doun, juist pouk it oot a bit mair. . . Here, tak this yin for yersel, I aye cairry twa-three spare . . . C'mon nou, we've wark tae dae an we'll no get peyd for staunin here.'

His faither disappeared efter the ither men intae a wee bleck openin in the white waa nae mair nor five feet heich an wide. Juist as weel he wis wee an cuid walk athoot daudin his heid aff the ruif. The hutch rails ran alang its flair an Owen kep trippin ower the sleepers, for he cuid see nocht abune, ablow, or aheid baur the gliff o the lamps o his faither an the men in front o him. Twice he fell an gied his knees a sair dunt on the rails that had him hirplin faurer an faurer ahint his faither. The third time he picked himsel up he wis in pitch bleckness. His licht had gaun oot - an he cuidnae see his faither's! Aa he cuid hear were the souns o trampin feet an vyces fadin awa intae naethin - bleck naethin. A sheer terror gruppt him an he screamed oot - 'Faither! Faither! Whaur are ye? Whaur are ye?'

Fifteen saiconts later an his faither wis there, staunin ower him, an lauchin. 'Whaur did ye think we were, ye daft tumshie? . . . I wis juist ten yairds awa, roun the turn.' He bent doun an gruppt wee Owen by the scruff o his jaiket an poued him tae his feet. 'Hae ye hurtit yersel? . . . For a lame dug's nae uise doun a pit!' Owen rubbed his sair knee. He wis gled that Tam an Wullie werenae doun this section tae keckle an lauch at him. 'Naw, Faither, Ah've juist skint ma knee.' If he wis gaun tae be a miner like his faither, he wad hae tae thole the dunts an scarts an bleck nails he'd seen his faither cam hame wi often frae the pit. Davie Currie tuik aff his bunnet an pit his lamp flame tae the boy's tally. It flamed up an Owen felt safe again. He wad ne'er hae thocht that a wee totie flame like a caunle cuid hae made him feel sae guid.

'Ye've aye got tae be gey canny wi flame doun a pit, son,' warned his faither as they sprauchlt alang the road tae nummer fower, 'for there's aye a risk o the firedamp. It's maist times warst in auld warkins wi bad ventilation, an if ye gang in there wi a naked flame, there will be an almichty bang - an ye'll maist likely come splatterin back oot as wee dauds o charcoal. This is no a bad pit for the gas, but ye'll see when we get tae the face that Geordie Russell the fireman cairries a Davy safety lamp that he aye keeps his ee on. Gin that wee flame flares up an turns blue, there's firedamp aboot an we'll aa hae tae dowse oor tally lamps an get tae hell oot o there efter Geordie by the licht o his Davy lamp . . . Sae ye'll hae tae stick tae my coat tails an no faa ahint gin that happens!

'An anither thing . . . gin the Davy lamp flame flichters an gaes oot, we've got the blackdamp that can suffocate us in meenits, sae again we get the hell oot o there.

Whiles if the manager or deputy thinks there might be gas in a section, they'll bring doun a pit canary . . . an gin it draps deid an faas aff its perch, we get oot quick afore we dae the same! . . . Dae ye unnerstaun aa that?'

'Aye, Faither.' Like maist miners' sons, Owen had heard aa this afore frae his freens; but nou that it wis him doun the pit - if he wisnae feart afore, he wis feart nou. When they reached the nummer fower coalface, he cuid hardly tak his een aff the fireman's Davy lamp flame for the hale shift. Apairt frae that, Owen cuid scarce see ocht at aa. It wis pitch bleck, an when the men stertit tae howk coal an shuil it oot, they raised up sic a stour that it near smoord the licht frae their lamps. The stour choked him, an maist o the time he had tae feel his wey aboot. It wis juist as weel he wis still a shilpit wee smowt o a lad, for the seam wis nae mair nor three feet heich, an only twa an a hauf in places.

The men were warkin an incline by stoup an room, laein pillars o coal at intervals tae haud up the ruif; an the coalface wis at the heid o the slope. His faither's neibour wis big Sanny Jackson frae three doors alang the raw - at twinty-six, ten year younger nor Davie an as strang as a bull. He wis the coal-stripper, an lay on his side wearing nocht but a short-sleeved woollen semmit an his moleskin breeks, howkin awa at the fuit o the seam tae mak a deep undercut that wad allou him tae drap the tap coal frae time tae time. His faither's job wis tae draw the big rakers o coal oot the wey an keep their section o the face clear. Then he wad shuil the smaa coal on tae a widden sled an draw it doun the douk tae fill their tally-marked hutch at the roadheid. Owen gied him a haun at that, an wis gey gled it wis a dounhill pou. Then they wad load the sled wi rakers, some that big that Owen cuidnae lift thaim. 'Ach, yer mither'll hae tae gie ye twa plates o parritch in the mornin, young yin, tae pit some beef on ye.' lauched his faither as he tuik the ither end o a muckle daud o coal an they heaved it intae the hutch.

Getting the coal intae hutches wis their main aim. The mair hutches they filled, the mair they were peyd; an haein his boy wi him nou gied Davie Currie the chance o fillin anither three or fower hutches a day - for when Sanny hit a guid seam o easy-won coal, Davie whiles cuidnae keep up wi him on his ain. Owen had tae wale oot stanes frae the coal as weel as he cuid, for if they sent up a dirty hutch-load their pey wis docked. Gin they got aheid o Sanny while he wis undercuttin, Davie set Owen tae gether up some o the big stanes lyin ahint thaim - tho this wark wis mainly dune by the packers on the backshift, wha redd-up efter the dayshift men an built muckle waas an pillars o stane that cuid support the ruif later, when the strippers dug oot the last stoups o coal afore they abandoned the heidin.

As he wrastled awa wi a muckle stane, wee Owen wis suddenly aware o silence. The men had stopped wark. 'C'mon, young yin, it's piece-time. Come awa ower an gie's yer crack.' It wis big Sanny, sittin aside his faither on a bauk o timmer, baith tryin tae keep their erses dry frae the stream o roosty watter that ran doun the incline.

That's a waste o time thocht Owen as he sat doun on a stane aside thaim. Baith men's breeks were clashin aaready frae lyin on their sides or crawlin aboot aa mornin, howkin or shiftin coal. Owen's short breeks were clashin as weel, an he chittered as the heat o wark gied wey tae the chill o cauld sweit on the back o his sark. He opened his piece-box. His mither had made him his first real pit-piece - fower slice o loaf filled wi thick dauds o ferm cheese that she'd bocht frae the dairy at Crawfordston, doun by the watter o Ayr at Gadgirth. He wolfed it doun, dirty-bleck stoury fingerprints an aa, an slockened his drouth frae the pig-flask o watter his faither had brocht in his piece-bag.

'Weel, young Ine, hou are ye tholin yer first day as a miner?' speirt Sanny. 'Ah hope the auld yin here isnae drivin ye ower sair . . . He'll dae ocht tae get oot o an honest day's wark himsel, sae watch him!'

'Fine, Mr Jackson,' mummlt Owen throu a mouthfu o breidcrumbs, 'but Ah didnae ken it wad be as dark or wat.'

'Juist ye wait till winter, son, when it's wat an dark doun here for ten hours, then wat and dark up abune when we win hame frae oor shifts! That'll test yer mettle as a miner. Ah'll warrant ye, ye'll no ken whit yon big bricht thing is in the sky, come the spring!'

'Hou's yer sair knee, Ine?' asked his faither, mindfu o the flytin he wad get frae Bella gin he didnae luik efter her boy.

'No bad, Faither . . . a bit sair.'

'Lae me hae a wee luik.' said his faither, takin aff his bunnet tae bring his tally lamp closer tae Owen's knee. 'Michty me, son!' he gasped. 'We'd better dicht some o the coal oot o this.'

'Aye, there's hauf a hutchfu o guid coal that's missin frae oor tally gin ye dinnae!' cracked Sanny. 'An he'll hae tae mak up for it the morn wi a double shift! . . . Weel, young Ine, ye're gaun tae be a rale miner afore ye ettlt . . . for nae maitter hou weel yer faither scrubs that knee, ye'll hae some richt guid blae miner's marks frae nou on!'

Owen gritted his teeth as his faither tuimd some o his cauld watter ower an auld kerchief an dichtit the screive real hard till it bled again, afore wrappin the rag ticht roun his knee tae keep it clean till lowsin time.

Lowsin time cuidnae come quick eneuch for the young collier. He wis sair aa ower, an his knee gowpt like tuith-ache ablow the clarty bluidstained rag. The walk oot tae the pit bottom wis painfu, but held nae fears for him nou; an he got a feel for whaur the sleepers were in the bleckness ablow his feet, an didnae faa ower again. An the shougly cage - nae bother at aa.

Back hame, his faither had first go at the tin bine, covered wi sapples as his mither scrubbin aa the coum aff his back. While he bided his ain turn, Owen sneaked a wee luik at himsel in his faither's shavin gless. He wis bleck frae heid tae fuit. He sneezed in the cauld draught comin frae ben the hous, an bleck snotters flew frae his nose. He gied a hoast an spat up muckle gobs o thick bleck spittle. He opened his mou, an his tongue an teeth an thrapple were bleck as the lum. His back wis sair, his airms were sair, his fingers were sair scartit an his nails torn, but the warst pain o aa wis when his mither cam ben the room wi a fresh basin o het watter an a ruch clout, tore aff the bandage, an set aboot his knee wi a baur o carbolic soap.

Sanny wis richt. There wis nae infection efter the carbolic, but there wis eneuch coal stour left in that scaur tae gie him miner's marks ony collier wad be prood o - an he wisnae lang in showin thaim aff tae Tam Mairtin an Wullie Robertson.

But frae that shift on, doun Enterkine Nummer Three he wore a pair o his faither cut-doun moleskins as weel as a jaiket, for his mither Bella reckoned that moleskin claith wis a lot teucher than her wee laddy's skin.

Owen Currie luikt his faither straucht in the ee. At twinty-twa, an a grown man, he wis still bidin at 19 Annbank. Ben the back room, he shared the hauf o it wi Davie, Wull and Geordie. His aulder sister Jean an young sister Mary tuik the ither hauf, hid ahint a screen o hessian hung on a raip. There had been three lassies here till twa winters back when young Agnes wis smitten wi the diphtheria an dee'd. She wis only nine an they'd ta'en her daith awfy sair - mair sae his mither, seiven month gane wi her thirteenth wean. When a wee lassie bairn wis born, Mither caad her Agnes as weel - an life went on.

But it cuidnae gang on like this. It wisnae ower bad for him an his brithers - for Geordie an him were neibours, an warked day shifts at Enterkine Nummer Nine. Wull an Davie were constant nicht shift; sae the yin bed did for the fower o thaim turn aboot. His faither an mither had the set-in bed in the kitchen wi the twa weans John an wee Agnes; an Jessie, Cathie an Mary shared a hurlie-bed poued oot at nicht frae ablow their mither's bed. His mither wis sair trauchlt luikin efter the six wee yins; an whit wi washin pit claes for five miners; haein pit pieces an their meat aye ready for hungert men on three different shifts; an het watter aye ready for their baths - she had nae time for the cotton shewin. She left that nou tae Jean an Isabella. It wis juist as weel there were seiven wages comin in for aa thae mouths tae feed - an it peyd for the weans' schulin. But no for much langer.

'Faither, we'll hae tae get awa oot o here. It micht be aa richt for the shankers an road-drivers, but ye ken fine that wi your kist the wey it is, there'll be nae wark for you an a wheen mair o us for the next aichteen months till they sink that shaft an reach the new coal levels.' Owen hesitatit. '. . . I ken ma mither haes bad memories o New Cumnock, but I've heard tell there's weel-peyd wark a-plenty up there at Bank an Knockshinnoch . . . an they've built some guid new raws at Connelpark.' His faither sclifft his feet awkwardly on the grevel as they sat thegither on the back-door step. It wis a bonny still June nicht as they watched a gowden sun sinkin laich ower the Arran hills an basked in the last o its warmth, getherin in lungfus o the fresh spring air that wad see thaim throu the bleck stour o anither lang shift howkin coal in the mornin. Owen cuid hear the deep rattle in his faither's kist as Davie hauched up yet anither gob o green an bleck muck an spat on the cobbles.

'Ach, I suppose ye're richt Ine,' he wheezled, 'tho I'll hae tae talk it ower wi yer mither. She'll no tak kindly tae anither flittin. It wis bad eneuch wi nine bairns the last time . . . an will be a damn sicht waur wi twelve . . . an anither on the wey!' Owen's mouth drappt.

'Och, did Ah no tell ye?'

'Weel, Faither . . . You an ma mither, an aa the weans can gang by train this time frae Mossblown richt tae New Cumnock . . . Wull an Davie an me will pey for it, an the fower o us will walk wi the flittin cairt . . . I've walked the road afore, an I can walk it again. Gin ony o the weans want tae walk wi us we'll tak care o thaim - an it micht save a bob or twa on the train fares.'

Tho gey sweirt tae lae ahint her bien wee hous an guid neibours for a saicont time, the hauntin fear o 'nae wark - nae pey' for the five men in her hous for the next aichteen months gied Bella Currie nae option but tae gether up her weans an chattels ance mair, an bid fareweel tae aa her Gourlay kith an kin. There wis nae lang walk tae Mauchline this time, for the new station at Mossblown wis less than a mile frae Annbank, an wi the boys peyin for aa the tickets, she had nae worries ither aboot a want o siller. Wi her expectin again, she an Davie had ettlt tae flit afore she got ower big. Sae that fine sunny day early in August 1879, as the train clackity-clacked alang the line frae Cumnock past fields o Ayrshire kye an bleck-faced yowes an their lambies - an the bonny green hills o Glen Afton in a braid crescent abune the blue watter o the Loch o the Lowes - Bella's hert wis lichtsome, an she fand hirsel luikin forrit tae life up here in a wey she hadnae thocht likely.

'We're nearly there, you weans, sae gether thegither aa yer bundles nou, or they'll feenish up doun at Dumfries!' warned Owen wi a lauch as they felt the train slow doun for New Cumnock station. Bella wis gled that Owen had come wi thaim; for, wi Davie's bad kist, she wad've had a gey sair trauchle tryin tae herd thaim aa thegither in their excitement.

Getherin wee John ablow yae oxter an humphin a muckle bundle o claes ower his shouder, Owen steppt doun frae the carriage an saw tae it that his mither an aa the rest gat aff safely. Wi wee Agnes happt in a plaid in her airms, Jessie in front cleikin her faither's airm an trippin alang chatterin awa ten tae the dizzen, an Mary an Cathie wi their bundles on aither side o her, Bella strode up ower the station brig wi aa the hope an confidence that a guid simmer day brings.

Ahint her, wee John strugglt in Owen's airms, girnin an wrastlin tae be pit doun an let walk like the rest o thaim. Owen pit him doun, an as he shoudert his pack again, the wee deevil joukt awa an ran toward the faur en o the platform tae watch a big engine rin throu wi a rake o empty coal waggons. Owen gied a cry an drappt his bundle tae rin efter him, juist as a young lass wha had come doun the steps frae Pathheid, dertit forrit an gruppt John by the scruff o his neck an swung him intae her airms.

'Whit are ye daein, wee man! Ye cuid faa aff that platform an get yersel killt ablow a train!' She turnt tae Owen, her een bleezin. 'An you shuid tak better care o yer bairns on a busy line like this! My faither saw a boy killt juist a month syne, crossin the line atween here an Kirkconnel tae fish for troots in the Nith.'

'He's no my bairn, hen.' replied Owen rid-faced at his mistake - an mair sae for the lassie's - in thinkin he wis a faither. 'He's my wee brither.'

The lass lauched, flustered, an it wis her turn tae blush. 'Oh, I'm sorry.' She pit her haun tae her lips tae check her smile. Jimp an smaa, wi fair curly hair an dancin blue een that met his for a saicont or twa afore she bent doun tae pat wee John's heid, Owen felt drawn tae her. 'Ine!' It wis his mither frae the tap o the station brig. 'Hurry up wi wee John. We've a lang wey tae gang, an he's gettin hungert an weary.'

'Ye'd better gang, wee man. Yer mammy's cryin for ye . . . an yer big brither.' whuspert Janet Stewart, touslin the wee yin's hair, hauf-directin her remairks at wee John while cockin her heid sideways an daffin wi her sparklin een an a mockin smile at his big brither. 'I'll hae tae gang mysel.' she noddit tae Owen. 'My faither's Robert Stewart the foreman surfaceman here, an he's warkin a double shift the day . . . sae my mither sent me doun wi an extra piece for his tea-brek.' As if needin tae prove it, she held up a white knottit clout. Owen cuid smell fresh-baked soda scones an cheese; an a rummle like thunner frae his tuim stamack near tuik his thochts aff the bonny lass afore him. Jinnet heard the rummle an lauched. 'Ye puir sowl', she teased. 'Ye're stervin! . . . Here . . .' she slowly lowsed the knot an flyped open the clout, 'Tak this bit o scone. My faither'll never miss a wee bit o his piece.'

Owen cuidnae believe his luck. This lass had ta'en a fancy tae him . . . an she wis braw. She tuik wee John's haun tae lae him haud the scone.

'Och, thenks, hen.' He paused as they sclimmed the station steps thegither. 'Eh, I dinnae ken yer name tae thenk ye richt.'

'I'm Jinnet Stewart, an I stey wi my mither an faither here at Pathheid.' Janet gied a wee nod o her heid in that direction, an drappt her een so as no tae luik ower forrit.

'I'm Ine Currie. I steyed here afore when I wis a wee lad, an nou we've aa came back up frae Annbank tae wark at the Bank Pit . . . It's been nice meetin up wi ye Jinnet. . . an thenks for the scone . . . An . . . mebbe I'll see ye again when I'm doun fishin the Nith . . . Ye can aye help me ower the line tae the watter!' By this time they were at the tap o the stairs; wi Owen turnin awa toward the road tae Connelpark, an Jinnet gaun the ither wey tae Pathheid.

'Aye, mebbe.' She replied, a wee taste blate, but still wi a hert gaein patter at the same time. Then o a sudden her cheeks riddened as she flistert an turnt back in a hurry. 'Och, see whit ye've made me dae, Ine Currie! . . . I'm hauf wey hame wi my faither's piece still in my haun!'

It wis Owen's turn tae lauch, as he waved her back doun the station steps - but he did sae gently.

'Here, young yin,' he brak aff a wee daud o scone an cheese an haundit it doun tae his wee brither. 'Yin guid turn deserves anither . . . an ye've shuirly dune me a guid turn the day, I'll warrant ye!' He bent doun an heized wee John on tae his shouders alang wi the bundle o claes; an tae the bairn's screams o excitement, they galloped doun the brae tae jyne the ithers at the Castle. 'Haud on, wee man, Craigbank here we come! . . . An I'd better get my fishin purn weel-iled quick, an get some worms dug!'

Chapter 28

1880 - LUVE AN LOSS

She was nae rose o Simmer bloom,
Saft velvet petal, sweet perfume;
Nor heather belle frae craggy hill.
Inured 'gainst Autumn, dank an chill;
Nor dainty snawdrop, crocus braw,
Defyin Winter's sleet an snaw.
Her beauty, was a flooer o Spring,
A bonny, winsome, fragile thing,
Poised whaur Spring an Simmer meet,
Azalea-tender, fragrant, sweet . . .
. . . Till nipped by cruel frost.

J.A. Begg - Lorna

Frae that furst August day when he set fuit in New Cumnock an met Janet Stewart, Owen Currie's young heid birlt frae heaven tae hell an back - his hert an hopes raisin tae the hichts o passion an drappin tae the depths o despair - mair times than he cuid count.

Their hovel o a hous at Craigbank wis mebbe less o a midden than the furst yin his faither had brocht thaim tae ten year syne - but that's aa that cuid be said for it. It wis faur ower wee for a faimily the size o theirs - wi aicht grown-folk an five weans stapped intae twa rooms like peas in a shap. For mony a lang winter week, even afore that bitter raw day in February 1880 when wee Matilda wis born, snell icy winds frae the Brockloch hills whustlt straucht throu the hous gin it had juist been a hedge.

Founert wi the chill, aa the bairns an the aulder yins had been smitten wi sic hellish caulds an fevers that, for three months, there wis ne'er a day that the hous wis free o snotters, hoasts an wheezes. It wis juist as weel that Davie, Wull, Geordie an himsel, aa had jobs at the Bank Pit alang wi their faither, for auld Davie wis awfy bad wi his kist aa winter as weel. Maist days he wis that oot o pech he cuid hardly sclim the stairs, faur less gang doun the pit, an he lost fower weeks' wages. But the boys wrastlt awa, an their pey pokes settlt the doctor's bills an kep the faimily frae stervin.

The hale o that spring, the bairns were still puirly efter their winter ills. Back at his wark, his faither wis gey waik wi a ruch, sair, miner's hoast, an aye hauchin up great gobs o muck that garrd Bella near boke every time she heard him. For she wis still dwaibly hersel efter wee Matilda - an awfy worrit aboot the bairn. Her milk had dried up, an the wee yin wisnae thrivin on cou's milk an wis gey dorty aboot her feed. By April, she wis near deid o exhaustion; an when Davie cam hame tae tell her he'd got the let o a better hous at Connelpark, wi a big kitchen an room, an a scullery wi a washin bine - she wis still sae wabbit she cuid scarce raise her heid, faur less a smile.

But forfochen or no, in twa days she wis awa tae hell oot o there an doun Bank Brae tae the Laich Boig Raw. Grantit there wis mair room tae swing a cat or a pit bag in the room an kitchen; an haein her ain washin bine wis gey handy for the pit claes o five miners an the duds o sax clarty weans. But there wis nae coalhous, an the pad tae the front door wis ankle deep in glaur efter wat wather. Oot the back wis nae better. There wis a common dryin green an a wee gairden for some tatties, but only a dizzen dry closets for for thirty-fower faimilies - an wi a faimily the size o hers, they cuid gey near fill a bliddy closet-can themsels in a day. An that Colliery scaffie wis as uiseless as the shite he wis meant tae shuil - the lazy midden!

Owen had scarce set een on his young lass aa winter. True tae his word, he'd gane doun the Nith fishin at the back-en o the year. At the stert, Janet gaed wi him ance or twice, but fand that the river bankin wis chowed intae glaur by the kye's hooves, an ower clarty for her guid shune. An it wis awfy cauld an borin juist staunin there in bare feet for hours watchin a man plunk a worm in the watter - wi never a chance o a cuddle. Sae maist-times she steyd at hame, but wi her lug cockt an aye ready tae answer the chap at the door when Owen cam by wi a fry o troots for her mither on his wey hame. Ance he brocht a muckle saumon that had ta'en his worm by mistake - that he'd focht for a hale hour afore he managed tae grup it by the tail an chap it ower the heid wi a stane. Her mither wis fell pleased, an lent him a gully tae cut it in twa - a big tail-cut for the Stewarts, an the rest for the hungry Curries - baith faimilies gled o a chynge o fare frae broth an tatties an the odd pat o biled beef. Even his faither said hou guid it wis tae see a guid plate o fresh fish again.

Syne in November cam great back-en Nith spates that flooded the road an laich grun atween the Castle an Pathheid for days on end. Then the lang nichts drew in, when dayshift men like himsel never saw daylicht till February - an stymied ony chance he had o seein his lass - apairt frae the odd Sunday dauner. Whit's mair, awa up there on the hill at Craigbank - a guid twa miles frae Pathheid - they were gey often snawed in by blizzards. An on tap o aa that, thae three months o winter caulds an fevers that felled the faimily aboot the time Matilda wis born, smit him gey badly as weel. But wi his faither failin, there wis nocht for it but tae wrastle on at wark tae win breid for the faimily, an that tuik its toll o his ain health. Maist Sundays he wis ower wabbit tae dae ocht mair than lie in his bed - juist tae gether eneuch strength for the pit again on Monday. Sae it wis a gey disjaskit, doun-hertit Owen Currie wha tholed that lang winter throu tae the stert o spring.

Their new hame at Laich Boig wis faur frae happy. Afore his een, he cuid see his mither warkin hersel tae daith tryin tae cope wi wee Matilda an the ither bairns' illnesses - an aa the daily chores as weel. His auld faither wis dune as faur as heavy wark doun the pit wis concerned - an he kent it. An Owen kent fine it worrit him. That auld kist wad kill him yet.

But at twinty-three year-auld, he had his ain life tae lead. Janet wis nineteen. The yae guid thing aboo the flit doun tae Connelpark wis that it brocht him closer tae his sweethert. Close eneuch for a lang dauner o an evenin oot the Mansfield road, wi its bonny views ower the Nith bends tae the Knipes an Glen Afton - an even bonnier Mey sunsets ower the Waaheids abune Dalgig - as they taiglt, fondly haun in haun, on their wey back. On fine, calm June nichts tho, they'd nae chance o a slow doddle hame - for the bluidy midges saw tae that. But it gied him the chance o a blether at Pathheid wi Robert an Maggie Stewart, an tae get tae ken thaim better.

He learnt that Robert wis born in Tarbouton, an that his faither - a New Cumnock man - had brocht the faimily hame when he wis juist three year-auld. Auld John Stewart had been a ferm labourer, an wis whiles fee'd for a sax-month or mair as faur awa as Ochiltree, laein his wife an weans ahint at Pathheid. But when Owen speirt on whit it must hae been like wi his faither awa sae lang, Robert chynged the subject gey quick tae the fishin - for he wis keen on the troots. Aye quick on the uptak, Owen wis smert eneuch tae jalouse that there'd been somethin no richt back then - somethin that didnae want steirin up nou - an he speirt nae mair on it.

Gaein on tae ither things - Robert had stertit wark as a labourer, an then as a miner, walkin twa miles oot tae Sir Charles Menteth's Colliery at Mansfield, an back efter his shift. But when the railway wis built frae Glesca tae Ayr in 1843 - an linkit up wi the thrivin pits o North Ayrshire - the rumour o guid wages up there sent him, as a young single man, walkin the twinty mile doun tae Ayr for a train tae Dalry, an a job in the pits. It wis here he met Maggie.

'They said the railway wis the best thing ever tae gang intae Dalry, Ine . . . but bonny Maggie here, wis the best thing ever tae come oot o it!' he lauched as he pit an airm as faur roun his Maggie as her girth wad let him - an gat an elbuck in his ribs for his pains. Efter three years he brocht his faimily back doun an fand wark in the mines up on Grieve Hill. But it wis a lang traipse back an forrit up that hill ilka day; an sae when the railway cam throu New Cumnock in 1851, he'd been yin o the furst tae seek a job as a surfaceman.

Tho the wark wis lang an hard, shiftin an layin track ten hours a day for seiventeen shillins a week, it wis oot in the fresh air - an that wis worth five shillins in itsel. A keen warker an guid at his job, he shuin raise tae be the foreman surfaceman. In chairge o the section frae Kirkconnel tae Cumnock for the past ten years, Robert wis a happy man. 'Aye, Ine son, ye can keep yer bleck holes an stour . . . it's no for the likes o me ony mair.'

Forby wee Matilda, Bella wis worrit aboot Jessie. There wis somethin no richt wi the wee sowl, for she wis awfy peelie-wallie, aye hingin, an had never got ower her winter caulds . . . Here they were, on a bonny July mornin, an she wis sweirt tae gang oot tae play wi the ither bairns at skippin or peevers ahint the raws. She tellt her mither she wis tired an had a sair heid an a sair throat. Bella pit her tae her bed, but she wadnae settle, an stertit tae be seik.

Aa that nicht, Bella sat by her side, dichtin her doun wi lukewarm water an vinegar clouts tae drap her fever; straikin her brou an whusperin tae her wee lass, as she waunert an yammered in her delirium. By daylicht, the yammerin had stopped, an Bella, jalousin she wis ower the warst, set tae gettin the parritch an pit pieces ready for her twa Davies, Owen, an Wull. She saw thaim aff tae wark as the sun raise ower Corsencon; then got Mary, Cathie an John ready an awa tae the schule. Efterhaun, deid-wearit, she fell soun asleep in the chair.

She woke wi a stert twa hours later, an cuidnae rouse Jessie for a wee plate o thin parritch. She wis daith pale, cauld an clammy. 'Geordie! Geordie!' Bella shoutit ben the room whaur the lad wis haein a lang lie-in afore the backshift. There wis a snort an a grunt frae the bed.

'Aye . . . Whit is it, mither? Can ye no gie a man some peace!'

'It's wee Jessie, son . . . I'm feart she's gey no weel . . . Get yer claes on an rin quick for Dr Herbertson. Hurry!' Dr Herbertson wis the Pairish doctor, an his hous lay ower a mile awa at Pathheid, neist door tae the station maister. It tuik Geordie a guid hauf-hour tae rin there an get back wi the doctor on his pownie an trap.

Bella hurrit the doctor ben the kitchen tae whaur Jessie lay on the hurlie-bed neist the range. He knelt doun on a wee rag-rug by the bed, thenkfu that the stane flair wis weel swept, an Mistress Currie kep a clean an trig hous - no like some middens whaur, gin ye knelt doun by a bed, ye'd fyle yer trousers wi coal coum, stour, spillt parritch or creish; or even glaur or keech trailed in frae the closets ootby.

But, ae luik wis eneuch - this bairn wis gravely ill. He laid his haun on her brou an checked her temperature. Then he slowly tried tae raise her heid, but her neck wis stiff as a board an she gied a wee moan, but nae ither response. He listened tae her hert, an Bella cuid see frae his troubled froun that there wis somethin faur wrang. She juist stuid there, trimmlin inward, wi wee Agnes in her airms an young Geordie by her side. Dr Herbertson pit awa his listenin tubes an stuid up.

'Is your man at the pit?' he asked gently. Bella nodded, a lump getherin in her throat, fearfu o whit wis comin next. 'I'm afraid that Jessie is gravely ill, Mistress Currie . . . She has severe meningitis, and it has reached such an advanced stage that I don't hold out much hope for her recovery. I think it is only a matter of hours . . . I think you should send George here up to the pit to bring your man home as quickly as possible.'

It wis anither three hours afore Davie an the boys were brocht up the pit an hame, juist in time tae say fareweel tae a wee sister an dear dochter. Bella wis beside hersel wi grief an blame. If she hadnae fell asleep in the chair . . . if she'd caad oot the doctor early in the mornin afore Davie went tae the pit . . . if . . .

Janet an Isabella - alloued hame early frae their wark - pit their comfortin airms roun their mither's shouders as she sat hunched by the fire wi a shaky cup o tea in her hauns. 'Mither, it's no your blame . . . tell her, Geordie.' Geordie got doun on ae knee afore her, an haudin baith her hauns an the shoogly cup, luikt straucht intae her een. 'The lasses are richt, Mam . . . juist mind whit Dr Herbertson said . . . when bairns get this mene-jitus there's naethin a doctor can dae for thaim . . . juist hope they get ower it . . . an maist o thaim dinnae.'

'Aye, Bella, pet, the boy's richt . . . ye mauna blame yersel.' Davie wis a man o few comfortin words. But deep inside he felt that aa the blame lay wi him. This wis twice he'd trailed his faimily up tae New Cumnock, an baith times there had been daiths within a few months. Last time it wis his mither - an Sarah Gourlay - an nou it wis his ain wee Jessie. An it wis only three year syne that they'd lost Agnes tae the diphtheria at Annbank. He cuid see that Bella wis takin it bad, but he cuidnae let on tae her juist hou bad he felt himsel. But the followin day when he went doun the toun tae register Jessie's daith, he near cuidnae pit his merk on the certificate for greitin. He wis black-affrontit that a grown man shuid greit in front o anither; but Alec Moodie the registrar, wha had tae witness his merk, wis awfy guid tae him, an tellt him that maist men that cam in by tae register a daith, had a tear in their ee, or rinnin doun their cheeks afore they left - an no tae fash himsel aboot somethin as naitural as that. He felt a wecht lift aff his hert, an wis better able tae talk it oot wi Bella when he won hame.

Maggie Stewart, Janet's young sister had seen Geordie Currie rinnin throu the Castle towards Pathheid - an skelpin back at the trot ten meenits later, wi Dr Herbertson in his pownie an trap. She tellt Janet, wha wis beside hersel wi worry in case it wis ocht tae dae wi her Owen - then gret wi shame, relief, an guilt when she learnt it wis puir wee Jessie that had dee'd. Ower the neist month, Jessie's daith brocht hame tae thaim baith juist hou close they had become, that they loued ane anither an cuid never think o bein pairtit. On the banks o the Nith on a bonny August nicht when he wisnae fishin, Janet whuspert 'Aye, Owen, I will'. They ettlt tae get mairrit on Hogmanay. For that micht gie his mither an faither time tae get ower their grievin for Jessie, an set their minds tae a happier event.

But puir Bella juist cuidnae settle nou at Laich Boig whaur her bairn had dee'd, an garrd Davie gang huntin again for anither hous that wad haud his tribe o bairns. At least they wad be yin less in December when Owen gat wad. By early September he'd fand the very hou he wis luikin for - wi *three* rooms - in Afton Place, a muckle twa-storey buildin near the Afton brig. It wis like a palace for Bella. She an Davie cuid sleep in yae room wi the twa youngest, the aulder lasses in anither, an the men an boys in the third. An it wis doun in the village nearhaun the shops, an the doctor - an better neibours. But whit hertened her maist - wis no that her auldest son wis gettin mairrit - but that her Davie had gied up the pit at last.

She'd been prayin for this for months. Efter that terrible winter wi his kist, an even efter sax months back at wark, he'd never richt recovered. On that Sunday efternuin when they went for a last dauner up the Connel Brae afore flittin doun tae the Toun - an it wis faur frae a stey brae - he wis gey easy peched, an fair dune. At the fuit o the Bank Brae, juist ablow High Boig, he stoppt tae draw braith. 'Bella, lass . . . This is me every mornin . . . I'm less than a quarter o my wey tae the pit an I'm buggert afore I stert my shift . . . I spend hauf my time leanin on my shuil tae get my braith back, an the stour is killin me! . . . The boys hiv tae dae my shift for me, an the oversman is stertin tae notice things . . . I'll hae tae stop wark afore it stops me - for guid!'

'Thenk Goad for common sense at last, ye auld scunner! I've been telling ye that for sax months or mair.' Bella wis mair relieved than threipin, when she spake. 'But whit else can ye dae, Davie, for ye need a lot o pech an pouer tae turn hutches, an dae maist ither surface wark . . . apairt frae the craw-pickin . . . an that's a stoury hell o a job!'

'I've been giein it a lot o thocht ower the past twa-three months, hen . . . It wis oor Ine bringin hame a creel o wee troots nou-an-again - an whiles a saumon - that got me thinkin.

'Ye ken . . .' he paused for braith, an tappt his forefinger kenninly agin his neb. 'There's a sair want o fresh fish up here . . . no like Annbank whaur the fish hawker cam roun twa or three times a week frae Ayr fish mairket wi fresh herrin an cod an mackerel.

'Nou, wi this new railway they've opened up atween Ayr an Cumnock an on throu tae Embro . . . I cuid hae fresh fish loaded on a train at Ayr at seiven in the mornin an be sellin it roun the raws by ten o'clock!

'Whit dae ye think o my wee norie, Bella?' Davie luikt expectantly at his wife, as she stuid deep in thocht, gazin at the ripenin berries on a laden hawtree - it wad shuin be winter again. 'For I aye mind auld Ine yer faither tellin me hou he warked as a broker doun in Ayr afore he went tae the pits . . . an I can mind yet aa the wee tricks o the tred he learnt me for when ye're sellin ocht tae folk . . . I think we cuid mak a rale go at it . . . Is it worth a try?'

Bella fand hersel fair ta'en wi the notion on twa counts. Yin, that Davie had the gumption tae think on it aa by himsel - an saicontly, that he'd be oot in God's fresh air aa day, an awa frae that bluidy pit. Mind ye, there wis a doun-side as weel. There wis aye a chance that the dealer micht palm him aff wi auld stinkin fish. But Davie still had some guid freens doun in Ayr that wad see him aa richt. An then - he cuidnae read or write. But she cuid aye write for him, or if it wis ower hard for her, Jean or Isabella wad dae it, for they had been weel schuled at the writin as bairns doun in Annbank. Apairt frae that, there were nae flees on her Davie. He mebbe cuidnae write, but he cuid count tae the last bawbee whit wis in aa the lads' pey pokes; an juist hou much siller wis needit tae feed an cleid the faimily, an pey the rent. Whit wis left wis their ain - an there wis nae argie-bargie.

Sae Davie bocht himsel an auld haun-cairt, tuik himsel doun tae Ayr fish mairket wi twa pun in his pouch, an shook hauns on an agreement wi Mattha Deempster tae tak his order every Monday an Wednesday, an convey an supply him by train tae New Cumnock wi fresh fish aff the boats on Tuesdays an Thursdays. The Thursday order wis aye double the Tuesday, for Davie kent there were a wheen Irish incomers tae the village that aye ate fish on a Friday. But later on the Tuesday order grew as weel, when folk stertit tae tak a likin tae caller herrin an haddies. The snell back-en wather gied him a guid stert tae his hawkin, for the cauld an frost kep his fish fresh for a couple mair days, an there were nae complaints frae the colliers' wives. Wullie Inglis at the station wis a great help as weel; for he aye made shuir that Davie's fish boxes were kep ootside in the cauld, oot o the sun an weel oot o the road o cats, till he rummlt in wi his cairt tae pick thaim up. Davie whiles, wad drap Mistress Inglis hauf-a dizzen guid herrin as a wee mindin o thenks.

That back-en, Bella wis fair pleased wi Davie's new ploy. He wis luikin better. For every pun he spent on fish he was mak twa - an there wis aye eneuch spare fish tae feed the faimily. An nou her Owen wis aboot tae get wad on Hogmanay. She shuid be feelin happy for him an his Janet - a bonny lass - but she cuidnae think on it for worryin aboot wee Matilda. Mattie wis nou a pale wee shilpit shell o a bairn that juist wadnae feed like aa her ither bairns had dune, an wis aye smit wi some cauld or fever. She had a crecklin hoast like an auld wumman, an even Dr Herbertson cuidnae mak muckle o it.

In the last week o November, the puir wee sowl tuik a turn for the waur, an juist stoppit eatin aathegither. Bella's hert tore apairt at the sicht o her twa dark een, ower big for her totie wee face, juist starin blank at her - whaur they had ance sparklt wi luve an joy. She gret a lot, in a girny sort o wey, an as the days gaed by, her greitin stopped and the girns faded doun intae wee saft whines at every braith - like a wee kittlin questin for its lost mither. But it wis a mither aboot tae loss her kittlin; for a week intae December, wee Matilda slept awa in Bella's airms.

Dr Herbertson tellt them it wis meningitis again, but no like Jessie had. This time he thocht it had been caused by TB - the fancy new name the doctors had for consumption. Nae maitter whit had caused it, Bella an Davie were shocked numb in their grief - twa bairns deid wi meningitis in five months - it wis mair nor a mither an faither cuid bear. In a weird sort o wey, Bella seemed tae tak it better - mebbe since she had the nursin o wee Mattie for weeks an months, an kent in her mither's hert that she micht no hae her for lang. She'd been lang eneuch aboot miners' raws, an ither folk, tae hae seen maist o her neibours an freens loss a bairn or twa. It juist happened tae faimilies; an they tholed their grief an gat on wi their lives - an mair weans. But she wis a strang wumman wha had tholed mair nor maist - for had she no lost fower lassies - her furst a stillborn, Agnes at nine, Jessie at seiven, an nou wee Matilda.

It wis puir Davie that tuik it the warst. 'Bella, I cannae face gaun doun tae see Alex Moodie the day, sae shuin efter wee Jessie, an sign awa anither wee dochter . . . that's three in fower years . . . I wad brek doun an greit in front o him an mak a richt fuil o mysel again.'

'Juist lae it tae me, faither.' Owen cam tae his rescue. 'It disnae need tae be yersel that witnesses the certificate, juist some relative. I'll gang doun an sign for ye as wee Mattie's brither . . . It's the maist I can dae for the puir wee sowl, God rest her.'

'Thenks, son,' said Bella quately. 'Yer faither's ta'en this awfy bad, an that wad be a big help tae us aa . . . An whit an awfy time for aa this tae happen . . . juist three weeks afore yer ain waddin . . . It must be sair on you an puir Janet as weel, when ye shuid baith be happy an plannin for yer life thegither . . . But haud on afore ye go . . . I juist want ye tae ken that yer faither an me disnae want ye tae pit aff yer waddin . . . Life maun gang on, an when my puir wee lamb is laid tae rest, we'll juist hae tae get on wi it as weel . . . for grievin will no pit meat on oor plates, gin the pey poke's empty!'

In the quate o the vestry o the United Free Kirk on Hogmanay 1880, juist three short weeks efter he'd gently committed intae the airms o Christ, wee Matilda Currie, aged eleiven months, the Reverend George Anderson solemnly mairrit Owen Currie, aged twinty-three, coal miner, an Janet Stewart, aged twinty, machinist. Maggie Stewart an young Davie Currie witnessed, signed the register, gied the bride an the groom a wee cheeper, an went awa back hame. Owen an Janet, haun-in-haun an deep in thocht, walked slowly up the road tae mairrit life in their new single-en at Connelpark.

Chapter 29

1870 - THE POWNIE DRIVER

Lang syne in Eden's bonie yaird,
When youthfu' lovers first were pair'd,
An' all the soul of love they shar'd,
The raptur'd hour,
Sweet on the fragrant flow'ry swaird,
In shady bow'r.
Robert Burns - Address to the Deil

Wull Begg cuid see a difference in his auld faither. The birth o Annie's wee Ellen had set him back a lot - worryin hou she micht fare nou - wi six bairns an nae man. Wull wisnae ower fashed aboot it himsel, for he kent his sister. She wis as thrawn an single-mindit as he wis himsel. They'd aye been close, an he wis shuir she had the grit tae win throu. Wi Nan Russell there tae help her wi the bairns, she cuid mak eneuch at the dress-makin tae provide for thaim aa - an young Robert wad shuin be earnin himsel.

No, it wis his faither he wis fashed aboot. Auld Jimmock wis worn dune wi saxty-three years o hard labourin on the ferms, but wis juist ower thrawn as weel, tae admit it. It ran in the faimily. Nouadays he cuidnae haunle a tuim milk kirn - faur less a fou yin - an stauchered aneath even a wee forkin o hey for the beasts. His auld back wis that stiff he cuid nae langer bend ablow a cou tae dicht its tits, or show the new dairy lass hou tae milk it the richt wey. He cuid still soop the shairn oot the grip an muck the byre, but that wis aboot the sum o it.

Wull wis nou daein the wark o twa men, an it scunnert him. Up at fower for the furst milkin an lowsed at aicht o'clock at nicht efter the saicont - unless there were kye cauvin - an then he micht never get tae his bed - tho he aye sent his faither awa hame tae his. He kent he wad hae tae get aff this dreich treadmill, gin he wantit a lass an a hame o his ain. But here he wis - a young single man, still leevin wi his faither - an trapped like a grumphie in a stye, wi nae wey oot.

For tho his auldest sister Jane ower at Pathheid wis gey guid tae him an her faither, she wis drappin a bairn every year or aichteen months - an there wis juist nae wey her an Bob Wight cuid tak on the auld yin as weel. Annie doun in Cumnock wis sair trauchlt wi her ain faimily; an Helen - awa doun at the Rigg in Kirkconnel - wis sweirt tae come hame an luik efter the twae o thaim. Sae it wad hae tae be his sister Agnes. But she wis walkin oot wi a young railwayman doun at Kirkconnel, an due tae be wad at the back-en o the year. He'd gang doun by the train - an back up - on Sunday.

Tae his surprise an relief, Agnes said she wad be gled tae tak her turn. She tellt him he'd dune mair nor eneuch in the seiven year since their mither dee'd - an said she'd had it on her conscience for years that she'd aye been ower faur awa frae hame tae gie him a haun wi her faither. But nou that she wis getting mairrit tae Wullie Anderson at Hogmanay - when they baith had a day aff wark - she cuid aye bring Faither tae stey for a while doun at Kirkconnel. She'd come up neist Sunday, an atween thaim aa, they'd persuade the auld yin that it wis lang past his lowsin time - an time he sat back an enjoyed his gran-weans - for he deserved it. She'd tak him doun tae Kirkconnel for a jaunt on the train an let him see juist hou easy it wad be as weel, tae come back up tae Pathheid for a day an see Jane an Robert's weans, whenever he tuik the notion.

An sae, on the November term-day, auld Jimmock Begg gied up a lifetime o fermin wi ne'er a saicont thocht. Sae likewise did his son Wull - nou freed frae the fear o bein shackled tae sic a sair life till he dee'd. Nane-the-less, the sudden news that he'd ta'en a job doun the new Bank Pit as a pownie driver gied auld Jimmock a sair dunt.

'Aye, son, I've seen this day comin for mony a lang year . . . an tho I've focht tae keep awa frae the pits mysel since I wis a laddie, I can see nouadays there's nae muckle choice for young chiels like yersel. Its aither the pits, the mills, the sodgers, or America . . . an I'm gled it's the pits. For I'll still hae you an the lasses . . . my hale faimily . . . aa roun aboot me in my auld age . . . an that's a great comfort.'

'Ach, ye'll be fine doun at oor Agnes's efter Ne'erday, Faither . . . an her cookin shuid be a damn sicht better nor my parritch . . . But ye can aye get back up here by train in twinty meenits gin it's no tae yer likin!'

'I'm gled ye've got a job haunlin pit pownies raither than howkin coal, Wull,' his faither confided, 'for I've been worrit aboot it. The faurer ye can keep awa frae the skaith o a coal face the better for ye . . . an mind ye treat thae puir beasts weel - no like some o the cruel tales I've heard aboot ither drivers.'

It wad be hard tae jalouse wha wis mair feart on Wull's furst day doun Bank Pit - himsel - or the puir wee pownie trussed up like a hog an slung in a net ablow the cage as it rattlt a hunner fathoms doun the shank. Three auld beasts were due for the knacker's yaird, an this wis yin o the young replacements. The cage drew up short o the pit bottom tae let the bottomers lowse the net an get the pownie clear; then it drappt the last ten feet tae the fuit an let Wull an the ithers oot. Tae ae side o the pit bottom a muckle chaumer had been howked oot o the solid rock as a stable for the pownies. Hauf a dizzen ruch widden buises kep the beasts apairt, an there wis a hey box in ilka stall. A shalla grip ran alang the ootside o the stalls tae gether aa their dung, an at yae en wis a wee midden. Wull wis surprised tae see the pit bottom sae bricht an clean, an whitewashed. The furst thing he wis tellt, wis tae keep it that wey - an tae mak shuir that bluidy midden wis redd oot every twa days - for the miners didnae like the guff o shairn; nor did their wives like horse shite on their buits when they gat hame!

As the wee new pownie wis tethered in its stall, an auld grizzled naig wis led hirplin ower tae whaur the net wis spread oot aside the shaft. It wis slow an dune, an yin o the bottomers gied it a skelp wi a pick shaft tae hurry it on. 'Hey, you!' Wull raired at the man. 'Ye micht treat yer wife that wey, but ye'll no treat my pownies like that again, as lang as I'm here!' The chiel backed aff, mutterin aiths ablow his braith.

Straikin an talkin saftly tae the puir beast ower the net, Wull smertly but gently hobbled baith its front an back legs thegither an drew the raip ends ticht, haudin thaim fast as fower ither men cowpt the pownie on its side, an flyped the net sides ticht ower it till it cuidnae struggle. Then they dragged the net square ablow the cage and yoked it tae a muckle heuk. Three rings on the telegraph, an cage an pownie were on their wey tae the surface.

At the stert an feenish o every shift Wull had tae groom, feed an watter his pownies. That wis saicont nature tae him. On the ferm - wi heid held heich - he wad lead his harnessed Clydesdales oot o the yaird an awa ower sun-lit meedows, wi a blue lift abune an the burds singin. Doun here, he ventured by the feeble licht o a tally lamp intae pitch-bleck nerra tunnels, his heid boued for fear o crackin it on the laich ruif timmers; trippin an stummlin ower rail sleepers, as he an his pownie lads led their wee pownies, trailin widden hutches fou o props an ither graith, oot tae the heidins deep in the mine. Here they wad be harnessed tae coal-laden hutches for the lang haul back tae the fuit o the shank. Back an forrit, back an forrit, back an forrit aa day. No that ye cuid see whether it wis day - or nicht.

The pownies were patient shuir-fuitit beasts that seldom put a hoof wrang; unless they skitit an fell on an incline - an that cuid spell daith for the pownie an ony puir miner in the wey o a runaway hutch. Afore lowsin time, he had tae check an mend aa the harness graith, luik oot for loose or missin horse shaes, fodder the beasts, spread fresh strae, soop the grip an fill the auld midden hutch they uised tae tak the shairn tae the surface. Braid-backit miners micht be happy tae shift fowerteen ton o dirty coal in a shift - but ask thaim tae put a shuil tae a daud o horse shite - Nae bluidy fears!

But in a strange sort o wey, despite it aa, Wull Begg felt a sense o freedom. His shifts were lang, but no hauf the hours he spent on the ferm for nae extra pey - or thenks! He kent when he wad be lowsed, an efterhaun his time wis his ain - an that simmer he made the maist o it. When his faither left for Kirkconnel, he moved frae Greenheid tae ludgins in Afton Bridgend wi Hughie Park, the pit blacksmith. Alang the road at Couplagate wis a wee jenny-aa-things shop an grocer's run by Andra

Lammie an his dochters. Wull had mind o the Lammies ower twal year syne when they steyd further doun the same raw at Greenheid. Andra wis a ferm labourer oot at Polqhuirter, wi a wee dochter caad Janet an anither yin caad Mary. They'd moved further oot o the village tae be nearer-haun his wark - an then his puir wife dee'd juist efter she had her saxth bairn.

Hou Andra gat tae be a grocer he didnae ken, but ower the past ten year wee Janet had turnt oot a bonny-luikin lass. It wis worth spendin tippence on a poke o bleck-strippit baas frae the big gless jaurs in his shop windae, juist on the aff-chance she micht be ahint the coonter. Whiles it wis her wee sister Elizabeth, but as time gaed by, it wis aye Janet that come forrit tae serve him wi a smile in her ee, an a wee slowness at lettin go the poke as she haundit it ower. She liked him, wi his braid open face an intelligent blue een. He spoke weel, an she felt he wis a bit different frae the ordinary collier. Mebbe he hadnae been doun the pit lang eneuch tae hae aa his kintrae weys caad oot o him. Afore lang, they were walkin oot thegither doun the Kirkconnel road.

'Why did they caa ye Janet *Broun* Lammie, Jinnet?' Wull fand himsel askin - for middle names werenae aa that common, apairt frae his sister Agnes Coupland - an he wis aye curious aboot connections. 'Wis yer mither a Broun?'

'No. My mither wis Helen Heron, an she dee'd ten year ago when I wis only seiven . . . I'm caad efter my granny Jean Broun, wha mairrit my granfaither Andra Lammie in Muirkirk, whaur he wis a shepherd. She wis a puir sowl, an she dee'd when she wis only twinty-fower year-auld . . . wisn't that awfy sad . . . sae young . . . juist like my Mam.' Wull tuik her haun an gied it a wee squeeze but said nocht - he jist kep haudin it, an she let him, an squeezed back. His hert gied a flutter. He wis twinty-three, an here she wis, a bonny bit lass o seiventeen.

'My faither's awfy proud o his mither . . . for she wis kin tae Robert Burns throu Burns's mither, Agnes Broun. My granny Lammie's faither wis caad John Broun, an he wis a tollkeeper on the Edinburgh road at Muirkirk oot near Glenbuck . . . I think his faither wis a kizzen o Agnes Broun . . sae he wad be a kizzen o Robert Burns . . . but it's that lang ago, an I dinnae ken ocht mair aboot it.'

Wull Begg, kent his Burns weel - an strongly shared his radical sentiments on common humanity, an freedom frae injustice, inequality, an poverty. It wis deeply etched in his hert, the sair fecht his ain faither had aa his life, an hou he had the mense an speerit tae raise abune it aa an gie his weans a better chance. Gif ony guid man deserved the blessins o a faimily - an comfort an rest frae his weary toil - it wis his auld faither. A wee tear gethert in the corner o his ee. He dichtit it awa quick afore Jinnet noticed.

'Muirkirk? Sae yer folks hail frae Muirkirk . . . the same as mine? We've a connection wi a John Broun frae Muirkirk tae . . . but it's no your John Broun . . . It's John Broun o Priesthill. His dochter mairrit a great-somethin-granfaither Begg o mine a hunner-an-fifty year syne . . . an she wis a Jennet Broun tae, juist like yersel.'

'John Broun the Covenanter that wis murdered in front o his wife an bairns? . . . that wis a terrible thing tae dae . . . My uncle Robert Lammie - the kizzen o my faither's that dee'd an left him the grocer's shop . . . his step-brither James Hyslop uised tae write poems aboot the Covenanters . . . when they steyed thegither ower at the herd's hous at Dalblair.'

And sae they bonded as they daunered an daffed. As the weeks an months gaed by, the bonds grew sae ticht that they cuidnae bear tae be pairtit. Efter a twal-hour shift, Wull wad fin himsel near-rinnin hame at sax o'clock for a dicht doun an a quick chynge o claes; then rush awa again tae tryst wi Jinnet. Hughie Park wad whiles be lowsed earlier, an aye had a bilin kettle on the range ready for him breengin throu the door. 'Caum doun, young yin!' he wad cry wi a lauch. 'It's a cauld bath - no a het yin - I think ye are needin! . . . Canny on, or ye'll be pittin a troot in the wall, when ye shuid juist be guddlin!'

Their dauners tuik thaim faurer an faurer doun the Kirkconnel road; faurer an faurer awa frae the keekin een o the village. Ae bonny Mey efternuin, they passed by Burnton an sclimmed up throu the primrose an bluebell wid that flanked the wee burn leadin up the Knipes tae Blackwidhill. 'I've never been up here afore, Jinnet,' Wull peched as he drew her by the haun up a slippy bankin on tae the rig abune the wid. Abune thaim they cuid juist see the ruif o the auld cothous, an faur ablow, in a bend o the Nith, lay the Blackwood. 'Thon's the ferm my faither ploued forty year syne, afore he met my mither . . . an up here is the wee hous whaur he brocht her frae Sanquhar efter they were wad . . .' They went on, haun in haun, then airm in airm, then airms wrappt roun ane anither, up the brae tae Blackwidhill. 'My sister Agnes wis born here, but Helen an me were born doun in Sanquhar.'

The auld cottage wis nou nae mair nor a sheep fauld, wi aa the theikin gane, the windaes an door stove in, an the flair six inches deep in sheep shairn. A couple o yowes an their wee lambies cam scutterin oot at their approach an skelpt awa up the brae, tae stop on the rig-heid for a luik, then vanish ower the hill. They were alane. Abune the cothous, in the beild, wis a wee gressy howe by the burn, its dry banks warm in the Mey sun. Drawn toward it - mair by fate than the bonny clump o primroses they uised as an excuse - Wull an Jinnet lay doun on his jaiket, haun in haun, an gazed at the wee saft white clouds driftin ower their heids; then wordlessly they turnt an entwined - ready for ane anither - an pouerless tae stop it.

Andra Lammie wis faur frae happy that back-en, when he learned that his furst-born dochter had been bairned by that young gomeril Begg. Here he wis - a weel-respeckit grocer, a merchant wi a position tae uphaud - an his dochter bairned by a clarty miner. She cuid hae dune better. He'd been gey ta'en wi the young chiel at the stert; for he had an honest, straucht wey o sayin whit he thocht - an maist o it wis guid common sense. It wis a peety his common sense didnae rin tae keepin his breeks abune his hurdies!

Then ae day, his hauf-sister Janet - mairrit tae James Welsh, fermer in Blackcraig at the heid o Afton - cam doun the glen wi the pownie an trap for her week's messages, an tellt him no tae be sic a Holy Wullie! Wis it no the case that his ain puir Helen had a bairn tae anither man afore she mairrit him . . . sae mebbe there wis a wee bit o her mither in Janet - an he shuidnae judge her ower hard, kennin hou much he luved her . . . An whit wis mair - talkin aboot breeks an hurdies - did he no mind he'd only been three months mairrit tae Helen himsel, when wee Janet wis born at Lanemark! . . . Aye, the pot wis caain the kettle bleck - an there were a wheen o folk in the village wha kent that aaready - an didnae haud it agin him. Sae whit wis he girnin on aboot? He wad juist hae tae thole it an let it aa gang richt ower his heid . . . An whit's mair he shuid mind that the puir lass wis left mitherless at the age o nine . . . An wi nae mither's guid advice tae haun as she gat aulder, wis it ony wunner she went a-stray . . . If Janet loued her young laud . . . an there wis every sign that she did . . . he shuid gie them baith his blessins - an count his ain!

Ellen Begg wis born tae Janet abune the shop in her faither's hous at Couplagate. Fower months later, the Banns were cried at the Free Kirk - whaur she an William had tae thole the shame o bein compeared tae sit afore the congregation for three Sundays in a raw, afore they were mairrit in the June o 1872. Sittin there, wi her neck burnin, Janet cuid feel the shame o her mither afore her. Likewise, but different, Wull cuid feel some o the shame that befell his auld faither as a bairn. But they shuin got ower it, an straucht awa fand a wee place o their ain at Pathheid. Wi a new bairn at her breist, Janet wis nae muckle uise servin in the shop; sae at Whitsun her faither had tae caa her young sister Mary back frae ferm service tae tak her place - an her bed.

The train frae Kirkconnel tae Pathheid wis weel uised by auld Jimmock ower the neist three year - for the pleisures o haudin Jane's new bairn James; seein his Annie weel settlt at last efter her waddin tae big John Cowan; an haudin in his airms yet anither wee James Begg, when Wull's furst-born son arrived in 1874. Even mair pleisure, melled wi the tears o fond memory, cam aichteen months later, when Janet wis delivered o a bonny wee lass - Elizabeth Austin - in 1876. There wis nae prouder a man . . . wi anither James an anither Betsy. His granwean leet wis nou by the thirty-five merk.

Och, but he wis gettin auld an dune, gey hippit an tottery on his feet - an past countin. Nou that Agnes's man wis bein sent awa doun tae Thornhill tae wark on the railway, it wad be ower faur tae trevel frae there tae see his granweans . . . An at the rate Wull's bonny thrang wee wife wis drappin bairns - afore lang she wad hae mair nor Jane! At forty-nine, his Jane wis weel by the child-bearin, an a wheen o her bairns were aaready awa in service . . . Mebbe nou, she cuid tak him in at High Linn for a wee while . . . an then he'd tak turns at steyin wi Annie or Wull.

But it wisnae tae be. Barely a fortnicht efter he settlt in at High Linn, auld Jimmock tuik a stroke that left him pouerless in his left airm, an gey waik in the left leg. Nanetheless, he wis still blessed wi aa his grup an senses aboot him; an wis never happier than when Wull an Janet tuik a turn oot the Mansfield road wi the wee anes tae see him. He wis gleg eneuch yet tae diddle a bairn on his guid knee, an say their names. But the cauld winter months tuik their toll. Wee-buikit nou, an failin, he tuik tae his bed. By the spring - content wi a lang an eident life that had seen aa his bairns dae weel for themsels - an raise a hantle o granweans that ony auld man wad be proud o - he confided quately tae Jane ae nicht, that he juist wantit awa . . . tae be wi Betsy again. An he did juist that - peacefully - a month efter his aichtieth birthday.

Auld Jimmock's prophetic musings afore his last illness were weel-foundit. For richt on throu tae 1894, Janet Begg bore bairns wi great regularity - eleiven in aa. An gin it had no been for Wull's accident, there wad doutless been mair.

Chapter 30

1884 - THE RADICAL COLLIER

If I'm design'd yon lordling's slave -
By Nature's law design'd -
Why was an independent wish
E'er planted in my mind?
Robert Burns - Man Was Made to Mourn

Raisin three bairns in fower years on a pownie-driver's pittance, garrd Wull think lang an hard aboot their future. Wi their hous in Afton Brig-en no faur frae auld Andra's shop alang the road, he kent his guid-faither wad aye mak shuir his dochter an granweans wantit for nocht - an they wadnae sterve for the want o groceries. But he wad be behauden tae nae man for the means o providin for his ain faimily . . . no even Jinnet's faither.

He had his pride; an wad mak damn shuir that nane hereaboots ever had reason tae think that Wull Begg cuidnae support a wife an weans athoot haun-me-oots an free tea an tatties frae his faither-in-law. Three shillins a shift wis a fortune at the stert for a young single lad like himsel, rinnin awa frae twal pun the hauf-year on a ferm; but it didnae feed an cleid a wife an a growin faimily . . . an it didnae tak ower muckle for Jinnet tae faa pregnant. Man, she wis still a bonny bit lassie at twinty-three, an she'd been blessed wi easy births. Whit's mair, she juist loued bairns aboot her, an ettlt for mair. Sae as lang as that wis the wey the win blew, he widnae stint himsel at the tryin.

But nane-the-less, he wis aye sair vexed by the sicht ilka Tuesday, o a hantle o puir trauchlt, doun-trodden weemin - clappit-jawed, sunken-e'ed an wizened at thirty-twa - wi ten or a dizzen snottery wee hungert bairns trailin raggit an barehuit ahint thaim, aa gethert ootside Andra Lammie's shop beggin credit for groceries. He kent fou weel that their men - gif ye cuid caa thaim men or faithers - pissed their pey-pokes intae a sheuch (an like as no fell in themsels efterhaun), every Setterday nicht. An by Monday mornin, mony a wife bore the bruised shame o a batterin frae her drunken man efter he'd forced yet anither unwantit bairn on her when he gat hame frae the pub. Sae help me God, he thocht, gin I ever dae that tae my Jinnet - or ill-uise my bairns - ye can strike me deid on the spot wi a muckle stane frae the ruif o the warkins.

Shuir, his faither warned him tae keep as faur awa frae the skaith o the coalface as he cuid - but his faither wis never doun a pit in his life. An he'd ta'en sax lang years tae fin oot aa the guids an bads o warkin as a bottomer, or as a hewer. Aye, there were accidents, an bad yins at that - men were killt an maimed - but sae were ferm labourers. Whit wis the difference o bein crushed by a stane, or a bull; or skelpt by a hutch or a horse? Life wis fou o risks, an fou o possibilities.

Gin he steyd on as a pownie driver, the chances were that his puir bairns wad miss oot on ony chance o betterment - an gin he leeved, he wad be shuir tae regret it as he gat aulder. Tho a wee bit shorter than his faither - mebbe he tuik it frae his mither's side - he wis twice as braid, an wi aa his years on the ferm, he wis as strang as ony collier in the pit. At twinty-nine he wis in his prime, an gin he tuik a coalface job as a hewer, he cuid add anither shillin a day tae his pey - an that wad mak a deil o a difference at the en o the week. His mind made up, Wull stertit a new life as a coal hewer doun Bank Pit.

Fower shillins an tuppence a shift wis a gey guid rate compared wi ferm wark. But by richts it shuid've been a dam-sicht mair - when ye thocht o the warkin conditions; the steep douks an inclines; the steps an fauts in the strata that made winnin coal sic a sair darg, howkin nerra seams lyin on yer side aa day - wi juist an extra fivepence a shift for wat-warkin. Fivepence a day extra for wat-warkin - the Company wis gey generous! Fegs, he cuidnae see the Laird o Bank stickin a tally lamp on his fine lum hat an lyin clashin-weet in a three-fuit seam - wi his guid strippit breeks aa clart an coum, an his gold albert watch chain fanklt up wi his pick haunle as he howkt for himsel the coal that peyd for his Big Hous. *Unto them that hath, it shall be given* . . . and unto thaim that hivnae - they shall juist hae tae mak the best o't!

On maitters concernin warkin conditions doun the pit, Wull Begg wisnae feart tae speak his mind. Tho a Tory, he respectit the Laird for aye giein him a fair hearin, an for actin on maitters whaur he thocht improvements cuid be made. Mind ye, maist times this wad be dune only when it involved little expense tae himsel or the Company. An for shuir, it didnae aye apply tae maitters o safety doun the pit - as in time, puir Wull fand oot tae his cost.

But his radical views, sense o injustice, an strong opinions, tuik him faurer than pit politics. He became a leader o the Liberal Pairty in the district; rinnin public meetins in support o William Gladstane's campaign tae gie the vote tae aa warkin men, an no juist thaim in the burgh touns. It wis an insult tae an intelligent man like Wull Begg, tae think that warkin men like himsel - an aa thaim in the kintraeside rounaboot him - had nae richt tae hae their vyces heard in parliament. It fair stuck in their craws that warkers in the touns aa had the vote since 1867 - at least thaim that peyd an annual rent o £10 or mair a year; while in the hale o the county furth o Ayr, Irvine, an Kilmarnock, the only voters were Tory lords, lairds, an landownin fermers - the very same folk that had kep their puir tenants an labourers hauden-doun for hunners o years.

When Wull Begg finally saw the 1884 Reform Act passed at the saicont attempt (for the Tory Hous o Lords flung it oot) - he stuid a proud, yet bitter man. Tho he'd focht lang an hard tae win this franchise for warkers in the kintraeside; for the likes o himsel an near on hauf o the miners an ferm servants warkin in the pairish, there wis still nae vote. For the twa or three shillins a week they aa peyd in rent for single-en or twa-room hovels in the raws or ferm bothies wis weel ablow the £10 a year stipulated in the Act. That juist saxpence or a shillin a week cuid mak aa the difference atween yae man bein deemed fit tae vote, an anither bein denied, wis a damn scandal an a gross injustice. It wis a battle hauf won, an there wis muckle fechtin yet tae come afore justice cuid be seen tae be dune.

Guid Lord abune, he kent a wheen o men as gleg an sherp as himsel, folk like Sam Lorimer the colliery jyner - wha felt juist as bitter an angert - an swore they'd fecht like the bleezes till there wis a vote for every man in the land. An yon young firebrand Keir Hardie frae Cumnock, the Ayrshire miners' agent wha'd warked sae hard alangside him in the Liberal Association durin their fecht for the Reform Act - wad never be satisfied wi things as they were nou; even tho they'd juist got rid o the auld Tory MP an elected a Liberal for the furst time in history. In fact, ae nicht efter a campaign meetin they'd had a richt auld argie-bargie; when Hardie tellt him that Gladstane wisnae daein near eneuch for the warkin man - he juist wantit their votes - an had nae bluidy intention o daein ocht tae bring aboot the radical reforms that wad better their warkin conditions. Wull reponed that the Reform Act wis at least a guid stert tae a fairer warld, an that he wad cairry on daein his bit tae bring it aboot; but wi a wife an seiven bairns nou tae support, he cuidnae promise ower muckle. Nane-the-less, he cuid see by the fire in his een an his belly, that young Hardie wis cast frae anither mould - an reckoned he wad gang faur in his fecht for the richts o the warkin man.

In June 1886, twa year efter the Reform Act, Jinnet's faither dee'd. Andra Lamnie had been failin for the past three year, an his daith wis no unexpectit. But whit wis unexpectit wis the fortune in money he left in his will - a thousan twa hunner an thirty-nine pun, twa shillins an a penny! On juist saxty pun a year, Wull wad need tae wark for twinty year, an no spen a penny-piece, tae hain aa that siller! While the hous an shop wis left as a leevin tae their spinster sister Ellen, the movable estate wis divided in equal pairts amang the fower survivin bairns - Ellen, Jinnet, Mary, an William Lammie. They aa got three hunner pun a-piece. Tae Wull Begg - that wis five years pey!

'Whit will we dae wi aa this money, Wull?' asked Jinnet, her een glistenin wi tears o joy at the thocht that they were nou secure frae poverty an hardship - aye a muckle thocht in the heid o ony puir collier's wife that haes spent her hale life fashin aboot whit she wad dae gin her man wis cripplt, dee'd, or juist ran awa. Wi seiven bairns - an the prospect o mair - it wis a justified worry.

'Jinnet, my luve,' Wull pit his airm roun her as he drew on his pipe an paused, 'In the terms o the will, it's your money tae spend, an I can hae nocht tae dae wi the spendin o't . . . Ocht ye dae wi it will hae tae be yer ain decision an no mine . . . Aa I wad say is that we're daein fine the nou.

'If ye're askin my advice, lass, it's this . . . Whit say ye that we juist pit this money awa in the bank for a rainy day. Gin it steys dry . . . an I'm still earnin - an aa the boys are earnin an peyin for their board an keep - we'll manage tae hain a fair pickle mair siller ower the next six or seiven year . . . An then, God willin, whit dae ye say tae the idea that . . . ehm . . .' He paused for effect.

'Say tae whit, Wull?' Jennit demandit. Efter aa, it wis her money.

'We . . . micht . . . build oorsels a hous o oor ain!' Jinnet stuid gab-wide tae the win at the very thocht. Her ain hous! She'd never in aa her life gied it a thocht - for never in her life had she ever mair nor five shillins in her purse - an that had tae feed an cleid her hale faimily.

Wull gruppt baith her shouders in his muckle blae-scaured hauns an luikt straucht intae her moist een. 'Lass. If there wis ever a wumman in this warld deserved tae hae the comfort o her ain hous - wi nae mair trippin ower bairns or their bed claes, aa day an every day . . . it's Jinnet Broun Lammie! It's your siller, my bonny lass, an I can think on nae better wey tae keep it warkin for ye than tae pit it intae the stanes an slates o a wee hous o yer ain . . . Juist think on it for a wee while.'

The mair Jinnet thocht on it, the mair she liked the notion - an it wis settled. They'd gie it till Wull wis aboot fifty, an by wi heavy wark; then wi sax o the bairns earnin, they'd build their ain wee hous. It made every day a holiday juist thinkin aboot it.

Despite bein on opposite sides in the Reform campaign, Wull an the Laird o Bank were on guid speakin terms - for the Laird respectit Wull for his skills as a booler, an his strang, honest, radical opinions. William Hyslop wis a fair man in his ain wey, wha shoudert his obligations tae the village, tuik an interest in folk, an kent aa his men. In the winter he wis a guid curler - an curlin wis a great leveller, mixin labourers wi lairds, an dairymen wi doctors. For simmer recreation he set up a new Boolin Club doun on the Glebe ahint the kirk, an gied handsome trophies for the competitions. Wull tuik tae the boolin in the simmer months as a wey o keepin oot in the fresh air, an reddin the stour oot his lungs efter a lang shift at the face. It wis mair o a miner's gemm than the curlin. Hewers were on constant dayshift an aye lowsed in time for a tin bath an a chynge o claes. Jinnet aye had his denner ready on the plate - an whaur ithers micht gang tae the pub, he wis awa tae the boolin twa or thee nichts a week. She wis gled he wis a booler an no a boozer. He wis a guid booler tae, an maist nichts when he cam hame, he wis in a guid tid - for mair times as no, he'd won. In fairness tho tae her man, he wis a guid losser as weel.

But she wis never as proud o him as in yon simmer o 1888, when the Boolin Club staged a three-day grand Open Tournament. The Laird donated a fine siller trophy, an aa the guid New Cumnock boolers that were miners were granted twa days aff wark tae tak pairt - nae pey, mind ye - but twa days aff. A holiday. Efter twa days, Wull wis the only local man tae reach the last aicht; matched against the tap boolers frae Glesca an aa ower the south o Scotland. When on that third nicht, he walked back ower the Afton Brig - an she answert the chap at the door an saw the muckle siller trophy - she screamed in delicht, an aa the bairns cam lowpin aboot their daddy an wantin tae haud his cup.

'Wull! That's the Post. There's a letter here for ye.' Jinnet keekt oot the back door. It wis juist efter dark on a bitin cauld winter's nicht in December 1894. The bare trees on the brae abune Knockshinnoch Ferm did nocht tae brek the raw chill o a snell east win blawin straucht aff the snaw-clad hills o Glen Afton. Wull wis hame frae his shift an oot at the hen-hous feedin his hens an banties. It wis yin o his great pleisures, breedin fancy poultry; an he'd won a wheen prizes for his Silkies at the big shows. Jinnet thocht they luikit mair like the Laird's wife's wee hairy dugs than hens . . . but if it kep him happy . . . At least she got a couple o dizzen eggs a week frae his layin hens. Wull cam in wi a bunnet-fu o eggs.

'Hauf-a-dizzen here for ye the nicht, Jinnet. They're layin weel, but there's ae broody yin that needs its neck thrawn . . . it micht dae us for a bilin hen at Ne'erday. Did ye say there's a letter?' She handed him the envelope. He glanced at the contents an lauched.

'Weel, that's the bill in frae Nelson for meisurin aff the feu at the Leggate . . . hauf yer money's awa afore we've even stertit!' Jinnet's face fell wi a fair worrit luik. 'Hou muckle . . . hou muckle?' she speirt anxiously. 'Five shillins!' he lauched - as she flung a wat dish-clout at his heid. 'Ye auld scunner! Giein me a fricht like that! . . . Dinnae dae that again! . . . Ye ken I'm worrit seik eneuch aboot spendin aa this money - an feart we'll rin oot afore the ruif is on the hous - wi'oot aa this nonsense frae you.'

It wis only a wee flytin, but Wull tuik it tae hert. Efter aa it wis Jinnet's money; an he ettlt in future tae mak shuir that she wad enjoy seein her hous risin up frae its founds - wi nae mair snash frae him, even in jest. 'There's plenty o siller, lass.' he soothed. 'Dinnae fash yersel. By the time the ruif's on, wee John will be stertit doun the pit wi Andra an mysel; an wi Bess, an young Wull, we'll hae five wages comin in.'

Maist nichts that spring an simmer, they tuik a hauf-mile dauner doun tae the Leggate tae check progress. Jinnet wis dumfounert at the size o it as it neared completion. 'Wull, this isnae a wee hous . . . it's nearly as big as the Laird o Bank's . . . a kitchen, a leevin room . . . an a parlour! . . . An twa bedrooms up the stairs . . . an a water-closet.' She wis greitin wi the joy o it.

'Aye, an luik at the big gairden for my tatties an a hen-run for the banties.' Wull wis mair ta'en on wi the outside - an the practicalities. 'Tho, I think we'll no hae muckle uise for a parlour for a while . . . we'll need aa the space for nine growin lads an lasses tae sleep in.'

The bairns tae, aye had a guid keek at their new hous on their wey back an forrit tae the Toun Schule; an brocht back excitit tales o whit the masons an jyners were daein the day. Young Robert, at ten year-auld, wis taiglt for hours juist watchin the masons warkin the rid sandstane blocks, chippin awa wi their hemmers an chisels, an checkin wi their squares an levels tae get the surfaces smooth an true. 'Mither,' he announced ae day when he gat hame, 'I'm gaun tae be a stane-mason when I grow up.' An he did.

They wadnae be mair than aichteen months in 'Gowanlea' - the bonny name that Jinnet picked for her new hous - when Wull had his accident. The furst she kent o it wis when young John, wha had just stertit as a pit-boy, cam burstin thro the back door intae the kitchen whaur she wis peelin tatties for their denner.

'Mither!' he cried, braithless, wild-ee'd, an desperate, 'Mither! My faither's been in an accident . . . they think his back's broken!' Jinnet turnt as white as daith an drappt her tattie knife. She felt like screamin, but wi five young bairns aa lugs ben the room, she had tae get a grup o hersel - an young John's shouders. 'Sit doun son, an get yer braith back . . . an tell me quick an clear juist whit happened, an whaur's yer faither nou . . . Hae they brocht him up the pit or is he still ablow grun?'

'I've seen him, mither . . . He's in a lot o pain, but he tellt me tae tell ye no tae worry, he'll be aaricht . . . They brocht him up the pit lyin on an auld board for a streitcher, an Doctor Stirling Sloan examined him at the pitheid an thinks he micht hae broken his back . . . But the doctor says he can still move his legs. . . an that's a guid sign.'

'Thenk God for that,' his mither murmered tae hersel as the bairns crooded rounaboot wi their wee worrit faces turnt up tae hers, luikin for comfort an a cuddle tae tell thaim that their daddy wis fine. 'Hou did it happen, John?' she asked quately so as no tae fricht thaim in ony wey.

'They'd juist hitched a loaded hutch an stertit tae draw it up the wee douk wi the pownie . . . but it wisnae richt hitched, an when the chain slipped, the hutch rummlt back an cowpt an jammed my faither against a stoup . . . They said it wis juist as weel it wis still rinnin slow or it wad hae killt him.'

'An nou whit's the doctor gaun tae dae aboot his back?' his mither speirt anxiously.

'They're bringin him doun tae the station on a cairt, an takin him by train tae Kilmarnock . . . Doctor Sloan says the Infirmary is juist a hunner yairds up the brae frae the station. They'll keep faither in the hospital for twa or three days an pit him in a plaster of paris cast. Whit's that, mither?'

'I think we'd caa it a stookie jaiket, son.' smiled Jinnet, hauf-relieved that things were mebbe no as bad as she'd feared - her man wis still alive. But - wad he ever wark again?

At New Cumnock station, Willie Inglis, the station maister, cuidnae been mair helpfu. He'd got tae ken Wull Begg weel ower mony years at the Boolin Green, an on his train trips back an forrit tae Liberal meetins in Cumnock - an wis distressed tae see him sufferin.

He cleared oot a hale compartment on the next train, an let thaim lay Wull's streitcher alang the bench sate on yae side. Then he telegraphed Kilmarnock Station for help tae tak him up tae the Infirmary. Three weeks later he wis fair relieved tae see Wull back hame, an helpt him doun frae the train in his stookie jaiket. He wis in a lot less pain - but walkin gey slow, an leanin heavy on twa sticks. 'My, I'm gled tae see ye, Wull,' he cracked, 'but ye'll no be boolin for a while yet by the luiks o ye.'

'Mebbe no, Willie, but I'll be back tae lay a winnin bool on the jack . . . in guid time, no juist yet, but never fear.' He souchd his braith as his back jerked tae a stoun o pain as they waited on the platform for the pownie an trap tae arrive. 'Man, afore I forget, I maun thenk ye for yer help the ither week . . . it made aa the difference - baith here an at Kilmarnock . . . An hou's the faimily, Mistress Inglis, an the lads? . . . I see young Hughie whiles at the pit.'

'Fine, Wull, fine. Peggy's fine, and Will's nou the stationmaister at Killochan down near Girvan. Young John's daein the same at Dalmellington, but I've high hopes he'll get the stationmaister's job at Cumnock . . . An young Jessie's due tae gang awa tae Embro tae train as a teacher this September . . . I'm fair proud o thaim aa . . . An yer ain?'

'Likewise, Willie, likewise. Ellen's awa up in Helensburgh as the nurse tae a weel-tae-dae faimily . . . an oor Bess is nou at the teacher training college, like your Jessie . . . My, they were a richt pair o wee besoms at the Toun Schule when they were pupil teachers, Miss Bessie Begg an Miss Jessie Inglis. . . mind yon schule photograph ta'en when they were juist fifteen . . . a pair o wee madams! Oor Andra's got his deputy's ticket an is daein sae weel at the pit, they think he'll feenish up in management . . . An ye'll ken oor James is still wi the Glesca an South Western . . . He's at Greenock Pier the nou, but ettles shuin tae get a job as a Piermaister somewhaur on the Clyde. An there's some bricht wee sparks amang the young yins tae, that'll burst intae flame yae day, giein the richt kinnlin . . . Aye, we've dune weel, the twa o us, wi oor wives an oor bairns.'

Jinnet wis gled tae get her man back hame - a bit mair crabbit an carnaptious as ordinar, in a stookie jaiket that he had tae wear for twa months. When the doctor tuik it aff, his back wis as stiff as an airn girder, an efterhaun gied him sair gip till the day he dee'd. It wis twa lang year afore he cuid lay a bool on the jack, an he never warked again.

Sax year on - in the hinmaist year o Queen Victoria's glorious reign - there wis mony a time when Jinnet an Wull must hae thocht they'd never flittit awa frae Knockshinnoch Cottage - for ten o their faimily o eleiven still ludged wi thaim at Gowanlea. But wi fower sons an twa dochters nou oot earnin their corn, they were content an bien in their ain wee hous - wi their cairn terriers an banties - an maist proudly for Wull Begg - his richt tae vote.

Chapter 31

1894 - THE LEEMONADE MAN

A gaun fuit's aye gettin,
Be it a thorn or a broken tae.
Scots Proverb

'Luik, mither!' Young Davie Currie plankt doun his sauch creel an tuimed oot a dizzen bonny specklt troots on the kitchen table. Afton Cottages were juist a stane's throw frae the river - on the ither side o the brig frae his Granny Currie's hous in Afton Place - an wee Davie spent maist o his scant free time fishin up the watter. As the auldest o sax bairns, tho a smert wee scholar, he'd left the toun schule early - at eleiven-year auld - tae earn siller for his faimily as a craw picker at Bank Pit.

'Whit hiv I tellt ye afore, Davie?' cried his mither in despair, as some o the slippery troots skiddled ower her new-scrubbed table-tap an fell on the stane flair. 'Get an ashet oot o the dresser an pit yer troot on that insteid o my clean table! . . . an luik at my clean flair as weel - aa slairit wi bluid, an scales an slime . . . Ye'll scrub that as weel as the table afore ye stert guttin thae fish!'

Janet Currie wis tired an thrang. Wi her new bairn wee Agnes Stewart juist a week auld, girny an slow tae souk, she hadnae had muckle sleep ower the past fower nichts. But her guid-mither wis due ower frae Afton Place tae gie her a haun wi the denner for Owen comin hame frae the pit - an wee Davie's troots wad juist dae fine. Ach, she wis ower sair on the boy - an him juist hame as proud as punch wi his winnins. She pit her breist awa, buttoned her blouse, happt up the wee sleepin tot, an laid her doun in the warm cradle by the range.

'Come here, son, an let me see whit ye've cotch the day . . . My, they're muckle big troots for the Afton, Davie . . . yer faither'll be proud o ye the nicht!' Owen Currie had a lot tae answer for, she smiled ruefully tae hersel as she pit her airm roun her son's shouder - trampin every hill burn in the pairish, an even as faur awa as the Deuch - tae learn his boy hou tae catch troots. Aye, an a wheen years back, he'd cotch her as weel wi his fishin. Sae she shuidnae grummle - an she shuid aye mind that bairns are only young yince. Davie wis twal nou - an auld eneuch tae gang doun the pit like his faither. But he wis still juist a wee smowt o a lad. She'd felt awfy bad aboot takin him awa frae the schule last simmer; for the heid-maister said he wis gey smert, passin his grade V certificate at the age o eleiven, an he wantit Davie tae gang on for anither twa years. But wi sax bairns tae feed an cleid on a single wage, her an Owen had nae choice. Wee Davie had tae stert earnin his keep.

'Sae why are they sae big, Davie?' Janet speirt kindly-like, juist tae let her laddie ken she wis pleased wi his troots.

'It's the big troots stertin tae come up oot o the Nith, mither, tae spawn in the Afton at the back-en . . . juist like the saumon dae . . . Mebbe gin I'm lucky, I'll catch a saumon like my faither.'

'Mebbe, aye, mebbe no, son . . . Juist you enjoy yer fishin an the fresh air while ye can, for ye'll no be my bairn much langer . . . in fower weeks' time, ye'll be a rale pit man like yer faither. Nou get that flair dichtit an then gut thae troots for oor denner . . . but aforehaun, cuid ye tak the pails oot tae the pump an draw some watter . . . I'll need it for yer faither's bath . . . an the tatties . . . Maggie, hen, cuid ye come ben an peel the tatties afore yer gran comes ower.' A wee fair-heidit lass o ten cam throu frae the room whaur she had been playin wi her wee brithers an sister an the kittlin. 'That's the lass. Wale oot a dizzen tatties frae the seck ablow the sink, an here's a knife tae peel thaim wi.'

Janet gied the table a dicht hersel, for she ettlt that wee Davie wad dicht the flair furst, an then the table - wi the same clout - juist like his faither! She luikt aboot her. Wi aicht o thaim nou, even this hous wis gettin ower wee. An it wis juist fower year back, when she wis heavy wi wee Billy in 1890, that they'd moved doun frae their single-en at Connelpark wi Davie, Maggie an Rab, tae be nearer-haun her guid-mither Bella an auld Davie, for Owen wis worrit aboot his faither. Worn oot by the pit, he wis auld an dune afore his time, an his kist wis gettin waur an waur. Bella reckoned he wad hae been deid langsyne, had he no stertit sellin fish roun the raws. But by the time they'd flittit doun, auld Davie hadnae even the puff tae cry 'fresh herrin', faur less pou his cairt. At the hinner-en, he cuidnae walk the length o himsel, an spent his last days juist sittin there in his chair, souchin an pechin tae draw braith, an hauchin an spittin intae the fire.

It had been a blessin, Bella said, when he wis ta'en quick wi a pneumonia last October. Bella wis fine nou. Janet whiles wunnert at her speerit. She'd cairrit fifteen bairns, an here she wis at Afton Place, nearin sixty, an still luikin efter her three youngest - an three ludgers as weel - wi the help o Jane, her auldest lassie. But wi Davie deid, it wis often a ludger's rent that kep mony a weedow like Bella frae haein tae gang 'on the Pairish' - tho she wis luckier than maist, wi a guid faimily roun aboot her.

'Aye, Jinnet. I'm hame.' It wis Owen. Janet drew the tin bath oot frae ablow the bed an placed it forenent the fire. 'Haud on lass, ye're ower waik yet tae lift thae heavy pails an that kettle . . . Here, tak my piece-bag an jaiket an let me dae it . . . then sit doun for a-wee till I'm in the tub an ye can scrub my back.'

'Right, you weans. Awa ben the room or ootside tae play, an gie yer faither peace tae hae his bath.' The bairns kent the daily routine an needed nae saicont biddin, as their faither stripped tae the buff an sank doun wi a grain o pleisure intae the comfort o het watter an soothin sapples as Janet rubbed doun his back wi a warm clout. He wis a wee, lean man, Owen Currie, wi an intelligent pair o hazel een luikin oot ower a muckle moustache that braidened his thin nerra face. He hadnae the build for a hewer, but he had eneuch strength in that wiry frame o his tae haud his ain at drawin coal awa frae ony hewer at the coal-face. But it wis strength o will mair nor ocht else that kep him doun the pit, for his hert wisnae in it. He'd seen whit it had dune tae the kists o his faither an baith his granfaithers - aa fechtin for braith at the hinner-en, till they dee'd a miserable daith. Gin he cuid see a wey oot, he wad tak it. But wi a wife an six weans tae feed, he had nae option for nou . . . baur breathin in God's fresh air awa fishin wi wee Davie on a Setterday; an spendin a nicht or twa at the boolin green, insteid o the pub, durin the week.

'Owen,' Janet said saftly as she towelled him dry, for it micht no be the richt time tae speir, 'dae ye no think it's mebbe time we luikt for a bigger hous . . . There's aicht o us nou, an as like as no there's mair tae come . . . Davie an Maggie are growin up an we need mair space . . .'

'I hear ye, hen, I hear ye . . . an I'll keep my een open for a place . . . Hey, juist think on puir Sam Lorimer next door . . . I've lost count, but I'm shuir he has nine mitherless bairns in that hous - an fower o thaim warkin . . . But dinnae fear, Jinnet my lass, I'm juist like yersel - scunnert wi trippin ower weans, an kittlins an claes aa the time . . . an it'll juist get waur as they get aulder.'

Late the followin spring, on a bonny Sunday mornin in Mey, Owen Currie chappt his neibour's door. Sam Lorimer answert. 'Aw, it's yersel, Ine . . . come awa ben if ye can fin a place tae sit doun . . . Gladdie! Shift yer bum aff that chair an gie Mister Currie a sate.' Owen cuid hear deep snores frae ben the room as Jim an Jock slep aff the nicht afore an made the maist o their day o rest afore the pit in the mornin. George, Sam's auldest, waukened by his brithers' snorin, wis awa tae the Castle tae feenish stitchin a frockcoat for Doctor Sloan. Sam wis gled that at least yin o his boys had the sense tae stey oot o the pit.

Mary McDonald had been a dressmaker in the faimily business afore she mairrit Sam, an George wis aye her pet. She cuid see he didnae hae the hauns o a miner - or a pit jyner like his faither - an she'd spoken tae her mither, wha bided wi thaim at the Cottages. The weedow o James McDonald, Master Tailor, auld Mag still kep an canny ee on the thrivin business that her man - an his faither afore him - ran at the Castle afore he dee'd. Fower o Mary's aulder brithers still warkd there as tailors, an her mither had seen tae it that George wis apprenticed straucht awa.

Owen had a guid luik aboot him as he sat doun. The kitchen wis gey clarty compared wi Janet's, but ye cuid hardly expect young Susie - juist turnt sixteen when her mither dee'd three year syne - tae be able tae keep the hous as trig as puir Mary did. Sam had a double tragedy that year. When Mary dee'd a slow lingerin daith (frae a tumour o her ovary - sae Janet had tellt him) - she wis only forty-five, an left her man wi five bairns unner twal year-auld. The daith o a dochter sae young wis ower much for her auld mither tae staun. Juist sax months later, auld Mag McDonald tuik a stroke an dee'd. At aichty-twa wi thirteen bairns she wis - unlike her puir dochter - weel ower her three-score an ten.

Sam wis a guid fifteen year aulder than himsel, but in the fower year they'd been neibours, they'd become guid freens. His auldest bairns - Davie an Maggie - had grown up thegither wi Sam's youngest - Mary, Mags, an Flora McDonald. He'd be gey sorry tae leave sic guid neibours. Wee Davie an Flora had aye been awfy close.

'I've juist come in tae tell ye, Sam, that we've got a new hous. Oor Jinnet's no as guid as you an Mary were at haunlin a squatter o bairns in twa rooms . . . an chances are we're no feenished yet! . . . Sae I've been castin my ee aboot for a place, an fand the perfect hous . . . It's Connelbank, yon auld Bank estate cottage ower the line up at the Furnaces . . . it's richt by the Connel Burn for the fishin, an only ten meenits frae the pit . . . oh, aye, an it's got fower rooms an a gairden for Jinnet! . . . Only kiddin!'

'Ach, I'm gled for ye, Ine. It's whit we aa strive for, tae sclim oot o the glaur o life on tae solid grun, an tae move up a wee bit in the warld for the sake o oor bairns - like wee Gladdie here.'

'Ye ken, Sam, I've aye wunnert why ye caa the wee fella Gladdie when his name is William . . . I ken the pits are fou o nicknames, an they're haundit doun throu the faimilies . . . but Gladdie's a funny name for a laddie.'

'Weel, it's juist whit I wis talkin aboot a meenit syne . . . I've mebbe tellt ye afore aboot bein brocht up doun at Thornhill, whaur my faither Geordie Lorimer wrastlt aa his days as a guid an weel-respectit jyner. But we leeved in a hous whaur the rent went tae the Duke o Buccleuch . . . whaur aabody's rent went tae the Duke o Buccleuch . . . whaur ye daurnae gang throu the wids o Drumlanrig or tak a troot frae the Nith athoot bein kicked on the erse by the keeper tae the Duke o Buccleuch . . . whaur ye cuidnae even fart athoot the permission o the Duke o Buccleuch - faur less ask for the richt tae vote . . .

'For it wis juist the Duke an his gentrified freens that were alloued tae vote - for only *they* wad ken whit wis best for the rest o us. That's less than twa hunner toffs in the hale o Dumfriesshire! . . . Common warkin-folk were juist that - there tae labour for the comfort o their betters, tae mind their place, an be kep hauden doun wi never a chance tae think on their ain betterment. Unless ye licked the erse o the factor or the grieve, ye got naewhaur - even a guid jyner like my faither . . . An even if ye did, yae ill word frae thaim, an ye were richt back doun whaur ye belanged - wi a bad taste in yer mouth . . . That's whit sent me rinnin awa up tae New Cumnock tae wark as a pit jyner when I'd served my apprenticeship.

'Ye'll mind fine the sair fecht we had for a vote for kintrae warkers back in aichteen aichty-fower . . . when Wull Begg frae Knockshinnoch, that uised tae bide alang at the Couplagate, wis ane o the leaders o the Liberals . . . Like a wheen mair in the pairish I wis richt ahint Wull . . . an sae when the Reform Act wis passed - an my wee son wis born that same year - I wis that proud o whit we'd dune I caad him efter the Prime Meenister . . . William Gladstone Lorimer . . . An I'm still proud o it!'

Connelbank, on its wee brae abune the Connel Burn wis a paradise for Jinnet an her bairns - aicht o thaim at the feenish. Tae wauken in the mornin tae the soun o the blackies, mavies, reidbreists an shelfies singin their herts oot amang the hawthorns, alders an aish trees by the banks o the burn, wis like waukin tae the soun o a choir o angels. Whiles, if she went cannily oot the back door at brek o day, she micht glimpse a roe deer slippin awa intae the wids efter browsin aa nicht alang the field edge - or a slee fox sneakin back tae its cubs wi a poulet frae Coalcreoch ferm, or better still - a phaisie frae the Laird o Bank's estate.

It maittered naethin tae her that the wee pit pug rummlt back an forrit by the hous aa day pouin tuim wagons - an yince a day the 'big engine' as they caad it, gaed clankin awa doun the line wi a lang train o coal wagons for smeekit Glesca, or faur-aff England. Efter aa, she had been brocht up a railwayman's dochter. Whiles, if the win wis in the wrang airt, her washin gat smeekit; but she learnt gey quick the set pattern o the pug, an when tae pit her claes oot. The engine drivers aa kent Owen weel - an some o the aulder yins had kent her late faither on the railways - sae they aye tuik steam pressure aff the engine as they gaed by the hous tae cut back on their reek - an it warkt - maist o the time.

The bairns had the burn tae douk an paidle in; the boys went guddlin, fishin, an burd-nestin, built dens in the wids, an doukt in the burn The lassies made daisy chains, poued flouers, an tried tae catch butterflees in the palms o their hauns. At Easter-time they wad aa pent hard-biled poulets' eggs an row thaim doun the brae. Janet reckoned her bairns wad mind these carefree days for the rest o their lives - whaur e'er they went in the big wide warld.

Carefree it micht hae been for his bairns, but Owen Currie wis still a restless man, keen tae brek awa frae the drudgery o life ablow grun. Wee Davie wis aaready doun the Bank Pit, an as Maggie an Rab grew aulder and stertit tae wark as weel, Janet cuid see he wis faur frae happy. He spent a lot o time sittin at the back door, reading his poetry buiks, soukin his pipe, an juist thinkin. Whiles she wad fin him wi paper an pencil in his haun, scribblin figures in a wee notebuik. Then yae het simmer Setterday afternuin he cam staucherin hame wi a muckle seck ower his shouders, an plankt it on the kitchen table.

'Whit in heaven's name hae ye got in there?' she demandit as he wiped the sweit aff his brou an tuik aff his jaiket. He dipped his haun intae the seck an brocht oot . . . twa leemons . . . then . . . a muckle poke o sugar. 'Dinnae tell me ye want me tae stert makin leemon curd or marmalade at this time, when I'm thrang wi a big washin that wad fricht the wits oot o ye!' Janet wis less than pleased at the thocht o yet mair wark on her plate.

'Dinnae worry, hen . . . they're no for you . . . They're for me!'

'An whit wad *you* want wi a seckfu o leemons an sugar . . . are ye gaun gyte in yer auld age? . . . Lord kens, yer face has been sour eneuch this while back, athoot stertin tae souk leemons!' Owen lauched as he laid oot a dizzen leemons aside the sugar, an drew a sherp knife oot the kitchen drawer.

'I'll tell ye whit I want a seckfu o leemons for, ye cheeky besom,' he playfully pyntit his gully at her afore stertin tae cut the leemons in hauf. 'I'm gaun tae mak leemonade!'

'Leemonade!' cried Janet. 'I ken it's a het simmer day . . . but the heat must hae gaun tae yer heid gin ye think even a faimily o ten cuid drink a seckfu's worth o leemonade!'

'It's no for us, tho ye'll aa get a wee taster tae try it oot.' Owen explained patiently. 'A lang while back, I got haud o a guid recipe for leemonade frae an auld freen o my mither's in Afton Place, efter she gied me a drink o her brew yae day tae slocken my drouth when I gat hame frae the pit. The auld sowl's nou awa, but I still hae her recipe . . . an I'm ettlin tae stert sellin it tae drouthy miners . . . an their faimilies. Whit dae ye think?'

Janet wis a bit ta'en aback tae say the least o it. 'I wid hae tae pree it furst.' she replied cannily, tae gie her time tae think. Owen set tae, squeezin the leemon juice intae a bowl, addin a wee pickle o sugar, tastin a spunefu, addin a pickle mair sugar, then a wee pinch o bakin sodie, then steirin in the zest o a leemon an letting it settle for an hour, afore tuimin some intae a hauf-gless o watter. 'Here, try that for a furst shot.' Janet tuik a sip, then anither, then cried throu the bairns for a taste. 'Whit de ye think, then?' he asked expectantly.

'My, that's guid leemonade, Owen . . . I think I cuid drink plenty o that . . . Whit dae you think . . . Bella . . . Nan, Geordie . . . John.'

'Oh. It's awfy guid, Daddy . . . Did ye mak it yersel? . . . Can we hae some mair, Mammy? . . . Ple-e-e-ease.'

Owen an Janet spent days warkin awa at their secret recipe, addin a wee bit mair sugar here, mair zest there, laein it sit for three hours - or fower - mebbe addin a wee pinch o saut as weel as the bakin soda, an mebbe a wee hint o lime juice as weel - afore they were shuir that they'd made the perfect leemonade.

Then Owen waled oot his faither's auld fish cairt that he'd brocht up frae Afton Cottages when they flittit, greased the aixles, gied it a guid lick o pent, an wrote alang its sides the words - 'Currie's Lemonade'.

'Whit dae ye think o that, then?' he turned proudly tae Janet an the weans as he feenished the last letter. 'Juist as weel ye learnt tae spell as weel as write.' wis Janet's reply.

'Aye, It's mair than my faither ever did, the puir sowl . . . but he still managed tae turn a shillin or twa at the hawkin . . . an I'm shuir I can dae the same . . . for I learnt a lot frae him.'

Janet bocht a dizzen gless tummlers an twa jugs frae Hyslop the airnmonger, an Owen brocht hame twa dizzen staneware quart jaurs tae haud the leemonade. By Thursday nicht, they were ready. Friday wis pey-day, an there wad be a guid drouth an a rowth o siller aboot the pit-heid when the dayshift men lowsed - for they warkt by the sweit o their brou, an were best peyd o aa the shifts.

Owen set up his barra juist at the fork in the road whaur the men wad tak the gate aither for Craigbank, or doun the Furnace road tae Connelpark. It wis anither scorchin hot day, an he cuidnae hae timed it better. There wis the uisual banter tae stert wi.

'Whit's this ye're daein, Currie? . . . Sellin watter oot the Connel Burn?'

'Luiks mair like watter oot his bledder, by the colour o't!'

'Mair like bluidy pit watter!' But Owen wis ready for thaim.

'Juist try it an see, Wullie . . . Ye've drunk plenty o beer like pit watter in yer day . . . an it's time ye improved yer drinkin habits! . . . Here's a free taster . . . an gin ye like it, ye can buy the next gless . . . or even a quart for saxpence tae tak hame wi ye for the bairns - if it's no tuim by the time it gets there! . . . An there's tippence back on the jaur gin ye bring it back for a refill next week.'

'By Christ, that's bluidy guid leemonade, Ine . . I tak it aa back . . . Goad, I've a richt drouth on me . . . Gie's anither gless . . . Hou much dae ye want? . . . Tippence? . . . Here!' The big miner douned it in a wanner, an smacked his lips. 'Here, try a gless, Tam. It'll fair syne the stour oot o yer thrapple.' By nou, Owen had a crowd o drouthy miners roun his stall, aa curious tae try this guid leemonade - a taster, then a gless or twa glesses, then a quart bottle for hame. In hauf-an hour, it wis aa gone an he wis trinnlin his cairt doun the brae, whustlin like a lintie, his pouches jinglin wi siller.

'Hou did ye get on?' Janet anxiously met him at the door. Owen sauntered by her an tuimd his pouches on the table. 'Whit dae you think!' he replied proudly. ' I sellt the lot!' They sat doun, trimmlin wi excitement, an countit the siller. Fifteen shillins an ninepence! In hauf an hour! Mair than Owen cuid earn in three days! Mind ye, they had tae tak aff fower shillins for the sugar an leemons. But still, it wis a guid stert. They wad hae tae sit doun nou an plan hou they were gaun tae mak mair leemonade, whit kin o bottles tae uise, whit price a bottle, hou they were gaun tae cairt it, an whaur they wad sell it.

At the stert, Owen wad tak his cairt up tae the Bank Pit every efternuin an sell his leemonade. Then the men stertit tae complain they cuidnae aye cairry a quart bottle hame wi thaim every day. But they had tae get leemonade for their bairns or else there wad be a greitin match. An word spread tae Burnfuit an Knockshinnoch men - an they aa wantit leemonade as weel.

Afore lang, he had tae build a muckle shed oot the back at Connelbank tae haud aa the bottles an the secks o leemons that he had delivered by train every week direct frae the fruit mairket in Glesca. Every mornin, Jinnet an him were thrang cuttin leemons an squeezin thaim, till he got haud o a mechanical leemon-squeezer that fairly cut back their wark. Even sae, when the weans cam hame frae the schule, they had aa tae buckle tae, steirin in the sugar an ither ingredients; an finally bottlin the leemonade in real gless bottles wi wee roun gless stoppers.

The auld haun-cairt on its last legs wis replaced by a pownie an a smert new cairt wi a big 'Currie's Lemonade' sign that Black the Penter did - on baith sides. Frae Friday tae Tuesday every week, Owen wad drive roun the raws sellin his leemonade. By Tuesday nicht there wis scant o siller in maist miners' houses till the next pey-day. Sae on Wednesdays an Thursdays, they wad aa wark hard frae dawn tae dusk, buildin up stocks for the weekend, an takin supplies roun the grocers' shops - whaur village folk ither than miners cuid place their orders.

Owen Currie 'The Leemonade Man' wis a happy man, but he nou had anither fear - his new business wis growin that fast that he micht no be able tae keep abreist o his success. Only time wad tell.

Chapter 32

2012 - AYONT THE WAAHEIDS

A prince can mak a belted knight,
A marquis, duke, an aa that!
But an honest man's aboon his might -
Guid faith, he maunna fa' that!
For aa that, an aa that,
Their dignities an aa that,
The pith o sense an pride o worth
Are higher rank than aa that.

Robert Burns - A Man's a Man for a' That

Whit a fascinatin journey throu time, he mused, as he tiltit his swivel chair an streitched himsel tae ease his back an neck, stiff an sair frae lang hours courit ower that computer. It wis dune. The trauchles an triumphs an lives an luves o a wheen ordinar an byordinar folk streitchin ower fower hunner years. It had been an epic saga.

Frae the stert, he'd been lucky tae ken a wheen o his auld great-aunts an uncles; wi his faither the lynch-peen o the faimily wha kep in touch wi aa his kith an kin; an his mither tellin him o aa his faur-oot kizzens in the village.

Lang afore computers an websites fired the on-gaun warld-wide genealogical obsession wi 'Roots' an 'Family Trees' - as a doctor he'd been alloued access tae the New Cumnock Registers o Births, Marriages an Daiths. Trawlin throu thae muckle tomes, wi the faimily names o his aicht great-grandparents stuck in his mind, he'd waled oot a richt treisure trove o inter-linkin information, an uised it as a lowpin-stane for the MMR Auld Pairish Records. Countless skelly-ee'd hours o scrollin doun microfiches an micro-filmed Census returns had revealed the scandal o John Stewart an his twa wives; an tracked the trail o the Currie miners an their squatter o bairns as they waunert like biblical nomads throu the Ayrshire coalfields.

James Brown's damnin report '*Ayrshire Miners Rows 1913*' descrived every primitive raw they'd steyd in, an laid bare the terrible leevin conditions suffered by miners an their faimilies. Tho he'd been born intae a miners' raw at Burnside himsel, theirs had been a new model hous built in 1926 - wi twa bedrooms and a wee bathroom. But in his bairnhood, he'd played aboot the auld room-an-kitchen raws o Burnfuit an Craigbank wi their ootside cludgies an stane flairs - an kent thaim weel. Researchin the harrowin story o his ain Currie folk an their hunner-an-fifty year struggle tae survive the pits, had been a movin an humblin experience.

He exited *'scotlandspeople'* and shut doun the computer. Whit a ferlie - this computer age, this Internet. Whit a difference it had made. An whit lucky discoveries.

Juist enter 'John Brown Priesthill', an by sheer chance oot lowps new information on a Kirkconnel poet caad James Hyslop, step-son tae John Lammie the brither o great-g-g-grandfaither Andrew Lammie. Wi details o their birthplace at Auchtitench on the wild Glenmuir moors - a ruined herd's cottage he'd passed unkennin a wheen o times as a rovin lad on bird-census surveys or hillwalkin jaunts. An the same wi Brounhill on Deuch - auld Andra Lammie's last hirsel - whaur he had fand ancient curlin stanes stashed awa in the heather by a wee loch, while countin gulls' nests.

Frae the Internet he even howkt oot a century-auld report on an archaeological excavation o John Broun's primitive cothous at Priesthill - wi a detailed site plan o the hous, faildykes, stells an aa - that must hae closely matched as weel, the auld Begg ancestral hame at Cruikedbank.

He googled 'Victorian Dress' - an up came a wheen fine drawins o Victorian ladies' frocks an bunnets that alloued him tae deduce tae within a month, the date o twa priceless auld photies o great-great-grandfaither James Begg an his twa dochters. His clues were a mournin-snood worn by dochter Annie - an the 'obvious' state o her sister Jane - weel-on wi her seiventh bairn despite her muckle lang-skirtit goun. It wis aither October or November 1867. He'd learned a lot frae readin Sherlock Holmes as a lad!

Tae solve *The Mystery o Gowanlea an the Grocer's Will*, he socht the Will o Andrew Lammie, grocer, 1886 - an doun-loaded a 'last will an testament' that split the estate equally amang his fower surviving bairns. An sae it wis that Janet Brown Lammie cam intae a fortune o three hunner pun - eneuch siller tae big a twa-storey, fower-roomed hous o rid saunstane, an let Wull an her an their ten weans escape the cramped poverty o an auld theikit but-an-ben.

Colonel Fullarton's landmairk buik, published in 1793, descrived 18th century Ayrshire's auld fermin practices afore an efter the Enclosure Act an the Agricultural Revolution. It gied him a humblin insicht intae the precarious existence o his dour Muirkirk Begg forebears an their struggle tae survive the squalor o primitive, basic, subsistence fermin on marginal land. For a wheen o folk in the uplan pairishes, the grim spectre o stervation an daith wis the naitural ootcome o a wat simmer or a hard winter. *'The farm-houses were mere hovels, moated with clay, having an open hearth or fire-place in the middle; the dunghill at the door; the cattle starving; and the people wretched.'*

This wis nae rural idyll - as even Robert Burns fand oot tae his cost. Yet his folk were thrawn eneuch tae tak the Laird o Logan (a man that later raped his great-great-great-grandmither) tae the Court o Session in Embro tae uphaud their heritable richt tae thirty-fower acres o puir uplan grun at Cruikedbank. Whit the wastrel Laird an his ilk micht gamble awa in a nicht on a haun o cairds - wis for puir portioners their sole means o existence- an their heritage.

Ower the years he'd ta'en his douce an bien faimily an kizzens on 'reality-check' veesits tae ancestral ferms an hames on the Muirkirk an New Cumnock muirs - Cruikedbank, Priesthill, Darnhunch, Netherwood, Auldhouseburn an Over Wellwood; Blackwoodhill, Brownhill, High Boig, an High Linn. At Cruikedbank, there wis nocht left baur ootlines o auld cultivated rigs on the waterside holm. On the braeface ayont Netherwood were mair weel-defined rigs. It wis eery tae think that his forebears micht hae been the last tenants tae plou thaim afore the unsung but massive Lowland Clearances. Clearances that faur oot-strippt the famed Hielan Clearances o fifty year later - in the coontless thousans o puir Lowland folk dispossessed o their lands an their leevin.

It wis fascinatin tae trace as weel, aa the faimily links, physical, geographical an social, wi Robert Burns an his contemporaries in New Cumnock, Mauchline, Muirkirk an Kilmarnock - an mell thegither the kent facts wi a wee smidgin o conjecture an credible circumstance. He was impressed by the auld buiks on Burns, Dunbar, Ramsay an Smollett, Laing's Early Scots Poetry, an Scots Vernacular Literature belangin tae his grandfaither James Begg; an the poetry buiks o Owen Currie - baith self-educatit warkin men. Buiks that set their intellect weel apairt frae their lowly backgrun.

But it wis this doun-tae-earth sense o the ordinar that gied him maist satisfaction. Here wis a proud faimily provenance o honest, daicent, gleg Scots folk. Folk wi backs braid eneuch tae tak aa that a hard cruel warld threw at thaim - an the mense an speerit tae fecht an wrastle on - hopin, frae generation tae generation, for a better future for their bairns.

Gin his fower auld great-grandfaithers, Wull Begg, coal miner, Owen Currie, coal miner, Willie Inglis, station maister, an Sam Lorimer, colliery jyner, were luikin doun the nou, he smiled - they wad be gey proud o whit their travails had won for their collective affspring. For in the past hunner year, they'd faithert (an it wis only a ruch count) - as weel as a hantle o guid honest warkin men an weemin - ower aichty university an college graduates, includin a director o education, a depute county clerk, a meenister, thirty teachers, nine doctors, five physiotherapists, classical musicians, science graduates, engineers, aviators, accountants, civil servants, an three millionaire businessmen.

The feck o thaim had skailed an sclimmed faur ayont the auld Waaheids that buchtit in their ancestors - awa tae the faur corners o Scotland, England an Wales, America an Australia - an maist had gied a lifetime o professional service tae their communities. Tae a man - or wumman - they had aa made their merk on their ain merits, athoot the benefit o siller spune, privilege, patronage or rank - nor had they prospered throu exploitation o their fellow beings. They were behauden tae nane for their place in the warld - baur the sturdy forebears that had sawn the seed-corn, an pruved - in the prescient words o Robert Burns that -

'The man's the gowd for aa that.'

GLOSSARY

aa - all
ablow - below
abreist - abreast
abune - above
ae, yae, yin - one
afore - before
agin - against
ahint - behind
aiblins - perhaps
aidle - liquid manure
aik-tree - oak
airn - iron
airt - direction, way
airtin - going in the direction of (a place)
aish - ash
aither - either
aixe - axe
alang - along
alowe - ablaze
ane, yin - one
aneath - beneath
anent - alongside; concerning
antrin - occasional
ashet - oval serving plate
aside - beside
asklent - askance
athoot - without
atween - between
auld-farrant - old fashioned
ayont - beyond

baa - ball
back-en - autumn
back-het - re-heated
bairn - child
bairned - got with child, pregnant
bare-scud - naked
barley-bree - whisky
bate - beat, beaten
bauk - unploughed ridge; timber beam
bauld - bold
baur - bar
bawbee - halfpenny(pre-decimal)
bealin - festering
bear, bere - four- or six-row coarse barley
beardie - stone loach
beat knee - inflamed kneecap due to kneeling
behauden - beholden
beild - shelter
ben - through; inner room of a but-an-ben
benmaist - furthest in
bents -moor grasses
besom - broom; flighty woman
bestial - livestock
bide - stay
bien - comfortable, cosy, well-off
big; biggin - to build; building, house
bike - wasps' nest
bile - boil
bine - washtub
bing - colliery spoil-heap
birk - birch tree
birl - whirl, spin; move quickly
blackie - blackbird
black damp - carbon dioxide gas down coalmine
blae - blue-grey, livid
blate - bashful, timid
blashy - windy, rainy
blatter - heavy blow
blether - idle talk
blin-bat - moth
blue-bonnet - blue tit
bluid - blood
bobbit - bobbed, moved up and down
bogle - ghost, phantom
boke - retch
bonspiel - curling match with many rinks
boozer - heavy drinker
boss - round knob; hollow, empty
bottomer - pit-bottom worker
bou - bow
bourtree - elder tree
bowder - boulder
bowffd - barked
bowlie - bow-legged
bowster - bolster
brace - lintel over fireplace, mantelpiece
brae - hillside, slope
brammle-buss - bramble-bush
braxy - fatal bowel disease of sheep
breckens - bracken
breeks - trousers
breengin - barging, rush forward recklessly
brek - break
brent - brand
brock - badger
broom-cow - brush made of broom twigs (curling)
brose - dish of oat- or pease-meal
brou - brow
bruch - a halo round the sun heralding bad weather

brushers - bottles of beer
bucht - sheep-pen; to enclose
buik - book; bulk, size
buise - stall partition in byre or stable
bumbased - perplexed, confused
buskit - dressed
buss - bush
but and ben - a two-roomed cottage

caa - call; knock, drive
caa canny - be careful
caddis-beasties - caddis fly larvae
cadger - hawker, dealer, carter
caird - tinker, vagrant
callant - youth
caller - fresh
canny - cautious, wary; gentle
cantraip - spell, trick
canty - cheerful
cark - care, worry
carnaptious - irritable, grumpy
cast oot - quarrel, fall out
cateran - marauder
cauld - cold
cauldrife - chilly, chilled
caunle - candle
Caunlemas - Candlemas, 2 February, Quarter or Term Day
causeystanes - street cobbles
cauve - calf
changehous - alehouse, inn
chap - knock, rap
chape - cheap
chapman - packman
chaumer - chamber, bedroom
chaw - make jealous, vex
chiel - lad, man, fellow
chimley-cheek - side of fire-place
chitterin - shivering
chow - chew
chuckle - to choke
chynge - change
cinnery - cindery
clamjamfry - crowd, rabble
clappit-jawed - hollow-cheeked
clarty - dirty
clash - chatter, talk, gossip
clashin-weet - soaking wet
clatterin - gossiping
cleek - gaff, large hook with handle
cleekit - linked (arms)
cleg - horse-fly
cleid - clothe
cley - clay
clink - clench, rivet
clint - rough (curling) stone
clippin - shearing of sheep
clishmaclavers - idle gossip
clock, clocker - large black beetle
clockin (eggs) - fertile eggs; hen sitting on eggs
clog - small log
clour - batter, thump
clout - piece of cloth
clud, clood - cloud
cludgie - WC, toilet
clute - hoof, cloven hoof
clute-fuitit - cloven-hooved
clype - tell tales on
coal-ree - coal-yard
coft - bought
cogie - wooden bowl or pail
collieshangie - brawl, uproar
compeared - summoned to appear
contrair - contrary
coof - fool, rogue
corbie - carrion crow
cotch - caught
cou - cow
coum - soot, coal dust
courie - crouch
couthie - congenial, friendly
cowp - overturn, tilt: rubbish tip
crabbit - cross, crabbed
cranreuch - frost
crappt - cropped
crack - conversation, chat
craig - throat; rocky crag
craw - crow
craw-pickin - removing stones from coal at pithead
crechle - crackle, wheeze
creel - basket for fish, potatoes, peats, coal
creesh - fat, grease
croft - cultivated land (inby) close to farm steading
croon - low murmuring song
crouse - bold, confident, cocky
cruik; cruikit - crook; crooked
cruisie-lamp - boat-shaped metal tallow lamp
cuid - could
cuil - cool
cuist - cast
cuits - ankles
curfuffle - excitement
cushat, cushie-doo - wood pigeon
cutty - short
cutty stool - stool of repentance in a Scots kirk

daffin - fun, frolicking
dale - deal
darg - work
dass - thick built-up layer of hay or straw
daud - lump; to hit, strike
dauner - stroll
daur - dare
daw - dawn
deevilock - little devil
deil - devil
deived - deafened
delve - dig
deuk; wild deuk - duck; mallard
dicht - wipe
ding - knock down, defeat
dirlin - reverberating
disjaskit - downcast
doddle - slow stroll
doitit - senile, confused
dominie - school master
doo - pigeon
dorty - choosy, difficult to please; huffy
douk, dook - dip, swim; steep incline (mine)
dour - hard, determined, stubborn; sullen
dour it oot - ride it out
dover - doze
dowf - dejected
dowie - sad
dowp - bottom
dree - endure
dreep, dreip - drip
dreich - desolate, dull
droukit - soaked
drouth - thirst
drucken - drunken
dub - slow-moving pool in river; puddle
duds - poor clothes
dule, dulesome - grief, sorrowful
dule-tree - hanging tree (often next to castle)
dumfounert - dumfounded
dunkie - donkey
dunt - knock, blow, jolt
dwaibly - weak, feeble
dwam - day-dream; swoon
dwine - fail, waste away, dwindle, wither
dyke - stone wall
dyvour - rogue, good-for-nothing

edders - udders
eenou - at the present time
eident - busy, diligent, careful
eneuch - enough
ermine - stoat
ettle - intend; aim for; anticipate

faa - fall
fail-dyke - turf dyke or wall
fain - willingly
fand - found
fankle - tangle; to entangle
fash - bother, trouble
fathom - measure of depth = 6 feet (1.8m)
fause - false
faucht, fecht - fight, struggle
feart - frightened
feartie - coward
feck - the most part, majority
fell - grievous, very harmful
ferlie - strange sight, curiosity, marvel
fettle - vigour; condition
fire damp - methane gas down coalmine
firlot - grain measure = 35lb = 16kg (1/4 Boll)
fleech - entreat, importune, wheedle
flegs - frights
fley - frighten
flit - move to another house
flowe - bog
flype - fold back, turn over
flytin - scolding
forby - as well as
forenent - in front of
forfairn - exhausted
forfochen - exhausted
forrit - forward
fou - full; drunk
founert - chilled to the bone, exhausted
fousty - mouldy
fouter - fumble ineptly
frae - from
fremit - strange, foreign
fricht - fright
fufft - puffed
fuit-faa - foot-fall
fuil - fool
fushionless - faint-hearted, lacking ability
fyke; fykie - fuss; troublesome, finicky
fyle, fylin - to foul, fouling

gab - gob, mouth
gaberlunzie - beggar
gaird - guard: stone protecting another on the tee (curling)
gallus - bold
gangrel - tramp, vagabond
gant - yawn
garrd - made, compelled
gash - ghastly
gate - road, journey
gaun - going

gavel - gable
ged - pike (fish)
geegaw - trinket
gemm - game
gemmie - gamekeeper
gey - very
gie - give
gimmer - young ewe
gin - if, whether, by the time: weight-moving machine
girn - to whine, moan, fret; snare
girnal - meal store or chest
glaikit - stupid
glaur - mud
gleg - alert, keen, sharp
gliff - gleam, flash
gloamin - dusk
gomeril - stupid person
gowden - golden
gowk - cuckoo; a daft person
gowpin - throbbing
graip - garden fork; grope
graith - gear, equipment; possessions, wealth
grain - groan
gravat - cravat
green bile - bilious vomiting
greitin - crying: moaning
grew - greyhound
grice - young pig
grieve - overseer, foreman of large farm or mine
grip - gutter in a byre
grue - grimace, shudder
grumphie - pig
grun - ground
guddlin - catching fish by hand
guff - unpleasant smell
guid - good
guid-faither, -mither - father and mother-in-law
guid-sister, -brither - sister and brother-in-law
gully - large knife
gumption - native wit, commonsense
gunk - bitter disappointment
gurly - growling
gutta percha - early rubber
gyte - confused, insane

hack - toehold cut in ice to steady curler playing his stone (curling)
haddies - haddocks
haet; deil a haet - iota, particle: not an iota
hafflin, hauflin - half-grown (lad)
hain - to save
hairst - harvest
hairy-maggie - hairy caterpillar
hale, haill - whole
hantle - great number
hap - wrap, cover over; tarpaulin
hard-wrocht - hard-worked
harns - brains
haud - hold
hauden-doun - oppressed, subjugated
hauf - half
haugh - level riverside ground
haun - hand
havers - nonsense talk
haw-tree - hawthorn
heather-bleat - snipe
heft - pasture to which sheep are accustomed
heftit - become accustomed to new pasture (animals)
heich - high
heid - head; the area within the target circles (curling)
heize - hoist, lift
herry - rob, plunder
hert - heart
het - hot
heuk - hook, sickle
hey - hay
hill-hunger - hunger after day in the hills
hind - farmhand
hingin - hanging; heading for an illness
hinmaist - last
hinner-en, at the - latterly
hirple - to limp, hobble
hirsel - area of sheep grazing
his lane - alone
hizzie - hussy
hoast - cough
hochmagandy - fornication
hochs - thighs
hog, hog-score - line across ice beyond which a stone is in play (curling)
Hogmanay - New Year's Eve
holm - flat ground by river
horls - pit winding gear
hotchin - teeming; fidgeting, itching
hou - how
houlet - owl
hous - house: concentric target rings surrounding tee (curling)
howdie - midwife
howe - hollow
howf - favourite haunt, pub
howkin - digging
hoy on - drive on

huidie-craw, hoodie - hooded or carrion crow
hummle - humble
humphin - humping a load
humplock - hummock
hunkers - haunches
hurdies - buttocks
hure - whore
hurl - ride on wheeled vehicle
hutch - coalmine bogie

ilka - each, every
ill-faured - ill-favoured, ugly
ill-gabbit - ill-mouthed
inby - cultivated land close to farm steading
infeft - invest with legal possession
in-twist - to rotate a curling stone clockwise
ither - other

jaiket - jacket
jalouse - suspect, reckon
jandies - jaundice
jaud - perverse woman
jaup - splash, bespatter
jaw oot - throw out (liquid)
jeely - jelly
jeists - joists
jockteleg - clasp-knife
jougle - shake, joggle
jougs - iron collar chained to wall for punishing wrong-doers
jouk - to duck, swerve, avoid
joukerie-pawkery - trickery
juist - just
jyle - jail
jyne - join

kail - vegetable broth
kaimed - combed
kain - rent, tribute
kebbock - cheese
keech - excrement
keek - peep, peer
keel - red ochre used for marking sheep
kelp - seaweed
ken - know
kennin - knowing
kenspeckle - conspicuous
kep - cap, detonator
kep, keppin - keep; head off, restrain (animals)
kink-hoast - whooping cough
kintra - country
kirn - churn
kirstal - crystal
kist - chest: coffin
kistin - the laying of a body in its coffin and the pre-burial wake
kittle - tickle; capricious, unmanageable
kittlins - kittens
kizzens - cousins
knowe - small hill, hillock
kye - cattle
kyte - belly

lad o pairts - a promising boy or youth
lae - leave, let
laich - low
laired - bogged down
laith - reluctant
Lammas - 1 August, Quarter or Term Day
lands - tenements
lane; her lane - lone: alone
lang-nebbit - long-billed
larick - larch
laud - sweetheart
lave - rest, remainder
laverock - skylark
leal (land o the -) - loyal, faithful (Heaven)
lear - learning
leatherin - thrashing
lee-lang - livelong
leemon - lemon
leet - list
leid - lead: language
leister - fish spear
lib - castrate, geld
licht - light
lift - sky
limmer - young wayward girl; loose woman
linn - waterfall
lint - linen
lintie - linnet
loss - lose
lou - love
lourin - overcast, gloomy
lowe - blaze, glow, flame
lown - calm
lowp - leap
lowpin-on stane - mounting stone for riders
lowse - loosen, free
lowsin-time - end of day's work
lugs - ears
luif - palm of hand
lum - chimney

Mairtinmas - 11 November, Quarter or Term Day
mash - stone hammer
masked - infused (tea)
maukin - hare

maun - must
mavis - thrush
mawin - mowing
mawks - maggots
meat - food of any kind
meedae - meadow
mell - sledgehammer; mix together; thrash, hammer
mense - common sense, intelligence
messan - cur, mongrel
Michaelmas - 29 September
mim-moued - prim, affected
minnons - minnows
mirk - darkness
mishanters - mishaps, misfortunes
moger - untidy mess
moleskins - thick tough workman's trousers
moss-cheeper - meadow pipit
moss-hags - peat moors or bogs
mou - mouth
mowdie - mole
muckle - much, many; big
muir-cock - red grouse
muir-plover - golden plover
multure - miller's payment in grain
muntit - mounted, set up
mutchkin- drinking cup = ¾ pint

nappy - strong ale
nate - neat
neb - nose
neeps - turnips
neibour - neighbour, workmate
neist - next
nerra - narrow
neuk - nook, corner
new-farrant - new fare, modern
nicht - night
nieve - fist
nocht - nothing
nock - clock
nor - than
norie - notion, fancy
nowt - cattle; nothing

ocht - anything
onding - outburst
ongauns - goings-on, proceedings
ootby - the rough hill pasture beyond the inby or croft land
oot-twist - to rotate a curling stone anti-clockwise
ower - over

packers - back-shift miners who packed stone spoil away from the coalface
pad - path
paiks - deserts, punishment
pairish (on the) - parish relief for the destitute
pairtricks - partridges
park - field, meadow
pat - pot
pechin - panting, puffing
peck - grain measure = 8.75lbs =4kg (¼ firlot)
peenheids - minnow fry
peesie, peesweep - lapwing
pee-the-beds - dandelions
peety - pity
pet, tak the - take the huff
pey - pay
phaisie - pheasant
picker - sharp piece of metal for trimming wick of miner's lamp
pickle - little, small quantity
piece - sandwich(es)
pinch - crowbar
pintle - penis
piggy - earthenware hot-water bottle
pilin - pailing; light falling snow
pilin stab - fence post
pirn - reel
pit - put
pit tae the horn - outlawed
plaid - thick woollen blanket worn wrapped round the shoulders
plicht - plight, predicament
plot - to dip or foment infected part (eg finger) in hot water to draw pus
ploughgate - 104 Scots acres (52 Hectares)
plouk - boil, septic spot
plowter - splash aimlessly
ploy - plan, escapade
poind - legally seize, impound
poke - bag, pouch
portioner - heritable proprietor or tenant of a portion of land split from a larger estate
pou - pull
pouk - pluck, tug; bite or pull (at bait)
poulet - chicken
pousion, pooshan - poison
pouthert - powdered
pow - head
pownie - pony
precentor - person who leads congregation in singing psalms and hymns
pree - taste
preen - pin
puddens - puddings; entrails

puddock - frog
pug - shunting engine
puil - pool
pun - pound
purn - fishing reel
pynt - point

quate - quiet
quey - young heifer

raip - rope
rairin - roaring
rake - a gathered load
raker - a large lump of coal
ram-stam - headlong, heedlessly
ratton - rat
raukin - hoarse, raucous
raw - row
rax - reach, stretch
reamin - full, overflowing
redd-up - tidy up, clear
redds - spawning gravel-beds
reek - smoke
reidbreist - robin
reivin - plundering
rent - split, crack (of ice)
reponed - replied
rickle - small ruck; heap, pile
rid - red
rig - ridge, hill-crest; strip of ploughed land 14-15 feet wide
rink - curling team; sheet of ice for curling
riped - rifled, plundered
rivin - tearing
roarin gemm - curling
rock - distaff for spinning wool or linen
roun coal - large lumps of coal
roup - auction sale of farm or house effects - often bankrupts
rousty - rusty
routh, rowth - abundance, plenty
rowed - rolled
rowtin - bellowing
ruch - rough
ruck - field hay-stack
rug - tug, pull
runkled - wrinkled

saip - soap
sair - sore
sapples - soap-suds
sark - shirt
sauch - willow; wicker
saun - sand
saunt - saint
saw - ointment
saw, sawin - sowing (seed)
score - twenty
scraichin - screeching
scart - scratch
scaudit - scalded
schule - school
scliff - scuff
sclim - climb
Scots merk - worth 2/3 Scots pound (5p)
Scots pound - worth only 1/12 of £1 Sterling (8p) at time of Union of Parliaments in 1707
scour - purge; watery diarrhoea
screich, skreich - screech
screive - scrape; write; engrave
scrimpit - scanty
scruntit - stunted; emaciated, scrawny
sea mew - seagull
sea-pie - oyster-catcher
seizing (or Sasine) - the procedure for giving possession of feudal property
semmit - vest
set - amusing happening
set-in bed - recessed bed
shairn - dung
shank - pit shaft
shap - pea pod
shauchlin - shuffling
shaw - mall wood or thicket; vegetable stem
sheddaes - shadows
sheddin time - when lambs are separated from their mothers
sheil(in) - herdsman's dwelling
shelfie, shilfa - chaffinch
sheuch - ditch
shew - sew
shilling-land - 2.5 Scots Acres (0.5 Hectares) or 1/40 Ploughgate
shilpit - puny
shirra - sheriff
shougly - shaky, unsteady, wobbly
shouder, shouther - shoulder
shuil - shovel
shuin, sune - soon
shune; shae - shoes; shoe
sib (tae; wi) - related to; mutually well disposed
siccar - sure, secure
sicht - sight
siclike - such
siller - silver
skail - spill out
skaith - harm
skeely - skilful

skeich - lively, spirited
skellum - rogue, scoundrel
skelp - slap; hurry
skillet - saucepan
skreich, skraich - shriek, screech; discordant note
skite - skid
skitter - diarrhoea; watery loose cow dung
skive - roam about
sklent - slant
slauchter - slaughter
slae-buss - sloe bush, blackthorn
slairit - smeared
slap - gap
slee - sly; skilled
sleekit - devious, sly
slidderie - slippery
slocken - slake
smeddum - spirit, mettle
smeek - smoke
smeekit - smoke-blackened
smittle - infectious
smoord - smothered, obscured
smowt - salmon smolt; small person
snash - abuse, insults
snaw-wraith - snow-drift
sned - cut the top off
sneeshin-mull - snuff-box
snell - cold
snod - neat and tidy
snotter - nasal mucus
snotter-clout - hankie
socht - sought
solan goose - gannet
sonsy - plump, buxom
soop - sweep
souch - sigh, breathe
souch, kep a caum - kept calm
soukin, sookin - sucking
soum - swim
sour-dook - curdled buttermilk
souter - shoemaker
Southron - English
sowl - soul
spate - flood
speik - speak
speir - to ask
speldert - stretched out
spence - sitting room
speug - sparrow
splairge - splash
splore - exploit, escapade
sprauchle - flounder; struggle; sprawl
spreckled - speckled
spune - spoon
spunk - spark
spunkies - matches
spurtle - wooden pot-stirring stick
spyle - spoil
stamack - stomach
stane-chipper - wheatear
stang - sting; pang
stank - pond
stappt - stuffed
stark - vigorous
staucher - stagger
staun - stand
stawed - sickened, satiated; bored
steik - to shut, close
steir - uproar, disturbance; stir
steirin - active; stirring, lively
steive - sturdy, strong
stell - drystane circular sheep shelter
stell, stellin - to prop up, propping up
stey - steep; to stay
stibble - stubble
stirk - two-year old heiver calf
stook - 6-8 upright sheaves of grain built in cluster to dry
stookie - dimwit; stucco plaster object or cast
store farm - hill sheep farm
storemaister - hill sheep farmer
stot - two-year old bullock calf
stottit - bounced
stoun - sharp pang of pain
stoup - pillar of coal left supporting roof of coal seam
stour - dust
stowp - tankard
straik - stroke
stramash - squabble, brawl
straucht - straight
streikit - streaked; stretched
streitch - stretch
strippers - coal-hewers
strone, stroan - urinate (like dog, fox)
strum - fuse
stuffie - sturdy, full of vigour
stuil - stool
stukkie - starling
stushie - squabble
stymied - thwarted
suid - should
sumph - slow-witted or surly person
sundert - split apart
swall - swell
swee - swinging bar over fire for cooking pots
sweir - swear
sweirt - loath, reluctant

sweit - sweat
swither - dither, hesitate
syne - thereupon; ago, since; rinse
syver - open street drain

taickle - tackle
taid - toad
taigle - delay, linger
tare - piece of fun, spree
tak tent - take care, notice, pay attention
tak the pet - take the huff
tapsalteerie - upside down, head over heels
tassie - goblet
tee - centre mark of target rings (curling)
tentie - attentive; careful
tentless - heedless
teuch - tough
thegither - together
theik - thatch
thirled - bound to by law
thocht - thought
thole - endure
thoum - thumb
thow - thaw
thrang - hard-pressed, harassed; busy
thrapple - throat
thraw - wring the neck (of a hen)
thrawn - stubborn
threip - harp on, nag
thrissle - thistle
tid - mood
timmer - timber
tint - lost
tirlin - thrilling
tirrivee - fit of temper
tither - the other
tocher - marriage settlement
tod - fox
totie - tiny
touslt - ruffled
tow - rope
trauchlt - overburdened; troubled
tred - trade
tree - large timber batten or prop in coal pit
trig - neat
trimmlin - trembling
trinnlin - trundling
troch - trough
troot (in the wall) - trout (in the well = pregnant)
trysted - engaged
tuim, tume - empty
tummlt - tumbled
tumshie - turnip
tup - ram

ugsome - repellent, horrible
umquhile - sometime, former
unco - exceedingly
unsocht - unsolicited

vaunty - proud
vyces - voices

wabbit - exhausted
wad - would; wed
wadset - pledge or mortgage property with conditional right of redemption
wae - woe, woeful
waik - weak
wale - choose the best; pick out
wall - a well
walth - wealth
wame - stomach; womb
wanchancy - risky, boding evil
ware - spend, dispose of
wastrife - wasteful
waukrife - sleepless
waur - worse
wean - child
wecht - weight
wee-buikit - small; shrunken with age
weel-buikit - good-sized, well-built
weel-buskit - well-dressed
weel-faured - well-favoured, handsome
weel-tochert - well endowed (financially)
weil - river pool
weir - wear
weir awa - go into a decline, waste away, die
weird; dree her - fate, destiny; endure her fate
wersh - insipid
wether, wedder - castrated ram
wha daur meddle - who dares meddle
wha, whae - who
whalp - whelp (rascal)
whan - when
whang - leather thong
whaup - curlew
whaur - where
wheen - a lot of
wheesht (haud yer..) - hush; be quiet!
wheetie-wren - willow warbler
wheiched - whizzed
whilk - which
whit wey - why
whitreck, whitret - weasel
Whitsun - 15 May, Quarter or Term Day
whud - a lie
whulks - whelks
whuppet - whippet

wicht - strong man
wick - to hit a stone a glancing blow (curling)
wid, wuid - wood
winna ding - won't be defeated
wormit - wormwood
wrastle - wrestle, struggle
wrocht - worked
wud - mad
wund - wound
wyce - wise
wynd - narrow street

yae, yin, ae - one
yaird - yard, kitchen-garden
yauld - alert, vigorous
yeld - not yielding milk, barren
yella Geordie- gold guinea
yellochin - bawling
yerkit - snatched
yett - gate
yeuky - itchy
yill - ale
yin, yae, ae - one
yird; yirdit - earth; buried
yokit - set to; harnessed
yokin-time - start of day's work
yowe - ewe

APPENDIX

Great-grandparents' Lineage

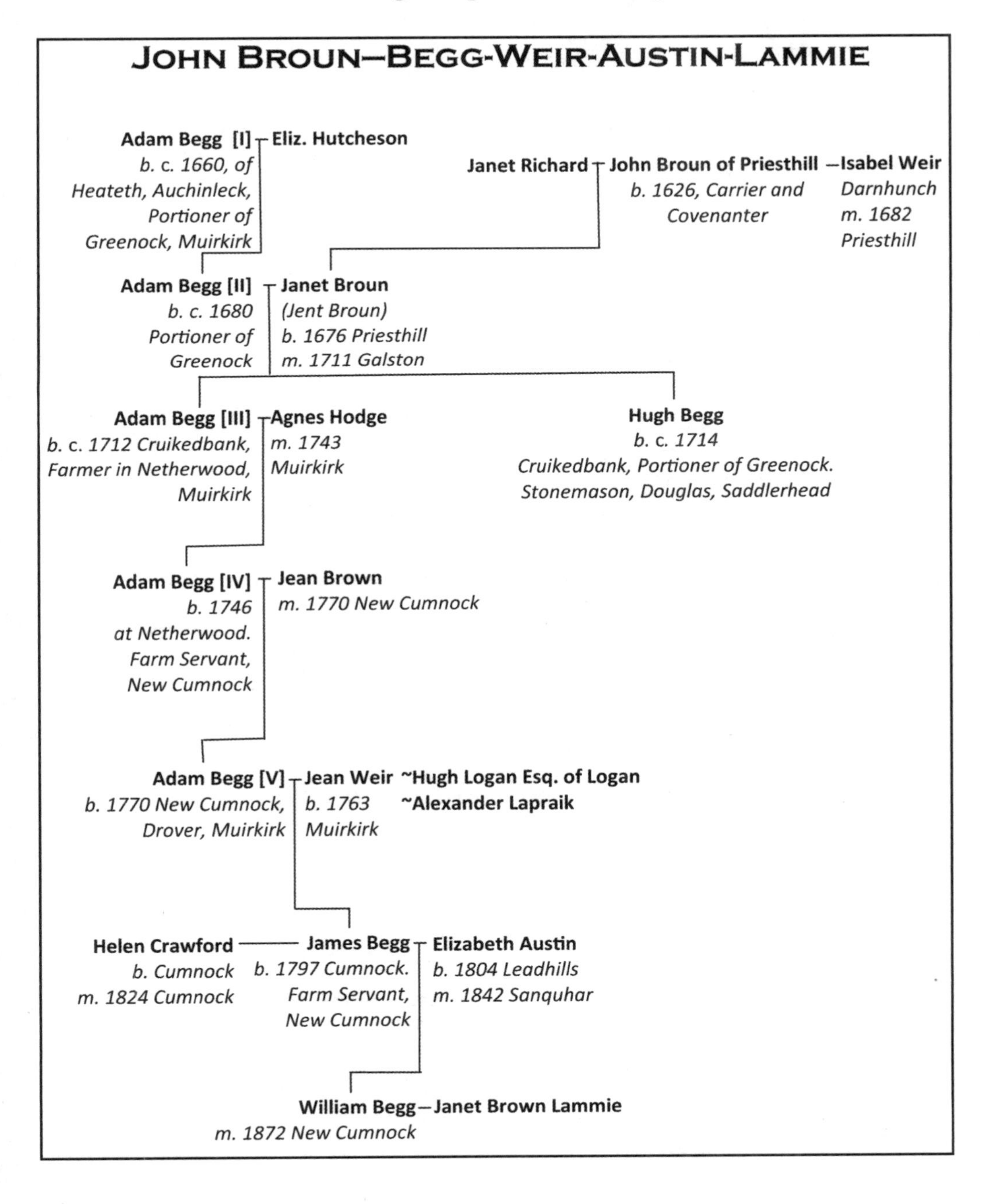

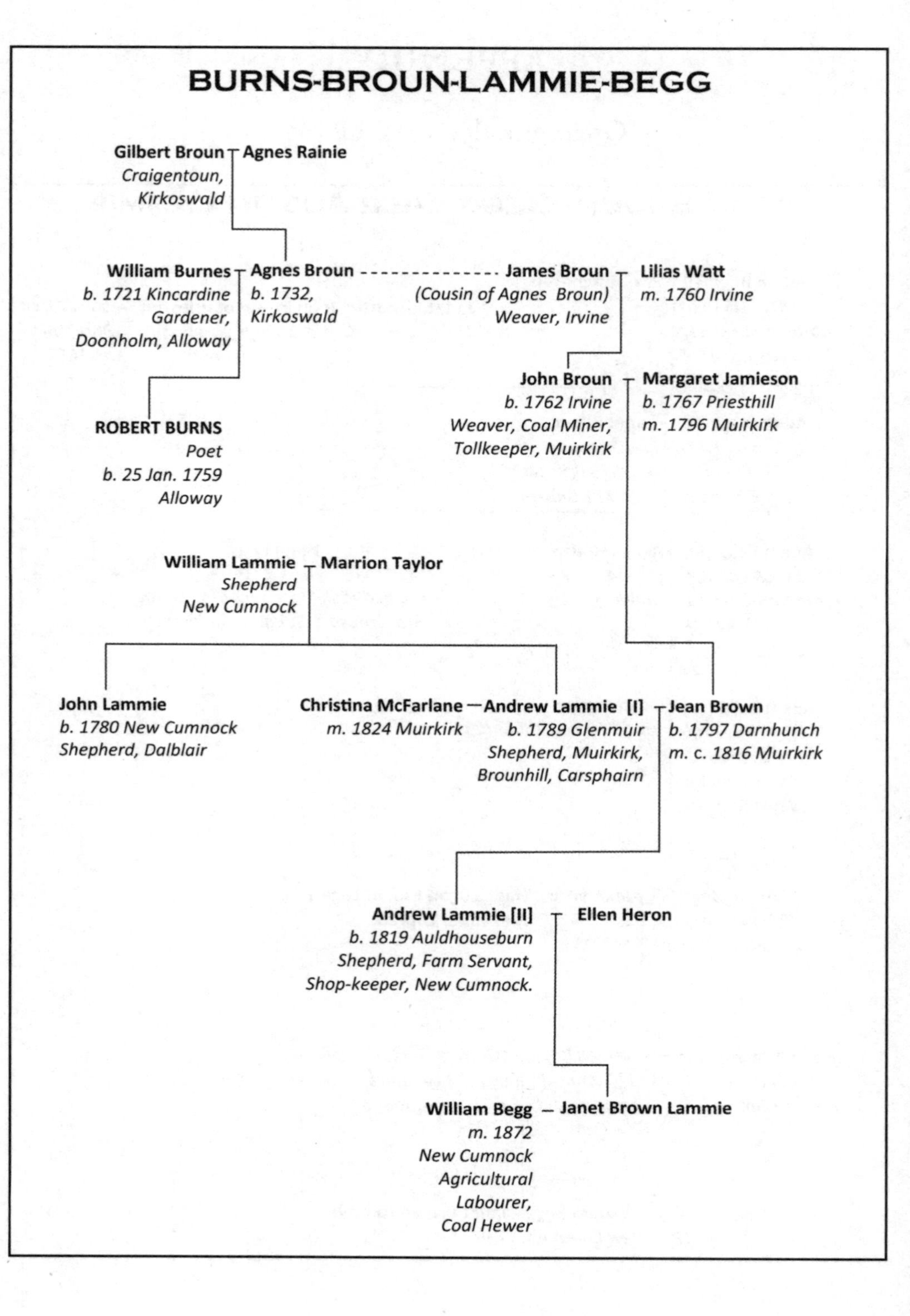
BURNS-BROUN-LAMMIE-BEGG
Gilbert Broun
Craigentoun, Kirkoswald
Agnes Rainie
William Burnes
b. 1721 Kincardine
Gardener, Doonholm, Alloway
Agnes Broun
b. 1732, Kirkoswald
James Broun
(Cousin of Agnes Broun)
Weaver, Irvine
Lilias Watt
m. 1760 Irvine
ROBERT BURNS
Poet
b. 25 Jan. 1759
Alloway
John Broun
b. 1762 Irvine
Weaver, Coal Miner, Tollkeeper, Muirkirk
Margaret Jamieson
b. 1767 Priesthill
m. 1796 Muirkirk
William Lammie
Shepherd
New Cumnock
Marrion Taylor
John Lammie
b. 1780 New Cumnock
Shepherd, Dalblair
Christina McFarlane
m. 1824 Muirkirk
Andrew Lammie [I]
b. 1789 Glenmuir
Shepherd, Muirkirk, Brounhill, Carsphairn
Jean Brown
b. 1797 Darnhunch
m. c. 1816 Muirkirk
Andrew Lammie [II]
b. 1819 Auldhouseburn
Shepherd, Farm Servant, Shop-keeper, New Cumnock.
Ellen Heron
William Begg
m. 1872
New Cumnock
Agricultural Labourer,
Coal Hewer
Janet Brown Lammie

INGLIS-ARBUCKLE-TOWERS

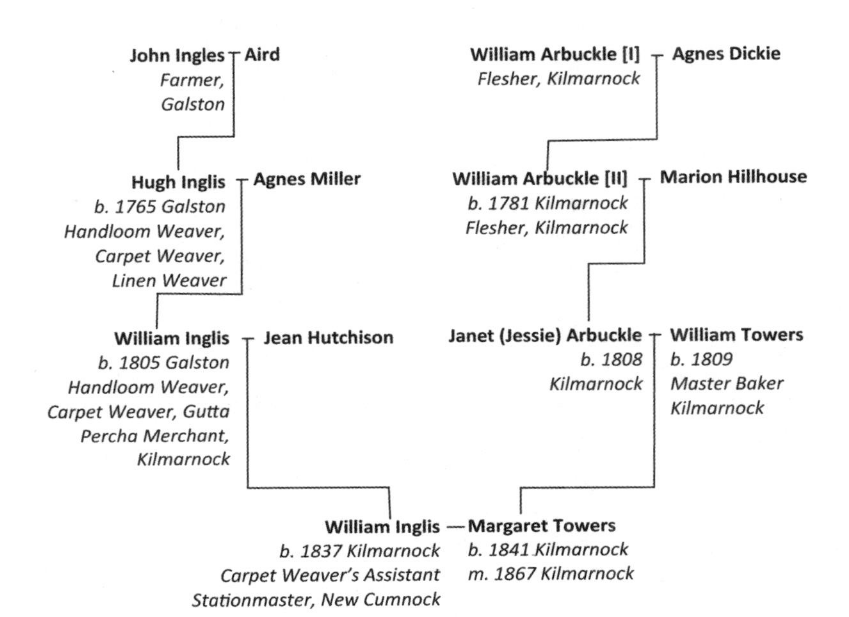

CURRIE-GOURLAY-STEWART

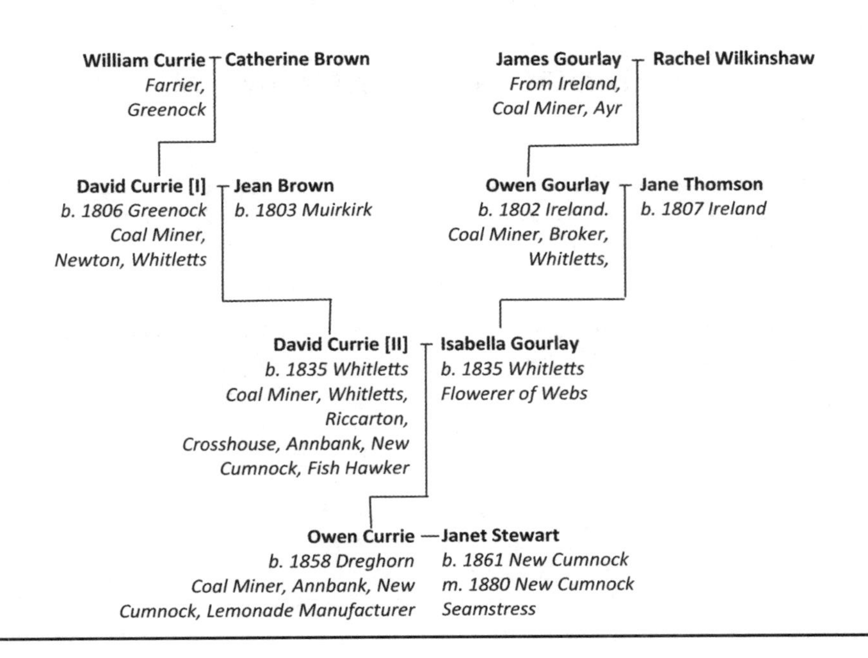

STEWART-CURRIE

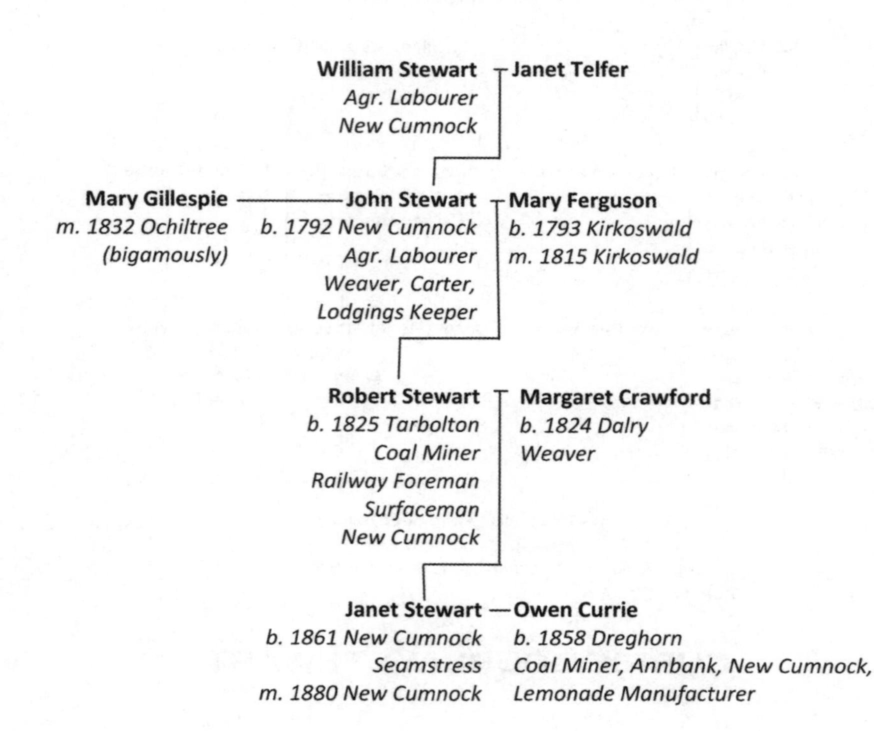

McDONALD-LORIMER

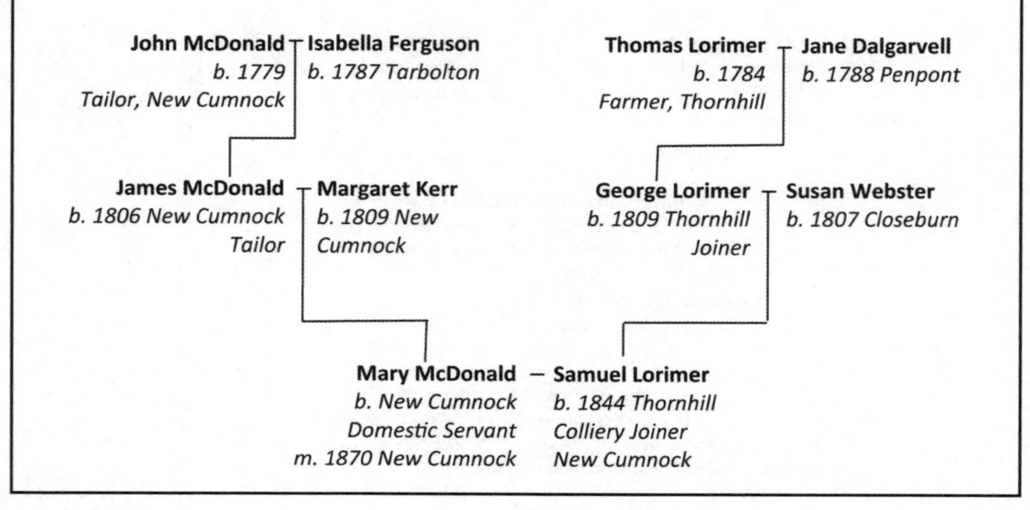